2025年度版

みんなが欲しかった!

社労士

合格のツボ

は　し　が　き

近年の社会保険労務士試験は、基本事項から応用・難問レベルの問題まで、幅広く出題される傾向にあります。特に、「選択式試験」においてその傾向が強くみられ、多くの受験生の合否を左右するのが、この「選択式」での得点如何によるといえるでしょう。

社会保険労務士試験の出題範囲は非常に広く、すべてを把握することは不可能に近いので、効率よく学習する必要があります。そのためにはまず多くの受験生が得点してくるであろう問題を必ず押さえておくことが大事になります。

「選択対策」と銘打った本書は、過去の社会保険労務士試験に繰り返し出題された条文や、今後出題可能性の高い条文を、本試験の出題形式に合わせた選択式問題で解くことにより実践的な力が身につくように構成しています。また、各条文を押さえたうえで、そこから派生する関連事項についても取り上げ、択一式問題の対策としても十分に活用できるように配慮しています。

本書で受験生の皆さんが効率的な学習をされ、合格の栄冠を勝ち取られることを心よりお祈り申し上げます。

ＴＡＣ社会保険労務士講座
教材制作チーム一同

本書は、2024年９月30日現在において、公布され、かつ、2025年本試験受験案内が発表されるまでに施行されることが確定している法令及び同日現在公表されている白書に基づいて問題を作成しております。

なお、2024年10月１日以降に法改正のあるもの、また法改正はなされているが施行規則等で未だ細目について定められていないものについては、2025年２月上旬より、下記ホームページにて改正情報を順次公開いたします。

TAC出版書籍販売サイト「サイバーブックストア」
https://bookstore.tac-school.co.jp/

「合格のツボ 選択対策」の特長

本書は、社労士試験合格の「ツボ」となる重要条文等を集めた問題集です。各法律科目とも、問題は基本条文が中心のBasicと判例や通達など、細かな内容も扱っているStep-Upの２段階構成です。項目ごとの見開き２ページの構成をとっており、問題と関連知識がコンパクトにまとめられていますので、スムーズな学習が可能です。

チェック欄

解いた日付を書き込むスペースもあります。知識の定着には繰り返し学習が不可欠です。各問、３回解くことを目標に学習を進めていきましょう。

進捗チェック

この進捗チェックは、約５問で１マス進みます。このマスにしたがって、１日１マス分進めていくことを目標に問題を解き進めていくとよいでしょう。

また、全体でどれくらい進んだかもこのメーターを見れば把握することができるので、モチベーションの維持にもなります。

4　労働基準法

1 労働憲章 Basic

チェック欄
1 12/10
2 3/8
3 /

(1)　労働基準法第１条第１項では「労働条件は、労働者［ A ］ための必要を充たすべきものでなければならない。」と定めている。

(2)　労働基準法第５条では「使用者は、**暴行**、**脅迫**、**監禁**その他精神又は身体の自由を［ B ］に拘束する手段によって、労働者の意思に反して労働を**強制**してはならない。」と定めている。

(3)　**何人**も、法律に基いて許される場合の外、［ C ］他人の就業に**介入**して**利益**を得てはならない。

(4)　最高裁判所の判例では、「労働基準法７条が、特に、労働者に対し［ D ］における公民としての権利の行使及び公の職務の執行を保障していることにかんがみるときは、公職の就任を使用者の承認にかからしめ、その承認を得ずして公職に就任した者を［ E ］に附する旨の就業規則の条項は、労働基準法の規定の趣旨に反し、**無効**のものと解すべきである」としている。

選択肢

①　第三者と通謀して　②　普通解雇　③　適法
④　他人の協力を得て　⑤　即時解雇　⑥　強行
⑦　労働契約期間中　⑧　懲戒解雇　⑨　不当
⑩　がその能力を有効に発揮する
⑪　行政官庁の許可を得ずに　⑫　労働時間中
⑬　出勤停止処分　⑭　業として
⑮　休憩時間中　⑯　が人たるに値する生活を営む
⑰　が最低限度の生活を営む　⑱　の生活の向上を図る
⑲　正当　⑳　年次有給休暇の期間中

進捗チェック　労基　安衛　労災　雇用　労一

4

合格者も大絶賛!!

※第53回・第54回の本試験を受験された方で、当該年度のTAC社会保険労務士講座の本科生を受講された方にご協力いただいたアンケート結果から抜粋掲載させていただきました。

「合格のツボ」は、毎年多くの受験生にご利用いただいており、大変好評をいただいております。ここで、TAC社労士講座を受講し、見事合格されたかたからの声※をご紹介します！

★繰り返し解きました！

選択式ツボを解き、間違ったところはフリクションのスタンプを押していく、2回目に解けたらスタンプを消していくという作業を繰り返し行いました。

★TAC講師もオススメしています！

先生のアドバイスを受け、選択対策として「合格のツボ」を繰り返したことも実力アップにつながったと思います。

赤シート

「赤シート」が付いています。２色刷りですので、赤シートを利用して解答部分を隠しながら学習することができます。スキマ時間を活用した学習にも絶大な効果を発揮します。

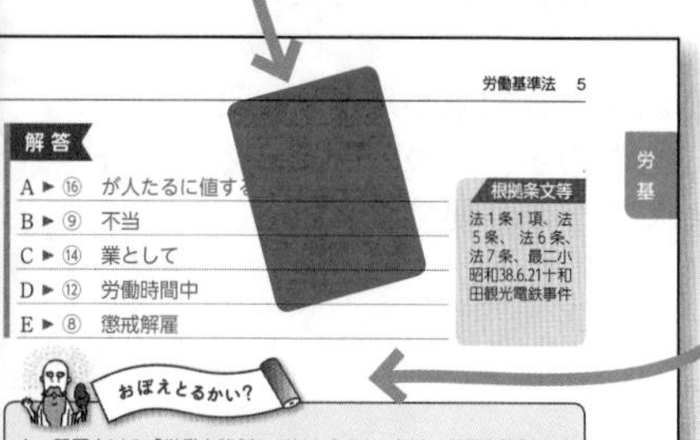
労働基準法　5

解答

A ▶ ⑯　が人たるに値する

B ▶ ⑨　不当

C ▶ ⑭　業として

D ▶ ⑫　労働時間中

E ▶ ⑧　懲戒解雇

根拠条文等

法１条１項、法５条、法６条、法７条、最二小昭和38.6.21十和田観光電鉄事件

1．問題文(2)の「労働を強制してはならない。」は、労働を強制することを禁止しているので、労働者が現実に労働しなくても、当該強制のみによって法５条違反の罰則が適用される。

2．問題文(3)の中間搾取の排除では、労働者の人格を無視した賃金のピンハネ等の根絶を期するものであり、労働関係の開始のみならず、その存続についても、第三者が介入することにより生ずる弊害を排除することを目的としている。

3．問題文(4)は、「制裁罰としての懲戒解雇に附する」旨の定めを無効と解した判例であり、「普通解雇に附する」旨の定めを無効と解したものではないことに留意する必要がある。

Step-Up! アドバイス

・法１条は、労働者に人格として価値ある生活を営む必要を充たすべき労働条件を保障することを宣明したものであって、労働基準法各条の解釈に当たり基本理念として常に考慮されなければならない。

おぼえとるかい?

各条文のポイント、関連して覚えておくべき事項や選択式として出題される可能性のある関連条文などを載せてあります。

択一対策としても活用できますので、確実に記憶してください。

Step-Up! アドバイス

最後にアドバイスとして「ここまで押さえておけば安心」という趣旨で、関連事項を細部にわたり挙げてあります。択一対策としても活用できるでしょう。

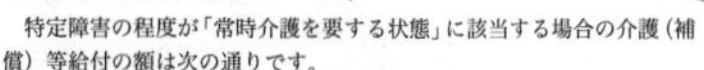

特定障害の程度が「常時介護を要する状態」に該当する場合の介護（補償）等給付の額は次の通りです。

原則	実費支給 （177,950円が上限）
最低保障 （親族等による介護を受けた日がある月）	81,290円

なお、「支給事由の生じた月（介護を受け始めた月）」については、上記の最低保障は行われず、177,950円を上限とする実費支給となります。

上記を踏まえ、問題文(a)の空欄Ｂについてみてみると、介護に要する費用として支出された費用の額が、上限額を超えているため、上限額である「⑪　177,950」円が当該月の介護補償給付の額となります。

次に問題文(b)の空欄Ｄについてみてみると、介護に要する費用として支出された費用の額が、最低保障額に満たないため、最低保障額である「⑥　81,290」円が当該月の介護補償給付の額となります。

最後に問題文(b)の空欄Ｅについてみてみると、最低保障は「支給すべき事由が生じた月」には行われないため、177,950円を上限とする実費支給となり、したがって、当該月の介護補償給付の額は「④　50,000」円となります。

解き方アドバイス

Step-Up問題にはアドバイスを用意！　解きづらい問題について、考え方の道しるべとなるアドバイスを載せています。

TACのツボに強力アイテムが登場！
『解きなおシール』の活用法

巻末には、学習状況をしっかり整理していただくために「解きなおシール」を用意しました。復習の際の目印をつけるためのツールとして、活用してください。

間違えてしまった問題でも、判断すべき知識が足りずにミスしてしまったものなのか、うっかりミスなのか、いつも間違えるミスなのか、原因をしっかり把握しておくことが重要です。

★シールは次の3段階！

本気でミス！（青）

初見のために、判断材料がきちんとインプットされていないことから間違えてしまった問題にチェック！

ここをマスターすれば、知識の幅は必ず広がります。最初はすべてできなくてもかまいません。本試験の日までに確実にマスターできるよう、チェックしておきましょう。

うっかりミス！（黄）

論点となるキーワードを見落としてしまったなど、うっかり間違えてしまった問題にチェック！

冷静な判断をすれば解けるはずです。社労士試験は数多くの問題を限られた時間で解かなければならないため、ケアレスミスは命取りになります。このミスは必ず撲滅しましょう。

よくやるミス！（ピンク）

繰り返し学習の過程で見えてくるミスです。
１回目はできたのに２回目は間違えてしまった、毎回毎回できていないなどの問題にチェック！

何度やってもできない問題は、何度も何度も繰り返して理解して克服するのです。このミスをしっかり対策すれば、一歩先の段階に進めるでしょう。得点アップの重要なキーとなる問題といえるでしょう。

CONTENTS

はしがき iii

「合格のツボ 選択対策」の特長 iv

『解きなおシール』の活用法 vi

労働基準法 1

( )内は科目別ページ

Basic

1 労働憲章…4(4)
2 労働基準法の適用…6(6)
3 労働条件の明示・労働者の長期人身拘束の防止…8(8)
4 解雇制限…10(10)
5 退職時の証明・金品の返還…12(12)
6 有期労働契約に関する規制…14(14)
7 賃金…16(16)
8 非常時払・出来高払制の保障給…18(18)
9 休業手当・平均賃金…20(20)
10 労働時間…22(22)
11 1箇月単位の変形労働時間制…24(24)
12 フレックスタイム制…26(26)
13 1年単位の変形労働時間制…28(28)
14 1週間単位の非定型的変形労働時間制…30(30)
15 休憩…32(32)
16 臨時の必要がある場合の時間外及び休日労働…34(34)
17 36協定（労使協定）による時間外及び休日労働…36(36)
18 割増賃金…38(38)
19 代替休暇…40(40)
20 専門業務型裁量労働制…42(42)
21 企画業務型裁量労働制…44(44)
22 高度プロフェッショナル制度…46(46)
23 年次有給休暇 1…48(48)
24 年次有給休暇 2…50(50)
25 年少者…52(52)
26 妊産婦等…54(54)
27 就業規則 1…56(56)
28 就業規則 2…58(58)
29 賃金台帳…60(60)

30　命令の制定・付加金 …… 62(62)

Step-Up

1　労働憲章 …… 64(64)
2　雇止めに関する基準 …… 66(66)
3　賃金 …… 68(68)
4　賃金・労働時間等・割増賃金 …… 70(70)
5　総合問題 …… 72(72)
6　年次有給休暇 …… 74(74)

労働安全衛生法 …… 77

Basic

1　目的・責務 …… 80(4)
2　総括安全衛生管理者・安全管理者 …… 82(6)
3　衛生管理者・産業医 …… 84(8)
4　安全衛生推進者・衛生推進者、作業主任者 …… 86(10)
5　委員会 …… 88(12)
6　統括安全衛生責任者 …… 90(14)
7　労働者の危険又は健康障害を防止するための措置　1 …… 92(16)
8　労働者の危険又は健康障害を防止するための措置　2 …… 94(18)
9　機械等に関する規制 …… 96(20)
10　危険物及び有害物に関する規制 …… 98(22)
11　労働者の就業に当たっての措置 …… 100(24)
12　健康診断 …… 102(26)
13　長時間労働者に対する面接指導 …… 104(28)
14　心理的な負担の程度を把握するための検査 …… 106(30)
15　特別安全衛生改善計画・届出等 …… 108(32)

Step-Up

1　事業者の講ずべき措置等 …… 110(34)
2　産業医の職務等 …… 112(36)
3　リスクアセスメント等 …… 114(38)
4　健康教育等 …… 116(40)
5　高度プロフェッショナル制度
　　対象労働者に対する面接指導 …… 118(42)

労働者災害補償保険法 121

Basic

1 目的等 124(4)
2 暫定任意適用事業 126(6)
3 業務上の疾病・複数業務要因災害による疾病・通勤による疾病 128(8)
4 脳・心臓疾患の認定基準 130(10)
5 精神障害の認定基準 132(12)
6 通勤 134(14)
7 給付基礎日額 136(16)
8 給付基礎日額のスライド 138(18)
9 年齢階層別の最低・最高限度額 140(20)
10 保険給付・療養（補償）等給付 142(22)
11 休業（補償）等給付 144(24)
12 傷病（補償）等年金 146(26)
13 障害（補償）等給付 1 148(28)
14 障害（補償）等給付 2 150(30)
15 障害（補償）等給付 3 152(32)
16 介護（補償）等給付 154(34)
17 遺族（補償）等給付 1 156(36)
18 遺族（補償）等給付 2 158(38)
19 遺族（補償）等給付 3 160(40)
20 遺族（補償）等給付 4 162(42)
21 葬祭料（葬祭給付） 164(44)
22 二次健康診断等給付 166(46)
23 年金の支給期間・受給権の保護 168(48)
24 死亡の推定・未支給の保険給付 170(50)
25 支給制限等 172(52)
26 費用徴収 174(54)
27 第三者行為災害 176(56)
28 社会復帰促進等事業 178(58)
29 特別支給金 1 180(60)
30 特別支給金 2 182(62)
31 特別加入 1 184(64)
32 特別加入 2 186(66)
33 不服申立て 188(68)
34 時効 190(70)

35　雑則 …… 192(72)

Step-Up

1　介護（補償）等給付 …… 194(74)
2　社会保険の年金給付との調整 …… 196(76)
3　支給制限 …… 198(78)
4　費用徴収 …… 200(80)
5　第三者行為災害 …… 202(82)
6　事業主責任災害 …… 204(84)

雇用保険法 …… 207

Basic

1　雇用保険の目的 …… 210(4)
2　権限の委任・定義 …… 212(6)
3　適用事業 …… 214(8)
4　被保険者 …… 216(10)
5　適用除外 …… 218(12)
6　被保険者に関する届出 …… 220(14)
7　基本手当の受給要件等 …… 222(16)
8　被保険者期間・待期 …… 224(18)
9　基本手当の受給手続・失業の認定　1 …… 226(20)
10　失業の認定　2 …… 228(22)
11　基本手当の日額・賃金日額 …… 230(24)
12　受給期間 …… 232(26)
13　所定給付日数・特定受給資格者 …… 234(28)
14　算定基礎期間 …… 236(30)
15　延長給付　1 …… 238(32)
16　延長給付　2 …… 240(34)
17　技能習得手当・寄宿手当 …… 242(36)
18　傷病手当 …… 244(38)
19　高年齢求職者給付金 …… 246(40)
20　特例一時金 …… 248(42)
21　日雇労働求職者給付金（普通給付） …… 250(44)
22　日雇労働求職者給付金（特例給付） …… 252(46)
23　再就職手当・就業促進定着手当 …… 254(48)
24　常用就職支度手当 …… 256(50)

25　求職活動支援費 …… 258(52)
26　教育訓練給付金 …… 260(54)
27　高年齢雇用継続基本給付金 …… 262(56)
28　高年齢再就職給付金 …… 264(58)
29　介護休業給付金 …… 266(60)
30　育児休業給付金 …… 268(62)
31　出生時育児休業給付金・出生後休業支援給付金 …… 270(64)
32　給付制限 …… 272(66)
33　通則・雇用保険二事業 …… 274(68)
34　国庫負担 …… 276(70)
35　不服申立て・雑則 …… 278(72)

Step-Up

1　定義等 …… 280(74)
2　自動変更対象額 …… 282(76)
3　失業の認定日の変更・基本手当の減額・特定受給資格者 …… 284(78)
4　広域延長給付 …… 286(80)
5　育児時短就業給付金 …… 288(82)
6　通則等 …… 290(84)

労務管理その他の労働に関する一般常識 …… 293

Basic

1　労働組合法　1 …… 296(4)
2　労働組合法　2 …… 298(6)
3　労働関係調整法 …… 300(8)
4　労働契約法　1 …… 302(10)
5　労働契約法　2 …… 304(12)
6　労働契約法　3 …… 306(14)
7　労働時間等設定改善法 …… 308(16)
8　個別労働紛争解決促進法 …… 310(18)
9　パートタイム・有期雇用労働法　1 …… 312(20)
10　パートタイム・有期雇用労働法　2 …… 314(22)
11　男女雇用機会均等法　1 …… 316(24)
12　男女雇用機会均等法　2 …… 318(26)
13　育児介護休業法　1 …… 320(28)

14　育児介護休業法　2 …… 322(30)
15　次世代育成支援対策推進法 …… 324(32)
16　女性活躍推進法 …… 326(34)
17　最低賃金法 …… 328(36)
18　労働施策総合推進法　1 …… 330(38)
19　労働施策総合推進法　2 …… 332(40)
20　職業安定法 …… 334(42)
21　労働者派遣法　1 …… 336(44)
22　労働者派遣法　2 …… 338(46)
23　高年齢者雇用安定法　1 …… 340(48)
24　高年齢者雇用安定法　2 …… 342(50)
25　障害者雇用促進法　1 …… 344(52)
26　障害者雇用促進法　2 …… 346(54)
27　職業能力開発促進法 …… 348(56)
28　労働統計　1 …… 350(58)
29　労働統計　2 …… 352(60)
30　労働統計　3 …… 354(62)

Step-Up

1　男女雇用機会均等対策基本方針 …… 356(64)
2　青少年雇用対策基本方針 …… 358(66)
3　個別労働紛争解決制度の施行状況
　(令和5年度) …… 360(68)
4　最高裁判所の判例　1 …… 362(70)
5　最高裁判所の判例　2 …… 364(72)
6　最高裁判所の判例　3 …… 366(74)

健康保険法 …… 369

Basic

1　目的・保険者 …… 372(4)
2　全国健康保険協会 …… 374(6)
3　健康保険組合 …… 376(8)
4　適用事業所・任意適用事業所 …… 378(10)
5　被保険者・適用除外者 …… 380(12)
6　被保険者資格の得喪の確認等 …… 382(14)
7　任意継続被保険者 …… 384(16)

8 特例退職被保険者 …… 386(18)
9 被扶養者 …… 388(20)
10 療養担当者 …… 390(22)
11 標準報酬月額 1（定時決定）…… 392(24)
12 標準報酬月額 2（産前産後休業終了時改定）…… 394(26)
13 標準報酬月額 3（等級区分の改定）…… 396(28)
14 標準賞与額 …… 398(30)
15 療養の種類 …… 400(32)
16 一部負担金 …… 402(34)
17 入院時生活療養費 …… 404(36)
18 保険外併用療養費 …… 406(38)
19 療養費 …… 408(40)
20 訪問看護療養費 …… 410(42)
21 高額療養費 1 …… 412(44)
22 高額療養費 2・高額介護合算療養費 …… 414(46)
23 家族療養費 …… 416(48)
24 傷病手当金 …… 418(50)
25 出産育児一時金・出産手当金 …… 420(52)
26 死亡に関する給付・移送費 …… 422(54)
27 資格喪失後の埋葬料等の支給 …… 424(56)
28 国庫負担・国庫補助 …… 426(58)
29 保険料 1 …… 428(60)
30 保険料 2 …… 430(62)
31 保険料 3 …… 432(64)
32 延滞金 …… 434(66)
33 日雇特例被保険者 …… 436(68)
34 給付制限 …… 438(70)
35 時効・不服申立て …… 440(72)

Step-Up

1 基本的理念・法人の役員である被保険者等に係る保険給付の特例 …… 442(74)
2 保険者 …… 444(76)
3 短時間労働者に対する適用 …… 446(78)
4 保険料 …… 448(80)
5 保険外併用療養費 …… 450(82)
6 高額療養費 …… 452(84)

国民年金法 455

Basic

1 目的等……458(4)
2 国民年金事業の財政……460(6)
3 強制加入被保険者……462(8)
4 任意加入被保険者……464(10)
5 被保険者資格の得喪……466(12)
6 届出……468(14)
7 国民年金原簿等……470(16)
8 保険料……472(18)
9 保険料の免除：法定免除……474(20)
10 保険料の一部（4分の3）免除……476(22)
11 保険料の追納……478(24)
12 基礎年金拠出金等……480(26)
13 督促・滞納処分……482(28)
14 老齢基礎年金の支給要件……484(30)
15 老齢基礎年金の年金額：振替加算……486(32)
16 老齢基礎年金の支給の繰上げ……488(34)
17 老齢基礎年金の支給の繰下げ……490(36)
18 障害基礎年金の支給要件……492(38)
19 20歳前傷病による障害基礎年金……494(40)
20 障害基礎年金の年金額……496(42)
21 障害基礎年金の年金額の改定……498(44)
22 20歳前傷病による障害基礎年金等の支給停止……500(46)
23 障害基礎年金の失権……502(48)
24 遺族基礎年金の支給要件……504(50)
25 死亡の推定・失踪の宣告……506(52)
26 遺族基礎年金の年金額……508(54)
27 遺族基礎年金の失権……510(56)
28 付加保険料・付加年金……512(58)
29 寡婦年金……514(60)
30 死亡一時金……516(62)
31 脱退一時金……518(64)
32 改定率の改定……520(66)
33 積立金の運用……522(68)
34 審査請求・時効……524(70)
35 国民年金基金……526(72)

Step-Up

1 年金制度……528(74)
2 被保険者に対する情報の提供……530(76)
3 保険料の納付委託……532(78)
4 悪質な滞納者に対する財務大臣（国税庁長官）への強制徴収委任……534(80)
5 基礎年金拠出金……536(82)
6 国民年金基金……538(84)

厚生年金保険法 541

Basic

1 総則・適用事業所……544(4)
2 任意単独被保険者……546(6)
3 適用除外……548(8)
4 届出等……550(10)
5 標準報酬等級区分の改定・標準賞与額……552(12)
6 養育期間の標準報酬月額の特例措置……554(14)
7 本来の老齢厚生年金（年金額）……556(16)
8 本来の老齢厚生年金（加給年金額）……558(18)
9 本来の老齢厚生年金（高在老）……560(20)
10 本来の老齢厚生年金（支給繰上げ）……562(22)
11 本来の老齢厚生年金（支給繰下げ）……564(24)
12 特別支給の老齢厚生年金（支給要件）……566(26)
13 特別支給の老齢厚生年金（特例）……568(28)
14 雇用保険法の基本手当との調整……570(30)
15 雇用保険法の高年齢雇用継続給付との調整……572(32)
16 障害厚生年金の支給要件……574(34)
17 併合認定・障害厚生年金の年金額……576(36)
18 障害厚生年金の加給年金額……578(38)
19 障害手当金……580(40)
20 遺族厚生年金の支給要件……582(42)
21 遺族厚生年金の遺族の範囲等……584(44)
22 遺族厚生年金の額……586(46)
23 中高齢寡婦加算……588(48)
24 遺族厚生年金の支給停止……590(50)

25　遺族厚生年金の失権 …… 592(52)
26　脱退一時金 …… 594(54)
27　離婚等をした場合における特例 …… 596(56)
28　被扶養配偶者である期間についての特例 …… 598(58)
29　厚生年金保険事業の財政等 …… 600(60)
30　費用負担 …… 602(62)
31　延滞金 …… 604(64)
32　被保険者に対する情報の提供 …… 606(66)
33　厚生年金保険事業の円滑な実施を図るための措置 …… 608(68)
34　併給の調整 …… 610(70)
35　滞納処分等の権限の委任 …… 612(72)

Step-Up

1　短時間労働者に対する厚生年金保険の適用 …… 614(74)
2　原簿の記録及び訂正の請求 …… 616(76)
3　財務大臣への滞納処分等の権限委任 …… 618(78)
4　老齢厚生年金の支給繰下げ …… 620(80)
5　脱退一時金の額 …… 622(82)
6　年金額（再評価率）の改定 …… 624(84)

社会保険に関する一般常識 …… 627

Basic

1　国民健康保険法　1 …… 630(4)
2　国民健康保険法　2 …… 632(6)
3　国民健康保険法　3 …… 634(8)
4　船員保険法　1 …… 636(10)
5　船員保険法　2 …… 638(12)
6　高齢者医療確保法　1 …… 640(14)
7　高齢者医療確保法　2 …… 642(16)
8　高齢者医療確保法　3 …… 644(18)
9　介護保険法　1 …… 646(20)
10　介護保険法　2 …… 648(22)
11　介護保険法　3 …… 650(24)
12　児童手当法　1 …… 652(26)
13　児童手当法　2 …… 654(28)

14　児童手当法　3 …… 656(30)
15　不服審査制度 …… 658(32)
16　確定拠出年金法　1 …… 660(34)
17　確定拠出年金法　2 …… 662(36)
18　確定拠出年金法　3 …… 664(38)
19　確定給付企業年金法　1 …… 666(40)
20　確定給付企業年金法　2 …… 668(42)
21　確定給付企業年金法　3 …… 670(44)
22　社会保険労務士法　1 …… 672(46)
23　社会保険労務士法　2 …… 674(48)
24　社会保険労務士法　3 …… 676(50)
25　社会保険労務士法　4 …… 678(52)
26　社会保障制度 …… 680(54)
27　医療保険制度 …… 682(56)
28　介護保険制度 …… 684(58)
29　年金制度　1 …… 686(60)
30　年金制度　2 …… 688(62)

Step-Up

1　高齢者保健事業 …… 690(64)
2　介護保険法 …… 692(66)
3　確定拠出年金法・確定給付企業年金法 …… 694(68)
4　社会保険労務士法 …… 696(70)
5　国民健康保険法・生活保護制度 …… 698(72)
6　年金制度・社会保障協定 …… 700(74)

労働基準法

30問＋6問

労働基準法●目次

Basic

1 労働憲章 …… 4
2 労働基準法の適用 …… 6
3 労働条件の明示・労働者の長期人身拘束の防止 …… 8
4 解雇制限 …… 10
5 退職時の証明・金品の返還 …… 12
6 有期労働契約に関する規制 …… 14
7 賃金 …… 16
8 非常時払・出来高払制の保障給 …… 18
9 休業手当・平均賃金 …… 20
10 労働時間 …… 22
11 1箇月単位の変形労働時間制 …… 24
12 フレックスタイム制 …… 26
13 1年単位の変形労働時間制 …… 28
14 1週間単位の非定型的変形労働時間制 …… 30
15 休憩 …… 32
16 臨時の必要がある場合の時間外及び休日労働 …… 34
17 36協定（労使協定）による時間外及び休日労働 …… 36
18 割増賃金 …… 38
19 代替休暇 …… 40
20 専門業務型裁量労働制 …… 42
21 企画業務型裁量労働制 …… 44
22 高度プロフェッショナル制度 …… 46
23 年次有給休暇 1 …… 48
24 年次有給休暇 2 …… 50
25 年少者 …… 52
26 妊産婦等 …… 54
27 就業規則 1 …… 56
28 就業規則 2 …… 58
29 賃金台帳 …… 60
30 命令の制定・付加金 …… 62

Step-Up

1 労働憲章 …… 64
2 雇止めに関する基準 …… 66
3 賃金 …… 68
4 賃金・労働時間等・割増賃金 …… 70
5 総合問題 …… 72
6 年次有給休暇 …… 74

1 労働憲章

Basic

チェック欄
1 ／
2 ／
3 ／

(1)　労働基準法第1条第1項では「労働条件は、労働者[A]ための必要を充たすべきものでなければならない。」と定めている。

(2)　労働基準法第5条では「使用者は、**暴行**、**脅迫**、**監禁**その他精神又は身体の自由を[B]に拘束する手段によって、労働者の意思に反して労働を**強制**してはならない。」と定めている。

(3)　**何人**も、法律に基いて許される場合の外、[C]他人の就業に**介入**して**利益**を得てはならない。

(4)　最高裁判所の判例では、「労働基準法7条が、特に、労働者に対し[D]における公民としての権利の行使及び公の職務の執行を保障していることにかんがみるときは、公職の就任を使用者の承認にかからしめ、その承認を得ずして公職に就任した者を[E]に附する旨の就業規則の条項は、労働基準法の規定の趣旨に反し、**無効**のものと解すべきである」としている。

選択肢

①　第三者と通謀して　②　普通解雇　③　適法
④　他人の協力を得て　⑤　即時解雇　⑥　強行
⑦　労働契約期間中　⑧　懲戒解雇　⑨　不当
⑩　がその能力を有効に発揮する
⑪　行政官庁の許可を得ずに　⑫　労働時間中
⑬　出勤停止処分　⑭　業として
⑮　休憩時間中　⑯　が人たるに値する生活を営む
⑰　が最低限度の生活を営む　⑱　の生活の向上を図る
⑲　正当　⑳　年次有給休暇の期間中

進捗チェック

労基	安衛	労災	雇用	労一

解答

A ▶ ⑯　が人たるに値する生活を営む

B ▶ ⑨　不当

C ▶ ⑭　業として

D ▶ ⑫　労働時間中

E ▶ ⑧　懲戒解雇

根拠条文等

法1条1項、法5条、法6条、法7条、最二小昭和38.6.21十和田観光電鉄事件

おぼえとるかい？

1．問題文(2)の「労働を強制してはならない。」は、労働を強制することを禁止しているので、労働者が現実に労働しなくても、当該強制のみによって法5条違反の罰則が適用される。

2．問題文(3)の中間搾取の排除では、労働者の人格を無視した賃金のピンハネ等の根絶を期するものであり、労働関係の開始のみならず、その存続についても、第三者が介入することにより生ずる弊害を排除することを目的としている。

3．問題文(4)は、「制裁罰としての懲戒解雇に附する」旨の定めを無効と解した判例であり、「**普通解雇**に附する」旨の定めを無効と解したものではないことに留意する必要がある。

Step-Up! アドバイス

・法1条は、労働者に人格として価値ある生活を営む必要を充たすべき労働条件を保障することを宣明したものであって、労働基準法各条の解釈に当たり基本理念として常に考慮されなければならない。

健保	国年	厚年	社一

2 労働基準法の適用 Basic

チェック欄
1 ／
2 ／
3 ／

(1)　労働基準法は、**同居の親族**のみを使用する事業又は事務所（以下「事業」という。）及び［ A ］については、**適用しない**。

(2)　労働基準法で「**労働者**」とは、職業の種類を問わず、事業に使用される者で、［ B ］をいう。

(3)　労働基準法で「**使用者**」とは、**事業主**又は**事業の経営担当者**その他その事業の労働者に関する事項について、**事業主のために行為をする**［ C ］をいう。具体的に「使用者」とは労働基準法各条の義務についての履行の［ D ］をいい、その認定は、各事業において、労働基準法各条の義務について［ E ］に一定の権限を与えられているか否かによる。

選択肢

① 賃金を支払われる者		② 補助者
③ 代理人		④ 利益を得る者
⑤ 生活しようとする者		⑥ 補佐人
⑦ 形式的	⑧ 実質的	⑨ 代表取締役
⑩ 一般的	⑪ 責任者	⑫ 協力者
⑬ 役員	⑭ 代表者	⑮ すべての者
⑯ 家事使用人		⑰ 援助者
⑱ 生計を維持する者		⑲ 包括的
⑳ 監督若しくは管理の地位にある者		

進捗チェック

労基	安衛	労災	雇用	労一

解答

A ▶ ⑯　家事使用人

B ▶ ①　賃金を支払われる者

C ▶ ⑮　すべての者

D ▶ ⑪　責任者

E ▶ ⑧　実質的

根拠条文等

法9条、法10条、法116条2項、昭和22.9.13発基17号

おぼえとるかい？

1．適用事業

労働基準法は、原則として、事業の種類、規模等に関係なく、労働者が使用されるすべての事業又は事務所に適用される。

2．事業の意義

「事業」とは、工場、事務所、店舗等の一定の場所において相関連する組織のもとに業として継続的に行われる作業の一体を意味する。

3．適用の単位

事業についての適用の単位については、次の通りである。

・事業の名称又は経営主体等に関係なく、相関連して一体をなす労働の態様によって事業としての適用を決定する。

・一の事業であるか否かは、主として同一の場所かどうかで決まる。原則として同一の場所にあるものは一個の事業とし、場所的に分散しているものは別個の事業とする。

Step-Up! アドバイス

・日本国内で行われる事業であれば、外国人経営の会社、外国人労働者についても、法令又は条約に特別の定めがある場合（外交官等）を除き、労働基準法が適用される。

健保	国年	厚年	社一

3 労働条件の明示・労働者の長期人身拘束の防止 Basic

チェック欄
1 ／
2 ／
3 ／

(1) 使用者は、［ A ］、労働者に対して賃金、労働時間その他の**労働条件**を明示しなければならない。この場合において、賃金及び労働時間に関する事項その他の厚生労働省令で定める事項については、厚生労働省令で定める方法により**明示**しなければならない。

(2) 使用者は、(1)の規定により労働者に対して明示しなければならない労働条件を［ B ］ならない。

(3) 労働契約は、期間の定めのないものを除き、一定の事業の完了に必要な期間を定めるもののほかは、［ C ］（次の①又は②のいずれかに該当する労働契約にあっては、［ D ］）を超える期間について締結してはならない。

① 専門的な知識、技術又は経験（以下「**専門的知識等**」という。）であって高度のものとして**厚生労働大臣が定める基準**に該当する専門的知識等を有する労働者（当該高度の専門的知識等を必要とする業務に就く者に限る。）との間に締結される労働契約

② 満［ E ］の労働者との間に締結される労働契約（前記①に掲げる労働契約を除く。）

選択肢

A	① 雇入れ後、速やかに　② 雇入れ後、7日以内に ③ 労働契約の締結に際し　④ 労働者の募集に際し
B	① 事実と異なるものとしては ② 雇入れ後に低下させては ③ 雇入れ後に変更しては ④ 就業規則と異なるものとしては
C	① 1年　② 3年　③ 4年　④ 5年
D	① 1年　② 3年　③ 4年　④ 5年
E	① 60歳未満　② 60歳以下 ③ 60歳以上　④ 55歳以上

進捗チェック
労基　安衛　労災　雇用　労一

解答

A ► ③　労働契約の締結に際し

B ► ①　事実と異なるものとしては

C ► ②　３年

D ► ④　５年

E ► ③　60歳以上

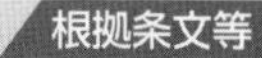

法14条１項、法15条１項、則５条２項

【労働契約の明示事項】

絶対的明示事項	①　労働契約の期間に関する事項
	②　**有期労働契約**を更新する場合の基準に関する事項（**通算契約期間**（労働契約法第18条第１項に規定する通算契約期間をいう。）又は有期労働契約の**更新回数に上限の定め**がある場合には当該上限を含む。）
	③　就業の場所及び従事すべき業務に関する事項（就業の場所及び従事すべき業務の**変更の範囲**を含む。）
	④　**始業及び終業の時刻**、所定労働時間を超える労働の有無、休憩時間、休日、休暇並びに労働者を２組以上に分けて就業させる場合における就業時転換に関する事項
	⑤　賃金（退職手当及び臨時に支払われる賃金等を除く。）の決定、計算及び支払の方法、賃金の締切り及び支払の時期並びに昇給に関する事項
	⑥　**退職**に関する事項（解雇の事由を含む。）
相対的明示事項	⑦　退職手当の定めが適用される労働者の範囲、退職手当の決定、計算及び支払の方法並びに退職手当の支払の時期に関する事項
	⑧　臨時に支払われる賃金等（退職手当を除く。）及び最低賃金額に関する事項
	⑨　労働者に負担させるべき食費、作業用品その他に関する事項
	⑩　安全及び衛生に関する事項
	⑪　職業訓練に関する事項
	⑫　災害補償及び業務外の傷病扶助に関する事項
	⑬　表彰及び制裁に関する事項
	⑭　**休職**に関する事項

健保	国年	厚年	社一

4 解雇制限 Basic

チェック欄 1 ／ 2 ／ 3 ／

(1) 使用者は、労働者が［ A ］負傷し、又は疾病にかかり［ B ］休業する期間及び**その後30日間**並びに**産前産後の女性**が労働基準法第65条の規定によって休業する期間及び**その後30日間**は、解雇してはならない。ただし、①使用者が、同法第81条の規定によって［ C ］を支払う場合又は②**天災事変**その他やむを得ない事由のために事業の［ D ］となった場合においては、この限りでない。

(2) 上記ただし書②の場合においては、その事由について**行政官庁（所轄労働基準監督署長）**の［ E ］を受けなければならない。

選択肢

① 継続が不可能	② 打切補償	③ 許可
④ 業務外の事由により	⑤ 通算して３日以上	⑥ 承認
⑦ 解雇予告手当	⑧ 連続して３日以上	⑨ 認定
⑩ 業務上	⑪ 療養のために	⑫ 認可
⑬ 運営に著しい支障が生じること		
⑭ 通勤により	⑮ 付加金	⑯ やむを得ず
⑰ 休業手当	⑱ 運営に支障が生じること	
⑲ 継続が困難	⑳ 業務上又は通勤により	

進捗チェック

労基	安衛	労災	雇用	労一

解答

A ▶ ⑩ 業務上
B ▶ ⑪ 療養のために
C ▶ ② 打切補償
D ▶ ① 継続が不可能
E ▶ ⑨ 認定

法19条、則7条

1. 解雇予告

使用者は、労働者を解雇しようとする場合においては、少くとも30日前にその予告をしなければならない。30日前に予告をしない使用者は、**30日分以上の平均賃金**を支払わなければならない。ただし、①天災事変その他やむを得ない事由のために事業の継続が不可能となった場合又は②労働者の責に帰すべき事由に基いて解雇する場合においては、この限りでない。

なお、上記①及び②の場合においては、その事由について**行政官庁**(所轄労働基準監督署長)の**認定**を受けなければならない。

2. 解雇予告の規定の適用除外

解雇予告の規定は、次の①～④のいずれかに該当する労働者には適用しない。ただし、それぞれ次表右欄に該当するに至った場合においては、この限りでない。

原則 (解雇予告の規定の適用除外)	例外 (解雇予告必要)
① 日日雇い入れられる者	**1箇月**を超えて引き続き使用された場合
② 2箇月以内の期間を定めて使用される者	**所定の期間**を超えて引き続き使用された場合
③ 季節的業務に4箇月以内の期間を定めて使用される者	(同上)
④ 試の使用期間中の者	**14日**を超えて引き続き使用された場合

健保	国年	厚年	社一

5 退職時の証明・金品の返還 Basic

チェック欄
1 ／
2 ／
3 ／

(1) 労働者が、**退職**の場合において、[A]、業務の種類、その事業における地位、賃金又は退職の事由（退職の事由が解雇の場合にあっては、**その理由を含む**。）について**証明書**を請求した場合においては、使用者は、[B]これを交付しなければならない。
(2) 上記(1)の証明書には、労働者の[C]を記入してはならない。
(3) 使用者は、労働者の**死亡又は退職**の場合において、[D]の請求があった場合においては、[E]賃金を支払い、積立金、保証金、貯蓄金その他**名称の如何を問わず**、労働者の権利に属する**金品**を返還しなければならない。

選択肢

① 行政官庁	② 10日以内に	③ 債権者
④ 退職の日までに	⑤ 14日以内に	⑥ 速やかに
⑦ 遅滞なく	⑧ 7日以内に	⑨ 30日以内に
⑩ 業務内容に直接関連しない事項		⑪ 直ちに
⑫ 使用期間	⑬ 賞罰	⑭ 職務内容
⑮ 不利益となる事項		⑯ 権利者
⑰ 請求しない事項		⑱ 病歴
⑲ 表彰及び制裁に関する事項		⑳ 債務者

進捗チェック

労基	安衛	労災	雇用	労一

解答

A ▶ ⑫ 使用期間

B ▶ ⑦ 遅滞なく

C ▶ ⑰ 請求しない事項

D ▶ ⑯ 権利者

E ▶ ⑧ 7日以内に

根拠条文等

法22条1項、3項、法23条1項

おぼえとるかい？

1．労働者が、**解雇の予告がされた日から退職の日までの間**において、当該**解雇の理由**について証明書を請求した場合においては、使用者は、遅滞なくこれを交付しなければならない。ただし、解雇の予告がされた日以後に労働者が当該**解雇以外の事由**により退職した場合においては、使用者は、当該退職の日以後、これを交付することを要しない。

2．上記1．の証明書についても問題文(1)の証明書と同様に、**労働者の請求しない事項**を記入してはならない。

3．使用者は、あらかじめ第三者と謀り、労働者の就業を妨げることを目的として、労働者の**国籍**、**信条**、**社会的身分**若しくは**労働組合運動**に関する通信をし、又は問題文(1)の証明書及び上記1．の証明書に秘密の記号を記入してはならない。

Step-Up! アドバイス

・問題文(1)の証明書（退職時の証明書）は、解雇等の退職をめぐる紛争の防止や労働者の再就職活動に資するための定めであり、おぼえとるかい？の1．の証明書（解雇理由の証明書）は、解雇をめぐる紛争を未然に防止するための定めである。なお、再就職等に際して労働者に不利益な場合もあるので、労働者が請求しない事項の記入は禁止されている。

健保	国年	厚年	社一

6 有期労働契約に関する規制 Basic

チェック欄 1 ／ 2 ／ 3 ／

(1) **厚生労働大臣**は、**期間の定めのある労働契約**の締結時及び当該労働契約の期間の満了時において労働者と使用者との間に**紛争**が生ずることを**未然に防止**するため、使用者が講ずべき労働契約の期間の満了に係る[A]に関する事項その他必要な事項についての**基準**を定めることができる。

(2) 行政官庁は、上記(1)の基準に関し、期間の定めのある労働契約を締結する使用者に対し、[B]ことができる。

(3) 厚生労働大臣は、上記(1)の規定に基づき、「有期労働契約の締結、更新、雇止め等に関する基準」として、雇止めの予告について下記の内容を定めている。

使用者は、有期労働契約（当該契約を[C]**以上更新し**、又は**雇入れの日**から起算して[D]**を超えて継続勤務**している者に係るものに限り、あらかじめ当該契約を更新しない旨明示されているものを除く。）を更新しないこととしようとする場合には、少なくとも当該契約の期間の満了する日の[E]までに、その**予告**をしなければならない。

選択肢

① 必要な勧告を行う　② 承諾　③ 同意
④ 30万円以下の罰金に処する　⑤ 通知
⑥ 必要な助言及び指導を行う　⑦ 契約内容
⑧ 必要な勧告を行い、これに従わない場合にはその旨を公表する
⑨ 10日前　⑩ 14日前　⑪ 30日前　⑫ 60日前
⑬ 1回　⑭ 2回　⑮ 3回　⑯ 4回
⑰ 1年　⑱ 3年　⑲ 4年　⑳ 5年

進捗チェック

労基	安衛	労災	雇用	労一

解答

A ▶ ⑤ 通知

B ▶ ⑥ 必要な助言及び指導を行う

C ▶ ⑮ 3回

D ▶ ⑰ 1年

E ▶ ⑪ 30日前

根拠条文等

法14条2項、3項、令和5.3.30厚労告114号

【有期労働契約の締結、更新、雇止め等に関する基準】

有期労働契約を締結している労働者について適切な労働条件を確保するとともに、有期労働契約が労使双方にとって良好な雇用形態として活用されるようにするためには、有期労働契約の締結、更新及び雇止め等に際して発生するトラブルを防止し、その迅速な解決が図られるようにすることが必要である。

このため、厚生労働大臣が「労働契約期間満了に係る通知等に関する基準」を定めることができるものとし、当該基準に関し、行政官庁が必要な助言及び指導を行うことができることとした。

健保	国年	厚年	社一

Goal

7 賃金

Basic

チェック欄
1 ／
2 ／
3 ／

(1) 労働基準法で賃金とは、賃金、給料、手当、賞与その他名称の如何を問わず、［ A ］使用者が労働者に支払うすべてのものをいう。

(2) 労働基準法第24条第1項においては「賃金は、**通貨で、直接労働者に、その全額を支払わなければならない**。ただし、［ B ］に別段の定めがある場合又は厚生労働省令で定める賃金について確実な支払の方法で厚生労働省令で定めるものによる場合においては、［ C ］支払い、また、**法令に別段の定め**がある場合又は**労使協定**がある場合においては、**賃金の**［ D ］**を控除して**支払うことができる。」と定めており、さらに、同条第2項においては、「賃金は、**毎月1回以上、一定の期日**を定めて支払わなければならない。ただし、［ E ］、**賞与その他これに準ずるもの**で厚生労働省令で定める賃金については、この限りでない。」と定めている。

選択肢

① 臨時に支払われる賃金　② 年次有給休暇中の賃金
③ 3箇月を超える期間ごとに支払われる賃金
④ 通貨以外のもので　⑤ 法定代理人に　⑥ 法令
⑦ 任意代理人に　⑧ 労働者の使者に
⑨ 全部又は一部　⑩ 全部
⑪ 1箇月を超える期間ごとに支払われる賃金
⑫ 実労働時間に応じて　⑬ 労働契約により
⑭ 労働者の仕事の完成に対して
⑮ 労働の対償として　⑯ 一部
⑰ 法令若しくは労働協約　⑱ 1割
⑲ 労働協約に別段の定めがある場合若しくは労使協定
⑳ 労働者の同意がある場合又は労使協定

進捗チェック

労基	安衛	労災	雇用	労一

解答

A ▶ ⑮ 労働の対償として

B ▶ ⑰ 法令若しくは労働協約

C ▶ ④ 通貨以外のもので

D ▶ ⑯ 一部

E ▶ ① 臨時に支払われる賃金

根拠条文等

法11条、法24条

おぼえとるかい？

1．臨時に支払われる賃金、賞与

問題文(2)の「臨時に支払われる賃金」とは、臨時的、突発的事由に基づくものや、結婚手当等支給条件はあらかじめ確定しているが、支給事由の発生が不確定であり、かつ、非常にまれに発生するものをいう。

また、「賞与」とは、定期又は臨時に、原則として労働者の勤務成績に応じて支給されるものであって、その支給額があらかじめ確定していないものをいい、定期的に支給され、かつ、その支給額が確定しているものは、賞与に該当しない。

2．賞与に準ずるもので厚生労働省令で定める賃金

問題文(2)の「賞与に準ずるもので厚生労働省令で定める賃金」とは次のものをいう。

① 1箇月を超える期間の出勤成績によって支給される精勤手当

② 1箇月を超える一定期間の継続勤務に対して支給される勤続手当

③ 1箇月を超える期間にわたる事由によって算定される奨励加給又は能率手当

3．一定の期日

問題文(2)の「一定の期日」は、期日が特定され、周期的に到来するものである必要がある。したがって、「月の15日」と暦日を指定する場合、月給について「月の末日」、週給について「土曜日」等とすることは、一定の期日を定めたことになる。一方、月給制の場合に「毎月第2金曜日」とするように、ある月では8日であったり、ある月では14日であったりと、支払日が変動するものは、一定の期日を定めたこととならない。

健保	国年	厚年	社一

Goal

8 非常時払・出来高払制の保障給 Basic

チェック欄
1 ／
2 ／
3 ／

(1) 使用者は、労働者が[A]、**疾病**、**災害**その他厚生労働省令で定める[B]の場合の費用に充てるために**請求**する場合においては、**支払期日前**であっても、[C]を支払わなければならない。
(2) **出来高払制**その他の**請負制**で使用する労働者については、使用者は、[D]に応じ[E]の**保障**をしなければならない。

選択肢

① 妊娠	② 出産	③ 臨時	④ 緊急
⑤ 急迫	⑥ 労働時間	⑦ 育児	⑧ 非常
⑨ 既往の労働に対する賃金		⑩ 一定額の賃金	
⑪ 平均賃金の6割以上の賃金		⑫ 当該費用の額	
⑬ 平均賃金に相当する額		⑭ 通常の労働時間の賃金	
⑮ 業務量	⑯ 賃金の全額	⑰ 介護	
⑱ 出来高	⑲ 請負金額	⑳ 当該請求する額	

解答

A ▶ ② 出産

B ▶ ⑧ 非常

C ▶ ⑨ 既往の労働に対する賃金

D ▶ ⑥ 労働時間

E ▶ ⑩ 一定額の賃金

根拠条文等

法25条、法27条

おぼえとるかい？

1．問題文(1)の「既往の労働に対する賃金」とは、既に労働した分に対応する賃金のことである。したがって、未だ労働の提供のない期間に対する賃金の支払は必要としない。また、労働者の請求額が既に労働した分に対応する賃金の一部であるときは、その請求額を支払えばよい。

2．問題文(1)の「非常の場合」とは、労働者又は労働者の収入によって**生計を維持する者**が、次のいずれかに該当する場合である。

① 出産
② 疾病
③ 災害
④ 結婚
⑤ 死亡
⑥ やむを得ない事由による**1週間以上**にわたる帰郷

3．問題文(2)の「出来高払制の保障給」は、**労働時間に応じて**一定額の賃金を保障するものなので、労働者が労働しない場合には、当該保障給を支払う必要はない。

Step-Up! アドバイス

・出来高払制その他の請負制で使用する労働者を使用者の責に帰すべき事由により休業させた場合には、使用者は、「出来高払制の保障給」を支払う必要はないが、「休業手当」を支払わなければならない。

健保	国年	厚年	社一

9 休業手当・平均賃金

Basic

チェック欄
1 ／
2 ／
3 ／

(1) 労働基準法第26条においては「**使用者の責に帰すべき事由**による休業の場合においては、使用者は、休業期間中当該労働者に、その**平均賃金**の[A]手当を支払わなければならない。」と定めている。

(2) 労働基準法で**平均賃金**とは、これを算定すべき事由の発生した日以前[B]にその労働者に対し支払われた賃金の総額を、[C]で除した金額をいう。なお、当該「**賃金の総額**」には、**臨時**に支払われた賃金及び[D]並びに通貨以外のもので支払われた賃金で一定の範囲に属しないものは**算入しない**。

(3) 平均賃金の算定期間中に、次のⓐからⓔのいずれかに該当する期間がある場合においては、その日数及びその期間中の賃金は、算定期間及び賃金の総額から**控除する**。

ⓐ **業務上**負傷し、又は疾病にかかり療養のために休業した期間
ⓑ **産前産後**の女性が労働基準法第65条の規定によって休業した期間
ⓒ [E]によって休業した期間
ⓓ 育児介護休業法に規定する**育児休業又は介護休業**をした期間
ⓔ 試みの使用期間

選択肢

① 私傷病　② 通勤手当　③ 代替休暇の取得
④ 3箇月間　⑤ 1箇月間　⑥ 100分の60を超える
⑦ 100分の60以上の　⑧ 180日間　⑨ 90日間
⑩ その期間の総日数
⑪ 3箇月を超える期間ごとに支払われる賃金
⑫ 100分の70を超える　⑬ 労働者の責めに帰すべき事由
⑭ 100分の70以上の　⑮ 使用者の責めに帰すべき事由
⑯ その期間の総労働日数　⑰ 90　⑱ 180
⑲ 1箇月を超える期間ごとに支払われる賃金
⑳ 1賃金支払期を超える期間ごとに支払われる賃金

進捗チェック

労基	安衛	労災	雇用	労一

労基

解答

A ▶ ⑦ 100分の60以上の

B ▶ ④ 3箇月間

C ▶ ⑩ その期間の総日数

D ▶ ⑪ 3箇月を超える期間ごとに支払われる賃金

E ▶ ⑮ 使用者の責めに帰すべき事由

根拠条文等

法12条1項、3項、4項、法26条

1．休業手当の支払の要否の例

休業手当の支払を要する場合	休業手当の支払を要しない場合
・親工場の経営難から下請工場が資材、資金の獲得ができない場合	・天災地変等による場合 ・代休付与命令による場合 ・労働安全衛生法の規定による健康診断の結果に基づく休業の場合 ・休電による休業の場合

2．平均賃金の算定期間

問題文(2)の「これを算定すべき事由の発生した日以前3箇月間」には、算定事由発生日は**含まない**扱いとされている。また、賃金締切日がある場合には、**直前の賃金締切日**から起算した3箇月間が算定期間となる。

3．平均賃金の最低保障額

(1) 賃金の全部が日給・時間給・請負制の場合

賃金が、労働した日若しくは時間によって算定され、又は出来高払制その他の請負制によって定められた場合には、賃金の総額をその期間中に労働した日数で除した金額の100分の60

(2) 賃金の一部が日給・時間給・請負制の場合

賃金の一部が、月、週その他一定の期間によって定められた場合には、その部分の総額をその期間の総日数で除した金額と上記(1)の金額の合算額

健保 | 国年 | 厚年 | 社一

10 労働時間

Basic

チェック欄
1 ／
2 ／
3 ／

(1) 使用者は、労働者に、[A]を除き1週間について**40時間**を超えて、労働させてはならない。

(2) 使用者は、1週間の各日については、労働者に、[A]を除き1日について8時間を超えて、労働させてはならない。

(3) 使用者は、**商業、映画・演劇業**（映画の製作の事業を除く。）、[B]及び**接客娯楽業**の事業のうち**常時10人未満**の労働者を使用するものについては、上記にかかわらず、1週間について[C]、1日について**8時間**まで労働させることができる。

(4) 「労働基準法32条の労働時間とは、労働者が使用者の[D]下に置かれている時間をいい、右の労働時間に該当するか否かは、労働者の行為が使用者の[D]下に置かれたものと評価することができるか否かにより[E]に定まるものであって、労働契約、就業規則、労働協約等の定めのいかんにより決定されるべきものではないと解するのが相当である。」とするのが最高裁判所の判例である。

選択肢

① 農林水産業	② 客観的	③ 保健衛生業
④ 相対的	⑤ 教育研究業	⑥ 形式的
⑦ 指揮命令	⑧ 合理的	⑨ 運輸交通業
⑩ 休憩時間	⑪ 拘束	⑫ 42時間
⑬ 手待時間	⑭ 支配	⑮ 44時間
⑯ 訓練時間	⑰ 管理	⑱ 46時間
⑲ 修学時間	⑳ 48時間	

進捗チェック
労基 安衛 労災 雇用 労一

解答

A ► ⑩ 休憩時間

B ► ③ 保健衛生業

C ► ⑮ 44時間

D ► ⑦ 指揮命令

E ► ② 客観的

根拠条文等

法32条、法40条、則25条の2,1項、最一小平成12.3.9三菱重工長崎造船所事件

おぼえとるかい?

1.「労働時間」は、使用者の指揮監督の下にある時間をいう。したがって、実際には作業していなくても就労しないことが使用者から保障されていない、いわゆる手待時間も労働時間である。
2.「1週間」とは、就業規則等に別段の定めがない限り、日曜日から土曜日までのいわゆる暦週をいう。
3.「1日」とは、原則として、午前0時から午後12時までの暦日24時間をいう。
4. 1勤務が2暦日にわたる場合には、当該勤務は始業時刻の属する日の労働として、当該日の「1日」の労働とする。

健保	国年	厚年	社一

11 1箇月単位の変形労働時間制 Basic

チェック欄 1 ／ 2 ／ 3 ／

(1) 使用者は、[A]、変形期間を平均し1週間当たりの労働時間が法定労働時間を超えない定めをしたときは、その定めにより、[B]された週又は[B]された日において法定労働時間を超えて、労働させることができる。

(2) 1箇月単位の変形労働時間制の採用に当たっては、[A]、以下の内容を定めなければならない。

① **変形期間**（[C]）

② 変形期間を平均し、1週間当たりの労働時間が1週間の**法定労働時間**を超えない定め

③ 変形期間における[D]労働時間

④ [E]による場合は、その有効期間

なお、労働協約による場合は有効期間を定める必要はない。

選択肢

① 労働契約又は就業規則その他これに準ずるものにより
② 労働協約又は労使協定により　③ 認定
④ 労働契約又は労使委員会の決議により　⑤ 認可
⑥ 労使協定又は就業規則その他これに準ずるものにより
⑦ 各日、各週の　⑧ 1箇月以内の一定の期間
⑨ 各日における平均の　⑩ 各週における平均の
⑪ 4週間又は1箇月とする　⑫ 1箇月とする
⑬ 2週間を超え、1箇月以内の一定の期間
⑭ 特定　⑮ 合計の
⑯ 就業規則に準ずるもの　⑰ 労使協定
⑱ 就業規則　⑲ 労働契約
⑳ 許可

進捗チェック

労基	安衛	労災	雇用	労一

解答

A ▶ ⑥　労使協定又は就業規則その他これに準ずるものにより

B ▶ ⑭　特定

C ▶ ⑧　１箇月以内の一定の期間

D ▶ ⑦　各日、各週の

E ▶ ⑰　労使協定

根拠条文等

法32条の2,1項、則12条の2の2,1項、則25条の2,2項、平成11.3.31基発168号

1．所定労働時間の定め方

問題文(2)の②については、具体的には、変形期間中の所定労働時間の合計を、次の計算式による法定労働時間の総枠の範囲内とする。

$$1週間の法定労働時間 \times \frac{変形期間の暦日数}{7}$$

2．労使協定によらないで定める場合

常時10人以上の労働者を使用する使用者には就業規則の作成が義務付けられているため、常時10人以上の労働者を使用する使用者は必ず就業規則により定めなければならない。就業規則に準ずるもので定めることができるのは、常時10人未満の労働者を使用する使用者に限られる。

3．労使協定の届出

１箇月単位の変形労働時間制を採用するに当たって、労使協定によるか就業規則等によるかは任意であるが、労使協定で採用する場合には、当該労使協定を所轄労働基準監督署長に届け出なければならない。

健保	国年	厚年	社一

12 フレックスタイム制 Basic

チェック欄 1 ／ 2 ／ 3 ／

(1) 使用者は、[A]により、その労働者に係る[B]をその**労働者の決定に委ねる**こととした労働者については、労使協定により、一定の事項を定めたときは、その労使協定で清算期間として定められた期間を平均し1週間当たりの労働時間が**法定労働時間**を超えない範囲内において、**1週間又は1日**において**法定労働時間**を超えて、労働させることができる。

(2) フレックスタイム制における清算期間は[C]期間に限るものとされている。

(3) フレックスタイム制の清算期間が[D]場合においては、労使協定で清算期間として定められた期間を平均し1週間当たりの労働時間が40時間を超えず、かつ、当該清算期間をその開始の日以後1箇月ごとに区分した各期間ごとに当該各期間を平均し、1週間当たりの労働時間が[E]を超えない範囲内において、1週間において40時間又は1日において8時間を超えて労働させることができる。

選択肢

A	① 就業規則その他これに準ずるもの　② 労働協約 ③ 労使協定又は就業規則その他これに準ずるもの ④ 労働協約又は就業規則その他これに準ずるもの
B	① 労働日数　② 業務の遂行の手段 ③ 始業及び終業の時刻　④ 始業又は終業の時刻
C	① 3箇月以内の　② 3箇月を超える ③ 6箇月以内の　④ 6箇月を超える
D	① 2箇月を超える　② 1箇月を超える ③ 3箇月以内の　④ 3箇月を超える
E	① 42時間　② 44時間 ③ 48時間　④ 50時間

進捗チェック

労基	安衛	労災	雇用	労一

解答

A ▶ ① 就業規則その他これに準ずるもの

B ▶ ③ 始業及び終業の時刻

C ▶ ① 3箇月以内の

D ▶ ② 1箇月を超える

E ▶ ④ 50時間

根拠条文等

法32条の3,1項、2項

おぼえとるかい?

1. 問題文(1)の「法定労働時間」とは、次のとおりである。
   - 原則……**40時間**
   - 労働時間の特例が適用される事業……清算期間が**1箇月以内**である場合は**44時間**、清算期間が**1箇月を超える**場合は**40時間**
2. フレックスタイム制が適用される1週間の所定労働日数が5日の労働者について、労使協定により、労働時間の限度について、当該清算期間における所定労働日数を1日の法定労働時間（8時間）に乗じて得た時間とする旨を定めたときは、清算期間として定められた期間を平均し1週間当たりの労働時間が当該清算期間における日数を7で除して得た数をもってその時間を除して得た時間を超えない範囲内において、1週間又は1日において法定労働時間を超えて、労働させることができる。

〈1週間当たりの労働時間の限度の計算方法〉

$$8 \times \text{清算期間における所定労働日数} \div \frac{\text{清算期間における暦日数}}{7}$$

健保	国年	厚年	社一

13 1年単位の変形労働時間制 Basic

チェック欄 1 / 2 / 3 /

(1) **厚生労働大臣**は、[A]の意見を聴いて、厚生労働省令で、1年単位の変形労働時間制に係る対象期間における労働日数の限度並びに1日及び1週間の労働時間の限度並びに対象期間（労使協定で[B]として定められた期間を除く。）及び労使協定で[B]として定められた期間における連続して労働させる日数の限度を定めることができる。

(2) 上記(1)の厚生労働省令で定める労働日数の限度は、対象期間が[C]**場合**は対象期間について**1年当たり280日**とする。

(3) 上記(1)の厚生労働省令で定める1日の労働時間の限度は[D]とし、1週間の労働時間の限度は**52時間**とする。

(4) 上記(1)の厚生労働省令で定める対象期間における連続して労働させる日数の限度は**6日**とし、[B]として定められた期間における連続して労働させる日数の限度は[E]の休日が確保できる日数とする。

選択肢

① 8時間	② 10時間	③ 12時間	④ 16時間
⑤ 3箇月以上の		⑥ 3箇月を超える	
⑦ 6箇月以上の		⑧ 6箇月を超える	
⑨ 特例期間		⑩ 学識経験者	
⑪ 労働政策審議会		⑫ 清算期間	
⑬ 特定期間		⑭ 1週間に2日	
⑮ 1週間に1日		⑯ 通算期間	
⑰ 厚生労働委員会		⑱ 公聴会	
⑲ 2週間に2日		⑳ 4週間に4日	

進捗チェック

労基	安衛	労災	雇用	労一

解答

A ▶ ⑪　労働政策審議会

B ▶ ⑬　特定期間

C ▶ ⑥　３箇月を超える

D ▶ ②　10時間

E ▶ ⑮　１週間に１日

根拠条文等

法32条の４,３項、則12条の４,３～５項

おぼえとるかい？

1．労使協定の締結事項

１年単位の変形労働時間制を採用するには、労使協定において、次に掲げる事項を定める必要がある。

①　対象となる労働者の範囲

②　対象期間…**１箇月を超え１年以内**の期間に限る。

③　特定期間（対象期間中の特に業務が繁忙な期間をいう。）

④　対象期間における労働日及びその労働日ごとの労働時間
…対象期間中の所定労働時間の合計を、次の計算式による法定労働時間の総枠の範囲内とする。
40時間×対象期間の暦日数／７

⑤　労使協定の有効期間（労働協約による場合は有効期間を定める必要はない。）

※上記のほか、就業規則等又は労使協定により「対象期間の起算日」を明らかにするものとされている。

2．中途採用者等の取扱い

使用者が、１年単位の変形労働時間制によって対象期間中に労働させた期間が当該対象期間より短い労働者（中途採用者等）について、当該労働させた期間を平均し１週間当たり40時間を超えて労働させた場合においては、その超えた時間（法33条［非常災害等］又は法36条１項［36協定］の規定により延長し、又は休日に労働させた時間を除く。）の労働については、法37条［時間外労働等の割増賃金］の規定の例により割増賃金を支払わなければならない。

健保	国年	厚年	社一

14 1週間単位の非定型的変形労働時間制 Basic

チェック欄 1 ／ 2 ／ 3 ／

(1) 使用者は、日ごとの業務に著しい繁閑の差が生ずることが多く、かつ、これを予測した上で就業規則その他これに準ずるものにより各日の労働時間を**特定することが困難**であると認められる**小売業、旅館、料理店**及び［ A ］の事業であって、常時使用する労働者の数が［ B ］のものに従事する労働者については、**労使協定**があるときは、1日について［ C ］まで労働させることができる。

(2) 上記(1)により労働者に労働させる場合においては、当該労働させる1週間の各日の労働時間を、**あらかじめ**、当該労働者に**通知**しなければならないとされており、当該通知は、少なくとも、当該1週間の［ D ］に、**書面**により行わなければならないとされている。ただし、**緊急でやむを得ない事由がある場合**には、使用者は、あらかじめ通知した労働時間を変更しようとする日の**前日**までに書面により当該労働者に通知することにより、当該あらかじめ通知した労働時間を変更することができる。

(3) 使用者は、上記(1)により労働者に労働させる場合において、1週間の各日の労働時間を定めるに当たっては、**労働者の意思**を［ E ］するよう**努めなければならない**。

選択肢

① 30人未満	② 7日前まで	
③ 9時間	④ 10時間	⑤ 初日まで
⑥ 12時間	⑦ 16時間	⑧ 開始する前
⑨ 保健衛生業	⑩ 通信業	⑪ 10日前まで
⑫ 飲食店	⑬ 金融広告業	⑭ 10人以下
⑮ 尊重	⑯ 確認	⑰ 10人未満
⑱ 配慮	⑲ 聴取	⑳ 50人以下

進捗チェック

労基	安衛	労災	雇用	労一

労
基

解答

A ▶ ⑫ 飲食店

B ▶ ① 30人未満

C ▶ ④ 10時間

D ▶ ⑧ 開始する前

E ▶ ⑮ 尊重

根拠条文等

法32条の5,1項、2項、則12条の5,1～3項、5項

【変形労働時間制の取扱い】

1．派遣中の労働者については、1箇月単位の変形労働時間制、フレックスタイム制又は1年単位の変形労働時間制を適用することはできるが、1週間単位の非定型的変形労働時間制を適用することはできない。なお、派遣中の労働者について、これらを適用する場合には、派遣元の使用者が各々の規定に基づき労使協定・就業規則等に一定の事項を定める必要がある。

2．使用者は、1箇月単位の変形労働時間制、1年単位の変形労働時間制又は1週間単位の非定型的変形労働時間制により労働者に労働させる場合には、育児を行う者、老人等の介護を行う者、職業訓練又は教育を受ける者その他特別の配慮を要する者については、これらの者が育児等に必要な時間を確保できるような配慮をしなければならない（フレックスタイム制には、配慮義務は課せられていない。）。

健保 | 国年 | 厚年 | 社一 | Goal

15 休憩

Basic

チェック欄
1 ／
2 ／
3 ／

(1) 使用者は、労働時間が［ A ］場合においては**少くとも45分**、**8時間を超える**場合においては**少くとも1時間**の休憩時間を［ B ］に与えなければならない。

(2) 上記(1)の休憩時間は、**一斉**に与えなければならない。ただし、「一斉に休憩を与えない［ C ］」及び「当該労働者に対する休憩の与え方」について定めた労使協定があるときは、一斉に休憩を与えなくても差し支えない。

(3) 最高裁判所の判例では、「休憩時間の自由利用といってもそれは時間を自由に利用することが認められたものにすぎず、その時間の自由な利用が企業施設内において行われる場合には、使用者の企業施設に対する［ D ］の**合理的な行使**として是認される範囲内の適法な規制による制約を免れることはできない。また、従業員は労働契約上企業秩序を維持するための規律に従うべき義務があり、休憩中は［ E ］とそれに直接附随する職場規律に基づく制約は受けないが、右以外の企業秩序維持の要請に基づく規律による制約は免れない。」としている。

選択肢

① すべての労働者	② 自由
③ 利用権	④ 業務の種類
⑤ 具体的事由	⑥ 労働者の範囲
⑦ 労働者数	⑧ 勤労の義務
⑨ 管理権	⑩ 労務提供
⑪ 使用者の指揮命令	⑫ 自治権
⑬ 職務専念義務	⑭ 占有権
⑮ 労働者の請求した時刻	⑯ 6時間以上の
⑰ 6時間以下の	⑱ 労働時間の途中
⑲ 6時間を超える	⑳ 6時間未満の

進捗チェック

労基	安衛	労災	雇用	労一

解答

A ▶ ⑲　6時間を超える

B ▶ ⑱　労働時間の途中

C ▶ ⑥　労働者の範囲

D ▶ ⑨　管理権

E ▶ ⑩　労務提供

根拠条文等

法34条、則15条1項、最三小昭和52.12.13目黒電報電話局事件

おぼえとるかい？

1．休憩時間の規定が適用されない者

①　運輸交通業又は郵便若しくは信書便の事業に使用される労働者のうち列車、気動車、電車、自動車、船舶又は航空機に乗務する**乗務員**で**長距離**にわたり**継続**して乗務するもの並びに屋内勤務者**30人未満**の日本郵便株式会社の営業所（郵便窓口業務を行うものに限る。）において郵便の業務に従事するもの

②　乗務員のうち上記①に該当しないものであって、その者の従事する業務の性質上、休憩時間を与えることができないと認められる場合において、その勤務中における停車時間、折返しによる待合せ時間その他の時間の合計が休憩時間に相当するもの

③　**法第41条各号に該当する者**

④　**高度プロフェッショナル制度**の下で労働する者

2．休憩時間を一斉に付与しなくてもよい場合

①　**労使協定**がある場合

②　一定の業種（運輸交通業、商業、金融広告業、映画演劇業、通信業、保健衛生業、接客娯楽業、法別表第1に掲げる事業を除く官公署の事業）に該当する場合

③　**坑内労働**

3．休憩時間を自由利用させなくてもよい者等

①　警察官、消防吏員、常勤の消防団員、准救急隊員及び**児童自立支援施設**に勤務する職員で児童と起居をともにする者

②　乳児院、**児童養護施設**及び障害児入所施設に勤務する職員で児童と起居をともにする者（**所轄労働基準監督署長の許可**が必要）

③　児童福祉法に規定する居宅訪問型保育事業に使用される労働者のうち、家庭的保育者として保育を行う者（同一の居宅において、一の児童に対して複数の家庭的保育者が同時に保育を行う場合を除く。）

④　**坑内労働**

健保	国年	厚年	社一

16 臨時の必要がある場合の時間外及び休日労働　Basic

チェック欄
1 ／
2 ／
3 ／

(1)　労働基準法第33条第１項においては、「**災害**その他避けることのできない事由によって、[A]がある場合においては、使用者は、**行政官庁**の[B]を受けて、その**必要の限度**において同法第32条から第32条の５まで（労働時間及び変形労働時間制）若しくは同法第40条（労働時間及び休憩の特例）の労働時間を延長し、又は同法第35条の休日に労働させることができる。ただし、[C]のために行政官庁の[B]を受ける暇がない場合においては、事後に遅滞なく**届け出**なければならない。」と規定している。

(2)　上記(1)の規定による届出があった場合において、行政官庁がその労働時間の延長又は休日の労働を[D]と認めるときは、その後に**その時間に相当する**休憩又は休日を与えるべきことを、[E]ことができる。

選択肢

① 指導する	② 認定	③ 命ずる	④ 許可
⑤ 適法	⑥ 不当	⑦ 不適当	⑧ やむを得ない
⑨ 事態急迫	⑩ 非常の事態		⑪ 認可
⑫ 緊急の必要	⑬ 緊急事態		⑭ 勧告する
⑮ 臨時の必要	⑯ 正当な理由		⑰ 承認
⑱ 特別の事情	⑲ 事態収拾		⑳ 指示する

進捗チェック
労基　安衛　労災　雇用　労一

解答

A ▶ ⑮ 臨時の必要
B ▶ ④ 許可
C ▶ ⑨ 事態急迫
D ▶ ⑦ 不適当
E ▶ ③ 命ずる

根拠条文等

法33条１項、２項

1．**公務**のために**臨時の必要**がある場合においては、官公署の事業（労働基準法別表第１に掲げる事業を除く。）に従事する国家公務員及び地方公務員については、法32条から法32条の５まで（労働時間及び変形労働時間制）若しくは法40条（労働時間及び休憩の特例）の労働時間を延長し、又は法35条の休日に労働させることができる。
2．問題文の**非常災害**の場合には、**年少者**を、**時間外労働**、**休日労働**、**深夜業**（時間外・休日労働が深夜に及ぶ場合）に従事させることができる。一方、上記**1.**の公務の場合には、年少者を、時間外労働、休日労働に従事させることはできるが、深夜業に従事させることはできない。
3．問題文の非常災害の場合及び上記**1.**の公務の場合であっても、妊産婦が請求した場合には、時間外労働、休日労働、深夜業に従事させることは**できない**。

	非常災害		公務	
	時間外・休日労働	深夜業	時間外・休日労働	深夜業
年少者	○	○	○	×
妊産婦（請求）	×	×	×	×

Step-Up! アドバイス

・派遣先の使用者は、非常災害の場合には、派遣中の労働者にも、時間外労働又は休日労働をさせることができる。この場合に、事前の許可を受け又は事後の届出をする義務を負うのは、**派遣先**の使用者である。

健保	国年	厚年	社一

17 36協定（労使協定）による時間外及び休日労働 Basic

チェック欄
1 ／
2 ／
3 ／

(1) 使用者は、**労使協定**をし、厚生労働省令で定めるところによりこれを**行政官庁に届け出た**場合においては、その協定で定めるところによって［ A ］に労働させることができる。

(2) 使用者は、上記(1)の協定で定めるところによって［ A ］において労働させる場合であっても、①～③に掲げる時間について、当該①～③に定める要件を満たすものとしなければならない。

① **坑内労働**その他厚生労働省令で定める［ B ］業務について、1日について労働時間を延長して労働させた時間
……［ C ］こと。

② **1箇月**について労働時間を延長して労働させ、及び休日において労働させた時間
……［ D ］こと。

③ 対象期間の初日から1箇月ごとに区分した各期間に当該各期間の直前の1箇月、2箇月、3箇月、4箇月及び5箇月の期間を加えたそれぞれの期間における労働時間を延長して労働させ、及び休日において労働させた時間の**1箇月当たりの平均時間**
……［ E ］こと。

選択肢

A	① 労働時間を延長し、又は深夜の時間帯若しくは休日 ② 労働時間を延長し、又は深夜の時間帯 ③ 労働時間を延長し、又は休日 ④ 深夜の時間帯又は休日
B	① 危険又は健康上有害な　② 健康上特に有害な ③ 特に危険な業務又は健康上特に有害な　④ 特に危険な
C	① 1時間を超えない　② 1時間未満である ③ 2時間を超えない　④ 2時間未満である
D	① 80時間未満である　② 80時間を超えない ③ 100時間未満である　④ 100時間を超えない
E	① 80時間未満である　② 80時間を超えない ③ 100時間未満である　④ 100時間を超えない

進捗チェック

労基	安衛	労災	雇用	労一

解答

A ► ③ 労働時間を延長し、又は休日

B ► ② 健康上特に有害な

C ► ③ 2時間を超えない

D ► ③ 100時間未満である

E ► ② 80時間を超えない

法36条1項、6項

1．36協定に定める事項

① **労働者の範囲**

② **対象期間**（労働時間を延長し、又は休日に労働させることができる期間をいい、**1年間に限る**ものとする。）

③ 労働時間を延長し、又は休日に労働させることができる場合

④ 対象期間における**1日**、**1箇月**及び**1年**のそれぞれの期間について労働時間を延長して労働させることができる**時間**又は労働させることができる休日の**日数**

⑤ 労働時間の延長及び休日の労働を適正なものとするために必要な事項として厚生労働省令で定める事項

2．限度時間

上記**1．**④の労働時間を延長して労働させることができる時間は、当該事業場の業務量、時間外労働の動向その他の事情を考慮して通常予見される時間外労働の範囲内において、限度時間を超えない時間に限られる。

なお、限度時間は、1箇月について**45時間**及び1年について**360時間**（1年単位の変形労働時間制の規定による対象期間として3箇月を超える期間を定めて、当該規定により労働させる場合にあっては、1箇月について42時間及び1年について320時間）とされている。

健保	国年	厚年	社一

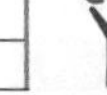

18 割増賃金

Basic

チェック欄
1 ／
2 ／
3 ／

⑴ 使用者が労働基準法第33条（非常災害等）又は同法第36条第1項（36協定）の規定により労働時間を延長し、又は休日に労働させた場合においては、その時間又はその日の労働については、［ A ］の労働時間又は労働日の賃金の計算額の［ B ］の範囲内でそれぞれ政令で定める率以上の率で計算した割増賃金を支払わなければならない。ただし、当該延長して労働させた時間が**1箇月**について［ C ］を超えた場合においては、その超えた時間の労働については、［ A ］の労働時間の賃金の計算額の［ D ］以上の率で計算した割増賃金を支払わなければならない。

⑵ 使用者が、**午後10時から午前5時まで**（厚生労働大臣が必要であると認める場合においては、その定める地域又は期間については午後11時から午前6時まで）の間において労働させた場合においては、その時間の労働については、［ A ］の労働時間の賃金の計算額の［ E ］以上の率で計算した割増賃金を支払わなければならない。

選択肢

① 2割5分以上5割以下	② 5割	③ 45時間
④ 2割5分以上6割以下	⑤ 6割	⑥ 42時間
⑦ 3割5分以上5割以下	⑧ 7割5分	⑨ 60時間
⑩ 3割5分以上6割以下	⑪ 8割	⑫ 80時間
⑬ 通常の労働者	⑭ 2割5分	⑮ 3割
⑯ 同種の労働者	⑰ 3割5分	⑱ 4割
⑲ 平均	⑳ 通常	

進捗チェック

労基	安衛	労災	雇用	労一

解答

A ▶ ⑳　通常

B ▶ ①　2割5分以上5割以下

C ▶ ⑨　60時間

D ▶ ②　5割

E ▶ ⑭　2割5分

根拠条文等

法37条1項、4項

【割増賃金の具体例】

《例1》法定労働時間が週40時間の事業場で、所定労働時間6時間、週休1日制の会社の場合は、所定労働時間を超えて毎日1時間の残業をさせても1日については法定労働時間である8時間を超えないが、1週間については労働時間が42時間となり、週の法定労働時間である40時間を超えるので、割増賃金を支払わなければならない。

《例2》週休2日制の会社で、休日である2日のうち1日について労働させても、労働基準法上の週1日の休日は確保されているので、休日労働とならず、割増賃金を支払う必要はない。しかし、その1日の労働により当該週の労働時間が1週間の法定労働時間を超えるときは、その超えた部分は時間外労働となるから、割増賃金を支払わなければならない。

《例3》就業規則等の定めに基づいて休日の振替をし、規定の休日に労働させても、休日労働にはならないから割増賃金は支払わなくてよい。しかし、振り替えたことにより当該週の労働時間が1週間の法定労働時間を超えるときは、その超えた部分は時間外労働となるから、割増賃金を支払わなければならない。

Step-Up! アドバイス

・所定労働時間を超えて労働させた場合であっても、法定労働時間の範囲内であれば、時間外労働に対する割増賃金を支払う必要はない。

健保	国年	厚年	社一

19 代替休暇

Basic

チェック欄
1 ／
2 ／
3 ／

(1)　使用者は、労働基準法第37条第3項による、いわゆる**代替休暇**を与えることとする場合には、**労使協定**を締結し、次の①～③に掲げる事項を定めなければならない。

①　代替休暇として与えることができる時間の時間数の**算定方法**

②　代替休暇の単位（［ A ］とする。）

③　代替休暇を与えることができる期間（時間外労働をさせた時間が1箇月について［ B ］**を超えた**当該1箇月の**末日の翌日**から［ C ］**以内**とする。）

(2)　使用者が、労使協定により、代替休暇を与えることを定めた場合において、当該労働者が代替休暇を取得したときは、取得した代替休暇の時間数を換算率で除して得た時間数の時間の労働については、［ D ］**の率**で計算した割増賃金を支払うことを要しない。

(3)　割増賃金の計算の基礎となる賃金には、**家族手当**、**通勤手当**、**別居手当**、**子女教育手当**、**住宅手当**、**臨時**に支払われた賃金及び［ E ］は算入しない。

選択肢

①　1日又は1時間　　②　2割5分以上
③　1日又は半日　　④　3割5分以上
⑤　5割以上　　⑥　6割以上
⑦　半日　　⑧　14日　　⑨　40時間　　⑩　1日
⑪　1箇月　　⑫　2箇月　　⑬　45時間　　⑭　60時間
⑮　80時間　　⑯　1箇月を超える期間ごとに支払われる賃金
⑰　3箇月を超えるごとに支払われる賃金
⑱　通貨以外のもので支払われる賃金　　⑲　3箇月
⑳　1賃金支払期を超える期間ごとに支払われる賃金

進捗チェック

労基	安衛	労災	雇用	労一

解答

A ▶ ③　1日又は半日

B ▶ ⑭　60時間

C ▶ ⑫　2箇月

D ▶ ⑤　5割以上

E ▶ ⑯　1箇月を超える期間ごとに支払われる賃金

根拠条文等

法37条3項、5項、則19条の2，1項、3項、則21条

1．問題文のいわゆる代替休暇とは、1箇月につき**60時間を超えた時間外労働**に対して割増賃金を支払うべき労働者に対して、当該割増賃金の支払に代えて与えることとする通常の労働時間の賃金が支払われる休暇（**年次有給休暇を除く。**）をいう。

2．問題文(2)の「換算率」とは、労働者が代替休暇を取得しなかった場合に1箇月につき60時間を超えた時間外労働について法37条1項ただし書の規定により支払うこととされている割増賃金の率（5割以上の率）と、労働者が代替休暇を取得した場合に当該時間外労働について同項本文の規定により支払うこととされている割増賃金の率（2割5分以上の率）との差に相当する率のことをいう。

なお、換算率は下記の式によって算出することができる。

換算率＝（代替休暇を取得しなかった場合の割増賃金率（5割以上））－（代替休暇を取得した場合の割増賃金率（2割5分以上））

3．代替休暇として与えることのできる時間の時間数

問題文(1)①の「**算定方法**」は、1箇月について60時間を超えて延長して労働させた時間数に、換算率を乗じるものとされている。

Step-Up! アドバイス

・代替休暇を取得した場合であっても、法37条1項本文の規定により支払うこととされている割増賃金の率（2割5分以上の率）による割増賃金の支払は必要である。

健保	国年	厚年	社一

20 専門業務型裁量労働制 Basic

チェック欄
1 ／
2 ／
3 ／

⑴ 労働基準法第38条の3においては、いわゆる専門業務型裁量労働制について定めており、同条第1項第1号では、専門業務型裁量労働制の対象業務について、「業務の性質上その遂行の方法を大幅に当該業務に従事する**労働者の裁量**にゆだねる必要があるため、当該業務の**遂行の手段**及び［ A ］の決定等に関し［ B ］のうち、労働者に就かせることとする業務」と規定している。

⑵ 使用者は、専門業務型裁量労働制の対象業務に従事する労働者の労働時間の状況並びに当該労働者の［ C ］を確保するための措置の実施状況、対象業務に従事する労働者からの［ D ］に関する措置の実施状況、労働基準法施行規則第24条の2の2第3項第1号の**同意**及びその**撤回**に関する労働者ごとの記録を作成し、労使協定の有効期間中及び当該有効期間の満了後［ E ］保存しなければならない。

選択肢

① 使用者が具体的な指示をしないこととする業務
② 使用者が具体的な指示をすることが困難なものとして厚生労働省令で定める業務
③ 5年間（当分の間は3年間）
④ 5年間（当分の間は2年間）
⑤ 3年間（当分の間は2年間）
⑥ 3年間（当分の間は1年間）
⑦ 要望の実現　⑧ 作業内容　⑨ 業務変更の申出
⑩ 労働条件　⑪ 業務の内容　⑫ 時間配分
⑬ 苦情の処理　⑭ 安全及び衛生　⑮ 安全及び健康
⑯ 健康及び福祉　⑰ 休暇の申出
⑱ 労働時間を算定し難い業務　⑲ 生活の安定及び福祉
⑳ 当該業務を遂行するためには通常所定労働時間を超えて労働することが必要となる業務

進捗チェック
労基　安衛　労災　雇用　労一

解答

A ▶ ⑫ 時間配分

B ▶ ② 使用者が具体的な指示をすることが困難なものとして厚生労働省令で定める業務

C ▶ ⑯ 健康及び福祉

D ▶ ⑬ 苦情の処理

E ▶ ③ 5年間（当分の間は3年間）

根拠条文等
法38条の3,1項1号、6号、則24条の2の2の2、則附則71条

1．専門業務型裁量労働制を採用する場合には、次に掲げる事項を労使協定に定めなければならない。

① 対象業務

② 対象業務に従事する労働者の労働時間として算定される時間（**1日当たり**の時間数）

③ 対象業務の遂行の手段及び時間配分の決定等に関し当該対象業務に従事する労働者に対し使用者が具体的な指示をしないこと。

④ 対象業務に従事する労働者の**労働時間の状況**に応じた当該労働者の健康及び福祉を確保するための措置を当該協定で定めるところにより使用者が講ずること。

⑤ 対象業務に従事する労働者からの**苦情の処理**に関する措置を当該協定で定めるところにより使用者が講ずること。

⑥ 使用者は、労働者を対象業務に就かせたときは、労使協定で定める時間労働したものとみなすことについて当該**労働者の同意**を得なければならないこと及び当該同意をしなかった当該労働者に対して解雇その他不利益な取扱いをしてはならないこと。

⑦ ⑥の同意の撤回に関する手続

⑧ 労使協定の有効期間

⑨ 使用者は、上記④の労働時間の状況及び④、⑤の措置の実施状況並びに⑥の同意及びその撤回に関する労働者ごとの記録を当該協定の有効期間中及び当該有効期間の満了後5年間（当分の間は3年間）保存すること。

2．専門業務型裁量労働制に係る労使協定は、当該協定で定める時間が法定労働時間以下であるか否かにかかわらず、**所轄労働基準監督署長に届け出ること**が必要である。

健保	国年	厚年	社一

21 企画業務型裁量労働制 Basic

チェック欄
1 ／
2 ／
3 ／

(1) 賃金、労働時間その他の当該事業場における**労働条件**に関する事項を**調査審議**し、事業主に対し当該事項について［ A ］**ことを目的**とする**委員会**（**使用者**及び当該事業場の**労働者を代表する者**を構成員とするものに限る。）が設置された事業場において、当該委員会がその委員の［ B ］による議決により一定の事項に関する決議をし、かつ、使用者が、当該決議を**行政官庁に届け出**た場合において、対象労働者を当該事業場における**対象業務**に就かせたときは、当該労働者は、当該決議で定めた時間労働したものと［ C ］。

(2) 上記(1)の「対象業務」とは、事業の運営に関する事項についての**企画、立案、調査及び分析の業務**であって、当該業務の性質上これを適切に遂行するにはその遂行の方法を大幅に**労働者**の［ D ］に委ねる必要があるため、当該業務の遂行の手段及び時間配分の決定等に関し［ E ］こととする業務をいう。

選択肢

① 判断　② 見識　③ 裁量　④ 知見
⑤ 5分の4以上の多数　⑥ 過半数　⑦ 推認する
⑧ 4分の3以上の多数　⑨ 半数以上　⑩ みなす
⑪ 意見を述べる　⑫ 改善を命ずる　⑬ 認定する
⑭ 答申する　⑮ 指導する　⑯ 推定する
⑰ 使用者が具体的な指示をすることが困難なものとして厚生労働省令で定める業務のうち、労働者に就かせる
⑱ 使用者が具体的な指示をしない
⑲ 使用者が具体的な指示をすることが困難なものとして労使委員会で定める業務のうち、労働者に就かせる
⑳ 使用者が具体的な指示をする

進捗チェック

労基	安衛	労災	雇用	労一

解答

A ▶ ⑪ 意見を述べる

B ▶ ⑤ 5分の4以上の多数

C ▶ ⑩ みなす

D ▶ ③ 裁量

E ▶ ⑱ 使用者が具体的な指示をしない

法38条の4, 1項

おぼえとるかい?

【企画業務型裁量労働制に係る決議により定める事項】

① 対象業務

② 対象労働者の範囲

③ 対象業務に従事する労働者の労働時間として算定される時間（**1日当たり**の時間数）

④ 対象業務に従事する労働者の**労働時間の状況**に応じた当該労働者の**健康及び福祉**を確保するための措置を当該決議で定めるところにより使用者が講ずること。

⑤ 対象業務に従事する労働者からの**苦情の処理**に関する措置を当該決議で定めるところにより使用者が講ずること。

⑥ 使用者は、対象労働者の範囲に属する労働者を対象業務に就かせたときは上記③に掲げる時間労働したものとみなすことについて当該**労働者の同意**を得なければならないこと及び当該同意をしなかった当該労働者に対して解雇その他不利益な取扱いをしてはならないこと。

⑦ 対象労働者の⑥の同意の撤回に関する手続

⑧ 使用者は、対象労働者に適用される評価制度及びこれに対応する賃金制度を変更する場合にあっては、労使委員会に対し、当該変更の内容について説明を行うこと。

⑨ 労使委員会の決議の有効期間

⑩ 使用者は、上記④の労働者の労働時間の状況並びに当該労働者の健康及び福祉を確保するための措置の実施状況、上記⑤の労働者からの苦情の処理に関する措置の実施状況、上記⑥の労働者の同意及びその撤回に関する労働者ごとの記録を当該決議の有効期間中及び当該有効期間の満了後5年間（当分の間は3年間）保存すること。

22 高度プロフェッショナル制度 Basic

チェック欄 1 ／ 2 ／ 3 ／

労使委員会が設置された事業場において、当該委員会がその委員の［ A ］**以上の多数**による議決により所定の事項に関する決議をし、かつ、使用者が、当該決議を所轄労働基準監督署長に**届け出た場合において**、対象労働者であって書面その他の厚生労働省令で定める方法によりその**同意を得たもの**を当該事業場における対象業務に就かせたときは、労働基準法第4章（労働時間等）で定める**労働時間、休憩、休日及び深夜の割増賃金**に関する規定は、対象労働者については**適用しない**。ただし、下記の(1)から(3)までに規定する措置のいずれかを使用者が講じていない場合は、この限りでない。

(1) ［ B ］を把握する措置を当該決議で定めるところにより使用者が講ずること。

(2) 対象業務に従事する対象労働者に対し、**1年間を通じ**［ C ］**以上、かつ、4週間を通じ4日以上の休日**を当該決議及び就業規則その他これに準ずるもので定めるところにより使用者が与えること。

(3) 対象業務に従事する対象労働者に対し、労働者ごとに**始業から24時間**を経過するまでに［ D ］時間以上の**継続した休息時間**を確保し、かつ、同法第37条第4項に規定する時刻の間（**深夜の時間帯**）において労働させる回数を**1箇月**について［ E ］**以内**とすること等の措置を当該決議及び就業規則その他これに準ずるもので定めるところにより使用者が講ずること。

選択肢

① 2分の1	② 3分の2	③ 11	④ 12
⑤ 4分の3	⑥ 10	⑦ 2回	
⑧ 5分の4	⑨ 13	⑩ 4回	
⑪ 総労働時間	⑫ 102日	⑬ 在社時間	⑭ 125日
⑮ 時間外労働時間		⑯ 健康管理時間	
⑰ 120日	⑱ 6回	⑲ 8回	⑳ 104日

進捗チェック

労基	安衛	労災	雇用	労一

解答

A ▶ ⑧　5分の4

B ▶ ⑯　健康管理時間

C ▶ ⑳　104日

D ▶ ③　11

E ▶ ⑩　4回

法41条の2, 1項、則34条 の2, 9項、10項

1．対象業務

高度プロフェッショナル制度の対象業務は、**高度の専門的知識等**を必要とし、その性質上従事した**時間と従事して得た成果との関連性が通常高くない**と認められるものとして厚生労働省令で定める業務のうち、労働者に就かせることとする業務とされる。

2．対象労働者

高度プロフェッショナル制度の対象労働者は、当該制度により労働する期間において次のいずれにも該当する労働者であって、対象業務に就かせようとするものをいう。

ⓐ　使用者との間の書面その他の厚生労働省令で定める方法による**合意**に基づき職務が明確に定められていること。

ⓑ　労働契約により使用者から支払われると見込まれる賃金の額を1年間当たりの賃金の額に換算した額が**基準年間平均給与額**（厚生労働省において作成する**毎月勤労統計**における**毎月きまって支給する給与**の額を基礎として厚生労働省令で定めるところにより算定した労働者1人当たりの給与の平均額をいう。）の**3倍**の額を相当程度上回る水準として厚生労働省令で定める額（**1,075万円**）**以上**であること。

健保	国年	厚年	社一

23 年次有給休暇 1

Basic

チェック欄
1 ／
2 ／
3 ／

(1) 年次有給休暇の権利は、雇入れの日から起算して**6箇月間継続勤務**し、［ A ］**以上**出勤したことにより、法律上当然に生ずるが、当該出勤率の算定に当たっては、次の①から⑤の期間は出勤したものとみなされる（取り扱われる。）。

① **業務上**負傷し、又は疾病にかかり療養のために休業した期間
② 育児休業、介護休業等育児又は家族介護を行う労働者の福祉に関する法律に規定する［ B ］をした期間
③ **産前産後**の女性が労働基準法第65条の規定によって休業した期間
④ ［ C ］として休んだ期間
⑤ ［ D ］によるとはいえない不就労日（当事者間の衡平等の観点から出勤日数に算入するのが相当でないものを除く。）

(2) 労働基準法附則第136条によれば「使用者は、年次有給休暇を取得した労働者に対して、賃金の減額その他**不利益な取扱い**を［ E ］。」とされている。

選択肢

① 使用者の責に帰すべき事由　② 年次有給休暇
③ 子の看護等休暇又は介護休暇　④ 全労働日の6割
⑤ 労働者の責に帰すべき事由　⑥ 全労働日の8割
⑦ 育児休業又は子の看護等休暇　⑧ やむを得ない事由
⑨ 正当な争議行為への参加　⑩ 育児休業又は介護休業
⑪ 所定労働日数の3分の2　⑫ 労働者の重大な過失
⑬ 所定労働日数の4分の3　⑭ してはならない
⑮ しないようにしなければならない
⑯ しないように配慮しなければならない
⑰ 育児休業若しくは介護休業又は子の看護等休暇若しくは介護休暇
⑱ 代替休暇　⑲ 休日の振替　⑳ することはできない

進捗チェック

労基	安衛	労災	雇用	労一

解答

A ▶ ⑥ 全労働日の8割

B ▶ ⑩ 育児休業又は介護休業

C ▶ ② 年次有給休暇

D ▶ ⑤ 労働者の責に帰すべき事由

E ▶ ⑮ しないようにしなければならない

根拠条文等

法39条1項、10項、法附則136条、平成6.3.31基発181号、平成25.7.10基発0710第3号

おぼえとるかい？

1.「労働者の責に帰すべき事由によるとはいえない不就労日」の取扱い

問題文(1)⑤の労働者の責に帰すべき事由によるとはいえない不就労日で「当事者間の衡平等の観点から出勤日数に算入するのが相当でないもの」とは、例えば、次に掲げる日が挙げられる。

・不可抗力による休業日
・使用者側に起因する経営、管理上の障害による休業日
・正当な同盟罷業その他正当な争議行為により労務の提供が全くなされなかった日

これらに該当するものは全労働日から除くものとされている。これらに該当しない「労働者の責に帰すべき事由によるとはいえない不就労日」は、全労働日に含まれ、出勤したものとして取り扱われる。

2. 時季指定権・時季変更権

使用者は、年次有給休暇を労働者の請求する時季に与えなければならない（**時季指定権**）。ただし、請求された時季に年次有給休暇を与えることが事業の正常な運営を妨げる場合においては、他の時季にこれを与えることができる（**時季変更権**）。

健保	国年	厚年	社一

Goal

24 年次有給休暇　2

Basic

チェック欄
1 ／
2 ／
3 ／

(1) 次に掲げる労働者（1週間の所定労働時間が［ A ］時間以上の者を**除く**。）の有給休暇の日数については、労働基準法第39条第1項及び第2項の規定にかかわらず、これらの規定による有給休暇の日数を基準とし、通常の労働者の1週間の所定労働日数として厚生労働省令で定める日数と当該労働者の1週間の所定労働日数又は1週間当たりの平均所定労働日数との比率を考慮して厚生労働省令で定める日数とする。

① **1週間**の所定労働日数が［ B ］日以下の労働者

② 週以外の期間によって所定労働日数が定められている労働者については、**1年間**の所定労働日数が、［ C ］日以下の労働者

(2) 使用者は、有給休暇（使用者が与えなければならない有給休暇の日数が［ D ］**以上**である労働者に係るものに限る。）の日数のうち**5日**については、**基準日**から［ E ］の期間に、労働者ごとにその時季を定めることにより**与えなければならない**。ただし、有給休暇を当該有給休暇に係る基準日より前の日から与えることとしたときは、厚生労働省令で定めるところにより、労働者ごとにその時季を定めることにより与えなければならない。

選択肢

① 5労働日	② 10労働日	③ 15労働日
④ 20労働日	⑤ 1	⑥ 6箇月以内
⑦ 20	⑧ 2	⑨ 1年以内
⑩ 25	⑪ 4	⑫ 3箇月以内
⑬ 30	⑭ 5	⑮ 2年以内
⑯ 35	⑰ 210	⑱ 216
⑲ 300	⑳ 320	

進捗チェック
労基　安衛　労災　雇用　労一

解答

A ▶ ⑬ 30

B ▶ ⑪ 4

C ▶ ⑱ 216

D ▶ ② 10労働日

E ▶ ⑨ 1年以内

根拠条文等

法39条3項、7項、則24条の3,1項、4項、5項

【時間単位年休の付与】

使用者は、労使協定により、次の①から④に掲げる事項を定めた場合において、①に掲げる労働者の範囲に属する労働者が有給休暇を時間を単位として請求したときは、有給休暇の日数のうち②に掲げる日数については、当該協定で定めるところにより時間を単位として有給休暇（以下「時間単位年休」という。）を与えることができる。

① 時間単位年休を与えることができる**労働者の範囲**

② 時間単位年休の日数（**5日以内に限る。**）

③ 時間単位年休1日の時間数〔1日の所定労働時間数（日によって所定労働時間数が異なる場合には、1年間における1日平均所定労働時間数。④において同じ。）を**下回らない**ものとする。〕

④ 1時間以外の時間を単位とする場合には、その時間数（1日の**所定労働時間数に満たない**ものとする。）

25 年少者

Basic

チェック欄
1 ／
2 ／
3 ／

(1) 労働基準法第57条第１項は「使用者は、[A]について、その年齢を証明する戸籍証明書を事業場に備え付けなければならない。」と規定している。

(2) 使用者は、法定労働時間の規定にかかわらず、**満15歳以上で満18歳に満たない者**については、満18歳に達するまでの間（満15歳に達した日以後の最初の３月31日までの間を除く。）、次に定めるところにより、労働させることができる。

① １週間の労働時間が**40時間**を超えない範囲内において、１週間のうち１日の労働時間を[B]時間以内に短縮する場合において、**他の日**の労働時間を**10時間**まで延長すること。

② １週間について[C]時間、１日について[D]を超えない範囲内において、**１箇月単位**の変形労働時間制又は[E]の**規定の例**により労働させること。

選択肢

① 満13歳に満たない者　② 2　③ 5
④ フレックスタイム制　⑤ 12時間
⑥ 10時間　⑦ 8時間　⑧ 7　⑨ 4
⑩ 50　⑪ 48　⑫ 42　⑬ 40
⑭ 満15歳に満たない者
⑮ 満15歳に達した日以後の最初の３月31日が終了するまでの者
⑯ 7時間　⑰ １年単位の変形労働時間制
⑱ 事業場外労働に関するみなし労働時間制
⑲ 満18歳に満たない者
⑳ １週間単位の非定型的変形労働時間制

進捗チェック

労基	安衛	労災	雇用	労一

解答

A ▶ ⑲　満18歳に満たない者

B ▶ ⑨　4

C ▶ ⑪　48

D ▶ ⑦　8時間

E ▶ ⑰　1年単位の変形労働時間制

根拠条文等

法57条1項、
法60条3項、
則34条の2の4

1．年少者の労働時間等

① 1箇月単位の変形労働時間制、フレックスタイム制、1年単位の変形労働時間制、1週間単位の非定型的変形労働時間制、36協定による時間外・休日労働、労働時間の特例（週44時間）、休憩の特例及び高度プロフェッショナル制度の規定は、満18歳未満の年少者には**適用されない**。

② 法33条の非常災害・公務による時間外・休日労働、変形休日制（4週4日以上の休日）及び法41条（労働基準法上の労働時間、休憩及び休日の適用除外）の規定は、満18歳未満の年少者についても**適用される**。

2．児童の労働時間

労働基準法56条2項（最低年齢の例外）の規定により行政官庁の許可を受けて使用する児童については、休憩時間を除き、**修学時間を通算**して1週間について40時間を超えて、労働させてはならない。また、1週間の各日については、休憩時間を除き、**修学時間を通算**して1日について**7時間**を超えて、労働させてはならない。

健保	国年	厚年	社一

26 妊産婦等

Basic

チェック欄
1 ／
2 ／
3 ／

(1) 使用者は、**産後8週間**を経過しない女性を就業させてはならない。ただし、**産後6週間**を経過した女性が**請求**した場合において、その者について［ A ］が支障がないと認めた業務に就かせることは、差し支えない。

(2) 使用者は、妊娠中［ B ］場合においては、**他の軽易な業務**に転換させなければならない。

(3) 生後［ C ］に達しない生児を育てる**女性**は、**労働基準法第34条の休憩時間のほか**、1日［ D ］回各々少なくとも［ E ］、その**生児を育てるための時間**を請求することができる。

選択肢

① 4	② 3	③ 2	④ 1
⑤ 10分	⑥ 30分	⑦ 45分	⑧ 1時間
⑨ 満3年	⑩ 1歳6箇月	⑪ の女性が請求した	
⑫ 6箇月	⑬ 本人	⑭ 満1年	⑮ 行政官庁

⑯ の女性又は産後1年を経過しない女性が就業する
⑰ の女性又は産後1年を経過しない女性が請求した

⑱ 医師	⑲ 使用者	⑳ の女性が就業する

進捗チェック

労基	安衛	労災	雇用	労一

解答

A ▶ ⑱ 医師

B ▶ ⑪ の女性が請求した

C ▶ ⑭ 満１年

D ▶ ③ ２

E ▶ ⑥ 30分

根拠条文等

法65条２項、３項、法67条１項

１．労働時間の制限

使用者は、妊産婦※が請求した場合においては、法32条の２，１項（１箇月単位の変形労働時間制）、法32条の４，１項（１年単位の変形労働時間制）及び法32条の５，１項（１週間単位の非定型的変形労働時間制）の規定にかかわらず、１週間について、又は１日について法定労働時間を超えて労働させてはならない。

※「妊産婦」とは「**妊娠中の女性及び産後１年を経過しない女性**」のことである。

２．時間外及び休日労働の制限

使用者は、妊産婦が請求した場合においては、法33条１項及び３項（非常災害・公務員の例外）並びに法36条１項（36協定による時間外労働及び休日労働）の規定にかかわらず、時間外労働をさせてはならず、又は休日に労働させてはならない。

３．深夜業の制限

使用者は、妊産婦が請求した場合においては、深夜業をさせてはならない。

４．生理日の就業

使用者は、生理日の就業が著しく困難な女性が休暇を請求したときは、その者を生理日に就業させてはならない。

Step-Up! アドバイス

・問題文(2)の規定は、他の軽易な業務がない場合に、新たに軽易な業務を創設して与えることまでは求めていない。

健保	国年	厚年	社一

27 就業規則 1

Basic

チェック欄 1 ／ 2 ／ 3 ／

常時[A]以上の労働者を使用する使用者は、次に掲げる事項について就業規則を作成し、**行政官庁に届け出**なければならない。次に掲げる事項を変更した場合においても、同様とする。

(1) [B]、休憩時間、休日、休暇並びに労働者を2組以上に分けて交替に就業させる場合においては就業時転換に関する事項
(2) **賃金（臨時の賃金等を除く**。以下(2)において同じ。**）の決定**、計算及び支払の方法、賃金の締切り及び支払の時期並びに昇給に関する事項
(3) **退職**に関する事項（**解雇の事由を含む**。）
(4) [C]の定めをする場合においては、適用される労働者の範囲、[C]の決定、計算及び支払の方法並びに[C]の支払の時期に関する事項
(5) 臨時の賃金等（[C]を除く。）及び最低賃金額の定めをする場合においては、これに関する事項
(6) 労働者に食費、作業用品その他の負担をさせる定めをする場合においては、これに関する事項
(7) 安全及び衛生に関する定めをする場合においては、これに関する事項
(8) 職業訓練に関する定めをする場合においては、これに関する事項
(9) 災害補償及び業務外の傷病扶助に関する定めをする場合においては、これに関する事項
(10) [D]の定めをする場合においては、その種類及び程度に関する事項
(11) 上記に掲げるもののほか、当該事業場の労働者の[E]に適用される定めをする場合においては、これに関する事項

選択肢

① 30人	② 退職手当	③ 労働契約の期間
④ 300人	⑤ 福利厚生	⑥ 5分の4以上の多数
⑦ 過半数	⑧ 労働組合運動	⑨ 一部
⑩ 労働時間	⑪ 表彰及び制裁	⑫ 割増賃金
⑬ 休職	⑭ 始業及び終業の時刻	
⑮ 賞与	⑯ 50人	⑰ すべて
⑱ 平均賃金	⑲ 10人	⑳ 従事すべき業務

進捗チェック

労基	安衛	労災	雇用	労一

解答

A ▶ ⑲　10人

B ▶ ⑭　始業及び終業の時刻

C ▶ ②　退職手当

D ▶ ⑪　表彰及び制裁

E ▶ ⑰　すべて

根拠条文等

法89条

おぼえとるかい?

【労働条件の絶対的明示事項と就業規則の絶対的必要記載事項】

	労働条件		就業規則
絶対的明示事項	労働契約の期間に関する事項	絶対的必要記載事項	
	有期労働契約を更新する場合の基準に関する事項（通算契約期間又は有期労働契約の更新回数に上限の定めがある場合には当該上限を含む）		
	就業の場所及び従事すべき業務に関する事項（就業の場所及び従事すべき業務の変更の範囲を含む）		
	始業及び終業の時刻、**所定労働時間を超える労働の有無**、休憩時間、休日、休暇並びに労働者を２組以上に分けて就業させる場合における就業時転換に関する事項		始業及び終業の時刻、休憩時間、休日、休暇並びに労働者を２組以上に分けて交替に就業させる場合においては就業時転換に関する事項
	賃金（退職手当及び臨時に支払われる賃金等を除く）の決定、計算及び支払の方法、賃金の締切り及び支払の時期並びに昇給に関する事項		賃金（退職手当及び臨時の賃金等を除く）の決定、計算及び支払の方法、賃金の締切り及び支払の時期並びに昇給に関する事項
	退職に関する事項（解雇の事由を含む）		退職に関する事項（解雇の事由を含む）

28 就業規則　2

Basic

チェック欄
1 ／
2 ／
3 ／

(1) 就業規則で、労働者に対して**減給の制裁**を定める場合においては、その減給は、**1回の額**が［ A ］の［ B ］を超え、**総額**が**一賃金支払期**における［ C ］の**10分の1**を超えてはならない。

(2) **就業規則**は、**法令**又は当該事業場について適用される［ D ］に反してはならない。

(3) **行政官庁**は、法令又は［ D ］に**抵触**する就業規則［ E ］ことができる。

選択肢

① 賃金の総額	② 1日分の半額
③ 通常の労働時間の賃金	④ 100分の60
⑤ 通常の労働日の賃金	⑥ 10日分
⑦ の是正を勧告する	⑧ を変更する
⑨ 所定労働時間労働した場合に支払われる通常の賃金の計算額	
⑩ の変更を命ずる	⑪ を是正する
⑫ 労働契約	⑬ 労働協約
⑭ 労使協定	⑮ 賃金総額の平均額
⑯ 労使委員会の決議	⑰ 平均賃金
⑱ 1日分	⑲ 通常の賃金
⑳ 直近1箇月間の賃金の合計額	

解答

A ▶ ⑰ 平均賃金

B ▶ ② １日分の半額

C ▶ ① 賃金の総額

D ▶ ⑬ 労働協約

E ▶ ⑩ の変更を命ずる

根拠条文等

法91条、法92条

おぼえとるかい?

1．問題文(3)の変更命令は、所轄労働基準監督署長が**文書**で行うこととされている。

2．使用者は、労働基準法及びこれに基づく命令の要旨、**就業規則**、労使協定並びに労使委員会の決議を、次の**いずれかの方法**によって、労働者に**周知**させなければならない。

① 常時各作業場の見やすい場所へ掲示し、又は備え付けること。

② 書面を労働者に交付すること。

③ 使用者の使用に係る電子計算機に備えられたファイル又は電磁的記録媒体をもって調製するファイルに記録し、かつ、各作業場に労働者が当該記録の内容を常時確認できる機器を設置すること。

Step-Up! アドバイス

・問題文(3)について、行政官庁は、法令又は労働協約に反する就業規則について変更するよう、使用者に命ずることができるのであって、自ら変更することができるわけではない。

健保	国年	厚年	社一

29 賃金台帳

Basic

チェック欄
1 /
2 /
3 /

(1) 使用者は、**各事業場ごとに賃金台帳を調製**し、賃金計算の基礎となる事項及び賃金の額その他次の①～⑧の事項を[A]記入しなければならない。

① 氏名
② 性別
③ [B]
④ 労働日数
⑤ 労働時間数
⑥ 時間外労働、休日労働及び深夜業の各労働時間数
⑦ 基本給、手当その他賃金の種類毎にその額
⑧ 法24条1項ただし書による賃金の一部控除額

なお、**日々雇い入れられる者**（[C]**を超えて引き続き使用される者を除く**。）については、③について記入することを要しない。

(2) 使用者は、賃金台帳については、[D]**保存**しなければならない。なお、当該保存期間の計算については、[E]を起算日とする。

選択肢

① 休日日数　② 1箇月　③ 年次有給休暇の日数
④ 労働者を雇い入れた日　⑤ 4週間
⑥ 賃金支払後7日以内に　⑦ 1月に1回、定期的に
⑧ 5年間(当分の間は3年間)　⑨ 5年間(当分の間は2年間)
⑩ 賃金計算終了ごとに遅滞なく　⑪ 賃金計算期間
⑫ 賃金支払日　⑬ 最後の記入をした日
⑭ 3年間(当分の間は1年間)　⑮ 3年間(当分の間は2年間)
⑯ 労働者の死亡、退職又は解雇の日　⑰ 1年
⑱ 賃金支払の都度遅滞なく　⑲ 2箇月
⑳ 最後に支払った賃金に係る賃金計算期間の最後の日

進捗チェック

労基	安衛	労災	雇用	労一

解答

A ▶ ⑱ 賃金支払の都度遅滞なく

B ▶ ⑪ 賃金計算期間

C ▶ ② 1箇月

D ▶ ⑧ 5年間（当分の間は3年間）

E ▶ ⑬ 最後の記入をした日

根拠条文等

法108条、法109条、法附則143条1項、則54条1項、4項、則56条1項2号

おぼえとるかい？

1．使用者は、**各事業場ごと**に**労働者名簿**を、各労働者（**日日雇い入れられる者を除く**。）について**調製**し、下記の事項を記入しなければならない。

① 労働者の氏名
② 生年月日
③ 履歴
④ 性別
⑤ 住所
⑥ 従事する業務の種類※
⑦ 雇入の年月日
⑧ 退職の年月日及びその事由（退職の事由が解雇の場合にあっては、その理由を含む）
⑨ 死亡の年月日及びその原因

※**常時30人未満**の労働者を使用する事業においては、上記⑥の「**従事する業務の種類**」については、記入しなくてよい。

2．前記1．の規定により記入すべき事項に変更があった場合においては、遅滞なく訂正しなければならない。

健保	国年	厚年	社一

Goal

30 命令の制定・付加金

Basic

チェック欄
1 ／
2 ／
3 ／

(1) 労働基準法第113条においては「この法律に基いて発する命令は、その草案について、[A]で**労働者**を代表する者、**使用者**を代表する者及び**公益**を代表する者の意見を聴いて、これを制定する。」と規定している。

(2) [B]は、労働基準法第20条（解雇予告手当）、[C]若しくは同法第37条（時間外、休日及び深夜の割増賃金）の規定に違反した使用者又は同法第39条第9項（年次有給休暇中の賃金）の規定による賃金を支払わなかった使用者に対して、**労働者の請求**により、これらの規定により使用者が支払わなければならない金額についての未払金のほか、[D]**の付加金**の支払を命ずることができる。ただし、この請求は、違反のあった時から[E]以内にしなければならない。

選択肢

① 国会　② 公聴会
③ 同法第27条（出来高払制の保障給）　④ 裁判所
⑤ 労働基準監督署長　⑥ 2年
⑦ 都道府県労働局長　⑧ 5年（当分の間は3年）
⑨ 厚生労働委員会　⑩ 労働政策審議会
⑪ 厚生労働大臣　⑫ 5年（当分の間は2年）
⑬ これと同一額
⑭ その額の100分の40に相当する額
⑮ その額の2倍に相当する額以下の額
⑯ その額の100分の60に相当する額
⑰ 同法第26条（休業手当）　⑱ 同法第25条（非常時払）
⑲ 同法第24条（賃金の支払）　⑳ 4年

進捗チェック

労基	安衛	労災	雇用	労一

解答

A ▶ ② 公聴会

B ▶ ④ 裁判所

C ▶ ⑰ 同法第26条（休業手当）

D ▶ ⑬ これと同一額

E ▶ ⑧ 5年（当分の間は3年）

根拠条文等

法113条、法114条、法附則143条2項

【付加金の請求】

最高裁判所の判例（最二小昭和35.3.11細谷服装事件）では、「**付加金支払義務**は、使用者が解雇予告手当等を支払わない場合に当然に発生するものではなく、労働者の請求により**裁判所がその支払を命ずることによって**、**初めて発生する**ものと解すべきであるから、使用者に労働基準法20条の違反があっても、既に解雇予告手当に相当する金額の支払を完了し使用者の義務違反の状況が消滅した後においては、労働者は付加金請求の申立をすることができないものと解すべきである」としている。

Step-Up! アドバイス

・問題文(1)の「公聴会」における意見聴取は、命令制定に当たり、世論聴取をし、民主的に制定手続を行うために設けられたものである。

健保	国年	厚年	社一

1 労働憲章

Step-Up

チェック欄
1 ／
2 ／
3 ／

(1) 日本国憲法第25条第1項においては、「すべて国民は、**健康で文化的な最低限度の生活**を営む権利を有する。」としており、［ A ］の保障を定めている。この精神に則り、日本国憲法第27条第2項では、「賃金、就業時間、休息その他の［ B ］は、法律でこれを定める。」としており、労働基準法は、これに基づき［ B ］を定めた法律として制定されたものである。同法第1条第1項では、「労働条件は、労働者が**人たるに値する生活**を営むための必要を充たすべきものでなければならない。」と定めているが、これは、［ A ］を保障した日本国憲法の趣旨を反映したものである。また、同条第2項では、「この法律で定める労働条件の基準は**最低**のものであるから、［ C ］は、この基準を理由として労働条件を低下させてはならないことはもとより、その向上を図るように**努めなければならない**。」と定めている。

(2) 労働基準法は、［ D ］をもって担保する［ E ］を設定しているものであるが、労働契約法は、これを前提として、労働条件が定められる労働契約について、**合意の原則**その他基本的事項を定め、労働契約に関する民事的なルールを明らかにしているものである。

選択肢

① 労働関係の当事者	② 勤労者の権利	
③ 労働者及び使用者	④ 労働基本権	
⑤ 事業主	⑥ 強行的効力	⑦ 労働憲章
⑧ 最低労働基準	⑨ 制裁	⑩ 罰則
⑪ 直律的効力	⑫ 使用者	
⑬ 労働条件を遵守する義務		⑭ 生存権
⑮ 労働契約の効力	⑯ 法の下の平等	
⑰ 財産権	⑱ 勤労条件に対する対等な立場	
⑲ 幸福追求権	⑳ 勤労条件に関する基準	

進捗チェック

労基	安衛	労災	雇用	労一

解答

A ▶ ⑭ 生存権

B ▶ ⑳ 勤労条件に関する基準

C ▶ ① 労働関係の当事者

D ▶ ⑩ 罰則

E ▶ ⑧ 最低労働基準

根拠条文等

法1条、日本国憲法25条1項、日本国憲法27条2項、平成24.8.10基発0810第2号

健保	国年	厚年	社一

2 雇止めに関する基準 Step-Up

チェック欄
1 ／
2 ／
3 ／

【雇止めに関する基準】

(1) 使用者は、有期労働契約の締結後、当該有期労働契約の変更又は更新に際して、**通算契約期間**又は**有期労働契約の更新回数**について、[A]ようとするときは、あらかじめ、その理由を労働者に**説明**しなければならない。

(2) 使用者は、有期労働契約（当該契約を**3回**以上更新し、**又は**雇入れの日から起算して**1年**を超えて継続勤務している者に係るものに限り、あらかじめ当該契約を更新しない旨明示されているものを除く。）を更新しないこととしようとする場合には、少なくとも当該契約の期間の満了する日の**30日前**までに、その予告をしなければならない。

(3) 上記(2)の場合において、使用者は、労働者が更新しないこととする理由について証明書を請求したときは、[B]これを交付しなければならない。

(4) 上記(2)の有期労働契約が更新されなかった場合においては、使用者は、労働者が更新しなかった理由について証明書を請求したときは、[B]これを交付しなければならない。

(5) 使用者は、有期労働契約（当該契約を[C]以上更新し、**かつ**、雇入れの日から起算して[D]継続勤務している者に係るものに限る。）を更新しようとする場合においては、当該契約の実態及び当該労働者の希望に応じて、契約期間をできる限り長くするよう**努めなければならない**。

(6) 使用者は、労働基準法第15条第1項（労働条件の明示）の規定により、労働者に対して労働基準法施行規則第5条第5項に規定する無期転換申込みに関する事項及び無期転換後の労働条件を明示する場合においては、当該事項に関する定めをするに当たって労働契約法第3条第2項（均衡考慮の原則）の規定の趣旨を踏まえて[E]に応じて均衡を考慮した事項について、当該労働者に説明するよう**努めなければならない**。

進捗チェック

労基	安衛	労災	雇用	労一

選択肢

①	上限を定め	②	下限を定め
③	上限を定め、又はこれを引き下げ		
④	当該契約を破棄し		
⑤	7日以内に	⑥	14日以内に
⑦	30日以内に	⑧	遅滞なく
⑨	1回	⑩	2回
⑪	3回	⑫	4回
⑬	1年以上	⑭	1年を超えて
⑮	3年以上	⑯	3年を超えて
⑰	業務の種類	⑱	就業の実態
⑲	当該労働者の能力	⑳	職務上の地位

解答

A ► ③　上限を定め、又はこれを引き下げ

B ► ⑧　遅滞なく

C ► ⑨　1回

D ► ⑭　1年を超えて

E ► ⑱　就業の実態

根拠条文等

令和5.3.30厚労告114号

健保	国年	厚年	社一

3 賃金

Step-Up

チェック欄
1 ／
2 ／
3 ／

(1) 労働基準法施行規則第7条の2第1項においては、賃金の支払方法について、次のように規定している。

「使用者は、**労働者の同意**を得た場合には、賃金の支払について次の方法によることができる。ただし、③に掲げる方法（デジタル払い）による場合には、当該労働者が①又は②に掲げる方法による賃金の支払を選択することができるようにするとともに、当該労働者に対し、③イからヘまでに掲げる要件に関する事項について**説明**した上で、当該**労働者の同意**を得なければならない。

① 当該労働者が指定する銀行その他の金融機関に対する当該労働者の預金又は貯金への振込み

② (略)

③ 資金決済に関する法律（以下「資金決済法」という。）第36条の2第2項に規定する第二種資金移動業（以下「第二種資金移動業」という。）を営む資金決済法第2条第3項に規定する資金移動業者であって、次に掲げる要件を満たすものとして厚生労働大臣の指定を受けた者（**指定資金移動業者**）のうち当該労働者が指定するものの第二種資金移動業に係る口座への資金移動

イ 賃金の支払に係る資金移動を行う口座（以下「口座」という。）について、労働者に対して負担する為替取引に関する債務の額が［ A ］を超えることがないようにするための措置又は当該額が［ A ］を超えた場合に当該額を速やかに［ A ］以下とするための措置を講じていること。

ロ 破産手続開始の申立てを行ったときその他為替取引に関し負担する債務の履行が困難となったときに、口座について、労働者に対して負担する為替取引に関する債務の［ B ］を速やかに当該労働者に弁済することを保証する仕組みを有していること。

ハ 口座について、労働者の意に反する不正な為替取引その他の当該労働者の責めに帰することができない理由で当該労働者に対して負担する為替取引に関する債務を履行することが困難となったことにより当該債務について当該労働者に損失が生じたときに、当該損失を補償する仕組みを有していること。

進捗チェック

労基	安衛	労災	雇用	労一

ニ　口座について、特段の事情がない限り、当該口座に係る資金移動が最後にあった日から少なくとも[C]は、労働者に対して負担する為替取引に関する債務を履行することができるための措置を講じていること。

ホ　口座への資金移動が[D]円単位でできるための措置を講じていること。

ヘ　口座への資金移動に係る額の受取について、現金自動支払機を利用する方法その他の通貨による受取ができる方法により[D]円単位で当該受取ができるための措置及び少なくとも[E]は当該方法に係る手数料その他の費用を負担することなく当該受取ができるための措置を講じていること。

ト　賃金の支払に関する業務の実施状況及び財務状況を適時に厚生労働大臣に報告できる体制を有すること。

チ　イからトまでに掲げるもののほか、賃金の支払に関する業務を適正かつ確実に行うことができる技術的能力を有し、かつ、十分な社会的信用を有すること。」

選択肢

①　半額	②　6割に相当する額	③　8割に相当する額
④　全額	⑤　1,000円	⑥　10,000円
⑦　100,000円	⑧　1,000,000円	⑨　6月間
⑩　1年間	⑪　3年間	⑫　10年間
⑬　1	⑭　10	⑮　100
⑯　1,000	⑰　6箇月に1回	⑱　3箇月に1回
⑲　毎月1回	⑳　1週間に1回	

解答

A ► ⑧　1,000,000円

B ► ④　全額

C ► ⑫　10年間

D ► ⑬　1

E ► ⑲　毎月1回

根拠条文等
則7条の2,1項3号

健保	国年	厚年	社一

4 賃金・労働時間等・割増賃金 Step-Up

チェック欄
1 ／
2 ／
3 ／

(1) 労働基準法第４章に定める労働時間、休憩及び休日に関する規定は、農業又は畜産、養蚕、水産の事業に従事する労働者については適用されないが、これらの事業においても、［ A ］及び年次有給休暇に関する規定は適用される。

(2) 「使用者の責に帰すべき事由によって解雇された労働者が解雇期間中に他の職に就いて利益を得たときは、使用者は、右労働者に解雇期間中の賃金を支払うに当たり右利益〔略〕の額を賃金額から控除することができるが、右賃金額のうち労働基準法第12条第１項所定の［ B ］に達するまでの部分については、**利益控除の対象とすることが禁止**されているものと解するのが相当である。」とするのが最高裁判所の判例である。

(3) 最高裁判所は、医師に係る年俸中の固定残業代に関する合意の有効性が争われた事件について、次のように判示した。

「労働基準法37条が時間外労働等について割増賃金を支払うべきことを使用者に義務付けているのは、使用者に割増賃金を支払わせることによって、時間外労働等を抑制し、もって労働時間に関する同法の規定を遵守させるとともに、労働者への補償を行おうとする趣旨によるものであると解される。

また、割増賃金の算定方法は、同条並びに政令及び厚生労働省令の関係規定（以下「労働基準法37条等」という。）に具体的に定められているところ、同条は、労働基準法37条等に定められた方法により算定された額［ C ］の割増賃金を支払うことを義務付けるにとどまるものと解され、労働者に支払われる基本給や諸手当（以下「基本給等」という。）にあらかじめ含めることにより割増賃金を支払うという方法自体が［ D ］。

他方において、使用者が労働者に対して労働基準法37条の定める割増賃金を支払ったとすることができるか否かを判断するためには、割増賃金として支払われた金額が、通常の労働時間の賃金に相当する部分の金額を基礎として、労働基準法37条等に定められた方法により算定した割増賃金の額を下回らないか否かを検討することになるところ、同条の上記趣旨によれば、割増賃金をあらかじめ基本給等に含める方法で支払う場合においては、上記の検討の前提として、労働契約における基本給等の定めにつき、［ E ］とを**判別することができるこ**

進捗チェック

労基	安衛	労災	雇用	労一

とが必要であり、上記割増賃金に当たる部分の金額が労働基準法37条等に定められた方法により算定した割増賃金の額を下回るときは、使用者がその差額を労働者に支払う義務を負うというべきである。」

選択肢

① 事業場外労働のみなし労働時間制　② 深夜業
③ 専門業務型裁量労働制　④ フレックスタイム制
⑤ 賃金総額の4割　⑥ 賃金総額の6割
⑦ 平均賃金の4割　⑧ 平均賃金の6割
⑨ と同一の額
⑩ の2割5分以上の率で計算した額
⑪ を上回る額　⑫ を下回らない額
⑬ 法の趣旨に反するものである
⑭ 直ちに同条に反するものではない
⑮ 法の趣旨から逸脱したものである
⑯ 労働基準法違反の疑いがある
⑰ 基本給に当たる部分と基本歩合給に当たる部分
⑱ 時間外労働の賃金に当たる部分と休日労働及び深夜労働の賃金に当たる部分
⑲ 通常の労働時間の賃金に当たる部分と休業手当に当たる部分
⑳ 通常の労働時間の賃金に当たる部分と割増賃金に当たる部分

解答

A ► ② 深夜業
B ► ⑧ 平均賃金の6割
C ► ⑫ を下回らない額
D ► ⑭ 直ちに同条に反するものではない
E ► ⑳ 通常の労働時間の賃金に当たる部分と割増賃金に当たる部分

根拠条文等
法41条1号、昭和22.11.26基発389号、平成11.3.31基発168号、最一小昭和62.4.2あけぼのタクシー事件、最二小平成29.7.7医療法人社団康心会事件

健保	国年	厚年	社一

Goal

5 総合問題 Step-Up

チェック欄
1 ／
2 ／
3 ／

⑴ 最高裁判所は、賃金過払による不当利得返還請求権を自働債権とし、その後に支払われる賃金の支払請求権を受働債権としてする相殺と賃金の支払について定める労働基準法第24条第1項との関係について、次のように判示した。

「適正な賃金の額を支払うための手段たる相殺は、同項但書によって除外される場合にあたらなくても、その行使の時期、方法、金額等からみて労働者の［ A ］との関係上不当と認められないものであれば、同項の禁止するところではないと解するのが相当である。この見地からすれば、許さるべき相殺は、過払のあった時期と賃金の清算調整の実を失わない程度に合理的に接着した時期においてされ、また、あらかじめ労働者にそのことが予告されるとか、その額が多額にわたらないとか、要は労働者の［ A ］をおびやかすおそれのない場合でなければならないものと解せられる。」

⑵ 労働基準法第41条第2号によれば、同法第4章、第6章及び第6章の2で定める労働時間、休憩及び休日に関する規定は、機密の事務を取り扱う者については適用しないこととされているが、同号の「**機密の事務を取り扱う者**」とは、秘書その他職務が経営者又は監督若しくは管理の地位にある者の活動と一体不可分であって、［ B ］者をいう。

⑶ **労働基準監督官**は、事業場、寄宿舎その他の附属建設物に［ C ］し、帳簿及び書類の提出を求め、又は使用者若しくは労働者に対して**尋問**を行うことができる。

⑷ 最高裁判所は、実作業に従事していない仮眠時間（以下「不活動仮眠時間」という。）について、次のように判示した。

「不活動仮眠時間において、労働者が実作業に従事していないというだけでは、使用者の**指揮命令下**から離脱しているということはできず、当該時間に労働者が労働から離れることを［ D ］されていて初めて、労働者が使用者の指揮命令下に置かれていないものと評価することができる。したがって、不活動仮眠時間であっても**労働からの解放**が［ D ］されていない場合には労基法上の労働時間に当たるというべきである。」

進捗チェック

労基	安衛	労災	雇用	労一

(5) 労働基準法上の労使協定の効力は、その協定に定めるところによって労働させても労働基準法［ E ］という**免罰効果**をもつものであり、労働者の民事上の義務は、当該協定から直接生じるものではなく、労働協約、就業規則等の根拠が必要なものである。

労基

選択肢

① 自由な意思　② 経済生活の安定
③ 雇用契約　④ 労働条件
⑤ 賃金等の待遇が一般の労働者に比べて優遇されている
⑥ 厳格な労働時間管理になじまない
⑦ 身体的疲労の少なくない
⑧ 精神的緊張の高い
⑨ 臨場　⑩ 臨検
⑪ 捜索　⑫ 参上
⑬ 是認　⑭ 容認
⑮ 保障　⑯ 許可
⑰ を適用しない　⑱ に違反しない
⑲ 上無効となる　⑳ が労働条件を直接に規律する

解答

A ▶ ② 経済生活の安定
B ▶ ⑥ 厳格な労働時間管理になじまない
C ▶ ⑩ 臨検
D ▶ ⑮ 保障
E ▶ ⑱ に違反しない

根拠条文等

法41条2号、法101条1項、昭和63.1.1基発1号、最一小平成14.2.28大星ビル管理事件、昭和22.9.13発基17号、最一小昭和44.12.18福島県教組事件

健保	国年	厚年	社一

Goal

6 年次有給休暇 Step-Up

チェック欄
1 ／
2 ／
3 ／

(1) 年次有給休暇の権利は、法定要件を充たした場合**法律上当然に労働者に生ずる権利**であるが、その取得に際しては、［ A ］が考慮されるものである。この点において、時間単位による取得は、例えば一斉に作業を行うことが必要とされる業務に従事する労働者等にはなじまないことが考えられる。このため、［ A ］を図る観点から、労働基準法第39条第4項第1号において、労使協定では、時間単位年休の［ B ］を定めることとされている。また、1日分の年次有給休暇が何時間分の時間単位年休に相当するかについては、当該労働者の所定労働時間数を基に定めることとなるが、所定労働時間数に1時間に満たない時間数がある労働者にとって不利益とならないようにする観点から、労働基準法施行規則第24条の4第1号において、［ C ］とされており、労使協定では、これに沿って定める必要がある。

(2) 「年次有給休暇の権利（以下「年次休暇権」という。）は、労働基準法第39条第1項、第2項の要件の充足により法律上当然に生じ、労働者がその有する年次休暇の日数の範囲内で始期と終期を特定して休暇の時季指定をしたときは、使用者が適法な時季変更権を行使しない限り、右の指定によって、年次休暇が成立して当該労働日における就労義務が消滅するのであって、そこには、使用者の年次休暇の承認なるものを観念する余地はない。この意味において、労働者の年次休暇の時季指定に対応する使用者の義務の内容は、労働者がその権利としての休暇を享受することを妨げてはならないという不作為を基本とするものにほかならないのではあるが、年次休暇権は労働基準法が労働者に特に認めた権利であり、その実効を確保するために［ D ］及び刑事罰の制度が設けられていること、及び［ E ］ことにかんがみると、同法の趣旨は、使用者に対し、できるだけ**労働者が指定した時季に休暇を取れるよう状況に応じた配慮をすること**を要請しているものとみることができる。」とするのが最高裁判所の判例である。

進捗チェック

労基	安衛	労災	雇用	労一

労基

選択肢

① 1日の所定労働時間数に満たないもの　② 与え方
③ 労働者の健康の確保
④ 休暇の時季の選択権が第一次的に労働者に与えられている
⑤ 取得可能日数（5日以内に限る。）　⑥ 付加金
⑦ 時間単位の休暇　⑧ 事業の正常な運営との調整
⑨ 信義誠実の原則　⑩ 長時間労働の抑制
⑪ 1日の所定労働時間数を超えないもの
⑫ 監督機関に対する申告
⑬ 休暇の時季の変更権が第一次的に使用者に与えられている
⑭ 1日の所定労働時間数を下回らないもの
⑮ 対象労働者の範囲　⑯ 計画的付与
⑰ 単位時間数
⑱ 年次休暇の繰越の制度がある
⑲ 代替勤務者の確保の義務が使用者に課されている
⑳ 1日の所定労働時間数を上回るもの

解答

A ▶ ⑧ 事業の正常な運営との調整
B ▶ ⑮ 対象労働者の範囲
C ▶ ⑭ 1日の所定労働時間数を下回らないもの
D ▶ ⑥ 付加金
E ▶ ④ 休暇の時季の選択権が第一次的に労働者に与えられている

根拠条文等
法39条4項、則24条の4、平成21.5.29基発0529001号、最二小昭和62.7.10弘前電報電話局事件

健保	国年	厚年	社一

労働安全衛生法

15問＋5問

Memorandum Sheet

労働安全衛生法●目次

Basic

1 目的・責務 …… 4
2 総括安全衛生管理者・安全管理者 …… 6
3 衛生管理者・産業医 …… 8
4 安全衛生推進者・衛生推進者、作業主任者 …… 10
5 委員会 …… 12
6 統括安全衛生責任者 …… 14
7 労働者の危険又は健康障害を防止するための措置 1 …… 16
8 労働者の危険又は健康障害を防止するための措置 2 …… 18
9 機械等に関する規制 …… 20
10 危険物及び有害物に関する規制 …… 22
11 労働者の就業に当たっての措置 …… 24
12 健康診断 …… 26
13 長時間労働者に対する面接指導 …… 28
14 心理的な負担の程度を把握するための検査 …… 30
15 特別安全衛生改善計画・届出等 …… 32

Step-Up

1 事業者の講ずべき措置等 …… 34
2 産業医の職務等 …… 36
3 リスクアセスメント等 …… 38
4 健康教育等 …… 40
5 高度プロフェッショナル制度対象労働者に対する面接指導 …… 42

1 目的・責務

Basic

チェック欄
1 /
2 /
3 /

(1) 労働安全衛生法は、［ A ］と相まって、労働災害の防止のための**危害防止基準の確立**、**責任体制の明確化**及び［ B ］**活動の促進**の措置を講ずる等その防止に関する総合的計画的な対策を推進することにより職場における労働者の安全と健康を確保するとともに、［ C ］**の形成**を促進することを目的とする。

(2) 事業者は、単に労働安全衛生法で定める労働災害の防止のための**最低基準**を守るだけでなく、［ C ］**の実現**と**労働条件の改善**を通じて職場における労働者の安全と健康を確保するようにしなければならない。また、事業者は、**国**が実施する労働災害の防止に関する施策［ D ］ならない。

(3) 建設工事の注文者等仕事を他人に請け負わせる者は､施工方法、工期等について、安全で衛生的な作業の遂行をそこなうおそれの［ E ］ならない。

選択肢

① 積極的　② 労働基準法　③ 高い安全基準
④ 能動的　⑤ 雇用保険法　⑥ 快適な職場環境
⑦ 自主的　⑧ 労働組合法　⑨ 健全な職業生活
⑩ 主体的　⑪ に協力するようにしなければ
⑫ 適正な就業環境　⑬ ある条件を附しては
⑭ を遵守しなければ　⑮ 労働者災害補償保険法
⑯ を遵守するように努めなければ
⑰ に協力するように努めなければ
⑱ ないよう、作業場所を巡視しなければ
⑲ ないよう、必要な措置を講じなければ
⑳ ある条件を附さないように配慮しなければ

解答

A ▶ ② 労働基準法

B ▶ ⑦ 自主的

C ▶ ⑥ 快適な職場環境

D ▶ ⑪ に協力するようにしなければ

E ▶ ⑳ ある条件を附さないように配慮しなければ

根拠条文等

法1条、
法3条1項、
3項

1．労働安全衛生法において「**事業者**」とは、その事業における**経営主体**のことをいい、法人企業であれば当該法人、個人企業であれば当該事業主個人を指す。

2．次に掲げる者は、これらの物の**設計、製造、輸入又は建設**に際して、これらの物が使用されることによる労働災害の発生の防止に**資するように努めなければならない**。

① 機械、器具その他の設備を設計し、製造し、又は輸入する者

② 原材料を製造し、又は輸入する者

③ 建設物を建設し、又は設計する者

3．労働者は、労働災害を防止するため必要な事項を守るほか、事業者その他の関係者が実施する労働災害の防止に関する措置に**協力するように努めなければならない**。

4．**共同企業体**

2以上の建設業に属する事業の事業者が、**一の場所**において行われる当該事業の仕事を共同連帯して請け負った場合（**ジョイントベンチャー**）においては、その事業者のうちの1人を代表者として定め、当該仕事の開始の日の**14日前**までに、当該仕事が行われる場所を管轄する労働基準監督署長を経由して、**都道府県労働局長**に届け出なければならない。

健保	国年	厚年	社一

2 総括安全衛生管理者・安全管理者 Basic

チェック欄
1 ／
2 ／
3 ／

(1)　事業者は、政令で定める規模の事業場ごとに、**総括安全衛生管理者**を選任し、その者に安全管理者、衛生管理者又は労働安全衛生法第25条の2第2項の規定により**救護**に関する［ A ］を管理する者の**指揮**をさせるとともに、一定の業務を［ B ］させなければならない。

(2)　総括安全衛生管理者の選任は、総括安全衛生管理者を選任すべき事由が発生した日から［ C ］行わなければならない。

(3)　事業者は、総括安全衛生管理者を選任したときは、**遅滞なく**、**電子情報処理組織**を使用して、所定の事項を、［ D ］に**報告**しなければならない。

(4)　事業者は、常時［ E ］以上の労働者を使用する政令で定める業種の事業場ごとに、厚生労働省令で定める資格を有する者のうちから、**安全管理者**を選任し、その者に総括安全衛生管理者が［ B ］する業務（一定のものを除く。）のうち**安全**に係る［ A ］を管理させなければならない。

選択肢

① 専門事項　② 100人　③ 50人　④ 指揮
⑤ 統括管理　⑥ 30人　⑦ 20人　⑧ 直ちに
⑨ 総括管理　⑩ 14日以内に　⑪ 措置の実施
⑫ 業務事項　⑬ 厚生労働大臣　⑭ 技術的事項
⑮ 管理監督　⑯ 都道府県労働局長
⑰ 10日以内に　⑱ 所轄労働基準監督署長
⑲ 7日以内に　⑳ 厚生労働省労働基準局長

進捗チェック
労基　安衛　労災　雇用　労一

解答

A ▶ ⑭　技術的事項
B ▶ ⑤　統括管理
C ▶ ⑩　14日以内に
D ▶ ⑱　所轄労働基準監督署長
E ▶ ③　50人

根拠条文等
法10条１項、
法11条１項、
令３条、則２条

安衛

1．総括安全衛生管理者の選任業種と規模

	業　　種	使用労働者数
①	林業、鉱業、建設業、運送業、清掃業	**常時100人**以上
②	製造業（物の加工業を含む）、電気業、ガス業、熱供給業、水道業、通信業、各種商品卸売業、家具･建具･じゅう器等卸売業、各種商品小売業、家具・建具・じゅう器小売業、燃料小売業、旅館業、ゴルフ場業、自動車整備業、機械修理業	**常時300人**以上
③	その他の業種	**常時1,000人**以上

2．都道府県労働局長の勧告

都道府県労働局長は、労働災害を防止するため必要があると認めるときは、総括安全衛生管理者の**業務の執行**について事業者に**勧告**することができる。

3．安全管理者の選任業種と規模

安全管理者を選任しなければならないのは、**常時50人以上**の労働者を使用する**上記１.の①②**に掲げる業種の事業場の事業者である。

Step-Up! アドバイス

・安全管理者は、その事業場に専属の者を選任しなければならない。ただし、２人以上の安全管理者を選任する場合において、当該安全管理者の中に労働安全コンサルタントがいるときは、当該労働安全コンサルタントのうち１人については、専属の者でなくてもよい。

3 衛生管理者・産業医 Basic

チェック欄
1 ／
2 ／
3 ／

(1) 事業者は、常時［ A ］以上の労働者を使用する事業場ごとに、**衛生管理者**を選任しなければならない。

(2) 衛生管理者は、少なくとも［ B ］作業場等を**巡視**し、設備、作業方法又は衛生状態に有害のおそれがあるときは、**直ちに**、労働者の**健康障害を防止**するため必要な措置を講じなければならない。

(3) 産業医を選任した事業者は、産業医に対し、労働者の［ C ］に関する情報その他の産業医が労働者の健康管理等を適切に行うために必要な情報として厚生労働省令で定めるものを**提供**しなければならない。

(4) 産業医は、労働者の健康を確保するため必要があると認めるときは、事業者に対し、労働者の健康管理等について必要な［ D ］をすることができる。この場合において、事業者は、当該［ D ］を［ E ］しなければならない。

選択肢

① 勧告	② 指導	③ 尊重	④ 指示
⑤ 遵守	⑥ 勧奨	⑦ 考慮	⑧ 配慮
⑨ 50人	⑩ 20人	⑪ 30人	⑫ 100人
⑬ 毎週1回	⑭ 毎月1回	⑮ 毎月2回	
⑯ 就業環境	⑰ 労働時間	⑱ 休憩時間	
⑲ 作業日ごとに	⑳ 年次有給休暇		

解答

A ▶ ⑨　50人
B ▶ ⑬　毎週１回
C ▶ ⑰　労働時間
D ▶ ①　勧告
E ▶ ③　尊重

根拠条文等
法12条１項、法13条４項、５項、令４条、則11条１項

1．衛生管理者の数と事業場の規模等

事業場の規模（使用労働者数）等		衛生管理者の数（要専属）	
			うち専任の者
常時　50人以上～　200人以下 常時　200人超　～　500人以下 常時　500人超　～1,000人以下		１人以上 ２人以上 ３人以上	―
常時1,000人超　～2,000人以下 常時2,000人超　～3,000人以下 常時3,000人超　～		４人以上 ５人以上 ６人以上	１人以上
常時500人超	＋坑内労働又は健康上特に有害な業務に常時30人以上	事業場の規模に応じた人数	１人以上

2．産業医の数と事業場の規模等

事業場の規模（使用労働者数）等	産業医の数等	
		選任形態
常時　50人以上～1,000人未満	１人以上	―
常時1,000人以上～3,000人以下		専属
常時3,000人超　～	２人以上	
常時500人以上一定の有害業務に従事	事業場の規模に応じた人数	専属

Step-Up! アドバイス

・「深夜業を含む業務」は、専任の衛生管理者の選任に係る健康上特に有害な業務には含まれないが、専属の産業医の選任に係る有害業務には含まれる。

健保	国年	厚年	社一

4 安全衛生推進者・衛生推進者、作業主任者 Basic

チェック欄
1 ／
2 ／
3 ／

(1) 事業者は、常時［ A ］**未満**の労働者を使用する事業場ごとに、**安全衛生推進者**（［ B ］を選任すべき業種**以外**の業種の事業場にあっては、**衛生推進者**）を選任し、その者に総括安全衛生管理者が統括管理すべき業務（救護技術管理者を選任した場合においては、救護に関する一定の措置を除くものとし、衛生推進者については、衛生に係る業務に限る。）を**担当**させなければならない。

(2) 事業者は、**高圧室内作業**その他の**労働災害を防止するための管理**を必要とする作業で、政令で定めるものについては、［ C ］の**免許**を受けた者又は［ C ］の**登録**を受けた者が行う［ D ］を修了した者のうちから、当該作業の区分に応じて、**作業主任者**を選任し、その者に当該作業に従事する労働者の指揮その他の厚生労働省令で定める事項を行わせなければならない。

(3) 事業者は、**作業主任者**の選任に係る作業を**同一の場所**で行う場合において、当該作業に係る作業主任者を2人以上選任したときは、それぞれの作業主任者の［ E ］を定めなければならない。

選択肢

① 教育訓練	② 配置	③ 都道府県知事
④ 技能講習	⑤ 教習	⑥ 厚生労働大臣
⑦ 作業時間	⑧ 30人	⑨ 30人以上50人
⑩ 監督の方法	⑪ 50人	⑫ 10人以上50人
⑬ 衛生管理者	⑭ 研修	⑮ 都道府県労働局長
⑯ 安全管理者	⑰ 産業医	⑱ 労働基準監督署長
⑲ 職務の分担	⑳ 総括安全衛生管理者	

安
衛

解答

A ▶ ⑫ 10人以上50人
B ▶ ⑯ 安全管理者
C ▶ ⑮ 都道府県労働局長
D ▶ ④ 技能講習
E ▶ ⑲ 職務の分担

根拠条文等
法12条の2、法14条、則12条の2、則17条

おぼえとるかい？

1．安全衛生推進者（衛生推進者）は、その事業場に**専属**の者を選任しなければならないが、**労働安全コンサルタント**、**労働衛生コンサルタント**その他厚生労働大臣が定める者のうちから選任するときは、その事業場に**専属の者でなくてもよい**。
2．事業者は、安全衛生推進者（衛生推進者）の選任については、選任すべき事由が発生した日から**14日以内**に行わなければならない。一方、作業主任者の選任については、「14日以内」というような期限の定めはない。
3．安全衛生推進者（衛生推進者）及び作業主任者は、**専任の者である必要はない**。
4．安全衛生推進者（衛生推進者）及び作業主任者を選任したときは、当該者の氏名（作業主任者にあっては氏名及びその者に行わせる事項）を作業場の見やすい箇所に掲示する等により関係労働者に**周知**させる必要はあるが、選任後の**報告義務はない**。

Step-Up! アドバイス

巡視義務をまとめると、次の通りとなる。
・安全管理者…巡視（頻度の規定なし）
・衛生管理者…少なくとも毎週1回巡視
・店社安全衛生管理者…少なくとも毎月1回巡視
・産業医…原則として少なくとも毎月1回巡視（一定の場合には、2月に1回）

健保	国年	厚年	社一

5 委員会

Basic

チェック欄
1 ／
2 ／
3 ／

(1) 事業者は、常時50人以上の労働者を使用する事業場ごとに、次の事項を調査審議させ、[A]ため、衛生委員会を設けなければならないとされている。
① 労働者の健康障害を防止するための基本となるべき対策に関すること。
② 労働者の[B]を図るための基本となるべき対策に関すること。
③ 労働災害の原因及び[C]で、衛生に係るものに関すること。
④ 上記①～③に掲げるもののほか、労働者の健康障害の防止及び[B]に関する重要事項

(2) 事業者は、安全委員会、衛生委員会又は安全衛生委員会（以下「委員会」という。）を[D]以上開催するようにしなければならない。

(3) 事業者は、委員会の開催の都度、所定の事項を記録し、これを[E]保存しなければならない。

選択肢

① 1年間　② 2年間　③ 3年間　④ 5年間
⑤ 予防対策　⑥ 対処方法　⑦ 福祉の増進
⑧ 毎月1回　⑨ 健康の向上　⑩ 再発防止対策
⑪ 健康管理　⑫ 1年に1回　⑬ 6か月に1回
⑭ 労働者に与える影響　⑮ 3か月に1回
⑯ 必要な措置を立案させる　⑰ 健康の保持増進
⑱ 事業者に対し意見を述べさせる
⑲ 労働者の健康管理等を行わせる
⑳ 衛生に関する技術的事項を管理させる

進捗チェック

労基	安衛	労災	雇用	労一

解答

A ▶ ⑱ 事業者に対し意見を述べさせる
B ▶ ⑰ 健康の保持増進
C ▶ ⑩ 再発防止対策
D ▶ ⑧ 毎月１回
E ▶ ③ ３年間

根拠条文等
法18条１項、令９条、則23条１項、４項

1．安全委員会の構成員
① 総括安全衛生管理者又は総括安全衛生管理者以外の者で当該事業場においてその事業の実施を統括管理するもの若しくはこれに準ずる者のうちから事業者が指名した者
② **安全管理者**のうちから事業者が指名した者
③ 当該事業場の労働者で、**安全**に関し経験を有するもののうちから事業者が指名した者

2．衛生委員会の構成員
① 総括安全衛生管理者又は総括安全衛生管理者以外の者で当該事業場においてその事業の実施を統括管理するもの若しくはこれに準ずる者のうちから事業者が指名した者
② **衛生管理者**のうちから事業者が指名した者
③ **産業医**のうちから事業者が指名した者
④ 当該事業場の労働者で、**衛生**に関し経験を有するもののうちから事業者が指名した者

なお、上記**1**．①の委員及び上記**2**．①の委員は１人とし、当該委員が**議長**となる。

Step-Up! アドバイス

派遣労働者に関する委員会の設置義務
・安全委員会→派遣**先**
・衛生委員会→派遣**元**及び派遣**先**

健保	国年	厚年	社一

6 統括安全衛生責任者

Basic

チェック欄 1 ／ 2 ／ 3 ／

(1) 事業者で、**一の場所**において行う事業の仕事の一部を請負人に請け負わせているもの（元方事業者）のうち、[A]に属する事業（特定事業）を行う者（**特定元方事業者**）は、その労働者及び関係請負人の労働者が当該場所において作業を行うときは、これらの労働者の作業が**同一の場所**において行われることによって生ずる労働災害を防止するため、**統括安全衛生責任者**を選任し、その者に[B]の指揮をさせるとともに、特定元方事業者が講ずべき措置に関する所定の事項を**統括管理**させなければならない。ただし、これらの労働者の数が**常時**[C]（ずい道等の建設の仕事、一定の橋梁の建設の仕事又は圧気工法による作業を行う仕事にあっては、**常時**[D]）**未満**であるときは、この限りでない。

(2) 統括安全衛生責任者は、[E]をもって充てなければならない。

選択肢

① 建設業又は林業　② 安全衛生責任者
③ 造船業又は鉱業　④ 安全衛生推進者
⑤ 建設業又は造船業　⑥ 店社安全衛生管理者
⑦ 建設業又は製造業　⑧ 元方安全衛生管理者
⑨ 50人　⑩ 40人　⑪ 100人　⑫ 200人
⑬ 5人　⑭ 10人　⑮ 20人　⑯ 30人
⑰ 厚生労働大臣が定める研修を修了した者
⑱ 都道府県労働局長の行う講習を修了した者
⑲ 当該場所においてその事業の実施を統括管理する者
⑳ 労働安全コンサルタント又は労働衛生コンサルタント

進捗チェック

労基	安衛	労災	雇用	労一

解答

A ► ⑤ 建設業又は造船業

B ► ⑧ 元方安全衛生管理者

C ► ⑨ 50人

D ► ⑯ 30人

E ► ⑲ 当該場所においてその事業の実施を統括管理する者

根拠条文等

法15条１項、２項、令７条

【選任を要する業種・事業規模等】

区分	業種	20人未満	20人以上30人未満	30人以上50人未満	50人以上
建設	ずい道等の建設の仕事 一定の橋梁の建設の仕事 圧気工法による作業を行う仕事		店社安全衛生管理者	統括安全衛生責任者※ 元方安全衛生管理者	統括安全衛生責任者※ 元方安全衛生管理者
建設	主要構造部が鉄骨造又は鉄骨鉄筋コンクリート造の建築物の建設の仕事		店社安全衛生管理者	店社安全衛生管理者	統括安全衛生責任者※ 元方安全衛生管理者
建設	その他の建設業				統括安全衛生責任者※ 元方安全衛生管理者
造船					統括安全衛生責任者※

※統括安全衛生責任者を選任すべき事業者**以外**の請負人で、当該仕事を自ら行うものは、**安全衛生責任者**を選任し、その者に統括安全衛生責任者との連絡等の一定の事項を行わせなければならない。

Step-Up! アドバイス

・**造船業**に属する事業を行う特定元方事業者には、元方安全衛生管理者の選任は**義務付けられていない**。

・事業者に対する行政の命令及び勧告をまとめると、次の通りとなる。

①総括安全衛生管理者、統括安全衛生責任者
…業務の執行についての**勧告**（都道府県労働局長）

②安全管理者、衛生管理者、元方安全衛生管理者
…増員又は解任の**命令**（労働基準監督署長）

健保	国年	厚年	社一

7 労働者の危険又は健康障害を防止するための措置 1 Basic

チェック欄
1 ／
2 ／
3 ／

(1) 事業者は、建設物、設備、原材料、ガス、蒸気、粉じん等による、又は［ A ］その他業務に起因する［ B ］（労働安全衛生法第57条第1項の政令で定める物及び同法第57条の2第1項に規定する通知対象物による［ B ］を除く。）**を調査**し、その結果に基づいて、労働安全衛生法又はこれに基づく命令の規定による措置を講ずるほか、労働者の**危険又は健康障害**を防止するため必要な措置を講ずるように**努めなければならない**。ただし、当該調査のうち、［ C ］、［ C ］を含有する製剤その他の物で労働者の危険又は健康障害を生ずるおそれのあるものに係るもの**以外**のものについては、**製造業**その他厚生労働省令で定める業種に属する事業者に限る。

(2) 厚生労働大臣は、上記(1)の措置に関して、その［ D ］を図るため必要な指針を公表するものとし、また、当該指針に従い、事業者又はその団体に対し、必要な指導、［ E ］等を行うことができる。

選択肢

① 周知	② 勧告	③ 化学物質
④ 援助	⑤ 劇薬	⑥ 災害の原因
⑦ 命令	⑧ 毒物	⑨ 効率的な運用
⑩ 指示	⑪ 有機物	⑫ 危険性又は有害性等
⑬ 作業時間	⑭ 適切かつ有効な実施	
⑮ 作業方法	⑯ 調査に関わる者の保護	
⑰ 作業環境	⑱ 健康状態に及ぼす影響	
⑲ 作業行動	⑳ 災害に関する統計情報	

進捗チェック
労基 安衛 労災 雇用 労一

解答

A ▶ ⑲ 作業行動

B ▶ ⑫ 危険性又は有害性等

C ▶ ③ 化学物質

D ▶ ⑭ 適切かつ有効な実施

E ▶ ④ 援助

根拠条文等

法28条の2

1. 事業者は、次の措置を講じなければならない。

① 危険又は健康障害を防止するための必要な措置

② 労働者の健康、風紀及び生命の保持のための必要な措置…労働者を就業させる建設物・作業場の通路や階段等の保全、換気や採光、休養、避難等に必要な措置など

③ 労働者の作業行動から生ずる労働災害を防止するための必要な措置

④ 労働災害発生の急迫した危険がある場合における、作業中止、労働者の作業場からの退避等の必要な措置

⑤ 労働者の救護に伴う労働災害の防止の措置

2. リスクアセスメント（一定の危険性又は有害性等の調査）の対象となる事業者

化学物質、化学物質を含有する製剤その他の物で労働者の**危険又は健康障害を生ずるおそれ**のあるものに係るもの	**すべて**の事業者に努力義務
上記以外のもの	**安全管理者**を選任すべき業種に属する事業者に努力義務

健保	国年	厚年	社一

8 労働者の危険又は健康障害を防止するための措置 2 Basic

チェック欄
1 ／
2 ／
3 ／

(1) 元方事業者は、関係請負人及び関係請負人の労働者が、当該仕事に関し、労働安全衛生法又はこれに基づく命令の規定に**違反しないよう**必要な[A]を行わなければならない。

(2) 元方事業者は、関係請負人又は関係請負人の労働者が、当該仕事に関し、労働安全衛生法又はこれに基づく命令の規定に**違反している**と認めるときは、是正のため必要な[B]を行わなければならない。

(3) **特定元方事業者**は、その労働者及び関係請負人の労働者の作業が同一の場所において行われることによって生ずる労働災害を防止するため、次の事項に関する必要な措置を講じなければならない。

① [C]**の設置及び運営**を行うこと。
② [D]**連絡及び調整**を行うこと。
③ 作業場所を**巡視**すること。
④ 関係請負人が行う労働者の**安全又は衛生のための教育**に対する指導及び援助を行うこと。……等

(4) **特定元方事業者**は、上記(3)の③による巡視については、[E]**少なくとも1回**、これを行わなければならない。

選択肢

A	①	助言	②	指示	③	指導	④	援助
B	①	助言	②	指示	③	指導	④	援助
C	①	協議組織			②	休憩室		
	③	救護施設			④	安全委員会		
D	①	業者間の			②	作業時刻の		
	③	作業間の			④	行政官庁との		
E	①	毎日			②	毎月		
	③	毎週			④	毎作業日に		

進捗チェック

労基	安衛	労災	雇用	労一

解答

A ▶ ③　指導
B ▶ ②　指示
C ▶ ①　協議組織
D ▶ ③　作業間の
E ▶ ④　毎作業日に

根拠条文等
法29条1項、2項、法30条1項、則637条1項

1．建設業の元方事業者による作業場所の安全確保措置

建設業に属する事業の元方事業者は、土砂等が崩壊するおそれのある場所、機械等が転倒するおそれのある場所その他の厚生労働省令で定める場所において関係請負人の労働者が当該事業の仕事の作業を行うときは、当該関係請負人が講ずべき当該場所に係る危険を防止するための措置が適正に講ぜられるように、技術上の指導その他の必要な措置を講じなければならない。

2．製造業の元方事業者の講ずべき措置

製造業に属する事業（**特定事業を除く。**）の元方事業者は、その労働者及び関係請負人の労働者の作業が同一の場所において行われることによって生ずる労働災害を防止するため、**作業間の連絡及び調整**を行うことに関する措置その他必要な措置を講じなければならない。

Step-Up! アドバイス

・注文者は、その請負人に対し、当該仕事に関し、その指示に従って当該請負人の労働者を労働させたならば、労働安全衛生法又はこれに基づく命令の規定に違反することとなる指示をしてはならない。

健保	国年	厚年	社一

9 機械等に関する規制

Basic

チェック欄
1 ／
2 ／
3 ／

(1) [A]を必要とする機械等として労働安全衛生法別表第1に掲げるもので、政令で定めるもの（**特定機械等**）を製造しようとする者は、あらかじめ、**都道府県労働局長**の[B]を受けなければならない。

(2) **特定機械等以外の機械等**で、労働安全衛生法別表第2に掲げるものその他**危険若しくは有害な作業**を必要とするもの、危険な場所において使用するもの又は危険若しくは健康障害を防止するため使用するもののうち、政令で定めるものは、**厚生労働大臣が定める**[C]**を具備**しなければ、**譲渡**し、**貸与**し、又は**設置**してはならない。

(3) **動力**により駆動される機械等で、作動部分上の[D]又は動力伝導部分若しくは調速部分に厚生労働省令で定める**防護**のための措置が施されていないものは、**譲渡**し、**貸与**し、又は譲渡若しくは貸与の目的で[E]してはならない。

選択肢

① 免許　② 許可　③ 稼働　④ 突起物
⑤ 認可　⑥ 承認　⑦ 歯車　⑧ 回転軸
⑨ 改造　⑩ 展示　⑪ 設置　⑫ 原動機
⑬ 職業訓練　⑭ 規格又は安全設備
⑮ 定期的な整備　⑯ 規格又は安全装置
⑰ 過負荷防止装置　⑱ 構造又は安全装置
⑲ 特に危険な作業　⑳ 防護のための装置

進捗チェック

労基	安衛	労災	雇用	労一

解答

A ▶ ⑲　特に危険な作業
B ▶ ②　許可
C ▶ ⑯　規格又は安全装置
D ▶ ④　突起物
E ▶ ⑩　展示

根拠条文等
法37条１項、法42条、法43条

おぼえとるかい？

1．特定機械等

特定機械等は、次のもの（本邦の地域内で使用されないことが明らかな場合を除く。）である。

① **ボイラー**（小型ボイラー等を除く。）
② **第一種圧力容器**（小型圧力容器等を除く。）
③ **クレーン**〔つり上げ荷重が３トン以上（スタッカー式クレーンにあっては、１トン以上）〕
④ **移動式クレーン**（つり上げ荷重が３トン以上）
⑤ **デリック**（つり上げ荷重が２トン以上）
⑥ **エレベーター**〔積載荷重が１トン以上（簡易リフト又は建設用リフトを除く。）〕
⑦ **建設用リフト**〔ガイドレールの高さが18メートル以上（積載荷重が0.25トン未満のものを除く。）〕
⑧ **ゴンドラ**

2．特定機械等（**移動式**のものを除く。）を**設置**した者、特定機械等の厚生労働省令で定める部分に**変更**を加えた者又は特定機械等で使用を休止したものを**再び使用**しようとする者は、当該特定機械等及びこれに係る厚生労働省令で定める事項について、**労働基準監督署長**の検査を受けなければならない。

健保	国年	厚年	社一

Goal

10 危険物及び有害物に関する規制 Basic

チェック欄
1 ／
2 ／
3 ／

(1) 爆発性の物、発火性の物、引火性の物その他の労働者に**危険を生ずるおそれのある物**若しくはベンゼン、ベンゼンを含有する製剤その他の**労働者に健康障害を生ずるおそれのある物**で政令で定めるもの又は労働安全衛生法第56条第1項に定める物（**製造許可物質**）を**容器に入れ**、又は**包装して**、[A]する者は、原則として、その容器又は包装（容器に入れ、かつ、包装して、[A]するときにあっては、その[B]）に、①人体に及ぼす作用等一定の事項及び②当該物を取り扱う労働者に注意を喚起するための標章で[C]が定めるものを**表示**しなければならない。

(2) 事業者は、リスクアセスメント対象物を[D]業務に常時従事する労働者に対し、労働安全衛生法第66条の規定による健康診断のほか、リスクアセスメント対象物に係るリスクアセスメントの結果に基づき[E]の意見を聴き、必要があると認めるときは、医師又は歯科医師が必要と認める項目について、医師又は歯科医師による健康診断を行わなければならない。

選択肢

① 使用　② 保管　③ 厚生労働大臣
④ 包装　⑤ 産業医　⑥ 労働衛生指導医
⑦ 容器　⑧ 関係労働者　⑨ 都道府県労働局長
⑩ 労働基準監督署長　⑪ 容器及び包装の双方
⑫ 譲渡し、又は提供　⑬ 譲渡し、又は貸与する
⑭ 製造し、又は輸入　⑮ 製造し、又は取り扱う
⑯ 化学物質管理専門家　⑰ 容器又は包装のいずれか
⑱ 労働衛生コンサルタント
⑲ 製造し、輸入し、又は使用する
⑳ 製造し、輸入し、譲渡し、又は提供する

解答

A ► ⑫ 譲渡し、又は提供

B ► ⑦ 容器

C ► ③ 厚生労働大臣

D ► ⑮ 製造し、又は取り扱う

E ► ⑧ 関係労働者

根拠条文等

法57条１項、則577条の2,3項

1．通知対象物

労働者に危険若しくは**健康障害を生ずるおそれのある物**で政令で定めるもの又は問題文(1)の**製造許可物質**（以下「**通知対象物**」という。）を**譲渡**し、又は**提供**する者は、文書の交付その他厚生労働省令で定める方法により通知対象物に関する一定の事項を、譲渡し、又は提供する相手方に**通知**しなければならない。ただし、主として**一般消費者の生活の用に供される**製品として通知対象物を譲渡し、又は提供する場合については、この限りでない。

2．化学物質管理者

事業者は、業種・事業場規模を問わず、次の事業場ごとに、化学物質管理者を選任しなければならない。

① リスクアセスメント対象物を**製造**し、又は**取り扱う**事業場

② リスクアセスメント対象物の**譲渡**又は**提供**を行う事業場（上記①の事業場を除く。）

Step-Up! アドバイス

・製造等禁止物質に係る試験研究のための製造等の許可を行うのは、都道府県労働局長である。一方、製造許可物質に係る製造の許可を行うのは、厚生労働大臣である。

健保	国年	厚年	社一

11 労働者の就業に当たっての措置 Basic

チェック欄
1 ／
2 ／
3 ／

(1) 事業者は、労働者を**雇い入れ**、又は労働者の**作業内容を変更**したときは、当該労働者に対し、[A]、一定の事項のうち当該労働者が従事する業務に関する**安全又は衛生**のため必要な事項について、**教育**を行わなければならない。

(2) 事業者は、その事業場の業種が政令で定めるもの（①**建設業**、②**製造業**（一定のものを除く。）、③**電気業**、④**ガス業**、⑤**自動車整備業**、⑥[B]）に該当するときは、**新たに職務につく**こととなった**職長**その他の作業中の労働者を[C]する者（作業主任者を除く。）に対し、**安全又は衛生**のための教育を行わなければならない。

(3) 事業者は、**クレーンの運転**その他の業務で、政令で定めるもの（**就業制限業務**）については、[D]の当該業務に係る**免許**を受けた者又は[D]の**登録**を受けた者が行う当該業務に係る[E]を修了した者その他厚生労働省令で定める資格を有する者でなければ、当該業務に就かせてはならない。

選択肢

①	教育	②	研修	③	通信業	④	熱供給業
⑤	管理	⑥	水道業	⑦	技能講習	⑧	統括管理
⑨	遅滞なく	⑩	機械修理業	⑪	労働基準監督署長		
⑫	技能検定	⑬	都道府県知事	⑭	直接指導又は監督		
⑮	教育訓練	⑯	厚生労働大臣	⑰	都道府県労働局長		

⑱ その雇入れ又は作業内容を変更した日から14日以内に
⑲ その雇入れ又は作業内容を変更した日から10日以内に
⑳ その雇入れ又は作業内容を変更した日から７日以内に

解答

A ▶ ⑨ 遅滞なく

B ▶ ⑩ 機械修理業

C ▶ ⑭ 直接指導又は監督

D ▶ ⑰ 都道府県労働局長

E ▶ ⑦ 技能講習

根拠条文等

法59条１項、２項、法60条、法61条１項、令19条、則35条１項

1．特別教育

事業者は、**危険又は有害な**業務で、厚生労働省令で定めるものに労働者をつかせるときは、当該業務に関する安全又は衛生のための**特別の教育**を行い、その受講者、科目等の記録を作成して、これを**３年間**保存しておかなければならない。

2．中高年齢者等についての配慮

事業者は、中高年齢者その他労働災害の防止上その就業に当たって特に**配慮**を必要とする者については、これらの者の**心身の条件**に応じて適正な**配置**を行うように努めなければならない。

Step-Up! アドバイス

・派遣労働者に対する安全衛生教育の実施義務
①雇入れ時の教育…派遣**元**の事業者
②作業内容変更時の教育…派遣**元**の事業者及び派遣**先**の事業者
③特別教育・職長教育…派遣**先**の事業者

12 健康診断

Basic

チェック欄
1 ／
2 ／
3 ／

(1) 事業者は、[A]労働者を**雇い入れる**ときは、当該労働者に対し、所定の項目について**医師**による健康診断を行わなければならない。ただし、医師による健康診断を受けた後、[B]**を経過しない者**を雇い入れる場合において、その者が当該健康診断の結果を証明する書面を提出したときは、当該健康診断の項目に相当する項目については、この限りでない。

(2) 常時使用される労働者であって、自ら受けた健康診断を受けた日**前6月間**を平均して**1月当たり**[C]**以上**の**深夜業**に従事したものは、その健康診断を受けた日から[B]以内に、当該自ら受けた健康診断（労働者の指定医師による健康診断を除く。）の結果を証明する書面を事業者に提出することができる。

(3) 事業者は、健康診断の結果（当該健康診断の項目に[D]があると診断された労働者に係るものに限る。）に基づき、当該労働者の**健康を保持**するために必要な措置について、原則として、健康診断が行われた日から[B]**以内**に、[E]の意見を聴かなければならない。

選択肢

① 3月	② 健康障害	③ 2月
④ 1月	⑤ 異常の所見	⑥ 6月
⑦ 6回	⑧ 疲労の蓄積	⑨ 労働衛生指導医
⑩ 5回	⑪ 健康上の不安	⑫ 医師又は歯科医師
⑬ 4回	⑭ 常時使用する	⑮ 深夜業に従事する
⑯ 3回	⑰ 医師又は保健師	⑱ 使用するすべての

⑲ 産業医その他専門の医師
⑳ 長時間にわたる労働に従事する

進捗チェック

労基	安衛	労災	雇用	労一

解答

A ▶ ⑭ 常時使用する
B ▶ ① 3月
C ▶ ⑬ 4回
D ▶ ⑤ 異常の所見
E ▶ ⑫ 医師又は歯科医師

根拠条文等
法66条1項、法66条の2、法66条の4、則43条、則50条の2、則50条の3、則51条の2,1項

1．**健康診断実施後の措置**
　事業者は、医師又は歯科医師の意見を勘案し、その必要があると認めるときは、当該労働者の**実情を考慮**して、就業場所の変更、作業の転換、労働時間の短縮、深夜業の回数の減少等の措置を講ずるほか、作業環境測定の実施、施設又は設備の設置又は整備、当該医師又は歯科医師の意見の**衛生委員会**若しくは**安全衛生委員会**又は**労働時間等設定改善委員会**への**報告**その他の適切な措置を講じなければならない。

2．**健康診断の結果の通知**
　事業者は、健康診断を受けた労働者に対し、遅滞なく、当該健康診断の結果を**通知**しなければならない。

3．**健康診断個人票の作成**
　事業者は、一般健康診断、歯科医師による健康診断若しくは臨時健康診断又は自発的健康診断の結果に基づき、健康診断個人票を作成して、これを**5年間**保存しなければならない。

Step-Up! アドバイス

・事業者は、一定の有害業務に常時従事する労働者に対し、その雇入れの際、当該業務への配置替えの際及びその後所定の期間以内ごとに1回、定期に、医師による特別の項目についての健康診断を行わなければならない。

13 長時間労働者に対する面接指導 Basic

チェック欄 1 ／ 2 ／ 3 ／

(1) 労働安全衛生法第66条の8第1項によれば、事業者は、原則として、休憩時間を除き1週間当たり**40時間**を超えて労働させた場合におけるその超えた時間が1月当たり［ A ］**を超え**、かつ、［ B ］**が認められる**労働者（一定の者を除く。）に対し、医師による**面接指導**（**問診**その他の方法により［ C ］**を把握**し、これに応じて**面接**により**必要な指導**を行うことをいう。）を行わなければならない。

(2) 上記(1)の面接指導は、**労働者の申出**により行うものとする。

(3) **産業医**は、上記(1)の面接指導の要件に該当する労働者に対して、その申出を行うよう［ D ］ことができる。

(4) 事業者は、面接指導の結果に基づき、当該面接指導の結果の記録を作成して、これを［ E ］保存しなければならない。

選択肢

① 健康障害	② 命じる	③ 80時間
④ 精神障害	⑤ 勧奨する	⑥ 60時間
⑦ 心身の状況	⑧ 指示する	⑨ 45時間
⑩ 心身の条件	⑪ 勧告する	⑫ 100時間
⑬ 異常の所見	⑭ 業務による負荷の程度	
⑮ 疲労の蓄積	⑯ 脳血管及び心臓の状態	

⑰ 1年間　⑱ 2年間　⑲ 3年間　⑳ 5年間

進捗チェック

労基	安衛	労災	雇用	労一

解答

A ▶ ③ 80時間
B ▶ ⑮ 疲労の蓄積
C ▶ ⑦ 心身の状況
D ▶ ⑤ 勧奨する
E ▶ ⑳ 5年間

根拠条文等
法66条の8,1項、3項、則52条の2,1項、則52条の3,1項、4項、則52条の6,1項

1．事業者は、対象労働者から申出があったときは、**遅滞なく**、面接指導を行わなければならない。

2．**医師からの意見聴取**
　事業者は、面接指導の結果に基づき、当該労働者の**健康を保持**するために必要な措置について、面接指導が行われた後、**遅滞なく**、医師の意見を聴かなければならない。

3．**面接指導実施後の措置**
　事業者は、上記2.の医師の意見を勘案し、その必要があると認めるときは、当該労働者の**実情を考慮**して、就業場所の変更、作業の転換、**労働時間の短縮**、深夜業の回数の減少等の措置を講ずるほか、当該医師の意見の**衛生委員会**若しくは**安全衛生委員会**又は**労働時間等設定改善委員会**への**報告**その他の適切な措置を講じなければならない。

4．事業者は、問題文(1)の面接指導を行う労働者以外の労働者であって**健康への配慮**が必要なものについては、当該面接指導の実施又は当該面接指導に準ずる措置を講ずるように**努め**なければならない。

Step-Up! アドバイス

・問題文(1)の「超えた時間」の算定は、**毎月1回以上、一定の期日**を定めて行わなければならない。また、事業者は、超えた時間の算定を行ったときは、速やかに、当該超えた時間が1月当たり**80時間**を超えた労働者に対し、当該労働者に係る当該超えた時間に関する情報を**通知**しなければならない。

健保	国年	厚年	社一

14 心理的な負担の程度を把握するための検査 Basic

チェック欄 1 ／ 2 ／ 3 ／

(1) 事業者は、**常時**使用する労働者に対し、［ A ］、**定期**に、**医師**、**保健師**その他の厚生労働省令で定める者（医師、保健師、検査を行うために必要な知識についての研修であって厚生労働大臣が定めるものを修了した**歯科医師**、**看護師**、**精神保健福祉士**又は［ B ］。以下「医師等」という。）による**心理的な負担の程度を把握するための検査（ストレスチェック）**を行わなければならない。

(2) 事業者は、上記(1)の検査を受けた労働者に対し、当該検査を行った医師等から、遅滞なく、当該検査の結果が**通知**されるようにしなければならない。この場合において、当該医師等は、あらかじめ当該検査を受けた**労働者の**［ C ］を得ないで、当該労働者の検査の結果を事業者に［ D ］**してはならない**。

(3) 事業者は、上記(2)の通知を受けた労働者であって、検査の結果、**心理的な負担の程度が高く**面接指導を受ける必要があると当該検査を行った医師等が認めたものが［ E ］による面接指導を受けることを希望する旨を申し出たときは、当該申出をした労働者に対し、遅滞なく、［ E ］**による面接指導**を行わなければならない。

選択肢

① 許可	② 報告	③ 通知	④ 同意
⑤ 確認	⑥ 提供	⑦ 了承	⑧ 毎月１回
⑨ 医師	⑩ 周知	⑪ 公認心理師	
⑫ ３月ごとに１回		⑬ 作業療法士	
⑭ 医師又は保健師		⑮ 言語聴覚士	
⑯ 労働衛生指導医		⑰ 理学療法士	
⑱ ６月ごとに１回		⑲ １年以内ごとに１回	
⑳ 産業医その他専門の医師			

進捗チェック 労基 安衛 労災 雇用 労一

解答

A ▶ ⑲　1年以内ごとに1回

B ▶ ⑪　公認心理師

C ▶ ④　同意

D ▶ ⑥　提供

E ▶ ⑨　医師

根拠条文等

法66条の10,1項～3項、則52条の9、則52条の10,1項、則52条の12、則52条の15、則52条の16,2項

1．**検査項目**

①　**職場**における当該労働者の心理的な負担の原因に関する項目

②　当該労働者の心理的な負担による心身の**自覚症状**に関する項目

③　職場における他の労働者による当該労働者への支援に関する項目

2．検査を受ける労働者について解雇、昇進又は異動に関して直接の権限を持つ**監督的地位にある者**は、検査の実施の事務に従事してはならない。

3．使用する労働者が常時**50人未満**の事業場については、当分の間、ストレスチェックを行うよう**努め**なければならないとされている。

4．**面接指導実施後の措置**

①　医師からの意見聴取

②　事後措置…上記①の医師の意見を**勘案**し、その必要があると認めるときは、当該**労働者の実情を考慮**して、就業場所の変更、作業の転換、労働時間の短縮、深夜業の回数の減少等の措置を講ずるほか、当該医師の意見の**衛生委員会**若しくは**安全衛生委員会**又は**労働時間等設定改善委員会**への**報告**その他の適切な措置を講じなければならない。

5．**検査及び面接指導結果の報告**

常時50人以上の労働者を使用する事業者は、**1年以内**ごとに1回、定期に、電子情報処理組織を使用して、検査及び面接指導の結果等について、所定の事項を**所轄労働基準監督署長**に報告しなければならない。

健保	国年	厚年	社一

15 特別安全衛生改善計画・届出等 Basic

チェック欄
1 ／
2 ／
3 ／

(1) [A]は、重大な労働災害として厚生労働省令で定めるもの(**重大な労働災害**)が発生した場合において、重大な労働災害の**再発を防止**するため必要がある場合として厚生労働省令で定める場合に該当すると認めるときは、事業者に対し、その事業場の安全又は衛生に関する改善計画(**特別安全衛生改善計画**)を作成し、これを[A]に提出すべきことを**指示**することができる。

(2) [A]は、上記(1)又は労働安全衛生法第78条第4項(特別安全衛生改善計画の変更)の規定による**指示**をした場合において、[B]を必要とすると認めるときは、当該事業者に対し、**労働安全コンサルタント又は労働衛生コンサルタント**による安全又は衛生に係る[C]を受け、かつ、特別安全衛生改善計画の作成又は変更について、これらの者[D]べきことを**勧奨**することができる。

(3) 事業者は、**建設業**に属する事業の仕事のうち重大な労働災害を生ずるおそれがある**特に大規模**な仕事で、厚生労働省令で定めるものを開始しようとするときは、その計画を当該仕事の開始の日[E]に、**厚生労働大臣**に届け出なければならない。

選択肢

① 専門的な助言	② 後14日以内	③ 診断
④ の同意を得る	⑤ 後30日以内	⑥ 指導
⑦ の指示に従う	⑧ の14日前まで	⑨ 調査
⑩ の意見を聴く	⑪ の30日前まで	⑫ 審査
⑬ を参画させる	⑭ 当該計画の修正	
⑮ 厚生労働大臣	⑯ 当該計画の再提出	
⑰ 労働政策審議会	⑱ 都道府県労働局長	
⑲ 労働衛生専門官	⑳ 重大な労働災害に関する資料	

進捗チェック

労基	安衛	労災	雇用	労一

解答

A ▶ ⑮	厚生労働大臣	
B ▶ ①	専門的な助言	
C ▶ ③	診断	
D ▶ ⑩	の意見を聴く	
E ▶ ⑪	の30日前まで	

根拠条文等

法78条1項、
法80条1項、
法88条2項

おぼえとるかい？

1．**都道府県労働局長**は、事業場の施設その他の事項について、労働災害の防止を図るため総合的な改善措置を講ずる必要があると認めるとき（厚生労働大臣が問題文(1)の厚生労働省令で定める場合に該当すると認めるときを除く。）は、事業者に対し、当該事業場の安全又は衛生に関する改善計画（**安全衛生改善計画**）を作成すべきことを**指示**することができる。

2．**危険・有害機械等設置等の届出**

機械等で、危険若しくは有害な作業を必要とするもの、危険な場所において使用するもの又は危険若しくは健康障害を防止するため使用するもののうち、厚生労働省令で定めるものを**設置**し、若しくは**移転**し、又はこれらの**主要構造部分を変更**しようとする事業者は、原則として、その計画を当該工事の開始の日の**30日前**までに、**労働基準監督署長に届け出**なければならない。

3．**一定建設業等の仕事の届出**

事業者は、**建設業**その他政令で定める業種（**土石採取業**）に属する事業の仕事（建設業に属する事業にあっては、問題文(3)の大規模建設業の仕事を除く。）で、厚生労働省令で定めるものを開始しようとするときは、その計画を当該仕事の開始の日の**14日前**までに、**労働基準監督署長**に届け出なければならない。

1 事業者の講ずべき措置等

Step-Up

チェック欄
1 ／
2 ／
3 ／

(1) 事業者は、一の荷でその重量が［ A ］**以上**のものを貨物自動車に積む作業又は貨物自動車から卸す作業を行うときは、当該作業を指揮する者を定め、その者に、作業手順及び作業手順ごとの作業の方法を決定し、作業を直接指揮すること等所定の事項を行わせなければならない。

(2) 事業者は、事務所の室（感光材料の取扱い等特殊な作業を行う室を除く。）における一般的な事務作業を行う作業面の照度を、［ B ］**ルクス以上**としなければならない。

(3) 事業者は、高さが［ C ］**メートル以上**の箇所（作業床の端、開口部等を除く。）で作業を行う場合において**墜落**により労働者に危険を及ぼすおそれのあるときは、足場を組み立てる等の方法により作業床を設けなければならない。

(4) 事業者は、常時**50人以上**又は常時**女性**［ D ］**以上**の労働者を使用するときは、労働者がが床することのできる休養室又は休養所を、男性用と女性用に**区別**して設けなければならない。

(5) 事務所衛生基準規則第5条第3項では、「事業者は、空気調和設備を設けている場合は、労働者を常時就業させる室の気温が［ E ］及び相対湿度が40パーセント以上70パーセント以下になるように努めなければならない。」と規定している。

選択肢

① 1	② 1.5	③ 2	④ 3
⑤ 70	⑥ 100	⑦ 150	⑧ 300
⑨ 10人	⑩ 20人	⑪ 30人	⑫ 40人
⑬ 16度以上26度以下		⑭ 100キログラム	
⑮ 17度以上27度以下		⑯ 300キログラム	
⑰ 18度以上28度以下		⑱ 500キログラム	
⑲ 19度以上29度以下		⑳ 1トン	

安衛

解答

A ▶ ⑭ 100キログラム

B ▶ ⑧ 300

C ▶ ③ 2

D ▶ ⑪ 30人

E ▶ ⑰ 18度以上28度以下

根拠条文等

則151条の70、則518条１項、則618条、事務所則５条３項、同則10条１項

解き方アドバイス

・空欄Ｃについて

「墜落により労働者に危険を及ぼすおそれのあるとき」というのは、何メートル以上が危険なのか？ １メートルでは低すぎる。３メートルでは高すぎると考えると、1.5メートル又は２メートルまでに絞り込めると思われます。

健保	国年	厚年	社一

Goal

2 産業医の職務等 Step-Up

チェック欄
1 ／
2 ／
3 ／

(1) 産業医は、少なくとも**毎月1回**（産業医が、事業者から、毎月1回以上、次の①、②に掲げる情報の提供を受けている場合であって、［ A ］いるときは、少なくとも**2月に1回**）**作業場等を巡視し**、作業方法又は衛生状態に有害のおそれがあるときは、直ちに、労働者の健康障害を防止するため必要な措置を講じなければならない。

① 労働安全衛生規則第11条第1項の規定により［ B ］が行う**巡視**の結果

② 上記①に掲げるもののほか、労働者の健康障害を防止し、又は労働者の健康を保持するために必要な情報であって、衛生委員会又は安全衛生委員会における［ C ］を経て事業者が産業医に提供することとしたもの

(2) 産業医は、次に掲げる者（［ D ］にあっては、事業場の運営について利害関係を有しない者を除く。）**以外**の者のうちから選任すること。

イ 事業者が法人の場合にあっては当該法人の代表者

ロ 事業者が法人でない場合にあっては事業を営む個人

ハ 事業場においてその事業の実施を［ E ］者

選択肢

① ハ	② 調査審議	③ 作業主任者
④ 決議	⑤ イ及びロ	⑥ 安全管理者
⑦ 決定	⑧ ロ及びハ	⑨ 衛生管理者
⑩ 評議	⑪ イ及びハ	⑫ 統括管理する
⑬ 労働者の同意を得て		⑭ 総括管理する
⑮ 総括管理する者以外の		⑯ 事業者の同意を得て
⑰ 統括管理する者以外の		⑱ 労使協定を締結して
⑲ 行政官庁の認定を受けて		⑳ 総括安全衛生管理者

進捗チェック

労基	安衛	労災	雇用	労一

解答

A ▶ ⑯　事業者の同意を得て
B ▶ ⑨　衛生管理者
C ▶ ②　調査審議
D ▶ ⑤　イ及びロ
E ▶ ⑫　統括管理する

根拠条文等
則13条1項2号、則15条

解き方アドバイス

・空欄Bについて
　選択肢のうち、巡視を行うのは、「安全管理者」と「衛生管理者」ですが、産業医と同様に作業場等の衛生状態等を視るのは「衛生管理者」ですので、ここは「衛生管理者」を入れるのが適切です。
・空欄Dについて
「利害関係を有しない者を除く」をヒントに考えてみましょう。
・空欄Eについて
　産業医と兼務できない者といえば、事業場において事業の実施を「統括管理する」者を選択できるとよいでしょう。
※　労働者の健康管理は一定の費用を伴うものであるため、事業経営の利益の帰属主体（以下「事業者」という。）を代表する者や事業場においてその事業の実施を統括管理する者が産業医を兼務した場合、労働者の健康管理よりも事業経営上の利益を優先する観点から、産業医としての職務が適切に遂行されないおそれが考えられます。このため、事業者は、産業医を選任するにあたって、一定の者を選任してはならないことを定めています。

健保	国年	厚年	社一

Goal

3 リスクアセスメント等

Step-Up

チェック欄
1 ／
2 ／
3 ／

(1) 事業者は、厚生労働省令で定めるところにより、いわゆる表示対象物及び［　A　］による**危険性又は有害性等**を**調査**しなければならない。

(2) 事業者は、上記(1)の調査の結果に基づいて、労働安全衛生法又はこれに基づく命令の規定による措置を講ずるほか、労働者の［　B　］を**防止**するため必要な措置を講ずるように**努め**なければならない。

(3) 労働安全衛生規則第577条の2第1項では、「事業者は、リスクアセスメント対象物を［　C　］事業場において、リスクアセスメントの結果等に基づき、労働者の**健康障害を防止**するため、代替物の使用、発散源を密閉する設備、局所排気装置又は全体換気装置の設置及び稼働、［　D　］、有効な呼吸用保護具を使用させること等必要な措置を講ずることにより、リスクアセスメント対象物に労働者がばく露される程度を［　E　］。」と規定している。

選択肢

① 労働災害　② 通知対象物　③ 作業時間の短縮
④ 製造する　⑤ 新規化学物質　⑥ 労働条件の改善
⑦ 健康障害の悪化　⑧ 譲渡し、又は提供する
⑨ 過度な心理的負荷　⑩ 製造し、又は取り扱う
⑪ 作業の内容の変更　⑫ 最小限度にしなければならない
⑬ 作業の方法の改善　⑭ 通知対象物並びに新規化学物質
⑮ 危険又は健康障害　⑯ 製造し、輸入し、又は使用する
⑰ 一定の基準以下にしなければならない
⑱ 最小限度にするように努めなければならない
⑲ 一定の基準以下にするように努めなければならない
⑳ 労働安全衛生法第55条により製造等が禁止されている物質

解答

A ► ②　通知対象物
B ► ⑮　危険又は健康障害
C ► ⑩　製造し、又は取り扱う
D ► ⑬　作業の方法の改善
E ► ⑫　最小限度にしなければならない

根拠条文等
法57条の3,1項、2項、
則577条の2,1項

解き方 アドバイス

・空欄Aについて
　問題文(1)の危険性又は有害性等の調査（主として一般消費者の生活の用に供される製品に係るものを除く。）を「リスクアセスメント」といい、リスクアセスメントをしなければならない表示対象物及び通知対象物を「リスクアセスメント対象物」といいます。

健保	国年	厚年	社一

4 健康教育等

Step-Up

チェック欄
1 ／
2 ／
3 ／

(1) 労働者の健康の保持増進を図るための措置として、労働安全衛生法第69条第1項では、「事業者は、労働者に対する［ A ］その他労働者の［ B ］を図るため必要な措置を**継続的かつ計画的**に講ずるように努めなければならない。」と規定している。

また、事業者が講ずる上記の措置は、危険有害要因の除去とは異なり、その性質上外部的な措置だけでは効果を生じないものであり、労働者自身の努力なくしては予期した効果を期待できないものであることから、同条第2項では、「労働者は、前項の事業者が講ずる措置を［ C ］して、その［ B ］に努めるものとする。」と規定している。

(2) 労働安全衛生法第65条の4では、「事業者は、［ D ］その他の**健康障害を生ずるおそれのある**業務で、厚生労働省令で定めるものに従事させる労働者については、厚生労働省令で定める**作業時間**についての基準に違反して、当該業務に従事させてはならない。」と規定している。

(3) 事業者は、上記(2)の［ D ］に常時従事する労働者に対し、その**雇入れ**の際、当該業務への**配置替え**の際及びその後［ E ］**以内ごとに1回**、定期に、医師による**特別の項目**についての健康診断を行わなければならない。

選択肢

A	① 安全衛生教育 ③ レクリエーション	② 体育活動及び保健指導 ④ 健康教育及び健康相談
B	① 福祉の増進 ③ 健康の向上	② 健康の保持増進 ④ 安全と健康の確保
C	① 遵守　② 尊重	③ 利用　④ 配慮
D	① 放射線業務 ③ 石綿の粉じんを発散する場所における業務 ④ 塩基性酸化マンガン等・溶接ヒューム等などの一定の特定化学物質を製造し、又は取り扱う業務	② 潜水業務
E	① 6月　② 1年 ④ 6月（緊急作業に係る業務については、1月）	③ 6月（一定の項目は1年）

進捗チェック

労基	安衛	労災	雇用	労一

解答

A ▶ ④ 健康教育及び健康相談

B ▶ ② 健康の保持増進

C ▶ ③ 利用

D ▶ ② 潜水業務

E ▶ ① 6月

根拠条文等

法65条の4、
法66条2項、
法69条、
令22条1項、
高圧則38条1項

解き方アドバイス

・空欄Dについて

問題文(2)は作業時間の制限について、問題文(3)は有害業務従事中の特殊健康診断についての問題ですが、両者の対象となる業務Dは、「②潜水業務」が該当します。

5 高度プロフェッショナル制度対象労働者に対する面接指導 Step-Up

チェック欄
1 ／
2 ／
3 ／

(1) 事業者は、労働基準法［A］により労働する労働者であって、その［B］**時間**が当該労働者の健康の保持を考慮して厚生労働省令で定める時間を超えるものに対し、厚生労働省令で定めるところにより、［C］による面接指導を行わなければならない。

(2) 上記(1)の厚生労働省令で定める時間は、1週間当たりの［B］**時間**が**40時間**を超えた場合におけるその超えた時間について、1月当たり［D］とする。

(3) 事業者は、上記(1)の［C］の意見を勘案し、その必要があると認めるときは、当該**労働者の実情**を考慮して、**職務内容の変更**、**有給休暇**（労働基準法第39条の規定による有給休暇を除く。）の付与、［B］**時間**が短縮されるための配慮等の措置を講ずるほか、当該［C］の意見の［E］又は**労働時間等設定改善委員会**への報告その他の適切な措置を講じなければならない。

選択肢

① 医師　② 45時間　③ 衛生委員会
④ 在社　⑤ 60時間　⑥ みなし労働
⑦ 労働　⑧ 100時間　⑨ 労働衛生指導医
⑩ 産業医　⑪ 健康管理　⑫ 医師又は保健師
⑬ 80時間　⑭ 労働衛生コンサルタント
⑮ 安全委員会若しくは衛生委員会
⑯ 衛生委員会若しくは安全衛生委員会
⑰ 第32条の3に規定するいわゆるフレックスタイム制
⑱ 第32条の4に規定するいわゆる1年単位の変形労働時間制
⑲ 第41条の2第1項に規定するいわゆる高度プロフェッショナル制度
⑳ 第38条の2に規定するいわゆる事業場外労働に関するみなし労働時間制

解答

A ▶ ⑲ 第41条の2第1項に規定するいわゆる高度プロフェッショナル制度

B ▶ ⑪ 健康管理

C ▶ ① 医師

D ▶ ⑧ 100時間

E ▶ ⑯ 衛生委員会若しくは安全衛生委員会

根拠条文等

法66条の8の4、則52条の7の4

解き方アドバイス

・空欄Bについて

健康管理時間とは、対象労働者が事業場内にいた時間（労使委員会が休憩時間その他対象労働者が労働していない時間を除くことを決議したときは、当該決議に係る時間を除いた時間）と事業場外において労働した時間との合計時間をいいます。

労働者災害補償保険法

35問＋６問

労働者災害補償保険法●目次

Basic

1 目的等 …… 4
2 暫定任意適用事業 …… 6
3 業務上の疾病・複数業務要因災害による疾病・通勤による疾病 …… 8
4 脳・心臓疾患の認定基準 …… 10
5 精神障害の認定基準 …… 12
6 通勤 …… 14
7 給付基礎日額 …… 16
8 給付基礎日額のスライド …… 18
9 年齢階層別の最低・最高限度額 …… 20
10 保険給付・療養（補償）等給付 …… 22
11 休業（補償）等給付 …… 24
12 傷病（補償）等年金 …… 26
13 障害（補償）等給付　1 …… 28
14 障害（補償）等給付　2 …… 30
15 障害（補償）等給付　3 …… 32
16 介護（補償）等給付 …… 34
17 遺族（補償）等給付　1 …… 36
18 遺族（補償）等給付　2 …… 38
19 遺族（補償）等給付　3 …… 40
20 遺族（補償）等給付　4 …… 42
21 葬祭料（葬祭給付） …… 44
22 二次健康診断等給付 …… 46
23 年金の支給期間・受給権の保護 …… 48
24 死亡の推定・未支給の保険給付 …… 50
25 支給制限等 …… 52
26 費用徴収 …… 54
27 第三者行為災害 …… 56
28 社会復帰促進等事業 …… 58
29 特別支給金　1 …… 60
30 特別支給金　2 …… 62
31 特別加入　1 …… 64
32 特別加入　2 …… 66

33　不服申立て ……… 68
34　時効 ……… 70
35　雑則 ……… 72

Step-Up

1　介護（補償）等給付 ……… 74
2　社会保険の年金給付との調整 ……… 76
3　支給制限 ……… 78
4　費用徴収 ……… 80
5　第三者行為災害 ……… 82
6　事業主責任災害 ……… 84

（注）本書は、本試験対策に重点をおいた教材のため、保険給付関係については、業務災害に関する保険給付を中心に構成してあるが、複数業務要因災害に関する保険給付及び通勤災害に関する保険給付についてもこれにほぼ準じていると考えて学習を進めてほしい。また、これらの保険給付の異なる点については各項目にてその都度触れてあるので参考にしてほしい。なお、本書において、業務災害に関する保険給付、複数業務要因災害に関する保険給付及び通勤災害に関する保険給付を併せて述べるときは、「○○（補償）等給付」というように表記する（例：療養補償給付、複数事業労働者療養給付及び療養給付を併せて「療養（補償）等給付」と表記する。）。また、葬祭料、複数事業労働者葬祭給付及び葬祭給付については、これらを併せて「葬祭料等（葬祭給付）」と表記する。

1 目的等 Basic

チェック欄
1 ／
2 ／
3 ／

(1) 労働者災害補償保険（以下「労災保険」という。）は、**業務上**の事由、事業主が**同一人でない2以上**の事業に使用される労働者（以下「**複数事業労働者**」という。）の**2以上の事業の業務を要因**とする事由又は**通勤**による労働者の［ A ］に対して［ B ］保護をするため、必要な**保険給付**を行い、あわせて、業務上の事由、複数事業労働者の2以上の事業の業務を要因とする事由又は通勤により負傷し、又は疾病にかかった労働者の**社会復帰の促進**、当該労働者及びその遺族の**援護**、労働者の［ C ］の確保等を図り、もって労働者の**福祉の増進**に寄与することを目的とする。

(2) 労災保険は、上記(1)の目的を達成するため、**業務上**の事由、複数事業労働者の**2以上の事業の業務を要因**とする事由又は**通勤**による労働者の［ A ］に関して**保険給付**を行うほか、［ D ］を行うことができる。

(3) **国庫**は、予算の範囲内において、労働者災害補償保険事業に要する**費用の**［ E ］。

選択肢

① 負傷、疾病、障害、死亡等	② 障害、介護、死亡
③ 負傷、疾病、障害、死亡	④ 傷病、障害、死亡
⑤ 労働福祉事業	⑥ 安全及び衛生
⑦ 所得に応じた	⑧ 確実な
⑨ 労災保険事業	⑩ 生活の安定
⑪ 労働保険事業	⑫ 就業
⑬ 社会復帰促進等事業	⑭ 円滑かつ適正な
⑮ 全部又は一部を負担する	⑯ 快適な職場環境
⑰ 全部又は一部を補助する	⑱ 迅速かつ公正な
⑲ 一部を補助することができる	⑳ 一部を負担する

進捗チェック

労基	安衛	労災	雇用	労一

解答

A ▶ ① 負傷、疾病、障害、死亡等
B ▶ ⑱ 迅速かつ公正な
C ▶ ⑥ 安全及び衛生
D ▶ ⑬ 社会復帰促進等事業
E ▶ ⑲ 一部を補助することができる

根拠条文等
法１条、
法２条の２、
法32条

おぼえとるかい？

1．管掌等

① 労災保険は、**政府**が、これを管掌する。
② 労働者災害補償保険等関係事務は、**厚生労働省労働基準局長**の指揮監督を受けて、原則として、事業場の所在地を管轄する都道府県労働局長（**所轄都道府県労働局長**）が行う。
③ 労働者災害補償保険等関係事務のうち、保険給付（**二次健康診断等給付を除く。**）並びに社会復帰促進等事業のうち**労災就学等援護費**及び**特別支給金**の支給並びに厚生労働省労働基準局長が定める給付に関する事務は、都道府県労働局長の指揮監督を受けて、原則として、事業場の所在地を管轄する労働基準監督署長（**所轄労働基準監督署長**）が行う。

2．費用の負担

労災保険の保険料は、**事業主が全額負担**する。

Step-Up! アドバイス

・複数業務要因災害に関する労働者災害補償保険等関係事務については、複数事業労働者の２以上の事業のうち、その収入が当該複数事業労働者の生計を維持する程度が最も高いもの（「生計維持事業」という。）の主たる事務所の所在地を管轄する都道府県労働局長（労働基準監督署長）を「所轄都道府県労働局長（所轄労働基準監督署長）」とする。

健保	国年	厚年	社一

Goal

2 暫定任意適用事業

Basic

チェック欄
1 ／
2 ／
3 ／

農林の事業、**畜産**、**養蚕**又は**水産**の事業（[A]その他これらに準ずるものの事業、**法人**である事業主の事業、船員法第1条に規定する**船員**を使用して行う**船舶所有者の事業**を**除く**。）のうち、常時[B]の労働者を使用する事業**以外**の事業については、以下の(1)、(2)に掲げる事業を**除き**、**当分の間**、**任意適用事業**とする。

(1) 労災保険法に規定する**業務災害の発生のおそれが多い**ものとして厚生労働大臣が定める以下の事業

① 立木の伐採、造林、木炭又は薪を生産する事業その他の**林業の事業**であって、**常時労働者を使用**するもの又は**1年以内**の期間において使用労働者**延人員**[C]のもの

② **危険又は有害な作業**を主として行う事業であって、**常時労働者を使用**するもの（①及び③に掲げる事業を除く。）

③ 総トン数[D]**以上**の漁船による水産動植物の採捕の事業（河川、湖沼又は特定水面において主として操業する事業を除く。）

(2) [E]であって、事業主が**特別加入**したもの

選択肢

① 5人未満　② 5人以上　③ 10人未満
④ 10人以上　⑤ 200人以上　⑥ 100人を超える
⑦ 300人以上　⑧ 50人以上　⑨ 1トン
⑩ 2トン　⑪ 3トン　⑫ 5トン
⑬ 農業又は林業　⑭ 季節的事業
⑮ 林業又は水産業　⑯ 国の直営事業
⑰ 農業又は水産業　⑱ 都道府県、市町村
⑲ 国、都道府県、市町村
⑳ 農業（畜産及び養蚕の事業を含む。）

進捗チェック
労基	安衛	労災	雇用	労一

解答

A ► ⑱　都道府県、市町村
B ► ②　５人以上
C ► ⑦　300人以上
D ► ⑫　５トン
E ► ⑳　農業（畜産及び養蚕の事業を含む。）

根拠条文等
(44)法附則12条、整備政令17条、平成12.12.25労告120号等

おぼえとるかい？

1．労災保険の適用事業
労災保険法においては、**労働者を使用**する事業を適用事業とする。

2．適用除外
①　**国の直営事業**及び**官公署の事業**（労働基準法別表第１に掲げる事業を除く。）については、労災保険法は**適用しない**。
②　独立行政法人国立印刷局や独立行政法人造幣局等の**行政執行法人**の職員には、国家公務員災害補償法が適用され、労災保険法は適用されない（行政執行法人以外の独立行政法人の職員には、労災保険法が適用される。）。

3．労災保険の暫定任意適用事業

農業	**個人経営**	常時使用労働者数**５人未満**	事業主が特別加入をしていない事業
林業		常時労働者を使用しないこと	年間の使用労働者**延人員300人未満**
水産業		常時使用労働者数**５人未満**	・総トン数**５トン未満**の漁船 ・河川、湖沼又は特定水面において主として操業する漁船

※農業、水産業については、特定危険有害作業を主として行う事業であって、常時労働者を使用するものを**除く**。
※水産業については、船員法１条に規定する**船員**を使用して行う**船舶所有者の事業**を**除く**。

3　業務上の疾病・複数業務要因災害による疾病・通勤による疾病　Basic

チェック欄
1 ／
2 ／
3 ／

(1) 「**業務上の疾病**」とは、業務と**相当因果関係**にある疾病をいい、その範囲は、［ A ］別表第1の2で定められている。いわゆる**過労死等**については、同別表第8号に「［ B ］業務その他血管病変等を**著しく増悪**させる業務による脳出血、くも膜下出血、脳梗塞、高血圧性脳症、心筋梗塞、狭心症、心停止（心臓性突然死を含む。）、重篤な心不全若しくは大動脈解離又はこれらの疾病に付随する疾病」と規定されており、また、過労自殺等の原因となる**精神障害**については、同別表第9号に「人の生命にかかわる事故への遭遇その他**心理的に過度の負担**を与える事象を伴う業務による［ C ］の**障害**又はこれに付随する疾病」と規定されている。

(2) 「**複数業務要因災害による疾病**」の範囲は、**労災保険法施行規則**第18条の3の6において、「［ A ］別表第1の2第**8**号及び第**9**号に掲げる疾病その他**2以上の**［ D ］疾病」と規定されている。

(3) 「**通勤による疾病**」の範囲は、**労災保険法施行規則**第18条の4において、「［ E ］**に起因する疾病**その他**通勤に起因することの明らかな疾病**」と定められている。

選択肢

①	就業に関連する負傷	②	身体及び精神
③	事業の業務を要因とする	④	業務を原因とする
⑤	通勤による負傷	⑥	精神及び人格
⑦	炎天下における屋外の	⑧	労働基準法施行規則
⑨	長期間にわたる長時間の	⑩	通勤途上の事故
⑪	労災保険法施行令	⑫	精神及び行動
⑬	労働安全衛生規則	⑭	高圧室内
⑮	短期間の過重な	⑯	精神及び発達
⑰	事業の業務に起因することの明らかな	⑱	労災保険法
⑲	事業の業務を要因とすることの明らかな	⑳	通勤

進捗チェック
労基　安衛　労災　雇用　労一

解答

A ▶	⑧	労働基準法施行規則
B ▶	⑨	長期間にわたる長時間の
C ▶	⑫	精神及び行動
D ▶	⑲	事業の業務を要因とすることの明らかな
E ▶	⑤	通勤による負傷

根拠条文等
法12条の8,2項、法20条の3,1項、法22条1項、則18条の3の6、則18条の4、労基則35条、労基則別表第1の2

1．業務上疾病の範囲

【労働基準法施行規則別表第1の2】

別表第1の2	内　容
第1号	災害性の疾病（**業務上の負傷に起因する疾病**）
第2号～第10号	職業性の疾病等
第11号	**その他業務に起因することの明らかな疾病**

2．複数業務要因災害による疾病の範囲

労災保険法施行規則18条の3の6により、次のものに限られる。

① **労働基準法施行規則**別表第1の2第**8**号（脳・心臓疾患）及び第**9**号（心理的負荷による精神障害）に掲げる疾病

② **その他2以上の事業の業務を要因とすることの明らかな疾病**

3．通勤による疾病の範囲

労災保険法施行規則18条の4により、次のものに限られる。

① **通勤による負傷に起因する疾病**

② **その他通勤に起因することの明らかな疾病**

Step-Up! アドバイス

・労働基準法施行規則別表第1の2に、具体的に疾病名が列挙されている疾病に該当しない場合であっても、同別表第11号に定める「**その他業務に起因することの明らかな疾病**」に該当すれば、業務上の疾病として保険給付の対象となる。

健保	国年	厚年	社一

4 脳・心臓疾患の認定基準

Basic

チェック欄
1 ／
2 ／
3 ／

(1) 次の①、②又は③の**業務による明らかな過重負荷**を受けたことにより発症した脳・心臓疾患は、**労働基準法施行規則**別表第1の2第8号に該当する業務上の疾病として取り扱う。

① 発症前の長期間（発症前おおむね［ A ］）にわたって、著しい**疲労の蓄積**をもたらす特に過重な業務（**長期間の過重業務**）に就労したこと。

② 発症に近接した時期（発症前おおむね［ B ］）において、特に過重な業務（**短期間の過重業務**）に就労したこと。

③ 発症直前から**前日まで**の間において、［ C ］に遭遇したこと。

(2) 上記①の長期間の過重業務に就労したと認められるか否かについて、**労働時間**に着目すると、次のような評価の目安が示されている。

① **発症前1か月間**ないし［ A ］にわたって、**1か月当たり**おおむね［ D ］を**超える**時間外労働が認められない場合は、業務と発症との関連性が弱いが、おおむね［ D ］を**超えて**時間外労働時間が長くなるほど、業務と発症との関連性が徐々に強まると評価できること。

② **発症前1か月間**におおむね［ E ］又は**発症前2か月間**ないし［ A ］にわたって、**1か月当たり**おおむね**80時間**を**超える**時間外労働が認められる場合は、業務と発症との関連性が強いと評価できること。

選択肢

① 1週間	② 10日間	③ 2週間	④ 4週間
⑤ 8週間	⑥ 3か月間	⑦ 6か月間	⑧ 1年間
⑨ 40時間	⑩ 45時間	⑪ 50時間	⑫ 60時間
⑬ 90時間	⑭ 100時間	⑮ 120時間	⑯ 160時間
⑰ 重大事故や激甚災害		⑱ 予期せぬ出来事	
⑲ 業務に関連する事故		⑳ 異常な出来事	

進捗チェック

労基	安衛	労災	雇用	労一

解答

A ► ⑦　6か月間

B ► ①　1週間

C ► ⑳　異常な出来事

D ► ⑩　45時間

E ► ⑭　100時間

根拠条文等

令和3.9.14
基発0914第1号、
令和5.10.18
基発1018第1号

【脳・心臓疾患の認定基準】

(1) 脳・心臓疾患の認定基準では、業務による明らかな過重負荷を、「**長期間の過重業務**」「**短期間の過重業務**」及び「**異常な出来事**」に区分し、認定要件としている。

(2) 長期間の過重業務に就労したと認められるか否かについて、疲労の蓄積をもたらす最も重要な要因と考えられる**労働時間**に着目すると、下表のような評価の目安が示されている。

	労働時間の目安（時間外労働※）	業務と発症との関連性
①	発症前1～6か月平均で月**45**時間以内	**弱い**
②	発症前1～6か月平均で月**45時間超**	時間外労働が長くなるほど業務と発症との関連性が**強まる**
③	・発症前**1か月**に月**100時間超** ・発症前**2～6か月平均**で月**80時間超**	**強い**

※時間外労働時間数は、**1週間当たり40時間を超えて**労働した時間数であり、休日労働の時間も含まれる。

Step-Up! アドバイス

・長期間の過重業務の評価にあたって、労働時間以外の負荷要因において一定の負荷が認められる場合には、労働時間の状況をも総合的に考慮し、業務と発症との関連性が強いといえるかどうかを適切に判断し、その際、上記 おぼえとるかい? (2)③の水準には至らないがこれに近い時間外労働が認められる場合には、特に他の負荷要因の状況を十分に考慮し、そのような時間外労働に加えて一定の労働時間以外の負荷が認められるときには、業務と発症との関連性が強いと評価できることを踏まえて判断することとされている。

健保	国年	厚年	社一

5 精神障害の認定基準

Basic

チェック欄
1 ／
2 ／
3 ／

(1) 次の①、②及び③のいずれの要件も満たす精神障害（対象疾病）は、**労働基準法施行規則**別表第1の2第9号に該当する業務上の疾病として取り扱う。

① 対象疾病を発病していること。

② 対象疾病の発病前**おおむね** A の間に、 B が認められること。

③ 業務以外の心理的負荷及び**個体側要因**により対象疾病を発病したとは**認められない**こと。

(2) 上記(1)②を判断する際は、精神障害を発病した労働者が、その出来事及び出来事後の状況を主観的にどう受け止めたかによって評価するのではなく、同じ事態に遭遇した場合、 C が**一般的に**その出来事及び出来事後の状況をどう受け止めるかという観点から評価する。

(3) 対象疾病の発病直前の**1か月**におおむね D **を超える**ような、又はこれに満たない期間にこれと同程度の（例えば**3週間**におおむね E **以上**の）**時間外労働**を行った場合には、当該極度の長時間労働に従事したことのみで心理的負荷の総合評価を「**強**」と判断する。

選択肢

① 1か月	② 3か月	③ 6か月	④ 1年
⑤ 45時間	⑥ 60時間	⑦ 80時間	⑧ 90時間
⑨ 100時間	⑩ 120時間	⑪ 140時間	⑫ 160時間
⑬ 業務による身体的負荷		⑭ 異常な出来事	
⑮ 業務による強い心理的負荷		⑯ 同種の労働者	
⑰ 精神又は行動の障害		⑱ 平均的な労働者	
⑲ 当該労働者以外の労働者		⑳ すべての労働者	

解答

A ▶ ③　6か月

B ▶ ⑮　業務による強い心理的負荷

C ▶ ⑯　同種の労働者

D ▶ ⑫　160時間

E ▶ ⑩　120時間

根拠条文等

令和5.9.1
基発0901第2号

おぼえとるかい？

1．対象疾病の発病に至る原因の考え方は、環境由来の心理的負荷（ストレス）と、個体側の反応性、脆弱性（ぜいじゃくせい）との関係で精神的破綻が生じるかどうかが決まり、心理的負荷が非常に強ければ、個体側の脆弱性が小さくても精神的破綻が起こり、脆弱性が大きければ、心理的負荷が小さくても破綻が生ずるとする「**ストレス一脆弱性理論**」に依拠している。
2．業務による心理的負荷の強度の判断に当たっては、精神障害発病前おおむね6か月の間に、対象疾病の発病に関与したと考えられる業務によるどのような出来事があり、また、その後の状況がどのようなものであったのかを具体的に把握し、それらによる心理的負荷の強度はどの程度であるかについて、「業務による心理的負荷評価表」を指標として「**強**」、「**中**」、「**弱**」の**3段階**に区分する（総合評価が「強」と判断される場合には、問題文⑴②の認定要件に該当することとなる。）。
3．問題文⑵空欄Cの「**同種の労働者**」とは、精神障害を発病した労働者と職種、職場における立場や職責、年齢、経験等が類似する者をいう。
4．**ハラスメント**や**いじめ**のように出来事が繰り返されるものについては、繰り返される出来事を一体のものとして評価することとなるので、発病の6か月よりも前にそれが開始されている場合でも、発病前おおむね6か月の期間にも継続しているときは、**開始時からのすべての行為**を評価の対象とする。
5．業務により一定の精神障害を発病したと認められる者が**自殺**を図った場合には、精神障害によって**正常の認識**、**行為選択能力**が著しく阻害され、あるいは自殺行為を思いとどまる**精神的抑制力**が著しく阻害されている状態に陥ったものと推定し、業務起因性を認める。

健保	国年	厚年	社一

6 通勤

Basic

チェック欄
1 /
2 /
3 /

労働者が、労災保険法第7条第2項に掲げる移動の経路を**逸脱**し、又は当該移動を**中断**した場合においては、当該**逸脱又は中断の間**及び**その後の移動**は、通勤としない。ただし、当該逸脱又は中断が、[A]**必要な行為**であって厚生労働省令で定める以下のものを**やむを得ない事由**により行うための[B]である場合は、当該**逸脱又は中断の間を除き**、この限りでない。

① [C]**の購入**その他これに準ずる行為
② 職業能力開発促進法に規定する公共職業能力開発施設の行う**職業訓練**、学校教育法に規定する学校において行われる教育その他これらに準ずる**教育訓練**であって[D]**に資する**ものを受ける行為
③ **選挙権の行使**その他これに準ずる行為
④ **病院**又は**診療所**において**診察**又は**治療**を受けることその他これに準ずる行為
⑤ **要介護状態**にある[E]の**介護**（**継続的に又は反復して**行われるものに**限る**。）

選択肢

① 緊急を要するもの
② 臨時のもの
③ 適切な職業の選択
④ 日常生活上
⑤ 就業に関連する
⑥ 日用品
⑦ 事業主が認める範囲内で
⑧ 医薬品
⑨ 合理的な範囲内のもの
⑩ 最小限度のもの
⑪ 知識又は技能の習得
⑫ 業務上
⑬ 業務に関連する物品
⑭ 業務遂行上
⑮ 職業能力の開発向上
⑯ 就職の促進
⑰ 親族又はこれに準ずる者
⑱ 配偶者、子、父母、孫、祖父母及び兄弟姉妹
⑲ 配偶者、子、父母、孫、祖父母及び兄弟姉妹並びに配偶者の父母
⑳ 配偶者、子、父母、孫、祖父母、兄弟姉妹又はこれらの者以外の三親等内の親族

進捗チェック

労基	安衛	労災	雇用	労一

解答

A ▶ ④　日常生活上

B ▶ ⑩　最小限度のもの

C ▶ ⑥　日用品

D ▶ ⑮　職業能力の開発向上

E ▶ ⑲　配偶者、子、父母、孫、祖父母及び兄弟姉妹並びに配偶者の父母

根拠条文等
法7条3項、則8条

おぼえとるかい？

1. 労災保険法で「通勤」とは、労働者が、**就業に関し**、次に掲げる移動を、**合理的な経路及び方法**により行うことをいい、**業務の性質を有するものを除く**ものとする。
   ①　**住居**と**就業の場所**との間の**往復**
   ②　**厚生労働省令で定める就業の場所**から**他の就業の場所**への**移動**
   ③　上記①に掲げる往復に**先行**し、又は**後続**する**住居間の移動**（厚生労働省令で定める要件に該当するものに限る。）
2. 上記1．②の「厚生労働省令で定める就業の場所」（複数の事業場に就業する労働者が事業場間を移動する場合の起点となる就業の場所）とは、次に掲げる場所をいう。
   ①　労災保険の適用事業及び労災保険の保険関係が成立している暫定任意適用事業に係る就業の場所
   ②　特別加入者（通勤災害に関する保険給付が行われない者を除く。）に係る就業の場所
   ③　その他①、②に類する就業の場所

Step-Up! アドバイス

・問題文⑤の「要介護状態」とは、「負傷、疾病又は身体上若しくは精神上の障害により、**2週間以上**の期間にわたり**常時介護**を必要とする状態」とされている。
・労働者が通勤の途中において、経路の近くにある公衆便所を使用する場合や帰途に経路の近くにある公園で短時間休息する場合、あるいは経路上の店でタバコ、雑誌等を購入する場合等のように労働者が通常通勤途中で行うような「**ささいな行為**」を行う場合は、逸脱・中断として取り扱われない（当該「ささいな行為」を行う間も含め通勤とされる。）。

健保	国年	厚年	社一

7 給付基礎日額

Basic

チェック欄
1 ／
2 ／
3 ／

(1) **給付基礎日額**は、労働基準法第12条に定める**平均賃金に相当する額**とする。この場合において、平均賃金を算定すべき事由の発生した日は、労災保険法第7条第1項第1号から第3号までに規定する負傷若しくは死亡の原因である**事故が発生した日**又は［ A ］とする。

(2) 給付基礎日額に［ B ］未満の端数があるときは、これを［ B ］に**切り上げる**ものとする。

(3) 平均賃金相当額が、4,090円（「［ C ］」という。）に満たない場合には、給付基礎日額は、原則として［ C ］とする。

(4) 厚生労働大臣は、**年度**の**平均給与額**が、直近の［ C ］が変更された年度の前年度の**平均給与額**を超え、又は下るに至った場合においては、その上昇し、又は低下した比率に応じて、その［ D ］以後の［ C ］を変更しなければならず、［ C ］を変更するときは、当該変更する年度の［ E ］までに当該変更された［ C ］を告示するものとする。

選択肢

① 自動変更調整額　② 調整対象額
③ 自動変更対象額　④ 自動スライド調整額
⑤ 3月31日　⑥ 1月1日
⑦ 7月31日　⑧ 6月30日
⑨ 翌年度の4月1日　⑩ 翌々年度の4月1日
⑪ 翌年度の8月1日　⑫ 翌々年度の8月1日
⑬ 1銭　⑭ 1円　⑮ 10円　⑯ 100円
⑰ 同項第1号から第3号までに規定する疾病について初めて医師の診察を受けた日
⑱ 診断によって同項第1号から第3号までに規定する疾病の発生が確定した日
⑲ 厚生労働省令で定める障害の状態に該当した日
⑳ 同項第1号から第3号までに規定する負傷若しくは疾病が治った日

進捗チェック

労基	安衛	労災	雇用	労一

解答

A ▶ ⑱ 診断によって同項第1号から第3号までに規定する疾病の発生が確定した日

B ▶ ⑭ 1円

C ▶ ③ 自動変更対象額

D ▶ ⑪ 翌年度の8月1日

E ▶ ⑦ 7月31日

根拠条文等

法8条1項、
法8条の5、
則9条1項5号、
2項、4項、
令和6.7.26
厚労告246号

1．平均賃金相当額を給付基礎日額とすることが**適当でない**と認められるときは、厚生労働省令で定めるところによって**政府（所轄労働基準監督署長）**が算定する額を給付基礎日額とする。

2．**給付基礎日額の算定の特例**

① **私傷病**の療養のために休業した期間がある場合に、平均賃金相当額が、その休業した期間及びその期間中に受けた賃金の額を平均賃金の算定期間及びその期間中の賃金の総額から控除して算定した平均賃金相当額に**満たない場合**には、後者の額を給付基礎日額とする（**親族の疾病又は負傷等の看護**のため休業した期間がある場合についても同様の特例の適用がある。）。

② **じん肺**患者については、平均賃金相当額が、じん肺にかかったため粉じん作業以外の作業に常時従事することとなった日を算定事由発生日とみなして算定した平均賃金相当額に満たない場合には、後者の額を給付基礎日額とする（**振動障害**にかかった者についても同様の特例の適用がある。）。

③ **1年を通じて**船員として船舶所有者に使用される者の賃金について、基本となるべき固定給のほか、船舶に乗り組むこと、船舶の就航区域、船積貨物の種類等により変動がある賃金が定められる場合などには、算定事由発生日以前1年間について算定することとした場合における平均賃金相当額を給付基礎日額とする。

3．**複数事業労働者**の給付基礎日額の算定は、**所轄労働基準監督署長**が行うものとされ、その額は、原則として「複数事業労働者を使用する事業ごとに算定した給付基礎日額に相当する額を**合算**した額」である。

8 給付基礎日額のスライド

Basic

チェック欄
1 ／
2 ／
3 ／

(1) 休業補償給付、複数事業労働者休業給付又は休業給付（以下本書において「休業補償給付等」という。）の額の算定の基礎として用いる給付基礎日額（以下本書において「**休業給付基礎日額**」という。）については、**四半期**ごとの**平均給与額**が、算定事由発生日の属する**四半期**（改定日額を休業給付基礎日額とすることとされている場合にあっては、当該改定日額を休業補償給付等の額の算定の基礎として用いるべき最初の四半期の前々四半期）の平均給与額の［ A ］**を超え**、又は［ B ］**を下る**に至った場合において、その上昇し、又は低下するに至った四半期の［ C ］に属する［ D ］以後に支給すべき事由が生じた休業補償給付等について、**スライド改定**が行われる。

(2) 年金たる保険給付の額の算定の基礎として用いる給付基礎日額（以下本書において「**年金給付基礎日額**」という。）については、算定事由発生日の属する**年度**の［ E ］**以後**の分として支給する年金たる保険給付に係るものから**スライド改定**が行われる。

選択肢

① 翌四半期	② 3月31日	③ 翌々年度の7月
④ 8月1日	⑤ 最初の日	⑥ 翌々年度の8月
⑦ 最後の日	⑧ 翌々年度	⑨ 翌年度の4月
⑩ 翌年度	⑪ 翌々四半期	⑫ 翌年度の9月
⑬ 100分の115	⑭ 100分の90	⑮ 100分の75
⑯ 100分の120	⑰ 100分の95	⑱ 100分の85
⑲ 100分の110	⑳ 100分の105	

解答

A ► ⑲ 100分の110

B ► ⑭ 100分の90

C ► ⑪ 翌々四半期

D ► ⑤ 最初の日

E ► ⑥ 翌々年度の８月

根拠条文等
法８条の２,１項、法８条の３,１項２号

※「四半期」とは、１月から３月まで、４月から６月まで、７月から９月まで及び10月から12月までの１年を３箇月ごとに区分した各期間をいう。

1．算定事由発生日の属する年度の**翌々年度の７月以前**の分として支給する年金たる保険給付については、法８条の規定による給付基礎日額を年金給付基礎日額とする（つまり、スライド改定は行われない。）。
2．**一時金たる保険給付**の算定の基礎として用いる給付基礎日額については、**年金給付基礎日額と同様**のスライド改定が行われる。
3．**複数事業労働者**の給付基礎日額については、個々の事業ごとに算定した給付基礎日額相当額を**合算した額**にスライド制が適用される。

Step-Up! アドバイス

・休業給付基礎日額のスライド制に係る「平均給与額」は、毎月勤労統計における労働者１人当たりの毎月決まって支給する給与の四半期の１箇月平均額をいう。
・１度スライド改定が行われた後は、「その改定の基礎となった四半期（その改定日額を最初に適用した四半期の前々四半期）の平均給与額」とその後の「四半期ごとの平均給与額」を比較し、後者が前者の100分の110を超え、又は100分の90を下るに至った場合にスライド改定が同様の方法で行われる。
・年金給付基礎日額は、休業給付基礎日額と異なり、常に算定事由発生日の属する年度と比較して、スライド率が決定される。

健保	国年	厚年	社一

9 年齢階層別の最低・最高限度額 Basic

チェック欄
1 ／
2 ／
3 ／

(1) 休業補償給付等に係る療養を開始した日から起算して［ A ］を経過した日以後に支給される当該休業補償給付等に係る休業給付基礎日額については、**年齢階層別の最低限度額及び最高限度額**の規定が適用される。

(2) 年金給付基礎日額については、年金たる保険給付（遺族補償年金、複数事業労働者遺族年金及び遺族年金を除く。）を支給すべき月の属する年度（当該月が4月から7月までの月に該当する場合にあっては、当該年度の前年度）の［ B ］1日における労働者の年齢を基準として、**年齢階層別の最低限度額及び最高限度額**の規定が適用される。

(3) ［ C ］は、毎年、その年の［ B ］から翌年7月まで用いる年齢階層別の最低限度額及び最高限度額を、当該［ B ］の属する年の前年の［ D ］の調査結果に基づいて定め、当該［ B ］の属する年の［ E ］までに告示するものとする。

選択肢

① 1月	② 4月	③ 8月	④ 9月
⑤ 6箇月	⑥ 1年	⑦ 1年6箇月	⑧ 3年

⑨ 厚生労働大臣　⑩ 労働政策審議会
⑪ 厚生労働省労働基準局長　⑫ 都道府県労働局長
⑬ 賃金構造基本統計　⑭ 毎月勤労統計
⑮ 国民生活基礎統計　⑯ 人口動態統計
⑰ 3月31日　⑱ 7月31日
⑲ 8月31日　⑳ 11月30日

進捗チェック
労基　安衛　労災　雇用　労一

解答

A ► ⑦　1年6箇月

B ► ③　8月

C ► ⑨　厚生労働大臣

D ► ⑬　賃金構造基本統計

E ► ⑱　7月31日

根拠条文等

法8条の2,2項、法8条の3,2項、則9条の4,7項

1．年齢階層別の最低・最高限度額の年齢階層は、20歳未満、20歳以上70歳未満を**5歳ごと**、及び**70歳以上**の**12の年齢階層**に区分され、それぞれの年齢階層ごとに**最低・最高限度額**が設定されている。

2．休業給付基礎日額については、休業（補償）等給付を受ける労働者の**各四半期の初日**ごとの年齢を基準として、年齢階層別の最低・最高限度額が適用される。

3．**遺族（補償）等年金**については、**死亡した労働者**が生存していると仮定した場合の8月1日における年齢を基準として、年齢階層別の最低・最高限度額が適用される。

4．**一時金たる保険給付**の算定の基礎として用いる給付基礎日額については、年齢階層別の最低・最高限度額の規定は適用されない。

5．**複数事業労働者**の給付基礎日額については、個々の事業ごとに算定した給付基礎日額相当額を**合算した額**に年齢階層別の最低・最高限度額が適用される。

Step-Up! アドバイス

・スライド率は、毎月勤労統計の調査結果をもとに設定され、年齢階層別の最低・最高限度額については、賃金構造基本統計の調査結果をもとに設定される。

10 保険給付・療養(補償)等給付 Basic

チェック欄
1 ／
2 ／
3 ／

(1) **業務災害に関する保険給付**（ A を**除く**。）は、**労働基準法**に規定する**災害補償**の事由又は船員法に規定する災害補償の事由（労働基準法に規定する災害補償に相当する部分に限る。）が生じた場合に、補償を受けるべき**労働者**若しくは**遺族**又は B に対し、その**請求**に基づいて行う。

(2) 療養の給付は、**社会復帰促進等事業**として設置された病院若しくは診療所又は C の指定する病院若しくは診療所、薬局若しくは訪問看護事業者（「**指定病院等**」という。）において行う。

(3) 療養補償給付は**療養の給付**を原則とするが、政府は、療養の給付をすることが**困難**な場合又は療養の給付を受けないことについて D がある場合には、療養の給付に代えて**療養の費用**を支給することができる。

(4) 政府は、**療養給付**を受ける労働者から、**200円**（健康保険法に定める日雇特例被保険者である労働者については**100円**）を**一部負担金**として徴収するが、**第三者の行為**によって生じた事故により療養給付を受ける者や療養の開始後**3日以内に死亡**した者その他 E を受けない者など一定の者からは徴収しない。

選択肢

① 葬祭を行う者	② 事業主	③ 休業給付
④ 正当な理由	⑤ 親族	⑥ 介護給付
⑦ 都道府県知事	⑧ 二次健康診断等給付	
⑨ 厚生労働大臣	⑩ 厚生労働省労働基準局長	
⑪ 遺族補償給付	⑫ 傷病補償年金及び介護補償給付	
⑬ 遺族給付	⑭ 療養補償給付及び介護補償給付	
⑮ やむを得ない事由	⑯ 使用者の責に帰すべき事由	
⑰ 障害給付	⑱ 労働者に相当の理由	
⑲ 都道府県労働局長	⑳ 親権者若しくは後見人	

解答

A ▶ ⑫ 傷病補償年金及び介護補償給付
B ▶ ① 葬祭を行う者
C ▶ ⑲ 都道府県労働局長
D ▶ ⑱ 労働者に相当の理由
E ▶ ③ 休業給付

根拠条文等
法12条の8,2項、法13条1項、3項、法31条2項、則11条1項、則11条の2、則44条の2

おぼえとるかい？

1．**保険給付の種類**
労災保険法による保険給付は、「**業務災害**に関する保険給付」「**複数業務要因災害**に関する保険給付」「**通勤災害**に関する保険給付」及び「**二次健康診断等給付**」とする。
2．療養の給付の範囲は、次の①～⑥（**政府が必要と認めるもの**に限**る**。）である。
① 診察
② 薬剤又は治療材料の支給
③ 処置、手術その他の治療
④ 居宅における療養上の管理及びその療養に伴う世話その他の看護
⑤ 病院又は診療所への入院及びその療養に伴う世話その他の看護
⑥ **移送**
3．政府は、次の者からは一部負担金を徴収しない。
① **第三者の行為**によって生じた事故により療養給付を受ける者
② 療養の開始後**3日以内に死亡**した者その他**休業給付**を受けない者
③ **同一**の通勤災害に係る療養給付について既に一部負担金を納付した者
④ 特別加入者
4．**療養（補償）等給付の請求手続**
療養の給付を受けようとする者は、所定の事項を記載した請求書を、当該療養の給付を受けようとする**指定病院等を経由**して**所轄労働基準監督署長**に提出しなければならない。**療養の費用の支給**を受けようとする者は、所定の事項を記載した請求書を、**直接**、**所轄労働基準監督署長**に提出しなければならない（病院等を経由しない。）。

健保	国年	厚年	社一

11 休業（補償）等給付

Basic

チェック欄
1 ／
2 ／
3 ／

⑴　休業補償給付は、労働者が業務上の負傷又は疾病による**療養のため**［　A　］**日**の**第**［　B　］**日目**から支給する。なお、休業補償給付が支給されるまでの間（待期期間）については、事業主は、労働基準法の規定により［　C　］を行わなければならない。

⑵　休業補償給付の額は、1日につき給付基礎日額の［　D　］に相当する額とする。ただし、所定労働時間のうちその**一部分**についてのみ労働する日若しくは賃金が支払われる休暇（以下「**部分算定日**」という。）又は複数事業労働者の部分算定日に係る休業補償給付の額は、原則として［　E　］とする。

選択肢

①　3	②　4	③　7	④　8
⑤　100分の20	⑥　100分の60	⑦　3分の2	⑧　100分の70
⑨　療養補償	⑩　打切補償	⑪　分割補償	⑫　休業補償

⑬　労務に服さない　　⑭　休業する
⑮　労働することができないために休業する
⑯　労働することができないために賃金を受けない
⑰　給付基礎日額の100分の70に相当する額から部分算定日に対して支払われる賃金額を控除して得た額
⑱　通常の賃金額の100分の60に相当する額から部分算定日に対して支払われる賃金額を控除して得た額
⑲　給付基礎日額から部分算定日に対して支払われる賃金額を控除して得た額の3分の2に相当する額
⑳　給付基礎日額から部分算定日に対して支払われる賃金額を控除して得た額の100分の60に相当する額

進捗チェック
労基　安衛　労災　雇用　労一

解答

A ▶ ⑯ 労働することができないために賃金を受けない

B ▶ ② 4

C ▶ ⑫ 休業補償

D ▶ ⑥ 100分の60

E ▶ ⑳ 給付基礎日額から部分算定日に対して支払われる賃金額を控除して得た額の100分の60に相当する額

根拠条文等

法14条1項、労基法76条1項

1．休業（補償）等給付は、「**療養**」のため労働不能でなければ支給されない。したがって、**傷病が治った後**に行われる義肢、補装具の装着等は、療養の範囲に属さないので、それらを受けるために労働することができない日については、休業（補償）等給付は**支給されない**。

2．「**賃金を受けない日**」については、全部を受けない日と**一部を受けない日**を含んでおり、次の日が該当する。

① 全部労働不能の場合は、賃金を全く受けない日又は**平均賃金の100分の60未満**の金額しか受けない日

② 一部労働不能の場合は、その労働不能の時間について全く賃金を受けない日又は平均賃金と実労働時間に対して支払われる賃金との**差額の100分の60未満**の金額しか受けない日

※複数事業労働者の休業（補償）等給付に係る「賃金を受けない日」の判断については、まず複数就業先における事業場ごとに行い、一部の事業場でも賃金を受けない日に該当する場合には、「賃金を受けない日」に該当するものとして取り扱う。

Step-Up! アドバイス

・休業の最初の3日間（待期期間）は、**継続すると断続するとを問わない**。

・**複数業務要因災害**に係る複数事業労働者休業給付及び**通勤災害**に係る休業給付の場合も待期3日は必要であるが、当該3日間につき事業主には**休業補償を行う義務は生じない**。

健保	国年	厚年	社一

12 傷病（補償）等年金 Basic

チェック欄
1 ／
2 ／
3 ／

(1) 傷病補償年金は、業務上負傷し、又は疾病にかかった労働者が、当該負傷又は疾病に係る**療養の開始後** A **を経過した日**において次の①及び②のいずれにも該当するとき、又は**同日後**該当することとなったときに、**その状態が継続している間**、当該労働者に対して支給する。

① 当該負傷又は疾病が B こと。

② 当該負傷又は疾病による障害の程度が厚生労働省令で定める**傷病等級に該当**すること。

(2) 傷病補償年金の額は、傷病等級に応じ、給付基礎日額の**313日分**から給付基礎日額の C **日分**とされている。

(3) **業務上**負傷し、又は疾病にかかった労働者が、当該負傷又は疾病に係る療養の開始後 D **を経過した日**において**傷病補償年金**を受けている場合又は同日後において**傷病補償年金**を受けることとなった場合には、労働基準法第19条第１項（**解雇制限**）の規定の適用については、当該使用者は、それぞれ、当該 D **を経過した日**又は**傷病補償年金を受けることとなった日**において、同法第81条の規定により E を**支払ったものとみなす**。

選択肢

① 153	② 175	③ 223
④ 245	⑤ 6箇月	⑥ 1年
⑦ 1年6箇月	⑧ 2年	⑨ 3年
⑩ 5年	⑪ 7年	⑫ 10年
⑬ 打切補償		⑭ 療養補償
⑮ 治り、障害が存する		⑯ 災害補償
⑰ 治っていない		⑱ 解雇予告手当

⑲ 治療の効果が期待できない状態にある
⑳ 常時又は随時介護を要する程度のものである

進捗チェック
労基	安衛	労災	雇用	労一

解答

A ▶ ⑦ 1年6箇月

B ▶ ⑰ 治っていない

C ▶ ④ 245

D ▶ ⑨ 3年

E ▶ ⑬ 打切補償

根拠条文等

法12条の8,3項、
法19条、
法別表第1

おぼえとるかい?

1. 傷病（補償）等年金は、**所轄労働基準監督署長の職権**によりその**支給が決定**されるので、被災労働者が請求する必要はない。

2. **傷病（補償）等年金の額**

傷病等級第1級	給付基礎日額の**313日分**
傷病等級第2級	〃 **277日分**
傷病等級第3級	〃 **245日分**

※傷病（補償）等年金の支給要件に係る障害の程度は、**6箇月以上**の期間にわたって存する障害の状態によって認定される。

3. **傷病（補償）等年金**を受ける者には、**休業（補償）等給付**は、**行われない**〔傷病（補償）等年金に切り替わった場合でも、療養を続ける必要はあるので、療養（補償）等給付は、支給される。〕。

4. **障害の程度の変更**

傷病（補償）等年金を受ける労働者の当該障害の程度に**変更**があったため、新たに他の傷病等級に該当するに至った場合には、**所轄労働基準監督署長**は、当該労働者について傷病等級の変更による傷病（補償）等年金の変更に関する**決定**をしなければならない。この場合、その**翌月から**新たに該当するに至った傷病等級に応ずる傷病（補償）等年金を支給するものとし、その後は、従前の傷病（補償）等年金は、支給しない。

Step-Up! アドバイス

・所轄労働基準監督署長は、療養開始後1年6箇月経過日において傷病が治っていない労働者に、同日以後**1箇月以内**に、「傷病の状態等に関する届」を提出させる〔傷病（補償）等年金を支給するか、引き続き休業（補償）等給付を支給するかを決定する。〕。

健保	国年	厚年	社一

13 障害（補償）等給付 1

Basic

チェック欄
1 ／
2 ／
3 ／

(1) 障害補償給付は、**障害等級**に応じ、**障害補償年金**又は**障害補償一時金**とし、障害の程度が障害等級**第１級**から［ A ］のいずれかに該当する場合は、**給付基礎日額**の［ B ］**日分**から**131日分**の障害補償**年金**を、障害等級［ C ］から**第14級**のいずれかに該当する場合は給付基礎日額の［ D ］**日分**から**56日分**の障害補償**一時金**を支給する。

(2) 障害補償年金を受ける労働者の当該障害の程度に**変更**があったため、新たに他の障害等級に該当するに至った場合には、その［ E ］から障害補償年金の**額を改定**し、又は障害補償**一時金を支給**するものとし、その後は、従前の障害補償年金は、支給しない。

選択肢

① 第３級	② 第４級	③ 第５級
④ 第７級	⑤ 第８級	⑥ 第９級
⑦ 第10級	⑧ 第11級	⑨ 153
⑩ 175	⑪ 311	⑫ 313
⑬ 530	⑭ 503	⑮ 277
⑯ 245	⑰ 前月	⑱ 月
⑲ 翌月	⑳ 翌々月	

解答

A ▶ ④ 第７級

B ▶ ⑫ 313

C ▶ ⑤ 第８級

D ▶ ⑭ 503

E ▶ ⑲ 翌月

根拠条文等

法15条、
法15条の２、
法別表第１、第２、
昭和41.1.31
基発73号

おぼえとるかい？

1．障害（補償）等給付の額

障害等級	額（年金）	障害等級	額（一時金）
第１級	給付基礎日額の**313日分**	第８級	給付基礎日額の**503日分**
第２級	〃 **277日分**	第９級	〃 391日分
第３級	〃 **245日分**	第10級	〃 302日分
第４級	〃 213日分	第11級	〃 223日分
第５級	〃 184日分	第12級	〃 156日分
第６級	〃 156日分	第13級	〃 101日分
第７級	〃 **131日分**	第14級	〃 **56日分**

2．障害等級の変更

障害（補償）等年金の支給事由となっている障害の程度が新たな傷病又は再発によらず、**自然的に**変更した場合は問題文(2)の通りであるが、**障害（補償）等一時金**の支給を受けた者の障害の程度が**自然的に**変更したとしても、新たな障害等級に応ずる障害（補償）等給付は**支給しない**。

①障害（補償）等**年金**から 他の障害（補償）等年金の障害の程度に変更	変更後の障害等級の年金額を支給
②障害（補償）等**年金**から 障害（補償）等一時金の障害の程度に変更	変更後の障害等級の一時金を支給
③障害（補償）等**一時金**から 他の障害の程度に変更	**支給しない**

健保 | 国年 | 厚年 | 社一

14 障害（補償）等給付　2

Basic

チェック欄
1 ／
2 ／
3 ／

(1) **同一事由**による身体障害が２以上ある場合には、[A]の身体障害の該当する障害等級によるが、次に掲げる場合には、障害等級をそれぞれ各号に掲げる等級だけ**繰り上げ**た障害等級による。

① [B]以上の身体障害が２以上ある場合は、[A]の等級を**１級**繰り上げる。

② **第８級**以上の身体障害が２以上ある場合は、[A]の等級を**２級**繰り上げる。

③ [C]以上の身体障害が２以上ある場合は、[A]の等級を**３級**繰り上げる。

ただし、同一事由による身体障害の該当する障害等級が[D]の場合には、上記①～③の併合繰上げの方法によらず、各障害等級に応ずる障害補償給付の**合算額**を支給する。

(2) **既に**身体障害のあった者が、業務上の負傷又は疾病により**同一の部位**について障害の程度を**加重**した場合において、**現在**の身体障害の該当する障害等級に応ずる障害補償給付が**障害補償年金**であって、**既に**あった身体障害の該当する障害等級に応ずる障害補償給付が**障害補償一時金**であるときは、現在の身体障害の該当する障害等級に応ずる障害補償年金の額から、既にあった身体障害の該当する障害等級に応ずる障害補償一時金の額[E]を**差し引いた額**による障害補償年金を支給する。

選択肢

① 第４級	② 第５級	③ 第６級
④ 第７級	⑤ 第11級	⑥ 第12級
⑦ 第13級	⑧ 第14級	⑨ 先発
⑩ 軽い方	⑪ 重い方	⑫ 後発
⑬ 第８級と第10級	⑭ 第９級と第14級	
⑮ 第９級と第13級	⑯ 第10級と第14級	
⑰ に12を乗じて得た額	⑱ を12で除して得た額	
⑲ に25を乗じて得た額	⑳ を25で除して得た額	

解答

A ▶ ⑪ 重い方

B ▶ ⑦ 第13級

C ▶ ② 第５級

D ▶ ⑮ 第９級と第13級

E ▶ ⑳ を25で除して得た額

根拠条文等
則14条１項～３項、５項、昭和41.1.31基発73号

おぼえとるかい？

【加重の取扱い】

① 既にあった障害及び加重後の障害が共に障害等級**第７級以上**（年金）の場合

加重後の障害（補償）等年金の額 － 既存障害の等級に応ずる障害（補償）等年金の額

② 既にあった障害及び加重後の障害が共に**第８級以下**（一時金）の場合

加重後の障害（補償）等一時金の額 － 既存障害の等級に応ずる障害（補償）等一時金の額

③ 既にあった障害が**第８級以下**（一時金）で、加重後の障害が**第７級以上**（年金）の場合

加重後の障害（補償）等年金の額 － 既存障害の等級に応ずる障害（補償）等一時金の額×1/25

※なお、**既存障害は業務上・外を問わない。**

Step-Up! アドバイス

・既に障害（補償）等**一時金**を受けた者の傷病が**再発**し、治ったが、その障害が以前よりも**悪化**した場合には、**加重に準じた取扱い**がなされる（差額支給）。

・障害（補償）等**年金**の受給権者の傷病が**再発**した場合には、従前の障害（補償）等年金は失権し、その後、再治ゆしたときは、その該当する障害等級に応ずる障害（補償）等年金又は障害（補償）等一時金が支給される。

健保	国年	厚年	社一

15 障害（補償）等給付　3

Basic

チェック欄
1 ／
2 ／
3 ／

(1) 政府は、当分の間、障害補償年金を受ける権利を有する者の請求に基づき、保険給付として、**障害補償年金前払一時金**を支給する。障害補償年金前払一時金の額は、障害等級**第１級**の場合には、給付基礎日額の［ A ］である。

(2) 障害補償年金前払一時金の請求は、障害補償年金の**請求と同時**に行わなければならない。ただし、障害補償年金の**支給決定の通知のあった日の翌日から起算して**［ B ］**を経過する日**までの間は、障害補償年金を**請求した後**においても請求することができる。

(3) 障害補償年金前払一時金の請求は、［ C ］行うことができる。

(4) **障害補償年金差額一時金**を受けることができる遺族は、次に掲げるものとする。

① 労働者の死亡の当時その者［ D ］ていた［ E ］

② 上記①に該当しない［ E ］

選択肢

① １年度につき１回に限り　② 妻及び子

③ の収入によって生計を維持し　④ に扶養され

⑤ ３親等内の親族　⑥ １月

⑦ 同一の事由に関し、１回に限り　⑧ ６月

⑨ 同一の事由に関し、３回を限度として　⑩ １年

⑪ 障害等級別の最高限度額に達するまで　⑫ ２年

⑬ 配偶者、子、父母、孫及び祖父母　⑭ と同居し

⑮ と生計を同じくし　⑯ １年分又は２年分

⑰ 配偶者、子、父母、孫、祖父母及び兄弟姉妹

⑱ 200日分、400日分、600日分、800日分又は1,000日分

⑲ 200日分、400日分、600日分、800日分、1,000日分又は1,200日分

⑳ 200日分、400日分、600日分、800日分、1,000日分、1,200日分又は1,340日分

解答

A ► ⑳ 200日分、400日分、600日分、800日分、1,000日分、1,200日分又は1,340日分

B ► ⑩ 1年

C ► ⑦ 同一の事由に関し、1回に限り

D ► ⑮ と生計を同じくし

E ► ⑰ 配偶者、子、父母、孫、祖父母及び兄弟姉妹

根拠条文等

法附則58条2項、法附則59条1項、2項、則附則24項、26項、27項

1．障害（補償）等年金前払一時金の支給額

障害（補償）等年金前払一時金の額は、障害（補償）等年金の障害等級に応じ、**等級別の最高限度額**、又は給付基礎日額の**200日分**、**400日分**、**600日分**、**800日分**、**1,000日分**、**1,200日分**のうち当該最高限度額に満たない額とされている。

障害等級	最高限度額
第1級	給付基礎日額の**1,340日分**
第2級	〃 1,190日分
第3級	〃 1,050日分
第4級	〃 920日分
第5級	〃 790日分
第6級	〃 670日分
第7級	〃 560日分

2．障害（補償）等年金前払一時金が支給される場合には、当該労働者の障害に係る障害（補償）等年金は、各月に支給されるべき額につき所定の方法によって計算した合計額が**障害（補償）等年金前払一時金の額に達するまで**の間、その**支給を停止**する。

Step-Up! アドバイス

・障害（補償）等年金差額一時金を受ける権利を有する者が2人以上あるときは、障害（補償）等年金差額一時金の額は、その人数で除して得た額となり、それぞれの受給権者に支給される。

健保	国年	厚年	社一

16 介護（補償）等給付 Basic

チェック欄
1 ／
2 ／
3 ／

(1) 介護補償給付は、**障害補償年金**又は［ A ］を受ける権利を有する労働者が、その受ける権利を有する**障害補償年金**又は［ A ］の支給事由となる障害であって厚生労働省令で定める程度のものにより、［ B ］**介護を要する状態**にあり、**かつ、**［ B ］**介護を受けている**ときに、当該**介護を受けている間**（次の①～③に掲げる間を除く。）、当該労働者に対し、その請求に基づいて行う。

① 障害者の日常生活及び社会生活を総合的に支援するための法律に規定する**障害者支援施設**に**入所**している間（［ C ］を受けている場合に限る。）

② 障害者支援施設（［ C ］を行うものに限る。）に準ずる施設として厚生労働大臣が定めるものに入所している間

③ **病院**又は**診療所**に入院している間

(2) 介護補償給付は、［ D ］支給するものとし、その額は、［ B ］介護を受ける場合に通常要する費用を考慮して**厚生労働大臣**が定める額とする。

(3) **障害補償年金**を受ける権利を有する者が介護補償給付を請求する場合における当該請求は、当該障害補償年金の請求［ E ］に行わなければならない。

選択肢

① 常時又は随時	② 常態として
③ 継続又は断続して	④ 療養のため
⑤ その日ごとに	⑥ 四半期ごとに
⑦ 月を単位として	⑧ 年額で
⑨ リハビリテーション	⑩ 機能訓練
⑪ 生活介護	⑫ 療養介護
⑬ 遺族補償年金	⑭ 傷病補償年金
⑮ 休業補償給付	⑯ 療養補償給付
⑰ と同時	⑱ と同時に、又は請求をした後
⑲ 後速やか	⑳ 後３月以内

解答

A ▶ ⑭ 傷病補償年金

B ▶ ① 常時又は随時

C ▶ ⑪ 生活介護

D ▶ ⑦ 月を単位として

E ▶ ⑱ と同時に、又は請求をした後

根拠条文等

法12条の8,4項、法19条の2、則18条の3の5,1項

おぼえとるかい？

1．障害の程度

介護（補償）等給付に係る障害の程度は、障害等級**第2級**以上又は傷病等級**第2級**以上の障害であって、**一定のもの**でなければならない。

2．介護（補償）等給付の額

①原則	**実費**（上限177,950円）
②最低保障※	**親族等**による**介護**を受けた日あり→81,290円

※支給事由の生じた月を除く。

《注》特定障害の程度が随時介護を要する状態に該当する場合は、上記177,950円を88,980円に、81,290円を40,600円に読み替える。

3．介護（補償）等給付の請求

障害（補償）等年金を受ける権利を有する者が介護（補償）等給付を請求する場合における当該請求は、問題文(3)の通り当該障害（補償）等年金の**請求と同時**に、又は**請求をした後**に行わなければならないが、**傷病（補償）等年金**を受ける権利を有する者については、当該**傷病（補償）等年金の支給決定を受けた後**に行わなければならない。

健保	国年	厚年	社一

Goal

17 遺族（補償）等給付　1

Basic

チェック欄
1 ／
2 ／
3 ／

(1)　遺族補償年金を受けることができる遺族は、労働者の**配偶者**、**子**、**父母**、**孫**、**祖父母**及び**兄弟姉妹**であって、労働者の**死亡の当時**その［ A ］ていたものとする。ただし、**妻以外の者**にあっては、労働者の**死亡の当時**、次の①～④に掲げる要件に該当した場合に限るものとする。

① **夫**、**父母**又は**祖父母**については、**60歳以上**※であること。

② **子**又は**孫**については、［ B ］こと。

③ **兄弟姉妹**については、［ B ］こと又は**60歳以上**※であること。

④ 上記①～③の要件に該当しない**夫**、**子**、**父母**、**孫**、**祖父母**又は**兄弟姉妹**については、**障害等級**［ C ］**以上**の**障害状態等にある**こと。

(2)　労働者の死亡の当時**胎児**であった子が出生したときは、上記(1)の規定の適用については、［ D ］、その子は、**労働者の死亡の当時**その［ A ］ていた**子**とみなす。

(3)　上記(1)の「労働者の死亡の当時その［ A ］ていた」ことの認定は、当該労働者との同居の事実の有無、当該労働者以外の扶養義務者の有無その他必要な事項を基礎として［ E ］が定める**基準**によって行われる。

選択肢

① 厚生労働大臣　② 者と同一世帯に属し　③ 第２級
④ 18歳未満である　⑤ 者と生計を同じくし　⑥ 第３級
⑦ 20歳未満である　⑧ 将来に向かって　⑨ 第５級
⑩ 死亡前に　⑪ 死亡した日に遡って　⑫ 第７級
⑬ 労働基準監督署長　⑭ 者と同居し、かつ、扶養され
⑮ 都道府県労働局長　⑯ 収入によって生計を維持し
⑰ 死亡当時から引き続き　⑱ 厚生労働省労働基準局長
⑲ 18歳に達する日の属する月までの間にある
⑳ 18歳に達する日以後の最初の３月31日までの間にある

進捗チェック

労基	安衛	労災	雇用	労一

解答

A ▶ ⑯ 収入によって生計を維持し

B ▶ ⑳ 18歳に達する日以後の最初の3月31日までの間にある

C ▶ ⑨ 第5級

D ▶ ⑧ 将来に向かって

E ▶ ⑱ 厚生労働省労働基準局長

根拠条文等
法16条の2, 1項、2項、
則14条の4、
則15条

※法本則上は「60歳以上」とされているが、法附則による暫定措置により「55歳以上60歳未満」の者を含むとされている。

労災

【遺族（補償）等年金を受けるべき遺族の順位】

順位	遺族	労働者の死亡の当時の要件	
1	妻	死亡労働者の収入によって**生計を維持**していたこと	
	夫		**60歳**以上又は一定の**障害**の状態
2	子		**18歳**到達年度の末日までの間にある又は一定の**障害**の状態
3	父母		**60歳**以上又は一定の**障害**の状態
4	孫		**18歳**到達年度の末日までの間にある又は一定の**障害**の状態
5	祖父母		**60歳**以上又は一定の**障害**の状態
6	兄弟姉妹		**18歳**到達年度の末日までの間にある若しくは**60歳**以上又は一定の**障害**の状態
7 8 9 10	夫 父母 祖父母 兄弟姉妹		**55歳**以上**60歳**未満（一定の**障害の状態にない**）

※順位7～10位までの者は、後に60歳に達しても順位は繰り上がらない。

Step-Up! アドバイス

・いわゆる**重婚的内縁関係**にあった者は、届出による婚姻関係がその実体を失って**形骸化**し、かつ、その状態が**固定化**して近い将来**解消される見込みがなかった**場合に限り、遺族（補償）等年金を受けることができる配偶者となる。

健保	国年	厚年	社一

18 遺族（補償）等給付　2

Basic

チェック欄
1 ／
2 ／
3 ／

(1) 遺族補償年金の額は、遺族補償年金を受ける権利を有する遺族及びその者と**生計を同じく**している遺族補償年金を受けることができる遺族（［ A ］**以上60歳未満**で厚生労働省令で定める**障害状態にない**［ B ］を除く。）の人数の区分に応じ、**給付基礎日額の**［ C ］**分**とする。

(2) 遺族補償年金を受ける権利を有する遺族が**妻**であり、かつ、当該妻と生計を同じくしている遺族補償年金を受けることができる**遺族がない場合**において、当該妻が次の①又は②に該当するに至ったときは、その該当するに至った**月の翌月**から、遺族補償年金の額を給付基礎日額の［ D ］**分**に改定する。

① ［ A ］に達したとき。

② **障害等級**［ E ］**以上の障害の状態等**になったとき。

選択肢

① 175日	② 201日	③ 223日	④ 277日
⑤ 50歳	⑥ 55歳	⑦ 59歳	⑧ 第３級
⑨ 第７級	⑩ 40歳	⑪ 第２級	⑫ 第５級

⑬ 夫、父母、祖父母及び兄弟姉妹
⑭ 夫、父母、祖父母及び弟妹
⑮ 夫、父母及び祖父母　　⑯ 兄弟姉妹
⑰ 153日分から246日　　⑱ 131日分から313日
⑲ 153日分から245日　　⑳ 201日分から277日

進捗チェック
労基　安衛　労災　雇用　労一

解答

A ▶ ⑥ 55歳
B ▶ ⑬ 夫、父母、祖父母及び兄弟姉妹
C ▶ ⑲ 153日分から245日
D ▶ ① 175日
E ▶ ⑫ 第５級

根拠条文等
法16条の３,１項、４項、
法別表第１等

1．遺族（補償）等年金の額

遺族の数	額
１人	給付基礎日額の**153日分**※
２人	〃 **201日分**
３人	〃 **223日分**
４人以上	〃 **245日分**

※**55歳以上**の**妻**又は一定の**障害の状態**にある**妻**は**175日分**

2．同順位の受給権者に対して支給される遺族（補償）等年金の額は、それぞれの受給権者に係る加算対象者の人数にかかわらず、**受給権者の数で等分した額**となる。

3．**55歳以上60歳未満**の一定の障害の状態にない夫、父母、祖父母、兄弟姉妹は受給資格者ではあるが、**60歳に達するまでは遺族（補償）等年金の額の計算の基礎となる遺族に含まれない。**

4．遺族（補償）等年金の額の算定の基礎となる遺族の数に増減が生じたときは、その増減を生じた**月の翌月**から、遺族（補償）等年金の額を**改定**する。

19 遺族（補償）等給付　3

Basic

チェック欄
1 ／
2 ／
3 ／

(1) 遺族補償年金を受ける権利を有する者の所在が［ A ］**以上**明らかでない場合には、当該遺族補償年金は、同順位者があるときは同順位者の、同順位者がないときは次順位者の**申請**によって、その**所在が明らかでない間**、その**支給を停止**する。

(2) 遺族補償年金を受ける権利は、その権利を有する遺族が次のいずれかに該当するに至ったときは、**消滅する**。

① ［ B ］とき。
② **婚姻**（事実上の婚姻関係を含む。）をしたとき。
③ ［ C ］の養子（事実上の養子を含む。）となったとき。
④ **離縁**によって、死亡した労働者との親族関係が終了したとき。
⑤ **子**、**孫**又は**兄弟姉妹**については、［ D ］とき（労働者の**死亡当時から引き続き**一定の障害の状態にあるときを除く。）。
⑥ **一定の障害状態**にある夫、子、父母、孫、祖父母又は兄弟姉妹については、その事情がなくなったとき（一定の年齢要件を満たすときを除く。）。

(3) 遺族補償年金を受けることができる遺族が、遺族補償年金を受けることができる**先順位**又は**同順位**の他の遺族を［ E ］死亡させたときは、その者は、遺族補償年金を受けることができる遺族でなくなる。

選択肢

① 3箇月　② 6箇月　③ 1年　④ 3年
⑤ 故意に　⑥ 就職した　⑦ 死亡した　⑧ 過失により
⑨ 配偶者以外の者　⑩ 3親等内の親族以外の者
⑪ 直系血族又は直系姻族
⑫ 直系血族又は直系姻族以外の者
⑬ 日本国内に住所を有しなくなった　⑭ 18歳に達した
⑮ 故意又は重大な過失により　⑯ 20歳に達した
⑰ 故意の犯罪行為又は重大な過失により
⑱ 支給事由が同一でない遺族補償年金の受給権を取得した
⑲ 15歳に達した日以後の最初の3月31日が終了した
⑳ 18歳に達した日以後の最初の3月31日が終了した

進捗チェック
労基	安衛	労災	雇用	労一

解答

A ► ③ 1年

B ► ⑦ 死亡した

C ► ⑫ 直系血族又は直系姻族以外の者

D ► ⑳ 18歳に達した日以後の最初の3月31日が終了した

E ► ⑤ 故意に

根拠条文等

法16条の4,1項、
法16条の5,1項、
法16条の9,4項

労災

おぼえとるかい?

1. 遺族(補償)等年金が支給停止される場合

① 遺族(補償)等年金の受給権者の所在が**1年以上不明**の場合

② 遺族(補償)等年金**前払一時金**を受けたとき

③ 受給権者が夫、父母、祖父母又は兄弟姉妹(一定の障害の状態にある者を除く。)のときは、**60歳**に達するまで**支給停止**(若年停止)

④ **第三者の行為**によって災害が生じ、当該第三者から同一の事由について損害賠償を**受けた**とき

2. 受給資格の欠格

① 労働者を**故意に死亡**させた者は、遺族(補償)等年金を受けることができる遺族としない。

② 労働者の死亡前に、当該労働者の死亡によって遺族(補償)等年金を受けることができる**先順位**又は**同順位**の遺族となるべき者を**故意に死亡**させた者は、遺族(補償)等年金を受けることができる遺族としない。

③ 遺族(補償)等年金を受けることができる遺族が、遺族(補償)等年金を受けることができる**先順位**又は**同順位**の他の遺族を**故意に死亡**させたときは、その者は、遺族(補償)等年金を受けることができる遺族でなくなる。この場合において、その者が遺族(補償)等年金を受ける権利を有する者であるときは、その権利は、消滅する。

Step-Up! アドバイス

・行方不明により遺族(補償)等年金の支給を停止されていた受給権者は、いつでも、その支給停止の解除を申請することができる。支給停止の解除の申請があったときは、解除の申請のあった月の翌月から支給が再開される(所在不明となったときにさかのぼることはない。)。

健保	国年	厚年	社一

20 遺族（補償）等給付　4

Basic

チェック欄
1 ／
2 ／
3 ／

(1) 政府は、当分の間、遺族補償年金を受ける権利を有する遺族の請求に基づき、保険給付として、**遺族補償年金前払一時金**を支給するが、その額は、給付基礎日額の［ A ］に相当する額とする。なお、遺族補償年金前払一時金の請求は、［ B ］行うことができる。

(2) 遺族補償一時金を受けることができる遺族は、①**配偶者**、②労働者の死亡の当時その収入によって**生計を維持**していた子、父母、孫及び祖父母、③前記②に該当しない子、父母、孫及び祖父母並びに［ C ］とする。

(3) 遺族補償一時金の額は、①労働者の死亡の当時遺族補償年金を受けることができる遺族がないときには、給付基礎日額の［ D ］とし、②遺族補償年金を受ける権利を有する者の［ E ］場合において、他に当該遺族補償年金を受けることができる遺族がなく、かつ、当該労働者の死亡に関し支給された遺族補償年金及び遺族補償年金前払一時金の合計額が給付基礎日額の［ D ］に満たないときには、給付基礎日額の［ D ］から、これまでに支給された遺族補償年金及び遺族補償年金前払一時金の合計額を控除した額とする。

選択肢

① 権利が消滅した	② 配偶者の父母
③ 最高限度額の範囲内で	④ 兄弟姉妹
⑤ 支給が停止された	⑥ 3親等内の親族
⑦ 支給制限が行われた	⑧ これらに準ずる者
⑨ 受給権が転給した	⑩ 500日分
⑪ 災害補償の価額の限度で	⑫ 1,050日分
⑬ 受給権者に関し、1回に限り	⑭ 1,000日分
⑮ 同一の事由に関し、1回に限り	⑯ 1,200日分
⑰ 500日分又は1,000日分	⑱ 1年分又は2年分
⑲ 200日分、400日分、600日分、800日分又は1,000日分	
⑳ 200日分、400日分、600日分、800日分、1,000日分又は1,200日分	

進捗チェック
労基　安衛　労災　雇用　労一

解答

A ▶ ⑲	200日分、400日分、600日分、800日分又は1,000日分	
B ▶ ⑮	同一の事由に関し、１回に限り	
C ▶ ④	兄弟姉妹	
D ▶ ⑭	1,000日分	
E ▶ ①	権利が消滅した	

根拠条文等
法16条の６,１項、法16条の７,１項、法16条の８,１項、法附則60条１項、法別表第２、則附則31項、33項

1．遺族（補償）等一時金を受けるべき遺族の順位

① **配偶者**

② 労働者の死亡の当時その収入によって**生計を維持していた子、父母**、**孫**及び**祖父母**

③ 上記②に該当しない**子**、**父母**、**孫**及び**祖父母**並びに**兄弟姉妹**

※上記②③のうちにあっては、それぞれに掲げる順序による。

2．受給資格の欠格

① 労働者を**故意に死亡**させた者は、遺族（補償）等一時金を受けることができる遺族としない。

② 遺族（補償）等年金を受けることができる遺族を**故意に死亡**させた者は、遺族（補償）等一時金を受けることができる遺族としない。**労働者の死亡前**に、当該労働者の死亡によって遺族（補償）等年金を受けることができる遺族となるべき者を**故意に死亡**させた者も、同様とする。

Step-Up! アドバイス

・遺族（補償）等一時金を受けることができる遺族には、労働者の死亡当時生計維持されていなかった者も含まれるが、その遺族が子、父母、孫、祖父母である場合には、生計維持関係のある方が先順位者となる。**配偶者**（夫又は妻）は生計維持関係がなくても**最先順位者**、**兄弟姉妹**は生計維持関係の有無にかかわらず**最後順位者**である。

健保	国年	厚年	社一

21 葬祭料（葬祭給付） Basic

チェック欄
1 ／
2 ／
3 ／

(1) 葬祭料は、労働者が業務上の事由により**死亡**した場合に、[A]に対し、その請求に基づいて支給する。

(2) 葬祭料の額は、[B]に**給付基礎日額**（算定事由発生日の属する年度の[C]以後に当該葬祭料を支給すべき事由が生じた場合にあっては、当該葬祭料を[D]とみなして労災保険法第８条の４の規定を適用したときに得られる給付基礎日額に相当する額。以下同じ。）の**30日分**を加えた額（その額が給付基礎日額の[E]に**満たない**場合には、給付基礎日額の[E]）とする。

選択肢

① 休業補償給付	② 障害補償給付	
③ 遺族補償一時金	④ 遺族補償年金	
⑤ 葬祭を行った者	⑥ 200,000円	
⑦ 600,000円	⑧ 90日分	⑨ 40日分
⑩ 315,000円	⑪ 50日分	⑫ 305,000円
⑬ 葬祭を行う者	⑭ 事業主	⑮ 60日分
⑯ 翌々年度の４月	⑰ 翌々年度の８月	
⑱ 翌年度の４月	⑲ 翌年度の８月	
⑳ その者の収入により生計を維持していた者		

解答

A ▶ ⑬ 葬祭を行う者

B ▶ ⑩ 315,000円

C ▶ ⑰ 翌々年度の8月

D ▶ ③ 遺族補償一時金

E ▶ ⑮ 60日分

根拠条文等

法12条の8,2項、法17条、則17条

おぼえとるかい?

葬祭料等（葬祭給付）の額は、次の①②の額のうち、いずれか**高い方の額**である。

① 315,000円＋給付基礎日額の30日分

② 給付基礎日額の60日分

※一時金たる保険給付の算定の基礎として用いる給付基礎日額については、年金給付基礎日額と同様のスライド改定が行われる（Basic 8 おぼえとるかい? 参照）。

Step-Up! アドバイス

・「**葬祭を行う者**」とは、必ずしも実際に葬祭を行った者であることを要せず、一般に葬祭を行うと認められる者をいう。したがって、通常は遺族に支給されるが、葬祭を行う遺族がおらず、社葬として会社が葬祭を行った場合には、会社に葬祭料が支給されることがある。

健保	国年	厚年	社一

Goal

チェック欄
1 ／
2 ／
3 ／

22 二次健康診断等給付 Basic

(1) 二次健康診断等給付は、労働安全衛生法の規定による健康診断等のうち、**直近**のもの（以下本問において「一次健康診断」という。）において、血圧検査、血液検査その他**業務上の事由**による［ A ］**の発生**にかかわる身体の状態に関する検査であって、厚生労働省令で定めるものが行われた場合において、当該検査を受けた労働者が［ B ］**異常の所見**があると診断されたときに、当該労働者（一定の者を除く。）に対し、その請求に基づき行われる。

(2) 二次健康診断等給付の範囲は、**二次健康診断**及び**特定保健指導**であるが、**特定保健指導**とは、二次健康診断の結果に基づき、［ A ］の発生の予防を図るため、面接により行われる［ C ］による保健指導をいい、［ D ］**1回**に限り行われる。

(3) 二次健康診断等給付を受けようとする者は、所定の事項を記載した請求書を、当該二次健康診断等給付を受けようとする**健診給付病院等**を経由して［ E ］に提出しなければならない。

選択肢

① 医師又は看護師	② 厚生労働大臣
③ 医師又は歯科医師	④ 厚生労働省労働基準局長
⑤ 医師又は保健師	⑥ 所轄都道府県労働局長
⑦ そのいずれかの項目に	⑧ 所轄労働基準監督署長
⑨ 2以上の項目に	⑩ 6月以内ごとに
⑪ 3以上の項目に	⑫ 1年度につき
⑬ そのいずれの項目にも	⑭ 悪性新生物
⑮ 一次健康診断ごとに	⑯ 呼吸器疾患
⑰ 二次健康診断ごとに	⑱ 精神障害
⑲ 脳血管疾患及び心臓疾患	
⑳ 医師、保健師、看護師又は精神保健福祉士	

進捗チェック
労基 | 安衛 | 労災 | 雇用 | 労一

解答

A ▶ ⑲ 脳血管疾患及び心臓疾患
B ▶ ⑬ そのいずれの項目にも
C ▶ ⑤ 医師又は保健師
D ▶ ⑰ 二次健康診断ごとに
E ▶ ⑥ 所轄都道府県労働局長

根拠条文等
法26条1項、2項、則18条の19, 1項

おぼえとるかい?

1. 二次健康診断等給付は、**社会復帰促進等事業**として設置された病院若しくは診療所又は**都道府県労働局長**の指定する病院若しくは診療所（**健診給付病院等**）において行われる。
2. 二次健康診断等給付の範囲は次の①②とする。
   ① **二次健康診断**…脳血管及び心臓の状態を把握するために必要な検査（問題文(1)の検査を除く。）であって、厚生労働省令で定めるものを行う医師による健康診断（**1年度につき1回に限る。**）
   ② **特定保健指導**…二次健康診断の結果に基づき、脳血管疾患及び心臓疾患の発生の予防を図るため、面接により行われる**医師**又は**保健師**による保健指導（**二次健康診断ごとに1回に限る。**）
3. 一次健康診断の結果その他の事情により**既に脳血管疾患又は心臓疾患の症状を有する**と認められる労働者については、**二次健康診断等給付は行わない**。また、二次健康診断の結果その他の事情により既に脳血管疾患又は心臓疾患の症状を有すると認められる労働者については、当該二次健康診断に係る特定保健指導を行わない。
4. 二次健康診断等給付の請求は、一次健康診断を受けた日から**3箇月以内**に行わなければならない。ただし、天災その他請求をしなかったことについてやむを得ない理由があるときは、この限りでない。

健保	国年	厚年	社一

Goal

23 年金の支給期間・受給権の保護 Basic

チェック欄
1 ／
2 ／
3 ／

(1) 年金たる保険給付の支給は、支給すべき事由が[A]から始め、支給を受ける権利が[B]で終わるものとする。

(2) 年金たる保険給付は、その支給を停止すべき事由が生じたときは、その事由が[A]からその事由が[B]までの間は、支給しない。

(3) 年金たる保険給付は、**毎年**[C]に、それぞれその**前月分まで**を支払う。ただし、支給を受ける**権利が消滅**した場合における**その期**の年金たる保険給付は、支払期月でない月であっても、支払うものとする。

(4) 保険給付を受ける権利は、[D]によって**変更**されることはない。

(5) **保険給付**を受ける権利は、**譲り渡し**、**担保に供し**、又は**差し押さえる**ことができない。

(6) **租税その他の公課**は、保険給付として支給を受けた[E]を標準として**課することはできない**。

選択肢

① 生じた月の翌月
② 労働者の死亡
③ 消滅した月の翌月
④ 生じた月
⑤ 生じた月の前々月
⑥ 消滅した月
⑦ 消滅した月の前月
⑧ 金額
⑨ 金銭
⑩ 生じた月の前月
⑪ 金品
⑫ 価額
⑬ 消滅した月の前々月
⑭ 労働者の就職
⑮ 2月、6月及び10月の3期
⑯ 労働者の退職
⑰ 1月、5月及び9月の3期
⑱ 職権
⑲ 1月、3月、5月、7月、9月及び11月の6期
⑳ 2月、4月、6月、8月、10月及び12月の6期

進捗チェック
労基 | 安衛 | 労災 | 雇用 | 労一

解答

A ▶ ① 生じた月の翌月
B ▶ ⑥ 消滅した月
C ▶ ⑳ 2月、4月、6月、8月、10月及び12月の6期
D ▶ ⑯ 労働者の退職
E ▶ ⑪ 金品

根拠条文等
法9条、
法12条の5、
法12条の6

1. 定期報告

年金たる保険給付の受給権者は、一定の場合を除き、**毎年**、**厚生労働大臣が指定する日**（指定日※）までに、所定の事項を記載した**定期報告書**を、**所轄労働基準監督署長**に提出しなければならない。

※指定日は、受給権者〔遺族（補償）等年金については、**死亡した被災労働者**〕の生年月日の属する月により、次のように定められている。

1月から6月までの月…**6月30日**
7月から12月までの月…**10月31日**

2. 障害の程度の変更等の届出

障害（補償）等年金の受給権者は、その障害の程度に変更があった場合、傷病（補償）等年金の受給権者は、その傷病が治った場合又は傷病による障害の程度に変更があった場合には、遅滞なく、文書で、その旨を所轄労働基準監督署長に届け出なければならない。

Step-Up! アドバイス

・次に掲げる場合には、定期報告に係る報告書の提出を要しない。
① 所轄労働基準監督署長があらかじめ報告書の提出の必要がないと認めて通知したとき
② 厚生労働大臣が当該報告書と同一の内容を含む機構保存本人確認情報又は利用特定個人情報の提供を受けることができるとき

健保	国年	厚年	社一

24 死亡の推定・未支給の保険給付 Basic

チェック欄
1 ／
2 ／
3 ／

(1) **船舶**が**沈没**し、**転覆**し、**滅失**し、若しくは**行方不明**となった際現にその船舶に乗っていた労働者若しくは船舶に乗っていてその船舶の航行中に行方不明となった労働者の**生死が**［ A ］**間わからない**場合又はこれらの労働者の死亡が［ A ］以内に明らかとなり、かつ、その**死亡の時期がわからない**場合には、［ B ］の支給に関する規定の適用については、その船舶が**沈没**し、**転覆**し、**滅失**し、若しくは**行方不明となった日**又は労働者が**行方不明となった日**に、当該労働者は、**死亡したものと推定する**。

(2) 保険給付※を受ける権利を有する者が**死亡**した場合において、その死亡した者に支給すべき保険給付でまだその者に支給しなかったものがあるときは、その者の［ C ］であって、その者の**死亡の当時**［ D ］いたものは［ E ］**の名で**、その未支給の保険給付の支給を請求することができる。

※遺族補償年金、複数事業労働者遺族年金及び遺族年金を除く。

選択肢

① 3箇月　② 6箇月　③ 1年　④ 7年
⑤ その者と同一の世帯に属して　⑥ 配偶者又は子
⑦ その者と生計を同じくして　⑧ 死亡労働者
⑨ 日本国内に住所を有して　⑩ 遺族を代表する者
⑪ 遺族補償年金、葬祭料、遺族年金及び葬祭給付
⑫ 遺族補償給付、遺族給付及び未支給の保険給付
⑬ 直系尊属、配偶者、子、孫又は兄弟姉妹　⑭ 自己
⑮ その者の収入によって生計を維持して　⑯ 相続人
⑰ 遺族補償給付、複数事業労働者遺族給付及び遺族給付
⑱ 遺族補償給付、葬祭料、遺族給付及び葬祭給付
⑲ 配偶者、子、父母、孫、祖父母又は兄弟姉妹
⑳ 配偶者、子、父母、孫、祖父母、兄弟姉妹又は配偶者の父母

進捗チェック
労基 | 安衛 | 労災 | 雇用 | 労一

解答

A ▶ ① 3箇月
B ▶ ⑱ 遺族補償給付、葬祭料、遺族給付及び葬祭給付
C ▶ ⑲ 配偶者、子、父母、孫、祖父母又は兄弟姉妹
D ▶ ⑦ その者と生計を同じくして
E ▶ ⑭ 自己

根拠条文等
法10条、
法11条1項

おぼえとるかい？

1．**航空機が墜落**し、滅失し、若しくは行方不明となった際現にその航空機に乗っていた労働者若しくは航空機に乗っていてその航空機の航行中行方不明となった労働者の**生死が3箇月間わからない**場合又はこれらの労働者の死亡が3箇月以内に明らかとなり、かつ、その**死亡の時期がわからない**場合にも、死亡の推定の規定が適用される。
2．**障害補償年金差額一時金**又は**障害年金差額一時金**については、遺族補償給付又は遺族給付とみなして、死亡の推定の規定が適用される。
3．複数業務要因災害に関する保険給付については、死亡の推定の規定は適用されない。
4．未支給の**遺族（補償）等年金**の請求権者は「**死亡した労働者の遺族**」であり、それ以外の未支給の保険給付の請求者は「死亡した受給権者の遺族」であり、請求者が異なる。
5．未支給の保険給付を受けるべき同順位者が2人以上あるときは、その1人がした請求は、**全員**のためその**全額**につきしたものとみなし、その1人に対してした支給は、**全員**に対してしたものとみなす。

Step-Up! アドバイス

・未支給給付に関する規定は、その限りで相続に関する民法の規定を排除するものであるが、未支給給付の請求権者がない場合には、死亡した受給権者の相続人がその未支給給付の請求権者となる。

健保	国年	厚年	社一

25 支給制限等

Basic

チェック欄
1 ／
2 ／
3 ／

(1) 労働者が、［ A ］負傷、疾病、障害若しくは死亡又は［ B ］となった事故を生じさせたときは、政府は、保険給付を**行わない**。

(2) 労働者が［ C ］、又は正当な理由がなくて［ D ］に従わないことにより、負傷、疾病、障害若しくは死亡若しくはこれらの原因となった事故を生じさせ、又は負傷、疾病若しくは障害の程度を増進させ、若しくはその回復を妨げたときは、政府は、保険給付の**全部又は一部を行わないことができる**。

(3) 政府は、保険給付を受ける権利を有する者が、正当な理由がなくて、保険給付に関する**届出をせず**、若しくは書類等の**物件の提出をしない**とき、又は労働者及び受給者の報告等及び行政庁の**受診命令に従わない**ときは、保険給付の［ E ］**ことができる**。

選択肢

① 支払を一時差し止める	② 重大な過失により
③ 相当の注意を怠り	④ 不正の手段により
⑤ 著しい不行跡により	⑥ 主な原因
⑦ 療養に関する指示	⑧ 原因の一つ
⑨ 診療録の提示命令	⑩ 事業主の指示
⑪ 故意若しくは過失により	⑫ 医師の命令
⑬ 故意若しくは重大な過失により	⑭ 額を改定する
⑮ その直接の原因	⑯ 支給を停止する
⑰ 相対的に有力な原因	⑱ 権利を消滅させる
⑲ 故意の犯罪行為若しくは重大な過失により	⑳ 故意に

解答

A ▶ ⑳ 故意に
B ▶ ⑮ その直接の原因
C ▶ ⑲ 故意の犯罪行為若しくは重大な過失により
D ▶ ⑦ 療養に関する指示
E ▶ ① 支払を一時差し止める

根拠条文等
法12条の2の2、法47条の3

【具体的な支給制限の内容】

① **故意の犯罪行為又は重大な過失**による場合

> **休業（補償）等給付、障害（補償）等給付、傷病（補償）等年金**につき**保険給付のつど**所定給付額の**30%を減額**
>
> ※障害（補償）等年金、傷病（補償）等年金の支給制限は、**療養開始後3年以内**に支払われる分に限られる。

② **療養に関する指示違反**による場合

> 傷病の程度を増進させ又は回復を妨げた事案1件につき**休業（補償）等給付の10日分、傷病（補償）等年金の365分の10相当額を減額**

Step-Up! アドバイス

・一般に、自殺は「故意」によるものであり、本来、労災保険給付の対象にはならないが、過労自殺に該当する場合等は、業務起因性が認められ、「故意」によるものとは取り扱われない。
・故意の犯罪行為若しくは重過失又は療養に関する指示違反があった場合でも、療養（補償）等給付、介護（補償）等給付、遺族（補償）等給付、葬祭料等（葬祭給付）及び二次健康診断等給付は支給制限の対象とはならない。

健保	国年	厚年	社一

26 費用徴収

Basic

チェック欄
1 ／
2 ／
3 ／

政府は、次の①～③に該当する事故について保険給付を行ったときは、業務災害に関する保険給付にあっては**労働基準法**の規定による［ A ］の**価額の限度**又は船員法の規定による［ A ］のうち労働基準法の規定による［ A ］に相当する［ A ］の価額の限度で、複数業務要因災害に関する保険給付にあっては、複数業務要因災害を業務災害とみなした場合に支給されるべき業務災害に関する保険給付に相当する同法の規定による［ A ］の価額（当該複数業務要因災害に係る事業ごとに算定した額に限る。）の限度で、通勤災害に関する保険給付にあっては通勤災害を業務災害とみなした場合に支給されるべき業務災害に関する保険給付に相当する同法の規定による［ A ］の価額の限度で、その保険給付に要した費用に相当する金額の［ B ］を**事業主から徴収**することができる。

① 事業主が［ C ］により、**保険関係の成立に係る届出をしていない期間**（政府が当該事業について徴収法の規定による概算保険料の認定決定をしたときは、その決定後の期間を除く。）**中**に生じた事故

② 事業主が［ D ］を**納付しない期間**（督促状に指定する期限後の期間に限る。）**中**に生じた事故

③ 事業主が［ C ］により生じさせた［ E ］**の原因**である事故

選択肢

① 通勤災害	② 労災保険料	③ 災害補償
④ 全部	⑤ 打切補償	⑥ 全部又は一部
⑦ 業務災害	⑧ 故意	⑨ 2倍の額
⑩ 労働保険料	⑪ 一部	⑫ 一般保険料
⑬ 特別保険料	⑭ 補償義務	⑮ 障害補償
⑯ 故意又は重大な過失		⑰ 重大な過失
⑱ 業務災害又は複数業務要因災害		⑲ 給付の範囲内
⑳ 故意の犯罪行為又は重大な過失		

進捗チェック

労基	安衛	労災	雇用	労一

解答

A ▶ ③ 災害補償
B ▶ ⑥ 全部又は一部
C ▶ ⑯ 故意又は重大な過失
D ▶ ⑫ 一般保険料
E ▶ ⑦ 業務災害

根拠条文等
法31条1項

1．具体的な費用徴収の内容

<table>
<tr><td rowspan="2">保険関係成立届
未提出期間中</td><td>故意</td><td>保険給付の額の100%相当額</td></tr>
<tr><td>重大な過失</td><td>保険給付の額の40%相当額</td></tr>
<tr><td colspan="2">一般保険料滞納中</td><td>保険給付の額に滞納率※（40%を超えるときは、40%）を乗じて得た額</td></tr>
<tr><td colspan="2">事業主の故意又は重大な過失</td><td>保険給付の額の30%相当額</td></tr>
</table>

※滞納率…納付すべき概算保険料に対する滞納額の割合をいう。

2．費用徴収の期間

療養開始日（即死の場合は、事故発生日）の翌日から起算して**3年以内**に支給事由が生じた保険給付に限り、費用徴収が行われる。

3．不正受給者からの費用徴収

偽りその他**不正の手段**により保険給付を受けた者があるときは、政府は、その保険給付に要した費用に相当する金額の**全部又は一部**をその者から**徴収**することができる。この場合において、**事業主**が**虚偽**の**報告**又は**証明**をしたためその保険給付が行われたものであるときは、政府は、その事業主に対し、保険給付を受けた者と**連帯して**当該徴収金を納付すべきことを**命ずることができる**。

27 第三者行為災害 Basic

チェック欄
1 ／
2 ／
3 ／

(1) 政府は、保険給付の原因である事故が[A]**の行為**によって生じた場合において、保険給付をしたときは、その給付の[B]、保険給付を受けた者が[A]に対して有する**損害賠償の請求権**を取得する。

(2) 政府が代位取得した**損害賠償請求権の行使**（これを「**求償**」という。）は、受給権者が保険給付の事由と[C]につき[A]に対して請求し得る損害賠償額の範囲内で行われる。なお、**求償**は、災害発生後[D]以内に支給事由が生じた保険給付であって、災害発生後[D]以内に保険給付を行ったものについて行われる。

(3) 上記(1)の場合において、保険給付を受けるべき者が当該[A]から[C]について**損害賠償を受けた**ときは、政府は、**その**[B]保険給付をしないことができる。(これを「**控除**」という。)。なお、**控除**は、災害発生後[E]以内に支給事由が生じた保険給付であって、災害発生後[E]以内に支払うべきものを限度として行われる。

選択肢

① 1年	② 2年	③ 3年	④ 4年
⑤ 5年	⑥ 6年	⑦ 7年	⑧ 9年

⑨ 派遣先の事業主	⑩ 事業主
⑪ 特別加入者	⑫ 第三者
⑬ 価額の全部について	⑭ 価額にかかわらず
⑮ 価額の一部について	⑯ 価額の限度で
⑰ 別個の事由	⑱ 同種の事由
⑲ 同一の事由	⑳ 異なる傷病

進捗チェック
労基 安衛 労災 雇用 労一

解答

A ► ⑫ 第三者
B ► ⑯ 価額の限度で
C ► ⑲ 同一の事由
D ► ⑤ 5年
E ► ⑦ 7年

根拠条文等
法12条の4、平成8.3.5 基発99号、平成25.3.29 基発0329第11号、令和2.3.30 基発0330第33号

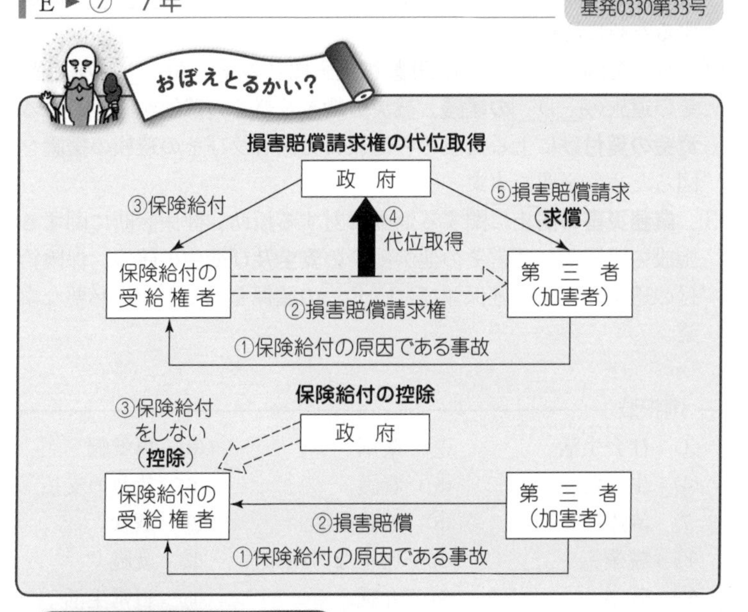

Step-Up! アドバイス

・受給権者と第三者との間に**示談**が行われている場合は、当該示談が**真正に**成立していること、かつ、その示談の内容が、受給権者の第三者に対して有する損害賠償請求権（保険給付と**同一の事由**に基づくものに限る。）の**全部のてん補**を目的としている場合に限り、原則として保険給付は行わない。
・求償及び控除の対象となる損害賠償額の範囲は、保険給付と**同一の事由**のものに限られる。したがって、慰謝料、見舞金、香典、物的損害等の額は、求償及び控除の範囲には含まれない。

健保	国年	厚年	社一

28 社会復帰促進等事業

Basic

チェック欄
1 ／
2 ／
3 ／

政府は、労災保険の適用事業に係る労働者及びその遺族について、**社会復帰促進等事業**として、次の事業を行うことができる。

(1) **療養**に関する施設及びリハビリテーションに関する施設の設置及び運営その他業務災害、複数業務要因災害及び通勤災害を被った労働者（以下「**被災労働者**」という。）の円滑な［ A ］**を促進**するために必要な事業

(2) 被災労働者の［ B ］**の援護**、被災労働者の受ける［ C ］**の援護**、その遺族の［ D ］**の援護**、被災労働者及びその遺族が必要とする**資金の貸付け**による援護その他被災労働者及びその遺族の**援護**を図るために必要な事業

(3) **業務災害の防止**に関する活動に対する援助、健康診断に関する施設の設置及び運営その他労働者の**安全及び衛生の確保**、保険給付の適切な実施の確保並びに［ E ］**の確保**を図るために必要な事業

選択肢

① 社会生活	② 薬剤	③ 再就職
④ 生計費	⑤ 看護	⑥ 賃金の支払
⑦ 治療	⑧ 療養生活	⑨ 療養
⑩ 就業	⑪ 適正な労働条件	⑫ 就職
⑬ 就学	⑭ 介護	⑮ 日常生活
⑯ 職業生活	⑰ 社会復帰	⑱ 雇用の場
⑲ 最低限度の生活	⑳ 通学	

解答

A ▶ ⑰	社会復帰
B ▶ ⑧	療養生活
C ▶ ⑭	介護
D ▶ ⑬	就学
E ▶ ⑥	賃金の支払

根拠条文等

法29条１項

1．労災保険法は、保険給付のほか被災労働者や遺族の援護のため次の(1)～(3)の社会復帰促進等事業を行うこともその目的としている。

(1)　**社会復帰促進事業**

①　**労災病院の設置・運営**

②　外科後処置

③　アフターケア

④　義肢等補装具費の支給…等

(2)　**被災労働者等援護事業**

①　特別支給金の支給

②　労災就学等援護費の支給

③　休業補償特別援護金の支給

④　小口融資…等

(3)　**安全衛生確保等事業**

①　労働災害防止対策

②　**未払賃金の立替払事業**…等

2．政府は、社会復帰促進等事業のうち、**未払賃金の立替払**等一定の業務を独立行政法人**労働者健康安全機構**に行わせるものとする。

3．被災労働者等援護事業として行われている特別支給金、労災就学等援護費の支給の事務等は**所轄労働基準監督署長**が行う。

健保	国年	厚年	社一

29 特別支給金 1

Basic

チェック欄
1 ／
2 ／
3 ／

(1) **休業特別支給金**は、労働者が業務上の事由、複数事業労働者の2以上の事業の業務を要因とする事由又は通勤による負傷又は疾病に係る**療養**のため**労働することができない**ために**賃金を受けない日**の**第4日目**から労働者の**申請**に基づき支給され、その額は、原則として1日につき［ A ］**に相当する額**とする。

(2) **傷病特別支給金**は、傷病（補償）等年金の受給権者の**申請**に基づき支給され、その額は、**傷病等級に応じて第1級の**［ B ］**から第3級の100万円**までとする。

(3) **障害特別支給金**は、障害（補償）等給付の受給権者の**申請**に基づき支給され、その額は、**障害等級に応じて第1級の**［ C ］**から第14級の8万円**までとする。

(4) **遺族特別支給金**は、遺族（補償）等給付の受給権者の**申請**に基づき支給され、その額は、［ D ］とする。なお、遺族特別支給金の支給の申請は、労働者の死亡の日の翌日から起算して［ E ］以内に行わなければならない。

選択肢

① 110万円	② 114万円	③ 140万円
④ 141万円	⑤ 150万円	⑥ 250万円
⑦ 300万円	⑧ 320万円	⑨ 342万円
⑩ 500万円	⑪ 516万円	⑫ 1,000万円
⑬ 算定基礎日額の100分の20		⑭ 1年
⑮ 休業給付基礎日額の100分の20		⑯ 2年
⑰ 算定基礎日額の100分の60		⑱ 3年
⑲ 休業給付基礎日額の100分の60		⑳ 5年

進捗チェック
労基 安衛 労災 雇用 労一

解答

A ▶ ⑮ 休業給付基礎日額の100分の20
B ▶ ② 114万円
C ▶ ⑨ 342万円
D ▶ ⑦ 300万円
E ▶ ⑳ 5年

根拠条文等
支給金則3条～5条の2、別表第1、別表第1の2

1．療養（補償）等給付、介護（補償）等給付、葬祭料等（葬祭給付）及び二次健康診断等給付に対応する特別支給金はない。
2．部分算定日又は複数事業労働者の部分算定日に係る休業特別支給金の額は、休業給付基礎日額から部分算定日に対して支払われる賃金額を**控除**した額の**100分の20**に相当する額である。
3．**障害**特別支給金は、本体の保険給付が年金であるか一時金であるかにかかわらず、等級別に定額の**一時金**として支給される。
4．**傷病**特別支給金を受けた者が**同一の傷病**による障害につき**障害**特別支給金を受ける場合には、当該障害特別支給金の額が既に支給された傷病特別支給金の額を**超える**ときに限り、その**差額**に相当する額の障害特別支給金が支給される。
5．遺族特別支給金は、遺族（補償）等給付の受給権者に一時金として**1回に限り**支給されるので、転給により遺族（補償）等年金の受給権者となった者及び全員失権により遺族（補償）等一時金の受給権者となった者には、支給されない。
6．特別支給金の支給申請は、休業特別支給金については**2年**以内、その他の特別支給金については**5年**以内に行わなければならない。

Step-Up! アドバイス

・傷病（補償）等年金は職権によって支給決定されるため、傷病（補償）等年金の支給決定を受けた者については、傷病特別支給金の申請があったものとして取り扱って差し支えないとされている。

健保	国年	厚年	社一

30 特別支給金 2

Basic

チェック欄
1 ／
2 ／
3 ／

⑴ 特別給与を算定の基礎とする特別支給金の額の算定に用いる算定基礎日額は、算定基礎年額を**365**で除して得た額であるが、算定基礎年額は、労働者の負傷又は発病の日以前［ A ］**間**（雇入後［ A ］に満たない者については、雇入後の期間）に当該労働者に対して支払われた**特別給与の総額**とする。

⑵ 複数事業労働者に係る特別支給金の額の算定に用いる算定基礎年額は、上記⑴により当該複数事業労働者を使用する事業ごとに算定した算定基礎年額に相当する額を**合算**した額とする。

⑶ 上記⑴⑵によって算定された額が、当該労働者に係る［ B ］に**365**を乗じて得た額の［ C ］に相当する額を超える場合には、当該［ C ］に相当する額を算定基礎年額とする。

⑷ 上記⑴～⑶によって算定された額が［ D ］を超える場合には、［ D ］を算定基礎年額とする。

⑸ ［ E ］の支給を受けようとする者は、当該［ E ］の支給の申請の際に、**所轄労働基準監督署長**に、**特別給与の総額**を記載し、かつ、事業主の証明を受けた届書を提出しなければならない。

選択肢

① 算定賃金日額	② 標準賃金日額	③ 60万円
④ 給付基礎日額	⑤ 平均賃金日額	⑥ 150万円
⑦ 傷病特別年金	⑧ 障害特別年金	⑨ 220万円
⑩ 休業特別支給金	⑪ 3箇月	⑫ 240万円
⑬ 傷病特別支給金	⑭ 6箇月	⑮ 1年
⑯ 100分の20	⑰ 100分の10	⑱ 2年
⑲ 100分の30	⑳ 100分の40	

進捗チェック
労基 安衛 労災 雇用 労一

解答

A ► ⑮ 1年

B ► ④ 給付基礎日額

C ► ⑯ 100分の20

D ► ⑥ 150万円

E ► ⑩ 休業特別支給金

根拠条文等

支給金則6条1項～5項、同則12条1項

おぼえとるかい？

1．特別給与を算定の基礎とする特別支給金

① 傷病（補償）等年金の受給権者に対して、傷病等級に応じ第1級が算定基礎日額の**313日分**、第2級が**277日分**、第3級が**245日分**の**傷病特別年金**が支給される。

② 障害（補償）等年金の受給権者に対して、障害等級に応じ算定基礎日額の**313日分**から**131日分**の**障害特別年金**が支給され、障害（補償）等一時金の受給権者に対して、算定基礎日額の**503日分**から**56日分**の**障害特別一時金**が支給される。

③ 遺族（補償）等年金の受給権者に対して、算定基礎日額の**153日分**から**245日分**の**遺族特別年金**が支給され、遺族（補償）等一時金の受給権者に対して、原則として、算定基礎日額の**1,000日分**の**遺族特別一時金**が支給される。

2．特別支給金と保険給付との主な相違点

① 前払一時金を受給した場合でも、支給停止されない。

② 費用徴収は行われない（不正受給者に対しては、不当利得として民事上の返還手続により返還を求める。）。

③ 損害賠償との調整は行われない。

④ 社会保険給付との調整は行われない。

⑤ 譲渡、差押さえ等の対象となる。

⑥ 法38条1項の不服申立ての対象とならない。

31 特別加入 1

Basic

チェック欄
1 ／
2 ／
3 ／

特別加入者の範囲は、以下の通りである。

(1) **常時** A （**金融業**、**保険業**、 B を主たる事業とする事業主については**50人**、**卸売業**又は**サービス業**を主たる事業とする事業主については**100人**）**以下**の労働者を使用する事業（(4)において**特定事業**という。）の事業主で徴収法に規定する C **に労働保険事務の処理を委託**するものである者及びその**家族従事者等**

(2) 厚生労働省令で定める種類の事業を D 行うことを常態とする者及びその家族従事者等

(3) 厚生労働省令で定める種類の作業に従事する者

(4) 独立行政法人国際協力機構等の海外の開発途上地域に対する技術協力の実施の事業（ E を除く。）を行う団体が、当該開発途上にある地域において行われる事業に従事させるために派遣する者又は日本国内において事業（ E を除く。）を行う事業主が、海外において行われる事業に従事させるために派遣する者（当該事業が**特定事業に該当しない**ときは、当該事業に使用される**労働者**として派遣する者に限る。）

選択肢

① 事業の期間が予定されない事業	② 150人
③ 小売業又は建設業	④ 200人
⑤ 労働者を使用しないで	⑥ 300人
⑦ 不動産業又は建設業	⑧ 500人
⑨ 労災保険事務組合	⑩ 臨時的事業
⑪ 小売業又は卸売業	⑫ 季節的に
⑬ 常時労働者を使用して	⑭ 労災関係事務組合
⑮ 事業の期間が予定される事業	⑯ 期間を限って
⑰ 所在地の一定しない事業	⑱ 労働保険事務組合
⑲ 労働関係事務組合	⑳ 不動産業又は小売業

解答

A ► ⑥ 300人
B ► ⑳ 不動産業又は小売業
C ► ⑱ 労働保険事務組合
D ► ⑤ 労働者を使用しないで
E ► ⑮ 事業の期間が予定される事業

根拠条文等
法33条、
則46条の16、
昭和52.3.30
基発192号

おぼえとるかい？

1．中小事業主等が特別加入するためには、その事業に労災保険の保険関係が成立していることが前提であり、また特別加入の際には必ず**労働保険事務組合に事務委託**をしていなければならない。
2．中小事業主等の特別加入においては、事業主（法人の場合には、法人代表者をいう。）は、原則として家族従事者又は役員などで事業に従事する者と**包括して**加入しなければならないが、**就業の実態がない事業主**（下記①又は②の事業主）については、当該事業主を包括加入の対象から除外することができる。
① 病気療養中、高齢その他の事情により就業の実態がない事業主
② 事業主の立場において行う事業主本来の業務のみに従事する事業主
3．一人親方等の特別加入においては、**同一**の種類の事業又は作業に関しては、他の団体に関し**重ねて**特別加入することはできない（異なる種類の事業又は作業であれば可）。
4．日本国内の**有期事業**から海外に派遣される労働者は、労災保険に特別加入することはできない。

Step-Up! アドバイス

・一人親方等の特別加入の申請は、一人親方等の団体が、所定の申請書を当該団体の主たる事務所の所在地を管轄する労働基準監督署長を経由して当該事務所の所在地を管轄する都道府県労働局長に提出することによって行わなければならない。
・派遣先の海外の事業が特定事業に該当する場合には、労働者以外の者（その事業の代表者）として派遣される者についても、特別加入の対象となる。

健保	国年	厚年	社一

32 特別加入 2

Basic

チェック欄
1 ／
2 ／
3 ／

(1) 特別加入者に係る業務災害、複数業務要因災害及び通勤災害の認定は、［ A ］が定める基準によって行う。

(2) 特別加入者に係る給付基礎日額は、**3,500円**から［ B ］（家内労働者及びその補助者は、2,000円から［ B ］）のうちから定める。

(3) 特別加入をした者は、適用事業に使用される労働者とみなされ、保険給付を受けることができるが、［ C ］については行われず、また、**一人親方等**の特別加入者のうち、住居と就業の場所との間の往復の状況等を考慮して厚生労働省令で定める者に対しては、**通勤災害に関する保険給付**は行われない。

(4) 中小事業主等の事故が、**特別加入保険料**が**滞納**されている期間中に生じたものであるときは、政府は、当該事故に係る保険給付［ D ］**ことができる**。これらの者の業務災害の原因である事故が**中小事業主**の［ E ］によって生じたものであるときも、同様とする。

選択肢

① 厚生労働省労働基準局長	② 25,000円
③ 労働基準監督署長	④ 26,000円
⑤ の支給を停止する	⑥ 29,000円
⑦ の支払を一時差し止める	⑧ 30,000円
⑨ 二次健康診断等給付	⑩ 休業補償給付
⑪ の全部又は一部を行わない	⑫ 葬祭料
⑬ 故意又は重大な過失	⑭ 傷病補償年金
⑮ 偽りその他不正の行為	⑯ 厚生労働大臣
⑰ 故意の犯罪行為又は重大な過失	⑱ 都道府県労働局長
⑲ に要した費用を徴収する	⑳ 故意

解答

A ▶ ① 厚生労働省労働基準局長
B ▶ ② 25,000円
C ▶ ⑨ 二次健康診断等給付
D ▶ ⑪ の全部又は一部を行わない
E ▶ ⑬ 故意又は重大な過失

根拠条文等
法34条1項、法35条1項、法36条1項、則46条の20,1項、則46条の26、平成20.4.1基発0401042号等

1. 複数事業労働者である特別加入者の給付基礎日額は、法8条3項（複数事業労働者の給付基礎日額）の規定により算定した給付基礎日額（労働者として使用される事業分）と問題文(2)の特別加入者としての給付基礎日額を**合算**した額とする。
2. **特別加入者と一般労働者との相違点**
 ① 問題文(2)の特別加入者としての給付基礎日額には、**年齢階層別の最低・最高限度額は適用されない**（スライド改定は行われる。）。
 ② 通勤災害により療養給付を受ける特別加入者からは、一部負担金は徴収しない。
 ③ 個人タクシー業者、自転車配達員、家内労働者等**一部の第2種特別加入者**には、**通勤災害**に関する保険給付は行われない。
 ④ 特別加入者に係る休業（補償）等給付については、**所得喪失の有無にかかわらず**、療養のため「業務遂行性が認められる範囲の業務又は作業について」全部労働不能であることがその支給要件となる。
 ⑤ 特別加入者には、**二次健康診断等給付**は行われない。
 ⑥ 特別加入者には、**特別給与を算定基礎とする特別支給金（特別年金、特別一時金）は支給されない。**

Step-Up! アドバイス

・特別加入保険料が滞納されている期間中に生じた事故に係る支給制限は、第1種・第2種・第3種特別加入者に対して行われ、事業主の故意又は重大な過失によって生じた事故に係る支給制限は、第1種特別加入者に対してのみ行われる。

健保	国年	厚年	社一

チェック欄 1 ／ 2 ／ 3 ／

33 不服申立て

Basic

(1) [A]に関する決定に不服のある者は、[B]に対して**審査請求**をし、その決定に不服のある者は、[C]に対して**再審査請求**をすることができる。

(2) 上記(1)の審査請求をしている者は、審査請求をした日から[D]を経過しても審査請求についての**決定がないとき**は、[B]が**審査請求を棄却したものとみなすことができる**。

(3) 審査請求及び再審査請求は、[E]に関しては、これを**裁判上の請求**とみなす。

(4) 上記(1)に規定する**処分の取消しの訴え**は、当該処分についての審査請求に対する[B]**の決定を経た後**でなければ、提起することができない。

選択肢

①	厚生労働省労働基準局長	②	1年
③	労働基準監督署長	④	1箇月
⑤	厚生労働大臣	⑥	3箇月
⑦	労働者災害補償保険審査官	⑧	6箇月
⑨	労働保険審査会	⑩	保険料
⑪	労働保険審査官	⑫	費用徴収
⑬	都道府県労働局長	⑭	裁判所
⑮	時効の完成猶予及び更新	⑯	時効の援用
⑰	時効の停止	⑱	支給制限
⑲	時効の消滅	⑳	保険給付

進捗チェック

労基 安衛 労災 雇用 労一

解答

A ▶ ⑳ 保険給付
B ▶ ⑦ 労働者災害補償保険審査官
C ▶ ⑨ 労働保険審査会
D ▶ ⑥ 3箇月
E ▶ ⑮ 時効の完成猶予及び更新

根拠条文等
法38条、法40条

おぼえとるかい？

1．審査請求及び再審査請求のできる期間（原則）

① 審査請求…審査請求人が原処分のあったことを知った日の翌日から起算して**3月以内**

② 再審査請求…審査請求に対する決定書の謄本が送付された日の翌日から起算して**2月以内**

2．保険給付に関する決定以外の処分

事業主からの費用徴収や特別加入の不承認に関する処分等**保険給付に関する決定以外の処分**について不服のある者は、**行政不服審査法**に基づき、**厚生労働大臣**に対して**審査請求**をすることができる（審査請求をせずに、直ちに裁判所に処分の取消しの訴えを提起することもできる。）。

Step-Up! アドバイス

・**審査請求**は、**文書**又は**口頭**ですることができるが、**再審査請求**は、**文書**でしなければならない。

・審査請求は、代理人によってすることができるとされており、代理人は、各自、審査請求人のために、当該審査請求に関する一切の行為をすることができる。ただし、審査請求の取下げは、特別の委任を受けた場合に限り、することができる（再審査請求についても同様）。

34 時効

Basic

チェック欄
1 ／
2 ／
3 ／

(1) **療養補償給付**、**休業補償給付**、**葬祭料**、**介護補償給付**及び**二次健康診断等給付**を受ける権利は、これらを行使することができる時から[A]を経過したとき、**障害補償給付**及び**遺族補償給付**を受ける権利は、これらを行使することができる時から[B]を経過したときは、時効によって消滅する。

この場合において、消滅時効の起算日は、療養補償給付たる**療養の費用**の支給についてはその**費用を支払った日の翌日**、休業補償給付については[C]、介護補償給付については[D]、葬祭料については[E]、二次健康診断等給付については労働者が一次健康診断の結果を**了知し得る日の翌日**である。

(2) 障害補償年金**前払一時金**及び遺族補償年金**前払一時金**を受ける権利は、これらを行使することができる時から[A]を経過したとき、**障害補償年金差額一時金**を受ける権利は、これを行使することができる時から[B]を経過したときは、時効によって消滅する。

選択肢

① 1月　② 1年　③ 2年
④ 5年　⑤ 7年　⑥ 8年
⑦ 労働不能の日ごとにその日　⑧ 3年
⑨ 労働不能の日ごとにその翌日　⑩ 9年
⑪ 葬祭を行った日の翌日　⑫ 死亡した日の翌日
⑬ 介護を受けた月の初日　⑭ 死亡した日
⑮ 介護を受けた日　⑯ 葬祭を行った日
⑰ 介護を受けた日の翌日
⑱ 労働不能の日の属する月の初日
⑲ 労働不能の日の属する月の翌月の初日
⑳ 介護を受けた月の翌月の初日

進捗チェック

労基	安衛	労災	雇用	労一

解答

A ▶ ③ 2年

B ▶ ④ 5年

C ▶ ⑨ 労働不能の日ごとにその翌日

D ▶ ⑳ 介護を受けた月の翌月の初日

E ▶ ⑫ 死亡した日の翌日

根拠条文等

法42条1項、法43条、法附則58条3項、法附則59条4項、法附則60条5項

労災

※複数業務要因災害に関する保険給付及び通勤災害に関する保険給付の消滅時効についても同様。

【保険給付の時効】

保険給付	時効期間	起算日
療養（補償）等給付※	2年	療養の費用の支給はその費用を支払った日の翌日
休業（補償）等給付		**労働不能の日ごと**にその翌日
葬祭料等（葬祭給付）		**死亡した日**の翌日
介護（補償）等給付		**介護を受けた月の翌月の初日**
障害（補償）等年金前払一時金		傷病が治った日の翌日
遺族（補償）等年金前払一時金		死亡した日の翌日
二次健康診断等給付		労働者が一次健康診断の結果を**了知し得る日**の翌日
障害（補償）等給付	5年	傷病が治った日の翌日
障害（補償）等年金差額一時金		障害補償年金の**受給権者が死亡した日**の翌日
遺族（補償）等給付		死亡した日の翌日
傷病（補償）等年金	なし	政府が**職権で支給決定**するので、**時効の問題は発生しない**

※療養の給付については、時効の問題は発生しない。

健保	国年	厚年	社一

35 雑則

Basic

チェック欄
1 ／
2 ／
3 ／

(1) 行政庁は、**労働者を使用する者**、労働保険事務組合、労災保険法第35条第1項に規定する団体、労働者派遣法に規定する［ A ］又は船員職業安定法に規定する船員派遣の役務の提供を受ける者に対して、労災保険法の施行に関し必要な報告、文書の提出又は出頭を命ずることができる。なお、事業主等がこの規定に違反し、虚偽の報告等をした場合には、［ B ］に処せられる。

(2) 行政庁は、保険関係が成立している事業に使用される**労働者**（［ C ］を含む。）若しくは保険給付を受け、若しくは受けようとする者に対して、労災保険法の施行に関し必要な**報告**、届出、文書その他の物件の提出（以下「報告等」という。）若しくは**出頭**を命じ、又は保険給付の原因である事故を発生させた［ D ］（［ A ］及び船員派遣の役務の提供を受ける者を除く。）に対して、**報告**等を命ずることができる。

(3) 行政庁は、保険給付に関して必要があると認めるときは、保険給付を受け、又は受けようとする者（［ E ］を**含む**。）に対し、その指定する医師の診断を受けるべきことを命ずることができる。

選択肢

① 船舶に乗り組む船員
② 派遣労働者
③ 特別加入者
④ 日雇労働者
⑤ 派遣元の事業主
⑥ 派遣先の事業主
⑦ 職業紹介事業者
⑧ 特定地方公共団体
⑨ 100万円以下の罰金
⑩ 第三者
⑪ 葬祭を行う者
⑫ 指定病院等
⑬ 親族又はこれに準ずる者
⑭ 日雇特例被保険者
⑮ 未支給給付の請求者
⑯ 健診給付病院等
⑰ 遺族補償年金、複数事業労働者遺族年金又は遺族年金の額の算定の基礎となる者
⑱ 6月以下の懲役又は20万円以下の罰金
⑲ 6月以下の懲役又は30万円以下の罰金
⑳ 10年以下の懲役又は300万円以下の罰金

進捗チェック

労基	安衛	労災	雇用	労一

解答

A ► ⑥ 派遣先の事業主
B ► ⑲ 6月以下の懲役又は30万円以下の罰金
C ► ③ 特別加入者
D ► ⑩ 第三者
E ► ⑰ 遺族補償年金、複数事業労働者遺族年金又は遺族年金の額の算定の基礎となる者

根拠条文等
法46条～法47条の2、法51条1号

1．診療担当者に対する報告命令等
行政庁は、保険給付に関して必要があると認めるときは、保険給付を受け、又は受けようとする者〔遺族（補償）等年金の額の算定の基礎となる者を**含む**。〕の**診療を担当した医師**その他の者に対して、その行った診療に関する事項について、報告若しくは診療録、帳簿書類その他の物件の提示を命じ、又は当該職員に、これらの物件を検査させることができる。

2．事業主等に対する罰則
事業主等が、一定の違反行為をした場合には、**6月以下の懲役**又は**30万円以下の罰金**に処せられる（労働保険事務組合、一人親方等の団体についても、一定の違反行為をした場合には、その違反行為をした労働保険事務組合、一人親方等の団体の代表者又は代理人、使用人その他の従業者にも罰則が適用される。）。

3．事業主等以外の者に対する罰則
事業主等以外の者（第三者を除く。）が一定の違反行為をした場合には、**6月以下の懲役**又は**20万円以下の罰金**に処せられる。

4．書類の保存
労災保険に係る保険関係が成立し、若しくは成立していた事業の事業主又は労働保険事務組合若しくは労働保険事務組合であった団体は、労災保険に関する書類（徴収法又は同法施行規則による書類を除く。）を、その完結の日から**3年間**保存しなければならない。

健保	国年	厚年	社一

1 介護（補償）等給付 Step-Up

チェック欄
1 ／
2 ／
3 ／

(1) 介護補償給付の支給対象となる障害の程度は、[A]以上であって、神経系統の機能若しくは精神又は胸腹部臓器の機能に著しい障害を有する等常時又は随時介護を要する重度の障害状態に限られる。

(2) 介護補償給付は、**月**を単位として支給するものとし、その月額は、**常時**又は**随時**介護を受ける場合に通常要する費用を考慮して**厚生労働大臣**が定める額とする。例えば、特定障害の程度が**常時**介護を要する状態の場合であって、次に掲げるときには、以下の通りとなる。

(a) その月において介護に要する費用として支出された費用の額が20万円であるときには、介護補償給付の額は[B]円となる。

(b) その月において介護に要する費用として支出された費用の額が5万円であり、[C]による介護を受けた日があるときには、最低保障が行われ、介護補償給付の額は[D]円となる。ただし、その月が介護補償給付を支給すべき事由が生じた月である場合には、介護補償給付の額は[E]円となる。

なお、本問において、介護補償給付が支給されないと判断した場合は、「0」円を選択すること。

選択肢

① 0	② 38,900	③ 40,600	④ 50,000
⑤ 77,890	⑥ 81,290	⑦ 86,280	⑧ 88,980
⑨ 171,650	⑩ 172,550	⑪ 177,950	⑫ 200,000

⑬ 親族又はこれに準ずる者　⑭ 3親等内の親族
⑮ 指定居宅サービス事業者
⑯ 配偶者、子、父母、孫、祖父母及び兄弟姉妹
⑰ 障害等級第5級以上又は傷病等級第3級
⑱ 障害等級第3級以上又は傷病等級第3級
⑲ 障害等級第2級以上又は傷病等級第2級
⑳ 障害等級第1級以上又は傷病等級第1級

進捗チェック

労基	安衛	労災	雇用	労一

解答

A ▶ ⑲ 障害等級第２級以上又は傷病等級第２級

B ▶ ⑪ 177,950

C ▶ ⑬ 親族又はこれに準ずる者

D ▶ ⑥ 81,290

E ▶ ④ 50,000

根拠条文等

法19条の２、則18条の３の２、則18条の3の4,1項、則別表第３

解き方 アドバイス

特定障害の程度が「常時介護を要する状態」に該当する場合の介護（補償）等給付の額は次の通りです。

原則	実費支給 （**177,950**円が上限）
最低保障 （親族等による介護を受けた日がある月）	**81,290**円

なお、「支給事由の生じた月（介護を受け始めた月）」については、上記の最低保障は行われず、177,950円を上限とする実費支給となります。

上記を踏まえ、問題文(a)の空欄Ｂについてみてみると、介護に要する費用として支出された費用の額が、上限額を超えているため、上限額である「⑪ 177,950」円が当該月の介護補償給付の額となります。

次に問題文(b)の空欄Ｄについてみてみると、介護に要する費用として支出された費用の額が、最低保障額に満たないため、最低保障額である「⑥ 81,290」円が当該月の介護補償給付の額となります。

最後に問題文(b)の空欄Ｅについてみてみると、最低保障は「支給すべき事由が生じた月」には行われないため、177,950円を上限とする実費支給となり、したがって、当該月の介護補償給付の額は「④ 50,000」円となります。

2 社会保険の年金給付との調整 Step-Up

チェック欄
1 ／
2 ／
3 ／

(1) **同一の事由**により、障害補償年金若しくは傷病補償年金又は遺族補償年金と厚生年金保険法の規定による障害厚生年金及び国民年金法の規定による障害基礎年金（同法第30条の4の規定による障害基礎年金を除く。以下において同じ。）又は厚生年金保険法の規定による遺族厚生年金及び国民年金法の規定による遺族基礎年金若しくは寡婦年金とが支給される場合にあっては、年金たる保険給付の額は、下表の政令で定める率を乗じて得た額（その額が、政令で定める額［ A ］場合には、当該政令で定める額）とする。

	障害厚生年金	障害基礎年金	障害厚生年金及び障害基礎年金
障害補償年金	0.83	［ B ］	0.73
傷病補償年金	［ B ］		

	遺族厚生年金	遺族基礎年金又は寡婦年金	遺族厚生年金及び遺族基礎年金
遺族補償年金	0.84	［ B ］	［ C ］

(2) 休業補償給付を受ける労働者が**同一の事由**について障害厚生年金又は障害基礎年金を受けることができるときは、休業補償給付の額は、原則の休業補償給付の額に政令で定める率のうち［ D ］について定める率を乗じて得た額（その額が政令で定める額［ A ］場合には、当該政令で定める額）とする。

(3) 上記(2)の政令で定める額は、原則の休業補償給付の額から、同一の事由により支給される障害厚生年金又は障害基礎年金の額若しくはこれらの年金額の合計額を［ E ］に相当する額とする。

進捗チェック
労基	安衛	労災	雇用	労一

選択肢

① 障害厚生年金	② 傷病補償年金	③ 0.76
④ 遺族補償年金	⑤ 障害補償年金	⑥ 0.79
⑦ を下らない	⑧ を下回る	⑨ 0.80
⑩ を超える	⑪ 以上である	⑫ 0.81
⑬ 控除した額	⑭ 0.86	⑮ 0.88
⑯ 360で除して得た額を減じた残りの額		⑰ 0.89
⑱ 365で除して得た額を減じた残りの額		⑲ 0.91
⑳ 360で除して得た額を減じた額の100分の60		

労災

解答

A ▶ ⑧ を下回る
B ▶ ⑮ 0.88
C ▶ ⑨ 0.80
D ▶ ② 傷病補償年金
E ▶ ⑱ 365で除して得た額を減じた残りの額

根拠条文等
法14条2項、
法別表第1、
令1条、令2条、
令4条、令6条

解き方 アドバイス

社会保険給付との調整は、原則、労災保険給付の額に調整率を乗ずることによって行われますが、調整率を乗じて減額調整した労災保険給付の額と国民年金・厚生年金保険の年金給付の合計額が、減額調整「前」の労災保険給付の額を下回る場合には、「政令で定める額」を労災保険給付として支給することとしています。

減額調整「前」の労災保険給付の額

減額調整「後」の労災保険給付の額
国民年金・厚生年金保険の年金給付の額

政令で定める額

減額調整「前」の労災保険給付の額と国民年金・厚生年金保険の年金給付の額との差額
国民年金・厚生年金保険の年金給付の額

3 支給制限 Step-Up

チェック欄
1 ／
2 ／
3 ／

労災保険法第12条の2の2第1項においては、労働者が、**故意に**負傷、疾病、障害若しくは死亡又はその**直接の原因**となった事故を生じさせたときは、政府は、**保険給付を行わない**と定めており、行政解釈によると、ここでいう「故意」とは、［ A ］をいう。なお、業務上の精神障害によって、正常の認識、行為選択能力が著しく阻害され、又は［ B ］行為を思いとどまる精神的な抑制力が著しく阻害されている状態で［ B ］が行われたと認められる場合には、［ A ］には該当しない。

また、同条第2項においては、労働者が**故意の犯罪行為**又は**重大な過失**により、負傷、疾病、障害若しくは死亡若しくはこれらの原因となった事故を生じさせたときは、政府は、保険給付の**全部又は一部を行わないことができる**旨を定めており、行政解釈によると、「故意の犯罪行為」とは、［ A ］はないが、その原因となる犯罪行為が故意によるものであることをいう。なお、この支給制限の対象となる保険給付は、**休業補償給付**、**複数事業労働者休業給付**又は**休業給付**、**障害補償給付**、**複数事業労働者障害給付**又は**障害給付**（再発に係るものを除く。）、［ C ］であり、支給制限の期間は、支給事由の存する間（年金給付については療養開始後［ D ］以内の期間において支給事由の存する期間）、支給制限の率は、保険給付のつど所定給付額の［ E ］である。

選択肢

① 不正	② 2年	③ 30%
④ 自殺	⑤ 3年	⑥ 40%
⑦ 脅迫	⑧ 5年	⑨ 60%
⑩ 隠匿	⑪ 7年	⑫ 80%

⑬ 療養補償給付、複数事業労働者療養給付又は療養給付
⑭ 介護補償給付、複数事業労働者介護給付又は介護給付
⑮ 傷病補償年金、複数事業労働者傷病年金又は傷病年金
⑯ 遺族補償給付、複数事業労働者遺族給付又は遺族給付
⑰ 結果の発生を意図した故意　⑱ 未必の故意
⑲ 結果の発生を意図しない故意　⑳ 意図的な恣意

進捗チェック
労基	安衛	労災	雇用	労一

解答

A ► ⑰ 結果の発生を意図した故意
B ► ④ 自殺
C ► ⑮ 傷病補償年金、複数事業労働者傷病年金又は傷病年金
D ► ⑤ 3年
E ► ③ 30%

根拠条文等
法12条の2の2、昭和40.7.31基発901号、昭和52.3.30発労徴21号・基発192号、平成11.9.14基発545号

解き方アドバイス

空欄Aについて、労災保険の業務災害に関する保険給付が行われるためには、業務と事故との間に相当因果関係があることが必要ですが、故意に負傷等を生じさせたことによって、業務の事故との因果関係はそこで中断されるため、「保険給付を行わない（つまり、保険給付をまったく行わない)」とされています。

健保	国年	厚年	社一

Goal

4 費用徴収

Step-Up

チェック欄
1 ／
2 ／
3 ／

労災保険法第31条第１項第１号に規定する、いわゆる事業主からの費用徴収に係る通達によれば、事業主が、当該事故に係る事業に関し、所轄都道府県労働局、所轄労働基準監督署又は所轄公共職業安定所から、**保険関係成立届**の提出ほか所定の手続をとるよう指導（未手続事業場を訪問し又は当該事業場の事業主等を呼び出す方法等により職員が直接指導するものに限る。以下「保険手続に関する指導」という。）を受けたにもかかわらず、[A]以内に保険関係成立届を提出していなかった場合には、「**故意**」と認定した上で、原則、費用徴収率を[B]とするとしている。また、事業主が、当該事故に係る事業に関し、保険手続に関する指導を受けていない場合で、かつ保険関係成立日から[C]を経過してなお保険関係成立届を提出していない場合には「**重大な過失**」と認定した上で、原則、費用徴収率を[D]とするとしている。

また、費用徴収は、保険関係成立届の提出期限の翌日から保険関係成立届の提出があった日の前日（保険関係成立届の提出に先立って政府が当該事業について労働保険徴収法第15条第３項の規定による認定決定をしたときは、その決定のあった日の前日）までの期間中に生じた事故に係る保険給付（療養（補償）等給付及び介護（補償）等給付を除く。）であって、療養を開始した日（即死の場合は事故発生の日）の翌日から起算して[E]以内の期間において支給事由が生じたもの（年金給付については、この期間に支給事由が生じ、かつ、この期間に支給すべきもの）について、支給の都度行うこととしている。

選択肢

A	① 5日	② 10日	③ 1月	④ 3月
B	① 60%	② 70%	③ 90%	④ 100%
C	① 3月	② 6月	③ 1年	④ 2年
D	① 30%	② 40%	③ 50%	④ 60%
E	① 2年	② 3年	③ 5年	④ 7年

解答

A ▶ ② 10日

B ▶ ④ 100%

C ▶ ③ 1年

D ▶ ② 40%

E ▶ ② 3年

根拠条文等

法31条1項1号、令和5.7.20基発0720第1号

MEMO

健保	国年	厚年	社一

Goal

5 第三者行為災害 Step-Up

チェック欄
1 ／
2 ／
3 ／

労災保険法第12条の４においては、第三者行為災害に関する保険給付と民事損害賠償の支給調整について定めており、行政解釈によると、「第三者」とは、［ A ］、事業主、［ B ］以外の者をいう。

［ B ］と第三者との間に**示談**が行われ、当該示談が［ C ］成立している場合であって、かつ、当該示談の内容が、［ B ］の第三者に対して有する損害賠償請求権（保険給付と**同一の事由**に基づくものに限る。）の［ D ］を目的としている場合に限って、［ A ］は保険給付を行わない、としている。したがって、当該示談が錯誤や心裡留保、詐欺や強迫に基づく場合には［ C ］成立しているとは認められず、また、損害の一部について保険給付を受けることとしているなどの場合には、損害の［ D ］を目的としているものとは認められない。

労災保険法施行規則第22条では、保険給付の原因である事故が第三者の行為によって生じたときは、**保険給付を受けるべき者**は、その事実、第三者の氏名及び住所（第三者の氏名及び住所がわからないときは、その旨）並びに被害の状況を、［ E ］、所轄労働基準監督署長に届け出なければならないと規定されている。

選択肢

① 保険給付の請求と同時に	② 労働者
③ 労働基準監督署長	④ 公正に
⑤ 全部の塡補	⑥ 指定病院等
⑦ 葬祭を行う者	⑧ 迅速に
⑨ 労働政策審議会	⑩ 確実な履行
⑪ 遅滞なく	⑫ 受給権者
⑬ 全部又は一部の塡補	⑭ 上積み補償
⑮ 厚生労働大臣	⑯ 合意の下
⑰ 速やかに	⑱ 真正に
⑲ ７月31日までに	⑳ 政府

解答

A ▶ ⑳　政府
B ▶ ⑫　受給権者
C ▶ ⑱　真正に
D ▶ ⑤　全部の塡補
E ▶ ⑪　遅滞なく

根拠条文等
法12条の4、
則22条、
昭和38.6.17基発687号

解き方アドバイス

空欄Bについては、保険者である政府（空欄A）、保険加入者である事業主のほかに、保険関係の当事者は誰かと考えると、自ずと保険給付を受ける者、つまり「⑫　受給権者」が入るでしょう。なお、空欄Bの候補として「②　労働者」も考えられますが、遺族補償給付を受けるのは、労働者ではなく遺族ですので、「⑫　受給権者」が適切です。空欄C、Dについては、それぞれの空欄前後の「錯誤や心裡留保、詐欺や強迫」や「損害の一部について」の言葉と反対の意味の語句を考えればよいでしょう。

6 事業主責任災害

Step-Up

チェック欄
1 ／
2 ／
3 ／

労働者又はその遺族が、**事業主**から**損害賠償**を受けることができる場合であって、保険給付を受けるべきときに、**同一の事由**について、損害賠償（当該保険給付によって塡補される損害を塡補する部分に限る。）を受けたときは、政府は、［ A ］厚生労働大臣が定める基準により、その［ B ］、保険給付をしないことができる。ただし、労災保険法附則第64条第１項に規定する年金給付を受ける場合において、以下の保険給付についてはこの限りでない。

(1) 年金給付（各月に支給されるべき額の合計額が所定の算定方法に従い当該年金給付に係る［ C ］の［ D ］（当該［ C ］の支給を受けたことがある者にあっては、当該支給を受けた額を控除した額）に相当する額に達するまでの年金給付に限る。）

(2) ［ E ］、遺族補償年金、複数事業労働者遺族年金又は遺族年金の受給権者が**全員失権**した場合における遺族補償一時金、複数事業労働者遺族一時金又は遺族一時金

(3) ［ C ］

選択肢

① 差額一時金給付
② 価額の全部について
③ 最低保障額
④ 労使委員会の意見を聴いて
⑤ 算定対象額
⑥ 両議院の同意を得て
⑦ 価額の限度で
⑧ 労働政策審議会の議を経て
⑨ 給付基礎日額
⑩ 社会保障審議会の意見を聴いて
⑪ 最高限度額
⑫ 前払一時金給付
⑬ 災害補償
⑭ 全部又は一部について
⑮ 基準の範囲内で
⑯ 年齢階層別の最高限度額
⑰ 障害補償一時金、複数事業労働者障害一時金又は障害一時金
⑱ 葬祭料、複数事業労働者葬祭給付又は葬祭給付
⑲ 傷病補償年金、複数事業労働者傷病年金又は傷病年金
⑳ 障害補償年金差額一時金、複数事業労働者障害年金差額一時金又は障害年金差額一時金

解答

A ▶ ⑧ 労働政策審議会の議を経て

B ▶ ⑦ 価額の限度で

C ▶ ⑫ 前払一時金給付

D ▶ ⑪ 最高限度額

E ▶ ⑳ 障害補償年金差額一時金、複数事業労働者障害年金差額一時金又は障害年金差額一時金

根拠条文等

法附則64条２項

解き方 アドバイス

空欄Aについて、行政庁により支給調整が恣意的に行われることのないように、また、被災労働者等の立場を慎重に配慮して支給調整が行われる必要があることから、支給調整を行う際の基準を定めることとされ、これを定めるに当たっては、労働政策審議会の議を経ることとされています。

問題文のただし書の意味は、(1)から(3)の保険給付については、事業主からこれに相当する損害賠償を受けた場合であっても、支給調整せず、必ず支給される、いわば最低保障の給付ということです（したがって、この部分については、二重に塡補されることになります。）。空欄Eについて、その後に続く「遺族補償年金、複数事業労働者遺族年金又は遺族年金の受給権者が**全員失権**した場合における遺族補償一時金、複数事業労働者遺族一時金又は遺族一時金」は、労働基準法に規定する遺族補償の最低基準額を保障するものであり、それと同趣旨であるものはどれかと考えて、「⑳　障害補償年金差額一時金、複数事業労働者障害年金差額一時金又は障害年金差額一時金」を選びたいところです。

雇用保険法

35問＋6問

雇用保険法●目次

Basic

1 雇用保険の目的 …… 4
2 権限の委任・定義 …… 6
3 適用事業 …… 8
4 被保険者 …… 10
5 適用除外 …… 12
6 被保険者に関する届出 …… 14
7 基本手当の受給要件等 …… 16
8 被保険者期間・待期 …… 18
9 基本手当の受給手続・失業の認定　1 …… 20
10 失業の認定　2 …… 22
11 基本手当の日額・賃金日額 …… 24
12 受給期間 …… 26
13 所定給付日数・特定受給資格者 …… 28
14 算定基礎期間 …… 30
15 延長給付　1 …… 32
16 延長給付　2 …… 34
17 技能習得手当・寄宿手当 …… 36
18 傷病手当 …… 38
19 高年齢求職者給付金 …… 40
20 特例一時金 …… 42
21 日雇労働求職者給付金（普通給付） …… 44
22 日雇労働求職者給付金（特例給付） …… 46
23 再就職手当・就業促進定着手当 …… 48
24 常用就職支度手当 …… 50
25 求職活動支援費 …… 52
26 教育訓練給付金 …… 54
27 高年齢雇用継続基本給付金 …… 56
28 高年齢再就職給付金 …… 58
29 介護休業給付金 …… 60
30 育児休業給付金 …… 62
31 出生時育児休業給付金・出生後休業支援給付金 …… 64
32 給付制限 …… 66
33 通則・雇用保険二事業 …… 68

34 国庫負担 …… 70
35 不服申立て・雑則 …… 72

Step-Up

1 定義等 …… 74
2 自動変更対象額 …… 76
3 失業の認定日の変更・基本手当の減額・特定受給資格者 …… 78
4 広域延長給付 …… 80
5 育児時短就業給付金 …… 82
6 通則等 …… 84

雇用

1 雇用保険の目的

Basic

チェック欄
1 ／
2 ／
3 ／

(1)　雇用保険法第1条は、「雇用保険は、労働者が**失業**した場合及び労働者について［ A ］**が困難**となる事由が生じた場合に必要な給付を行うほか、労働者が自ら職業に関する**教育訓練**を受けた場合並びに**労働者が子を養育するための休業**及び［ B ］をした場合に必要な給付を行うことにより、労働者の［ C ］を図るとともに、**求職活動を容易**にする等その**就職を促進**し、あわせて、労働者の**職業の安定**に資するため、**失業の予防**、**雇用状態の是正**及び［ D ］、労働者の**能力の開発及び向上**その他労働者の**福祉の増進**を図ることを目的とする。」と規定している。

(2)　雇用保険法第3条は、「雇用保険は、第1条の目的を達成するため、**失業等給付**及び**育児休業等給付**を行うほか、［ E ］を行うことができる。」と規定している。

選択肢

① 雇用安定事業及び能力開発事業並びに労働者供給事業
② 日常生活　③ 生活の保障
④ 雇用促進事業及び能力開発事業　⑤ 雇用環境の整備
⑥ 雇用機会の増大
⑦ 雇用安定事業及び能力開発事業
⑧ 所定労働時間を短縮することによる就業
⑨ 雇用安定事業及び職業紹介事業
⑩ 所定労働日を縮減することによる就業
⑪ 雇用機会の均等　⑫ 仕事と家庭の両立
⑬ 業務内容を軽減することによる就業
⑭ 生活及び雇用の安定　⑮ 子の看護休暇の取得
⑯ 最低限度の生活の実現　⑰ 完全雇用の達成
⑱ 所得の確保　⑲ 就職　⑳ 雇用の継続

解答

A ▶ ⑳　雇用の継続
B ▶ ⑧　所定労働時間を短縮することによる就業
C ▶ ⑭　生活及び雇用の安定
D ▶ ⑥　雇用機会の増大
E ▶ ⑦　雇用安定事業及び能力開発事業

根拠条文等
法1条、法3条

1．**雇用保険の全体図**

雇用保険
- **失業等給付**
- **育児休業等給付**
- **二事業**

2．**失業等給付**は**求職者給付**、**就職促進給付**、**教育訓練給付**及び**雇用継続給付**の４つに大別される。

3．**求職者給付の種類**
①　受給資格者に対して→**基本手当**、**技能習得手当**、**寄宿手当**、**傷病手当**
②　高年齢受給資格者に対して→**高年齢求職者給付金**
③　特例受給資格者に対して→**特例一時金**
④　日雇受給資格者に対して→**日雇労働求職者給付金（普通給付・特例給付）**

4．**就職促進給付の種類**
就業促進手当（再就職手当、就業促進定着手当、常用就職支度手当）、移転費、求職活動支援費

5．**教育訓練給付の種類**
教育訓練給付金、教育訓練支援給付金

6．**雇用継続給付の種類**
①　高年齢雇用継続給付
（高年齢雇用継続基本給付金、高年齢再就職給付金）
②　**介護休業給付金**

雇用

健保	国年	厚年	社一

2 権限の委任・定義　Basic

チェック欄
1 ／
2 ／
3 ／

⑴　雇用保険法に定める**厚生労働大臣の権限**は、その一部を［ A ］に委任することができ、［ A ］に委任された権限は、**公共職業安定所長**に委任することができる。

⑵　雇用保険法において「**離職**」とは、被保険者について、事業主との［ B ］が終了することをいう。

⑶　雇用保険法において「**失業**」とは、被保険者が離職し、［ C ］**を有する**にもかかわらず、**職業に就くことができない**状態にあることをいう。

⑷　雇用保険法において「賃金」とは、賃金、給料、手当、賞与その他名称のいかんを問わず、［ D ］として事業主が労働者に支払うもの（［ E ］支払われるものであって、厚生労働省令で定める範囲外のものを除く。）をいう。

選択肢

①　3箇月を超える期間ごとに	②　労働の意思及び能力
③　労働の対償	④　労働する能力
⑤　1箇月を超える期間ごとに	⑥　都道府県労働局長
⑦　報酬	⑧　生活の保障
⑨　市町村長（特別区の区長を含む。）	
⑩　労働基準監督署長	⑪　通貨以外のもので
⑫　都道府県知事	⑬　労働の対価
⑭　労働する意思	⑮　仕事の請負関係
⑯　雇用関係	⑰　委任関係
⑱　臨時に	⑲　労働の機会
⑳　指揮命令関係	

解答

A ▶ ⑥　都道府県労働局長
B ▶ ⑯　雇用関係
C ▶ ②　労働の意思及び能力
D ▶ ③　労働の対償
E ▶ ⑪　通貨以外のもので

法４条２項～４項、法81条

おぼえとるかい？

1．雇用保険は、**政府**が管掌する。
2．通貨以外のもので支払われるもの、いわゆる現物給付については、食事、被服及び住居の利益のほか、**公共職業安定所長**が定めるものを除き、賃金とされない。
3．雇用保険法上賃金と認められるもの、認められないもの

賃金と認められるもの	賃金と認められないもの
・基本給、固定給 ・超過勤務手当、深夜手当、休日手当等 ・**賞与** ・**通勤手当** ・**休業手当** ・住宅手当 ・チップ（奉仕料の配分として事業主から受けるものに限る） ・雇用保険料その他社会保険料（労働者の負担分を労働協約等の定めによって義務付けられて事業主が負担する場合） ・住居の利益（社宅等の貸与を無償で行っている場合のうち、貸与を受けない者に対して、均衡を失しない定額の均衡手当が一律に支払われる場合）	・**休業補償費** ・**解雇予告手当** ・チップ（原則） ・出張旅費・宿泊費等（実費弁償的なもの） ・会社が全額負担する生命保険の掛金 ・住居の利益（一部の社員に社宅等の貸与を無償で行っている場合のうち、貸与を受けない者に対して、均衡を失しない定額の均衡手当が一律に支払われない場合） ・**傷病手当金**

Step-Up! アドバイス

・能力開発事業のうち一部の事業の実施に関する事務は、**都道府県知事**が行うこととされている。

健保	国年	厚年	社一

3 適用事業　Basic

チェック欄
1 ／
2 ／
3 ／

(1) 雇用保険法においては、労働者が雇用される事業を**適用事業**とするが、**農林・畜産・養蚕・水産**の事業（[A]が雇用される事業を除く。）であって、[B]の**労働者を雇用**する事業以外の事業（**国、都道府県、市町村**その他これらに準ずるものの事業及び**法人**である事業主の事業を除く。）は、当分の間、**任意適用事業**（**暫定任意適用事業**）とする。

(2) 暫定任意適用事業の事業主については、その者がその事業に使用される労働者※の[C]の同意を得た上で雇用保険の加入の申請をし、**厚生労働大臣**（権限委任により**都道府県労働局長**）の**認可**があった[D]に、その事業につき雇用保険に係る保険関係が成立する。

(3) 事業主は、事業所を**設置**したとき、又は事業所を**廃止**したときは、所定の事項を記載した**届書**をその**設置又は廃止の日**[E]に、事業所の所在地を管轄する公共職業安定所の長に提出しなければならない。

選択肢

① 年間延300人以上　② 日雇労働者　③ 船員
④ 日　⑤ 4分の1以上
⑥ の翌日から起算して10日以内　⑦ 常時5人未満
⑧ 常用雇用労働者　⑨ 有期雇用労働者
⑩ 日の前日　⑪ から起算して10日以内
⑫ 3分の1以上　⑬ 年間延300人未満
⑭ の属する月の翌月末日まで
⑮ 常時5人以上　⑯ 2分の1以上
⑰ の属する月の翌月10日まで　⑱ 日の属する月の初日
⑲ 日の翌日　⑳ 過半数

解答

A ▶ ③	船員
B ▶ ⑮	常時５人以上
C ▶ ⑯	２分の１以上
D ▶ ④	日
E ▶ ⑥	の翌日から起算して10日以内

※適用除外者等は含まない。

根拠条文等
法５条１項、法附則２条１項、令附則２条、則141条１項、徴収法附則２条１項、２項、徴収則附則１条の３

雇用

1．次の要件を満たす事業が**暫定任意適用事業**である。
　①　**個人経営**であること（国、地方公共団体等又は法人の事業でないこと）
　②　常時雇用する労働者数が**５人未満**※であること
　③　**農林水産業**（**船員**が雇用される事業を**除く**。）であること
　※上記５人の計算にあたっては、適用除外者も含めた人数とする。

2．暫定任意適用事業の事業主については、その事業に使用される労働者の**２分の１以上が希望**するときは、雇用保険の加入の申請をしなければならない。

3．**適用事業所に関する届出のまとめ**

種　類	提出期限等	提出先
適用事業所設置（廃止）届	設置（廃止）の日の翌日から起算して**10日以内**	**所轄**（事業所の所在地を管轄する）公共職業安定所長
事業主事業所各種変更届	変更があった日の翌日から起算して**10日以内**	
代理人選任（解任）届※	代理人を選任（解任）したとき	

※代理人選任（解任）届は**代理人の選任又は解任に係る事業所**の所轄公共職業安定所長に提出する。

健保	国年	厚年	社一

4 被保険者 Basic

チェック欄
1 ／
2 ／
3 ／

(1) **65歳以上**の被保険者（**短期雇用特例被保険者及び日雇労働被保険者を除く。**）を**高年齢被保険者**という。なお、次の(a)～(c)に掲げる要件のいずれにも該当する者は、厚生労働省令で定めるところにより、**厚生労働大臣に申し出て**、当該**申出を行った日**から高年齢被保険者となることができる。
 (a) **2以上**の事業主の適用事業に雇用される**65歳**以上の者であること。
 (b) 1の事業主の適用事業における**1週間**の所定労働時間が[A]**未満**であること。
 (c) 2の事業主の適用事業（申出を行う労働者の1の事業主の適用事業における1週間の所定労働時間が[B]以上であるものに限る。）における1週間の所定労働時間の**合計が**[A]**以上**であること。

(2) 被保険者であって、季節的に雇用されるもののうち次の[C]者（**日雇労働被保険者**を除く。）を**短期雇用特例被保険者**という。
 (a) [D]以内の期間を定めて雇用される者
 (b) 1週間の所定労働時間が[E]である者

選択肢

A	① 10時間 ② 20時間 ③ 30時間 ④ 40時間
B	① 4時間 ② 5時間 ③ 6時間 ⑧ 8時間
C	① (a)(b)のいずれにも該当しない ② (a)(b)のいずれにも該当する ③ (a)に該当し、(b)に該当しない ④ (a)(b)のいずれかに該当する
D	① 2週間 ② 4箇月 ③ 1箇月 ④ 1年
E	① 20時間を超え30時間未満 ② 20時間以上30時間未満 ③ 20時間を超え30時間以下 ④ 30時間以上

解答

A ▶ ② 20時間

B ▶ ② 5時間

C ▶ ① (a)(b)のいずれにも該当しない

D ▶ ② 4箇月

E ▶ ② 20時間以上30時間未満

根拠条文等

法37条の2,1項、法37条の5,1項、法38条1項、則65条の7、平成22.4.1厚労告154号

1．雇用保険において**日雇労働者**とは、次のいずれかに該当する労働者をいう。

① **日々雇用される者**

② **30日以内**の期間を定めて雇用される者

ただし、原則として**前2月**の**各月**において**18日以上**同一の事業主の適用事業に雇用された者及び同一の事業主の適用事業に継続して**31日以上**雇用された者は除かれる。

2．**日雇労働被保険者**となるのは、次のいずれかに該当する被保険者である日雇労働者である。

① 適用区域に居住し、適用事業に雇用される者

② 適用区域外の地域に居住し、適用区域内にある適用事業に雇用される者

③ 適用区域外の地域に居住し、適用区域外の地域にある適用事業であって、厚生労働大臣の指定したものに雇用される者

④ 上記①～③に掲げる者のほか、公共職業安定所長に任意加入の申請をし、**認可**を受けたもの

5 適用除外

Basic

チェック欄
1 ／
2 ／
3 ／

次に掲げる者等については、雇用保険法は適用しない。

(1) **1週間の所定労働時間**が［ A ］**時間未満**である者（**特例高年齢被保険者となる者**及び**日雇労働被保険者**に該当することとなる者を除く。）

(2) 同一の事業主の適用事業に［ B ］**日以上**雇用されることが見込まれない者（**前2月の各月**において［ C ］**日以上**同一の事業主の適用事業に雇用された者及び**日雇労働被保険者**に該当することとなる者を除く。）

(3) 政令で定める漁船に乗り組む船員（［ D ］を通じて**船員**として適用事業に雇用される場合を除く。）

(4) 国、都道府県、市町村その他これらに準ずるものの事業に雇用される者のうち、離職した場合に、他の法令等に基づいて支給を受けるべき諸給与の内容が［ E ］の内容を超えると認められる者であって、厚生労働省令で定めるもの

選択肢

① 求職者給付及び就職促進給付
② 就職促進給付及び雇用継続給付
③ 求職者給付及び雇用継続給付
④ 就職促進給付及び教育訓練給付

⑤ 20	⑥ 18	⑦ 17	⑧ 13
⑨ 3月	⑩ 6月	⑪ 1年	⑫ 2年
⑬ 40	⑭ 35	⑮ 26	⑯ 25

⑰ 継続して30　　⑱ 継続して31
⑲ 通算して30　　⑳ 通算して31

解答

A ▶ ⑤　20

B ▶ ⑱　継続して31

C ▶ ⑥　18

D ▶ ⑪　1年

E ▶ ①　求職者給付及び就職促進給付

根拠条文等

法6条

1．問題文の者のほかに適用除外となる者
　①　季節的に雇用される者であって、次のⓐ又はⓑのいずれかに該当するもの（**日雇労働被保険者**に該当することとなる者を**除く**。）
　　ⓐ　**4箇月以内**の期間を定めて雇用される者
　　ⓑ　**1週間の所定労働時間**が**20時間以上30時間未満**である者
　②　いわゆる**昼間学生等**

2．法人の代表者（株式会社の代表取締役等）は、被保険者とならない。

3．株式会社の取締役は、原則として被保険者とならないが、同時に会社の部長、工場長等の従業員としての身分を有している者で、その者に係る報酬支払、就労実態などからみて**労働者的性格**が強く、雇用関係があると認められる場合は被保険者となる。

Step-Up! アドバイス

・上記（おぼえとるかい？）1．②のいわゆる昼間学生等とは、下記ⓐ～ⓓに掲げる者以外の者をいう。
　ⓐ　卒業を予定している者であって、適用事業に雇用され、卒業した後も引き続き当該事業に雇用されることとなっているもの
　ⓑ　休学中の者
　ⓒ　定時制の課程に在学する者
　ⓓ　ⓐ～ⓒに準ずる者として厚生労働省職業安定局長が定めるもの

健保	国年	厚年	社一

雇用

6 被保険者に関する届出

Basic

チェック欄
1 ／
2 ／
3 ／

(1) 事業主は、その雇用する労働者が当該事業主の行う適用事業に係る被保険者となったことについて、当該事実のあった日[A]に、**雇用保険被保険者資格取得届**をその事業所の所在地を管轄する公共職業安定所の長に提出しなければならない。

(2) 事業主は、その雇用する労働者が離職によって当該事業主の行う適用事業所に係る被保険者でなくなったことについて、当該事実のあった日の翌日[B]に、**雇用保険被保険者資格喪失届**に雇用保険[C]等を添えて提出しなければならないが、当該被保険者が**雇用保険被保険者離職票**の交付を希望しないときは、雇用保険[C]を添えないことができる。ただし、離職の日において[D]である被保険者については、この限りでない。

(3) 事業主は、その雇用する被保険者を当該事業主の一の事業所から他の事業所に転勤させたときは、当該事実のあった日の翌日[B]に、雇用保険被保険者転勤届を[E]公共職業安定所の長に提出しなければならない。

選択肢

A	① の属する月の翌月末日まで ② から起算して5日以内 ③ から起算して10日以内 ④ の属する月の翌月10日まで
B	① の属する月の翌月末日まで ② から起算して5日以内 ③ から起算して10日以内 ④ の属する月の翌月10日まで
C	① 被保険者離職証明書　② 被保険者資格証明書 ③ 被保険者証　④ 被保険者手帳
D	① 59歳未満　② 59歳以上　③ 64歳未満　④ 64歳以上
E	① 転勤前の事業所の所在地を管轄する ② 転勤後の事業所の所在地を管轄する ③ 被保険者の住所又は居所を管轄する ④ 事業主の選択する

解答

A ▶ ④ の属する月の翌月10日まで

B ▶ ③ から起算して10日以内

C ▶ ① 被保険者離職証明書

D ▶ ② 59歳以上

E ▶ ② 転勤後の事業所の所在地を管轄する

根拠条文等

則6条1項、
則7条1項、
3項、
則13条1項

雇用

1．被保険者に関する届出のまとめ

種　類	提出期限	提出先
雇用保険被保険者**資格取得届**	事実のあった日の属する月の**翌月10日まで**	**所轄**(事業所の所在地を管轄する)公共職業安定所長
個人番号変更届	**速やかに**	
雇用保険被保険者**転勤届**※	事実のあった日の翌日から起算して**10日以内**	
雇用保険被保険者**資格喪失届**		
雇用保険被保険者**休業・所定労働時間短縮開始時賃金証明書**	**被保険者でなくなった日**の翌日から起算して**10日以内**	
日雇労働被保険者資格取得届	日雇労働被保険者に該当するに至った日から起算して**5日以内**	**管轄**(その者の住所又は居所を管轄する)公共職業安定所長

※転勤届は**転勤後**の事業所の所轄公共職業安定所長に提出する。

2．資格取得届、転勤届、資格喪失届は、**年金事務所**を経由して提出することができる（統一様式による資格取得届については、所轄労働基準監督署長又は年金事務所を経由して提出することができる。）。

健保	国年	厚年	社一

7 基本手当の受給要件等 Basic

チェック欄
1 ／
2 ／
3 ／

(1) 基本手当は、被保険者が失業した場合において、[A]間（当該期間に疾病、負傷その他厚生労働省令で定める理由により引き続き[B]以上賃金の支払を受けることができなかった被保険者については、当該理由により賃金の支払を受けることができなかった日数をこれに加算した期間（その期間が**4年**を超えるときは、**4年**間)。これを「算定対象期間」という。）に、[C]以上であったときに、支給する。

(2) 特定理由離職者及び雇用保険法第23条第２項各号（倒産・解雇等の理由により離職した者）のいずれかに該当する者（上記(1)の規定により基本手当の支給を受けることができる資格を有することとなる者を除く。）については、[D]間に[E]以上であれば、基本手当の受給要件を満たすこととされている。

選択肢

① 離職の日の属する月の前月までの２年
② 離職の日の属する月の前月までの１年
③ ４週間　④ 30日　⑤ １箇月　⑥ ２箇月
⑦ 離職の日の翌日以前１年
⑧ 離職の日の翌日以前２年
⑨ 算定基礎期間が通算して12箇月
⑩ 被保険者期間が継続して12箇月
⑪ 算定基礎期間が継続して12箇月
⑫ 被保険者期間が通算して12箇月
⑬ 算定基礎期間が継続して６箇月　⑭ 離職の日前２年
⑮ 算定基礎期間が通算して６箇月　⑯ 離職の日前１年
⑰ 被保険者期間が継続して６箇月　⑱ 離職の日以前２年
⑲ 被保険者期間が通算して６箇月　⑳ 離職の日以前１年

解答

A ► ⑱ 離職の日以前２年
B ► ④ 30日
C ► ⑫ 被保険者期間が通算して12箇月
D ► ⑳ 離職の日以前１年
E ► ⑲ 被保険者期間が通算して６箇月

根拠条文等
法13条１項、２項

おぼえとるかい?

1．問題文(1)の厚生労働省令で定める理由

① 事業所の休業
② 出産（妊娠４箇月以上の分娩）
③ 事業主の命による外国における勤務
④ 国と民間企業との間の人事交流に関する法律に規定する交流採用
⑤ 上記①～④に掲げる理由に準ずる理由であって、管轄公共職業安定所の長がやむを得ないと認めるもの

2．特定理由離職者

問題文(2)の特定理由離職者とは、次の①②のいずれかに該当する者をいう。

① 期間の定めのある労働契約の**期間が満了**し、かつ、当該労働契約の**更新がない**こと（その者が当該**更新を希望**したにもかかわらず、当該更新についての合意が成立するに至らなかった場合に限る。）により離職した者
② **正当な理由のある自己都合**により離職した者

雇用

健保	国年	厚年	社一

8 被保険者期間・待期

Basic

チェック欄 1／ 2／ 3／

(1) **被保険者期間**は、被保険者であった期間のうち、当該被保険者でなくなった日又は喪失応当日※の各前日から各前月の喪失応当日までさかのぼった各期間（**賃金の支払の基礎となった日数**が[A]**日以上**であるものに限る。）を**1箇月**として計算し、その他の期間は、被保険者期間に算入しない。ただし、当該被保険者となった日からその日後における最初の喪失応当日の前日までの期間の日数が[B]**日以上**であり、**かつ**、当該期間内における賃金の支払の基礎となった日数が[A]**日以上**であるときは、当該期間を**2分の1箇月**の被保険者期間として計算する。

(2) 上記(1)により計算された被保険者期間が12箇月（受給要件の特例が適用される場合は6箇月）に**満たない**場合は、賃金の支払の基礎となった日数が[A]**日以上**であるもの又は**賃金の支払の基礎となった時間数**が[C]ものを**1箇月**として計算する。

(3) 基本手当は、受給資格者が当該基本手当の受給資格に係る離職後最初に[D]日以後において、失業している日（**疾病**又は**負傷**のため職業に就くことができない日を**含む**。）が[E]に満たない間は、支給しない。

選択肢

① 11　② 12　③ 通算して3日
④ 13　⑤ 14　⑥ 通算して7日
⑦ 15　⑧ 18　⑨ 継続して3日
⑩ 17　⑪ 20　⑫ 継続して7日
⑬ 100時間以上である　⑭ 80時間を超える
⑮ 80時間以上である　⑯ 100時間を超える
⑰ 公共職業安定所に求職の申込みをした
⑱ 公共職業訓練等を受けた　⑲ 失業の認定を受けた
⑳ 公共職業安定所から職業の紹介を受けた

解答

A ▶ ① 11

B ▶ ⑦ 15

C ▶ ⑮ 80時間以上である

D ▶ ⑰ 公共職業安定所に求職の申込みをした

E ▶ ⑥ 通算して７日

根拠条文等
法14条１項、３項、法21条

※各月において被保険者でなくなった日に応当し、かつ、当該被保険者であった期間内にある日(その日に応当する日がない月においては、その月の末日)のことをいう。

1．被保険者期間を計算する場合において、次の①又は②に掲げる期間は、被保険者であった期間に含めない。

① 最後に被保険者となった日前に、当該被保険者が**受給資格、高年齢受給資格又は特例受給資格を取得**したことがある場合には、当該受給資格、高年齢受給資格又は特例受給資格に係る離職の日以前における被保険者であった期間

② 法９条の規定による被保険者となったことの**確認があった日**の**２年前の日**※**より前**における被保険者であった期間

※特例対象者（Basic 14 おぼえとるかい? 2．参照）にあっては、賃金台帳等に基づき確認される被保険者の負担すべき労働保険料の額に相当する額がその者に支払われた賃金から控除されていたことが明らかとなる最も古い日。

2．問題文(2)において、当該被保険者となった日からその日後における最初の喪失応当日の前日までの期間の日数が**15日以上**であり、かつ、当該期間内における賃金の支払の基礎となった日数が**11日以上**であるとき又は賃金の支払の基礎となった時間数が**80時間以上**であるときは、当該期間を**２分の１箇月**の被保険者期間として計算する。

3．待期は、１受給期間内に１回あればよく、一度待期を満了した者が、受給期間内に就職して新たな受給資格を取得することなく再び失業した場合でも、再度の待期は必要としない。

健保	国年	厚年	社一

9 基本手当の受給手続・失業の認定 1 Basic

チェック欄
1 ／
2 ／
3 ／

(1) 基本手当の支給を受けようとする者（未支給給付請求者を除く。）は、離職後管轄公共職業安定所に出頭し、[A]をした上、雇用保険[B]を提出しなければならない。

(2) 管轄公共職業安定所の長は、雇用保険[B]を提出した者が、基本手当の**受給資格**を有すると認めたときは、その者が失業の認定を受けるべき日（**失業の認定日**）を定め、その者に知らせるとともに、雇用保険[C]（一定の者にあっては、雇用保険受給資格通知）に必要な事項を記載した上、交付しなければならない。

(3) 基本手当の受給資格を有する者（受給資格者）は、失業の認定を受けようとするときは、失業の認定日に、管轄公共職業安定所に出頭し、原則として、雇用保険[C]を添えて（当該受給資格者が雇用保険**受給資格通知**の交付を受けた場合にあっては、個人番号カード※を提示して）[D]を提出した上、**職業の紹介**を求めなければならない。

(4) 失業の認定は、原則として、[A]を受けた公共職業安定所において、受給資格者が**離職後最初に出頭した日から起算して**[E]**各日**について行うものとする。

選択肢

①	基本手当の請求	②	被保険者離職票
③	適性検査の受検	④	被保険者資格喪失届
⑤	失業認定申告書	⑥	被保険者資格喪失確認通知書
⑦	被保険者証	⑧	受給資格者証
⑨	求職の申込み	⑩	受給資格者票
⑪	1週間に1回ずつ直前の7日の	⑫	受給資格証明書
⑬	4週間に1回ずつ直前の28日の	⑭	受給資格確認票
⑮	2週間に1回ずつ直前の14日の	⑯	職業訓練の受講手続
⑰	1月に1回、直前の月に属する	⑱	基本手当支給申請書
⑲	被保険者離職証明書	⑳	賃金証明書

解答

A ▶ ⑨　求職の申込み
B ▶ ②　被保険者離職票
C ▶ ⑧　受給資格者証
D ▶ ⑤　失業認定申告書
E ▶ ⑬　4週間に1回ずつ直前の28日の

根拠条文等
法15条2項、3項、則19条1項、3項、則22条1項

※番号利用法に規定する個人番号カードをいう。以下において同じ。

1．失業の認定
「失業の認定」とは、受給資格者が、労働の意思及び能力を有するにもかかわらず、職業に就くことができない状態にあることを公共職業安定所長が確認する行為である。受給資格者は、失業の認定を受けた日についてのみ基本手当を受けることができる。

2．代理人による失業の認定
失業の認定は、受給資格者本人の求職の申込みによって行われるものであるから、代理人を出頭させて失業の認定を受けることはできない。ただし、次の場合は代理人による失業の認定を受けることができる。
・未支給の失業等給付を請求しようとする場合（受給資格者が死亡した場合）
・受給資格者が公共職業訓練等を行う施設に入校中の場合

3．公共職業安定所長の指示した公共職業訓練等を受ける受給資格者に係る失業の認定は、1月に1回、直前の月に属する各日（既に失業の認定の対象となった日を除く。）について行うものとされている。

Step-Up! アドバイス

・失業の認定日には、原則として、**前回の認定日から今回の認定日の前日までの期間（認定対象期間）**の28日の各日について失業の認定を行うものであり、当該認定日以後の日については、認定を行うことはできない。

健保	国年	厚年	社一

10 失業の認定　2

Basic

チェック欄
1 ／
2 ／
3 ／

(1) 受給資格者は、次の①～④のいずれかに該当するときは、公共職業安定所に出頭することができなかった**理由を記載した証明書**を提出することによって、失業の認定を受けることができる。

① **疾病又は負傷**のために公共職業安定所に出頭することができなかった場合において、その期間が［ A ］であるとき。

② **公共職業安定所の紹介**に応じて［ B ］するために公共職業安定所に出頭することができなかったとき。

③ ［ C ］した**公共職業訓練等**を受けるために公共職業安定所に出頭することができなかったとき。

④ 天災その他**やむを得ない理由**のために公共職業安定所に出頭することができなかったとき。

(2) 失業の認定は、受給資格者が［ B ］したこと、公共職業安定所その他の職業安定機関若しくは［ D ］から**職業を紹介**され、又は**職業指導**を受けたことその他**求職活動**を行ったことを［ E ］して行うものとする。

選択肢

① 通算して30日以上	② 継続して30日以上
③ 募集受託者	④ 継続して15日未満
⑤ 通算して15日未満	⑥ 求人者に面接
⑦ 短期の就職を	⑧ 厚生労働大臣の認可
⑨ 国家試験を受験	⑩ 指定教育訓練実施者
⑪ 適性検査を受検	⑫ 都道府県知事の認定
⑬ 職業紹介事業者等	⑭ 公共職業安定所長の指示
⑮ 認定職業訓練事業	⑯ 都道府県労働局長の指定
⑰ 認可　⑱ 審査	⑲ 確認　⑳ 承認

解答

A ▶ ④ 継続して15日未満
B ▶ ⑥ 求人者に面接
C ▶ ⑭ 公共職業安定所長の指示
D ▶ ⑬ 職業紹介事業者等
E ▶ ⑲ 確認

根拠条文等
法15条４項、５項

おぼえとるかい？

【求職活動実績の回数】

1．失業の認定は、原則として、前回の認定日から今回の認定日の前日までの期間（認定対象期間）に求職活動を行った実績（**求職活動実績**）が**原則２回以上**あることが確認できた場合に、当該認定対象期間に属する、他に不認定となる事由がある日以外の各日について行うことになる。

2．次のいずれかに該当する場合には、認定対象期間中に求職活動実績が**１回以上**あれば足りるものとされている。
- 就職困難者である場合
- 初回支給認定日（基本手当の支給に係る最初の失業の認定日）における認定対象期間（待期期間を除く。）である場合
- 認定対象期間の日数が14日未満となる場合
- 求人への応募を行った場合
- 巡回職業相談所における失業の認定及び市町村長の取次ぎによる失業の認定を行う場合
- 巡回職業相談所又は市町村取次ぎによる失業の認定の対象地域（一定の場合に限る。）に居住する受給資格者が、当該地域を管轄する市町村役場に来庁して、又は受給資格者の自宅からオンライン面談による失業の認定を行う場合

11 基本手当の日額・賃金日額 Basic

チェック欄
1 ／
2 ／
3 ／

(1) **基本手当の日額**は、**賃金日額**に**100分の80**から**100分の50**（受給資格に係る**離職の日**において［ A ］の受給資格者は、**100分の80**から**100分の45**）の範囲で厚生労働省令で定める率を乗じて得た金額とする。

(2) **賃金日額**は、原則として**算定対象期間**において**被保険者期間**として計算された最後の［ B ］間に支払われた賃金（**臨時に支払われる賃金**及び［ C ］**賃金**を除く。以下同じ。）の**総額**を［ D ］で除して得た額とする。

(3) 賃金が、労働した**日**若しくは**時間**によって算定され、又は**出来高払**制その他の**請負**制によって定められている場合において、上記(2)により算定した額が、上記(2)に規定する最後の［ B ］間に支払われた賃金の総額を当該最後の［ B ］間に**労働した日数**で除して得た額の［ E ］に相当する額に満たないときは、当該額を、その者の賃金日額とする。

選択肢

① 通常の労働時間又は労働日の賃金以外の　② 1年
③ 1箇月を超える期間ごとに支払われる　④ 6箇月
⑤ 3箇月を超える期間ごとに支払われる　⑥ 3箇月
⑦ その期間の労働日数　⑧ 100分の65
⑨ その期間の所定労働日数　⑩ 100分の70
⑪ 60歳以上65歳未満　⑫ 100分の75
⑬ 100分の64　⑭ 50歳以上60歳未満
⑮ その期間の総日数　⑯ 60歳以上65歳以下
⑰ 1箇月　⑱ 30歳未満
⑲ 180　⑳ 通貨以外のもので支払われる

解答

A ► ⑪ 60歳以上65歳未満

B ► ④ 6箇月

C ► ⑤ 3箇月を超える期間ごとに支払われる

D ► ⑲ 180

E ► ⑩ 100分の70

根拠条文等

法16条、
法17条1項、
2項1号

おぼえとるかい？

1．賃金日額の範囲

① 最低限度額は、その年齢を問わず、2,869円とする。

② 最高限度額は、受給資格者の当該受給資格に係る離職の日における年齢に応じて、次に掲げる額とする。

ⓐ 60歳以上65歳未満　16,490円
ⓑ 45歳以上60歳未満　17,270円
ⓒ 30歳以上45歳未満　15,690円
ⓓ 30歳未満　14,130円

2．失業の認定に係る期間中に、**自己の労働による収入**があった場合には、その収入額により、**基本手当が減額**又は**不支給**となる場合がある。

12 受給期間

Basic

チェック欄
1 ／
2 ／
3 ／

※本問以降において「就職困難者」とは、雇用保険法第22条第２項に規定する「厚生労働省令で定める理由により就職が困難なもの」に該当する者のことである。

基本手当は、原則として、次の①～③に掲げる受給資格者の区分に応じ、当該①～③に定める期間（当該期間内に妊娠、出産、育児等の理由により**引き続き30日以上**職業に就くことができない者が、公共職業安定所長にその旨を申し出た場合には、当該理由により職業に就くことができない日数を加算するものとし、その加算された期間が**４年**を超えるときは、**４年**とする。）内の失業している日について、所定給付日数に相当する日数分を限度として支給する。

① 下記②及び③に掲げる受給資格者以外の受給資格者は、基準日※の翌日から起算して**１年**

② 基準日において［ A ］であって、**算定基礎期間が１年以上**の**就職困難者**である受給資格者は、基準日の翌日から起算して**１年に**［ B ］**日**を加えた期間

③ 基準日において［ C ］であって、**算定基礎期間が**［ D ］**以上**の**特定受給資格者**は、基準日の翌日から起算して**１年に**［ E ］**日**を加えた期間

選択肢

A	① 30歳以上45歳未満		② 45歳以上60歳未満	
	③ 45歳以上65歳未満		④ 60歳以上65歳未満	
B	① 20	② 30	③ 50	④ 60
C	① 30歳以上45歳未満		② 45歳以上60歳未満	
	③ 45歳以上65歳未満		④ 60歳以上65歳未満	
D	① 1年	② 4年	③ 10年	④ 20年
E	① 20	② 30	③ 50	④ 60

解答

A ▶ ③　45歳以上65歳未満

B ▶ ④　60

C ▶ ②　45歳以上60歳未満

D ▶ ④　20年

E ▶ ②　30

根拠条文等

法20条１項、法22条２項１号、法23条１項２号イ

※基準日…基本手当の受給資格に係る離職の日。Basic 13 14 16 において同じ。

1．定年退職者等の受給期間の特例

次の者が、離職後一定期間求職の申込みをしないことを**希望**する場合には、その旨を**申し出る**ことによって、**受給期間を延長**することができる。

① **60歳以上の定年**に達したことによる離職者

② **60歳以上**の定年後の勤務延長又は再雇用の**期間満了**による離職者　…等

なお、求職の申込みをしないことを希望する一定の期間は１年が限度である。

2．受給期間の特例

受給資格者であって、基準日後に**事業**（その実施期間が**30日未満**のものその他厚生労働省令で定めるものを除く。）**を開始**したものその他これに準ずるものとして厚生労働省令で定める者が、公共職業安定所長にその旨を**申し出た**場合には、原則として、当該事業の実施期間は**受給期間に算入しない**。

13 所定給付日数・特定受給資格者 Basic

チェック欄 1 ／ 2 ／ 3 ／

(1) 一般の受給資格者（特定受給資格者（特定受給資格者とみなされる者を含む。）及び就職困難者に該当しない受給資格者）に対する所定給付日数は、基準日における**年齢にかかわらず**、算定基礎期間の長さに応じて［ A ］の間で定められている。

(2) 厚生労働省令で定める理由により就職が困難な受給資格者に係る所定給付日数は、上記(1)にかかわらず、その算定基礎期間が1年以上の受給資格者にあっては次の①、②に掲げる当該受給資格者の区分に応じ当該①、②に定める日数とし、その算定基礎期間が1年未満の受給資格者にあっては150日とする。

①基準日において［ B ］以上65歳未満である受給資格者…［ C ］日

②基準日において［ B ］未満である受給資格者…［ D ］日

(3) 基準日における年齢が［ E ］の**特定受給資格者**に対する所定給付日数は、算定基礎期間が**20年以上**である場合、**330日**である。

選択肢

① 150日から360日		② 90日から180日	
③ 60日から120日		④ 90日から150日	
⑤ 60歳	⑥ 45歳	⑦ 35歳	⑧ 30歳
⑨ 180	⑩ 210	⑪ 45歳以上60歳未満	
⑫ 240	⑬ 270	⑭ 30歳以上35歳未満	
⑮ 300	⑯ 330	⑰ 60歳以上65歳未満	
⑱ 360	⑲ 390	⑳ 45歳以上65歳未満	

解答

A ► ④ 90日から150日

B ► ⑥ 45歳

C ► ⑱ 360

D ► ⑮ 300

E ► ⑪ 45歳以上60歳未満

根拠条文等

法22条 1 項、
2 項、
法23条 1 項
2 号イ

【所定給付日数】

① 下記②③以外の受給資格者（一般の受給資格者）

算定基礎期間	10年未満	10年以上 20年未満	20年以上
全年齢	90日	120日	150日

② 就職困難者である受給資格者

算定基礎期間 / 年齢	1 年未満	1 年以上
45歳未満	150日	300日
45歳以上65歳未満		360日

③ 特定受給資格者

算定基礎期間 / 年齢	1 年未満	1 年以上 5 年未満	5 年以上 10年未満	10年以上 20年未満	20年以上
30歳未満	90日	90日	120日	180日	—
30歳以上35歳未満		120日	180日	210日	240日
35歳以上45歳未満		150日		240日	270日
45歳以上60歳未満		180日	240日	270日	330日
60歳以上65歳未満		150日	180日	210日	240日

14 算定基礎期間 Basic

チェック欄 1 ／ 2 ／ 3 ／

基本手当の所定給付日数に係る**算定基礎期間**は、受給資格者が基準日まで**引き続いて同一の事業主**の適用事業に被保険者として雇用された期間（当該雇用された期間に係る被保険者となった日前に被保険者であったことがある者については、当該雇用された期間と当該被保険者であった期間を**通算した期間**）とする。ただし、当該期間に次に掲げる期間が含まれているときは、その期間に該当するすべての期間を除いて算定した期間とする。

① 当該雇用された期間又は当該被保険者であった期間に［ A ］の支給に係る休業の期間があるときは、当該休業の期間

② 当該雇用された期間又は当該被保険者であった期間に係る被保険者となった日の直前の被保険者でなくなった日が当該被保険者となった日前［ B ］**の期間内**にないときは、当該直前の被保険者でなくなった日前の被保険者であった期間

③ 当該雇用された期間に係る被保険者となった日前に［ C ］**の支給を受けたことがある者**については、これらの給付の［ D ］に係る離職の日以前の被保険者であった期間

④ 被保険者となったことの**確認があった日の**［ E ］**前の日**より前の被保険者であった期間（原則）

選択肢

① 基本手当又は特例一時金　② 10年
③ 受給資格又は特例受給資格　④ 2年
⑤ 基本手当又は高年齢求職者給付金　⑥ 5年
⑦ 受給資格又は高年齢受給資格　⑧ 4年
⑨ 休業手当　⑩ 3年　⑪ 日雇受給資格　⑫ 1年
⑬ 高年齢受給資格　⑭ 6箇月　⑮ 高年齢求職者給付金
⑯ 日雇労働求職者給付金　⑰ 介護休業給付金
⑱ 育児休業給付金又は出生時育児休業給付金　⑲ 1箇月
⑳ 育児休業給付又は介護休業給付金

解答

A ▶ ⑱　育児休業給付金又は出生時育児休業給付金

B ▶ ⑫　１年

C ▶ ①　基本手当又は特例一時金

D ▶ ③　受給資格又は特例受給資格

E ▶ ④　２年

根拠条文等
法22条３項、４項、法61条の7,9項、法61条の8,6項

おぼえとるかい？

1．問題文の③について、基本手当又は特例一時金の受給資格を取得しても、実際に基本手当又は特例一時金を受給していないときは、これらの給付の受給資格又は特例受給資格に係る離職の日以前の被保険者であった期間は算定基礎期間に算入される。

2．**遡及適用期間の延長**

問題文の④において、次のⓐ及びⓑのいずれにも該当する者（ⓐの事実を知っていた者を除く。「特例対象者」という。）にあっては、賃金台帳、源泉徴収票等に基づき確認される被保険者の負担すべき**労働保険料の額**に相当する額がその者に支払われた**賃金から控除されていたことが明らかとなる最も古い日**に被保険者となったものとみなして、算定基礎期間の算定を行うものとされている。

ⓐ　その者に係る**被保険者資格取得等の届出がされていなかった**こと

ⓑ　賃金台帳、源泉徴収票等に基づき、被保険者となったことの確認があった日の**２年前の日より前**に被保険者の負担すべき労働保険料に相当する額がその者に支払われた**賃金から控除されていたことが明らか**である時期があること

Step-Up! アドバイス

・労働者が長期欠勤している場合であっても、その雇用関係が存続する限り被保険者資格を有し、その期間は算定基礎期間に算入される。

15 延長給付 1

Basic

チェック欄
1 ／
2 ／
3 ／

(1) 受給資格者が**公共職業安定所長の指示**した**公共職業訓練等**（その期間が［ A ］を超えるものを除く。以下本問において同じ。）を受ける場合には、当該公共職業訓練等を受ける期間（その者が当該公共職業訓練等を受けるため**待期**している期間（当該公共職業訓練等を受け始める日の前日までの引き続く［ B ］間に限る。）を含む。）内の**失業**している日について、**所定給付日数を超えて**その者に基本手当を支給することができる。

(2) 公共職業安定所長が、その指示した公共職業訓練等を受ける受給資格者（その者が当該**公共職業訓練等を受け終わる日**における基本手当の**支給残日数**が［ C ］**に満たない**ものに限る。）で、政令で定める基準に照らして当該公共職業訓練等を受け終わってもなお［ D ］と認めたものについては、当初の受給期間に下記(3)の日数を加えた期間内の失業している日について、**所定給付日数を超えて**その者に基本手当を支給することができる。

(3) 上記(2)の場合において、所定給付日数を超えて基本手当を支給する日数は、［ C ］から支給残日数を差し引いた日数を限度とするものとする。

(4) 上記(1)(2)の規定に基づく基本手当の支給を［ E ］という。

選択肢

① 教育訓練支援給付　② 特定求職者支援給付
③ 訓練延長給付　④ 広域延長給付
⑤ 求職活動を支援する必要がある
⑥ 就職が相当程度に困難な者である
⑦ 公共職業訓練等を受ける必要がある
⑧ 職業能力の開発及び向上が必要である

⑨ 14日	⑩ 20日	⑪ 30日	⑫ 40日
⑬ 60日	⑭ 90日	⑮ 120日	⑯ 210日
⑰ 1年	⑱ 2年	⑲ 5年	⑳ 10年

進捗チェック
労基　安衛　労災　雇用　労一

解答

A ▶ ⑱ 2年

B ▶ ⑭ 90日

C ▶ ⑪ 30日

D ▶ ⑥ 就職が相当程度に困難な者である

E ▶ ③ 訓練延長給付

根拠条文等

法24条1項、2項、法28条1項、令4条、令5条1項

1．**全国延長給付**

厚生労働大臣は、失業の状況が**全国的**に著しく悪化し、連続する**4月間**の各月の全国の基本手当の受給率が**4％を超え**、同期間の各月における初回受給率が低下する傾向になく、これらの状態が継続すると認められる場合において、受給資格者の就職状況からみて必要があると認めるときは、その指定する期間内に限り、すべての受給資格者を対象として、当初の受給期間に**90日**を加えた期間内の失業している日について、**90日**を限度として、**所定給付日数**を超えて基本手当を支給する措置を決定することができる。

2．**広域延長給付**（Step-Up 4参照）

3．**延長給付の優先順位**

個別延長給付
地域延長給付 ⇒ **広域**延長給付 ⇒ **全国**延長給付 ⇒ **訓練**延長給付

Step-Up! アドバイス

・広域延長給付及び全国延長給付は、いずれも期間を限って実施されるものであるので、その期間の末日が到来したときは、当該延長給付の支給終了前であっても打ち切られる。

16 延長給付　2

Basic

チェック欄
1 ／
2 ／
3 ／

(1)　受給資格に係る離職の日が**令和９年３月31日以前**である受給資格者（**就職困難者である受給資格者以外**の受給資格者のうち**特定理由離職者**（希望に反して契約更新がなかったことにより離職した者に限る。）である者及び**特定受給資格者**に限る。）であって、厚生労働省令で定める基準に照らして**雇用機会が不足**していると認められる地域として厚生労働大臣が指定する地域内に居住し、かつ、公共職業安定所長が［　A　］に照らして再就職を促進するために必要な**職業指導**を行うことが適当であると認めたもの（［　B　］を受けることができる者を除く。）については、その者の当初の受給期間に下記(2)に規定する日数を加えた期間内の失業している日について、所定給付日数を超えて基本手当を支給することができる。

(2)　上記(1)の場合において、所定給付日数を超えて基本手当を支給する日数は、［　C　］日（基準日において［　D　］で、かつ算定基礎期間が**20年以上**である者にあっては、［　E　］日）を限度とするものとする。

選択肢

①　30　②　広域延長給付　③　60
④　求職活動実績　⑤　90
⑥　全国平均の基本手当の初回受給率　⑦　120
⑧　全国平均の基本手当の受給率　⑨　個別延長給付
⑩　訓練延長給付　⑪　全国延長給付　⑫　20
⑬　60歳以上65歳未満　⑭　40
⑮　45歳以上65歳未満　⑯　50
⑰　45歳以上60歳未満　⑱　80
⑲　指導基準　⑳　35歳以上60歳未満

進捗チェック

労基	安衛	労災	雇用	労一

解答

A ▶ ⑲ 指導基準

B ▶ ⑨ 個別延長給付

C ▶ ③ 60

D ▶ ⑳ 35歳以上60歳未満

E ▶ ① 30

根拠条文等

法附則５条１項、２項、則附則19条

1．個別延長給付の適用対象者

次の⑴⑵のいずれかに該当する受給資格者であって、公共職業安定所長が**指導基準**に照らして再就職を促進するために必要な職業指導を行うことが適当であると認めたもの

⑴ 就職困難者である受給資格者**以外**の受給資格者のうち、**特定理由離職者**（希望に反して契約更新がなかったことにより離職した者に限る。）である者又は**特定受給資格者**であって、次のいずれかに該当するもの

① **心身の状況**が厚生労働省令で定める基準に該当する者

② 雇用されていた適用事業が**激甚災害**の被害を受けたため離職を余儀なくされた者等であって、政令で定める基準に照らして**職業に就くことが特に困難**であると認められる地域として厚生労働大臣が指定する地域内に居住する者

③ 雇用されていた適用事業が激甚災害その他の災害（厚生労働省令で定める災害に限る。）の被害を受けたため離職を余儀なくされた者等（②に該当する者を除く。）

⑵ **就職困難者**である受給資格者であって、⑴の②に該当するもの

2．個別延長給付の上限日数

上記⑴①③に該当する者	**60日**（一定の者にあっては、**30日**）
上記⑴②に該当する者	**120日**（一定の者にあっては、**90日**）
上記⑵に該当する者	**60日**

健保	国年	厚年	社一

17 技能習得手当・寄宿手当 Basic

チェック欄 1 ／ 2 ／ 3 ／

(1) **技能習得手当**は、［ A ］が公共職業安定所長の指示した公共職業訓練等（2年を超えるものを除く。以下本問において同じ。）を受ける場合に、その公共職業訓練等を受ける期間について支給し、その種類は［ B ］及び**通所手当**の2種類とする。

(2) ［ B ］は、［ A ］が**公共職業安定所長の指示**した**公共職業訓練等**を受けた日（基本手当の支給の対象となる日に限る。）について、［ C ］日分を限度として支給し、その支給額は**日額500円**である。

(3) **寄宿手当**は、［ A ］が、**公共職業安定所長の指示**した**公共職業訓練等**を受けるため、その者［ D ］いる**同居の親族**（婚姻の届出をしていないが、事実上その者と婚姻関係と同様の事情にある者を含む。）と**別居**して**寄宿する**場合に、その寄宿する期間について支給し、その支給額は、原則として、**月額**［ E ］円である。

選択肢

①　と生計を同じくして　　②　により生計を維持されて
③　に扶養されて
④　受給資格者、高年齢受給資格者又は特例受給資格者
⑤　受講手当　　⑥　訓練手当　　⑦　受給資格者
⑧　教育訓練手当　　⑨　技能手当　　⑩　に監護されて
⑪　30　　⑫　40　　⑬　8,010
⑭　60　　⑮　90　　⑯　3,690
⑰　5,850　　⑱　受給資格者又は特例受給資格者
⑲　10,700　　⑳　受給資格者又は高年齢受給資格者

解答

A ▶ ⑦ 受給資格者
B ▶ ⑤ 受講手当
C ▶ ⑫ 40
D ▶ ② により生計を維持されて
E ▶ ⑲ 10,700

根拠条文等
法24条１項カッコ書、
法36条１項、
２項、
令４条１項、
則56条、則57条、
則60条

1．通所手当は、公共職業訓練等を行う施設への通所のため交通機関、自動車等を利用する者に対し、通所距離が原則として片道２km以上である場合に支給される。
・交通機関等利用者…月額42,500円を上限とする実費相当額
・自動車等利用者…地域及び距離に応じて月額3,690円、5,850円、8,010円のうちのいずれかの額

2．通所手当や寄宿手当のように月額でその額が決められているものについては、公共職業訓練等を受ける期間に属さない日などがある月は、日割計算で減額された額が支給される。

3．技能習得手当及び寄宿手当は、基本手当の支給対象日（**自己の労働による収入に応じた減額により基本手当が支給されないこととなる日を含む。**）について支給される。したがって、基本手当の待期や給付制限期間中は支給されない。

4．寄宿手当は、公共職業訓練等受講期間中の日についてのみ支給されるものであり、受講開始前の寄宿日又は受講終了後の寄宿日については支給されない。

18 傷病手当

Basic

チェック欄
1 ／
2 ／
3 ／

(1) **傷病手当**は、受給資格者が、離職後公共職業安定所に出頭し、［ A ］**後**において、**疾病**又は**負傷**のため［ B ］**職業に就くことができない**場合に、［ C ］の支給を受けることができない日（疾病又は負傷のために［ C ］の支給を受けることができないことについての公共職業安定所長の**認定**を受けた日に限る。）について支給する。

(2) 上記(1)の認定は、原則として、(1)に該当する者が当該職業に就くことができない理由がやんだ後における最初の［ C ］を支給すべき日（口座振込受給資格者にあっては、［ C ］を支給すべき日の直前の失業の認定日）（［ C ］を支給すべき日がないときは、受給期間の最後の日から起算して1箇月を経過した日）までに、原則として、**雇用保険**［ D ］を添えて（当該受給資格者が雇用保険受給資格通知の交付を受けた場合にあっては、個人番号カードを提示して）**傷病手当支給申請書**を管轄公共職業安定所の長へ提出することにより、受けなければならない。

(3) 傷病手当の日額は、［ C ］**の日額**［ E ］**額**とする。

選択肢

① 最初の失業の認定を受けた　② 基本手当
③ 休業手当　④ 待期期間の満了　⑤ 被保険者証
⑥ 通算して15日未満　⑦ 休業補償給付又は休業給付
⑧ 公共職業訓練等を受講した　⑨ 継続して15日以上
⑩ に100分の60を乗じて得た　⑪ 被保険者離職票
⑫ 受給資格者証　⑬ の2倍に相当する
⑭ 被保険者離職証明書　⑮ に100分の70を乗じて得た
⑯ 傷病手当金　⑰ 通算して15日以上　⑱ に相当する
⑲ 求職の申込みをした　⑳ 継続して15日未満

進捗チェック

労基	安衛	労災	雇用	労一

解答

A ▶ ⑲ 求職の申込みをした
B ▶ ⑨ 継続して15日以上
C ▶ ② 基本手当
D ▶ ⑫ 受給資格者証
E ▶ ⑱ に相当する

根拠条文等
法37条１項～３項、則63条、行政手引53003

1．傷病手当の支給対象とされない日

① 基本手当の支給を受けることができる日
② 待期中の日（待期には、疾病又は負傷のため職業に就くことができない日を含む。）
③ 給付制限期間中の日
④ 公共職業安定所長の認定（傷病の認定）を受けた日について、傷病手当金（健康保険法）、休業補償（労働基準法）、休業補償給付、複数事業労働者休業給付又は休業給付（労災保険法）等を受けることができる場合にはその受けることができる日

2．傷病手当は、傷病の認定を受けた日分を、原則として職業に就くことができない理由がやんだ後最初に基本手当を支給すべき日（職業に就くことができない理由がやんだ後において基本手当を支給すべき日がない場合には、公共職業安定所長が定める日）に支給される。

3．基本手当に係る①未支給給付の請求、②不正受給に係る返還命令等、③自己の労働による収入に応じた減額、④待期、⑤給付制限の規定は、傷病手当についても適用される。

Step-Up! アドバイス

・**延長給付**による基本手当を受給中の者については、傷病手当は支給されない。

健保	国年	厚年	社一

19 高年齢求職者給付金

Basic

チェック欄
1 ／
2 ／
3 ／

(1) **高年齢求職者給付金**は、高年齢被保険者が失業した場合において、原則として、**離職の日**［ A ］**間に被保険者期間が**［ B ］**以上**であったときに、支給する。

(2) 高年齢求職者給付金の額は、原則として、高年齢受給資格者を受給資格者とみなした場合にその者に支給されることとなる基本手当の日額に、次の①又は②に掲げる**算定基礎期間**の区分に応じ、当該①又は②に定める日数を乗じて得た額とする。

① 1年以上 **50日**

② 1年未満 ［ C ］**日**

(3) 高年齢受給資格者の賃金日額についても、最低限度額及び最高限度額が適用されるが、この場合の最高限度額は、［ D ］である一般の受給資格者の最高限度額が適用される。

(4) 高年齢受給資格者は、失業の認定を受けようとするときは、所定の失業の認定日に、管轄公共職業安定所に出頭し、原則として、雇用保険**高年齢受給資格者証**を添えて（当該高年齢受給資格者が雇用保険高年齢受給資格通知の交付を受けた場合にあっては、個人番号カードを提示して）**高年齢受給資格者失業認定申告書**を提出した上、［ E ］を求めなければならない。

選択肢

① 職業の紹介　② 通算して6箇月
③ 20　④ 30　⑤ 40　⑥ 45
⑦ 就職のあっせん　⑧ 45歳以上60歳未満
⑨ 通算して12箇月　⑩ 60歳以上65歳未満
⑪ 以前2年　⑫ 以前1年
⑬ 求人の登録　⑭ 継続して12箇月
⑮ 30歳未満　⑯ 前2年
⑰ 30歳以上45歳未満　⑱ 求人票の交付
⑲ 継続して6箇月　⑳ 前1年

進捗チェック

労基	安衛	労災	雇用	労一

解答

A ▶ ⑫ 以前１年

B ▶ ② 通算して６箇月

C ▶ ④ 30

D ▶ ⑮ 30歳未満

E ▶ ① 職業の紹介

根拠条文等
法37条の３,１項、法37条の４,１項、２項、則65条の５

雇用

1．高年齢求職者給付金の算定対象期間にも、一般被保険者と同様の受給要件の緩和措置（算定対象期間の延長）が適用される。

2．失業の認定があった日から受給期限日（離職の日の翌日から起算して**１年**を経過する日）までの日数が50日（又は30日）に満たない場合には、**当該失業の認定のあった日から受給期限日までの日数に相当する日数分**が支給される。

3．高年齢受給資格者の賃金日額についても、原則として、最低限度額及び最高限度額が適用されるが、この場合の最高限度額は、「30歳未満」の受給資格者の最高限度額である14,130円が適用される。なお、最低限度額は、すべての受給資格者と同様に2,869円である。

4．受給資格者と同様に、①未支給給付の請求、②不正受給に係る返還命令等、③待期、④給付制限の規定は適用される。

5．求職の申込み日以後、失業の認定があった日の前日までの間に**自己の労働による収入**がある場合であっても、高年齢求職者給付金の**減額は行われない**。

6．傷病等により職業に就くことができない期間があっても、**受給期限の延長は認められない**。

7．高年齢受給資格者に対しては、基本手当、各種延長給付、技能習得手当、寄宿手当及び傷病手当の支給は行われない。

健保	国年	厚年	社一

20 特例一時金

Basic

チェック欄
1 ／
2 ／
3 ／

(1) **特例一時金**は、短期雇用特例被保険者が失業した場合において、原則として、**離職の日以前1年間**に被保険者期間が**通算して6箇月**以上であったときに支給するが、当分の間、短期雇用特例被保険者の被保険者期間は暦月で計算され、1暦月中に賃金支払基礎日数が［ A ］**日**以上あるものを被保険者期間［ B ］**箇月**として計算する。

(2) 特例一時金の額は、原則として、基本手当の日額に相当する額の［ C ］分（当分の間、**40日分**）とする。

(3) 特例受給資格者が、当該特例受給資格に基づく**特例一時金の支給を受ける前**に公共職業安定所長の指示した**公共職業訓練等**（その期間が［ C ］（当分の間は**40**日）以上［ D ］以内のものに限る。）を受ける場合には、特例一時金を支給しないものとし、その者を受給資格者とみなして、当該公共職業訓練等を受け終わる日までの間に限り、求職者給付（［ E ］に限る。）を支給する。

選択肢

① 基本手当及び技能習得手当		② 基本手当	
③ 基本手当、技能習得手当及び寄宿手当			
④ 基本手当及び傷病手当		⑤ 17	⑥ 50
⑦ 5分の6	⑧ 1	⑨ 10	⑩ 55
⑪ 20日	⑫ 30日	⑬ 50日	⑭ 28日
⑮ 5年	⑯ 11	⑰ 4年	⑱ 15
⑲ 2年	⑳ 3分の4		

解答

A ▶ ⑯ 11

B ▶ ⑧ 1

C ▶ ⑫ 30日

D ▶ ⑲ 2年

E ▶ ③ 基本手当、技能習得手当及び寄宿手当

根拠条文等

法39条1項、法40条1項、法41条1項、法附則3条、法附則8条、令11条、令附則4条、行政手引56401他

1．問題文(1)の規定により計算された被保険者期間が6箇月に満たない場合は、賃金の支払の基礎となった時間数が**80時間以上**である月を被保険者期間**1箇月**として計算する。

2．失業の認定があった日から受給期限日（離職の日の翌日から起算して**6箇月**を経過する日）までの日数が30日（当分の間は40日）に満たない場合には、**当該失業の認定のあった日から受給期限日までの日数に相当する日数分**が支給される。

3．受給資格者と同様に、①未支給給付の請求、②不正受給に係る返還命令等、③待期、④給付制限の規定は適用される。

4．求職の申込み日以後、失業の認定があった日の前日までの間に**自己の労働による収入**がある場合であっても、特例一時金の**減額は行われない**。

5．傷病等により職業に就くことができない期間があっても、**受給期限の延長は認められない**。

Step-Up! アドバイス

・特例受給資格者については、受給資格者の場合と異なり、離職理由による給付制限期間中に公共職業訓練等を受講しても、給付制限は解除されない。

21 日雇労働求職者給付金（普通給付） Basic

チェック欄
1 ／
2 ／
3 ／

(1) **日雇労働求職者給付金**のいわゆる**普通給付**は、日雇労働被保険者が失業した場合において、その失業の［ A ］**間**に、その者について**印紙保険料**が**通算して26日分以上**納付されているときに、当該納付された印紙保険料の日数に応じ、通算して［ B ］**分まで**の間において支給する。

(2) 日雇労働求職者給付金の支給を受けることができる者が**公共職業安定所の紹介する業務に就くことを拒んだとき**は、原則として、その**拒んだ**［ C ］**間**は、日雇労働求職者給付金を支給しない。

(3) 日雇労働求職者給付金の支給を受けることができる者が、**偽りその他不正の行為**により［ D ］の支給を受け、又は受けようとしたときは、原則として、その支給を受け、又は受けようとした［ E ］間は、日雇労働求職者給付金を支給しない。

選択肢

①	11日分から15日	②	13日分から17日
③	15日分から26日	④	17日分から28日
⑤	日から起算して3日	⑥	日の属する月の前2月
⑦	日から起算して7日	⑧	日の属する月以前2月
⑨	日から起算して14日	⑩	日以前2箇月
⑪	日から起算して21日	⑫	日前2箇月
⑬	求職者給付又は雇用継続給付	⑭	日後2箇月
⑮	求職者給付又は就職促進給付	⑯	日後3箇月
⑰	月及びその月の翌月から2箇月	⑱	雇用継続給付
⑲	月及びその月の翌月から3箇月	⑳	教育訓練給付

解答

A ▶ ⑥ 日の属する月の前２月

B ▶ ② 13日分から17日

C ▶ ⑦ 日から起算して７日

D ▶ ⑮ 求職者給付又は就職促進給付

E ▶ ⑲ 月及びその月の翌月から３箇月

根拠条文等

法45条、法50条１項、法52条１項、３項、行政手引90553

1．日雇労働求職者給付金（普通給付）の日額

前２月間の保険料納付状況（通算して26日分以上のうち）	等級区分	日額
第１級印紙保険料（176円）が24日分以上	第１級給付金	7,500円
第１級と第２級印紙保険料（146円）が合計24日分以上	第２級給付金	6,200円
第１級、第２級及び第３級印紙保険料（96円）の順に選んだ24日分の印紙保険料の平均額が146円（第２級印紙保険料の日額）以上	第２級給付金	6,200円
その他	第３級給付金	4,100円

2．日雇労働求職者給付金（普通給付）の支給日数

印紙保険料納付日数	**26日～31日**	32日～35日	36日～39日	40日～43日	**44日以上**
支給日数	**13日**	14日	15日	16日	**17日**

Step-Up! アドバイス

・日雇労働求職者給付金は、**各週**について日雇労働被保険者が職業に**就かなかった最初の日**は支給されない。これは、基本手当の待期に相当する規定である。

健保	国年	厚年	社一

22 日雇労働求職者給付金（特例給付） Basic

チェック欄
1 ／
2 ／
3 ／

(1) 日雇労働被保険者が失業した場合において、次の①から③のいずれにも該当するときは、その者は、**管轄**公共職業安定所の長に申し出て、**日雇労働求職者給付金**のいわゆる**特例給付**の支給を受けることができる。

① [A] **間**に当該日雇労働被保険者について**印紙保険料**が**各月**[B]**分以上**納付されていること。

② 上記①の[A]間（以下「**基礎期間**」という。）のうち[C]**間**に日雇労働求職者給付金のいわゆる**普通給付**又は**特例給付**の支給を受けていないこと。

③ 基礎期間の**最後の月の翌月以後**[D]**月間**（申出をした日が当該[D]月の期間内にあるときは、同日までの間）に日雇労働求職者給付金のいわゆる**普通給付**の支給を受けていないこと。

(2) 日雇労働求職者給付金のいわゆる特例給付の支給を受けることができる期間及び日数は、**基礎期間の最後の月**[E]の期間内の失業している日について、**通算して60日分**を限度とする。

選択肢

① 継続する４月	② 前の２月	③ 継続する５月
④ 前の５月	⑤ 継続する６月	⑥ 後の２月
⑦ 継続する２月	⑧ 後の５月	⑨ 1
⑩ の翌月以後４月	⑪ 以後６月	⑫ 3
⑬ 11日分以上又は通算して78日		⑭ 2
⑮ 13日分以上、かつ、通算して60日		⑯ 以後４月
⑰ 13日分以上又は通算して60日		⑱ 5
⑲ 11日分以上、かつ、通算して78日		
⑳ の翌月以後６月		

進捗チェック
労基 安衛 労災 雇用 労一

解答

A ▶ ⑤ 継続する６月

B ▶ ⑲ 11日分以上、かつ、通算して78日

C ▶ ⑧ 後の５月

D ▶ ⑭ 2

E ▶ ⑩ の翌月以後４月

根拠条文等

法53条１項、法54条１号、法55条３項、則78条１項

1．日雇労働求職者給付金（特例給付）の支給要件

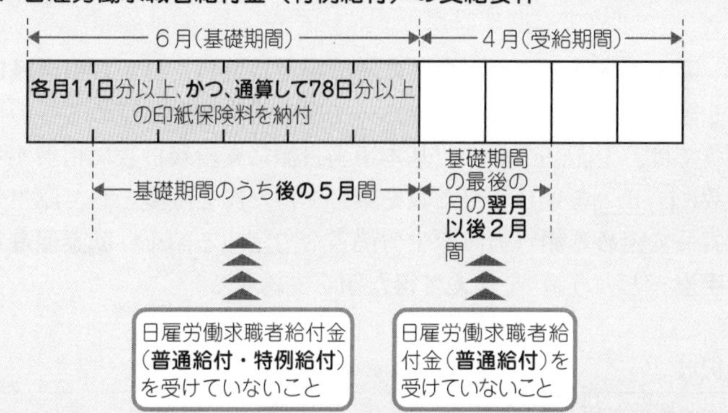

2．特例給付の支給を受けることの申出は、**基礎期間の最後の月の翌月以後４月**の期間内に行わなければならない。

3．特例給付の支給を受けることの申出をした者は、**管轄**公共職業安定所において、原則としてこの申出をした日から起算して**４週間に１回ずつ失業の認定**を受ける。

4．**各週の最初の不就労日**については、普通給付の場合と同様に失業の認定は行われない。また、就職拒否・不正受給に対する**給付制限**も普通給付の場合と同様に行われる。

23 再就職手当・就業促進定着手当 Basic

チェック欄
1 ／
2 ／
3 ／

(1) **再就職手当**は、受給資格者が［ A ］引き続き雇用されることが確実であると認められる職業に就いた場合等であって、当該職業に就いた日の前日における基本手当の**支給残日数**が当該受給資格に基づく**所定給付日数の**［ B ］である等の一定の要件に該当するときに、支給する。

(2) 再就職手当の額は、基本手当日額に**支給残日数**に相当する日数に［ C ］（その職業に就いた日の前日における基本手当の支給残日数が当該受給資格に基づく所定給付日数の**3分の2以上**であるものにあっては、［ D ］）を乗じて得た数を乗じて得た額とする。

(3) **同一の事業主**の適用事業にその職業に就いた日から**引き続いて6箇月以上**雇用される者であって厚生労働省令で定めるものにあっては、上記(2)の額に、基本手当日額に支給残日数に相当する日数に［ E ］を乗じて得た数を乗じて得た額を**限度**として厚生労働省令で定める額（当該厚生労働省令で定める額を「**就業促進定着手当**」という。）を加えて得た額を支給する。

選択肢

A	① 1年を超えて	② 1年以上	③ 6箇月を超えて	④ 6箇月以上
B	① 3分の1未満かつ45日未満	② 3分の1以上	③ 3分の1以上かつ45日以上	④ 3分の1未満
C	① 10分の2	② 10分の3	③ 10分の6	④ 10分の7
D	① 10分の2	② 10分の3	③ 10分の6	④ 10分の7
E	① 10分の2	② 10分の3	③ 10分の6	④ 10分の7

解答

A ▶ ①　１年を超えて
B ▶ ②　３分の１以上
C ▶ ③　10分の６
D ▶ ④　10分の７
E ▶ ①　10分の２

根拠条文等
法56条の３，１項１号、３項１号、則82条の２他

1．就業促進定着手当は、再就職手当の支給を受けた者が、当該再就職手当の支給に係る同一の事業主の適用事業にその職業に就いた日から**引き続いて６箇月以上**雇用された場合であって、その職業に就いた日から６箇月間に支払われた賃金を雇用保険法17条に規定する賃金とみなして算定されることとなる賃金日額に相当する額（以下「**みなし賃金日額**」という。）が当該再就職手当に係る基本手当日額の算定の基礎となった賃金日額（以下「**算定基礎賃金日額**」という。）**を下回った**ときに支給される。

2．**就業促進定着手当の額**※
（算定基礎賃金日額－みなし賃金日額）×６箇月間の賃金支払基礎日数
※基本手当日額×支給残日数×**10分の２**を上限とする。

3．再就職手当又は就業促進定着手当が支給されたときは、支給された再就職手当又は就業促進定着手当の額を**基本手当日額で除して得た日数**に相当する日数分の基本手当を支給したものとみなされる。

4．**支給申請書の提出期限**

再就職手当	職業に就いた日の翌日から起算して**１箇月**以内
就業促進定着手当	職業に就いた日から起算して６箇月目に当たる日の翌日から起算して**２箇月**以内

24 常用就職支度手当

Basic

チェック欄
1 ／
2 ／
3 ／

(1) **常用就職支度手当**は、厚生労働省令で定める**安定した職業**に就いた**受給資格者**（当該職業に就いた日の前日における基本手当の支給残日数が［ A ］である者に限る。)、**高年齢受給資格者**（高年齢求職者給付金の支給を受けた者であって、当該高年齢受給資格に係る離職の日の翌日から起算して**1年**を経過していないものを含む。)、**特例受給資格者**（特例一時金の支給を受けた者であって、当該特例受給資格に係る離職の日の翌日から起算して**6箇月**を経過していないものを含む。）又は**日雇受給資格者**であって、身体障害者その他の**就職が困難な者**として厚生労働省令で定めるものに対して、支給する。

(2) 受給資格者に対する常用就職支度手当の額は、原則として、基本手当日額に、［ B ］（当該受給資格者（受給資格に基づく**所定給付日数が**［ C ］**日以上**である者を除く。）に係る支給残日数が［ B ］日未満である場合には、支給残日数（その数が［ D ］を下回る場合にあっては、［ D ］)）に［ E ］を乗じて得た数を乗じて得た額とする。

選択肢

① 100分の55　② 100日以上
③ 10分の3　④ 100日未満
⑤ 所定給付日数の3分の1未満かつ45日未満
⑥ 所定給付日数の3分の1未満
⑦ 10分の7　⑧ 10分の4
⑨ 45　⑩ 60　⑪ 150　⑫ 90
⑬ 36　⑭ 330　⑮ 270　⑯ 30
⑰ 180　⑱ 120　⑲ 300　⑳ 240

進捗チェック
労基　安衛　労災　雇用　労一

解答

A ► ⑥ 所定給付日数の3分の1未満

B ► ⑫ 90

C ► ⑮ 270

D ► ⑨ 45

E ► ⑧ 10分の4

根拠条文等

法56条の3,1項2号、3項2号、則83条の6他

1．常用就職支度手当は、身体障害者等である**受給資格者等**が安定した職業に就いた場合であって、次の①～④のいずれにも該当する場合に支給される。

① **公共職業安定所又は職業紹介事業者等の紹介により1年以上引き続き雇用**されることが確実であると認められる職業に就いた場合であって、常用就職支度手当を支給することが当該受給資格者等の職業の安定に資すると認められるものであること

② **離職前の事業主**に再び雇用されたものでないこと

③ **待期**及び離職理由又は職業紹介拒否等による**給付制限の期間が経過した後**職業に就いたこと

④ 安定した職業に就いた日前**3年以内**の就職について就業促進手当の支給を受けたことがないこと

2．常用就職支度手当の支給を受けようとする受給資格者等は、安定した職業に就いた日の翌日から起算して**1箇月以内**に、常用就職支度手当支給申請書を管轄公共職業安定所の長に提出しなければならない。

Step-Up! アドバイス

・再就職手当（就業促進定着手当を含む。）の支給対象は受給資格者のみであるが、常用就職支度手当は、高年齢受給資格者、特例受給資格者及び日雇受給資格者も支給対象とされている。

健保	国年	厚年	社一

25 求職活動支援費 Basic

チェック欄 1 ／ 2 ／ 3 ／

(1) 求職活動支援費は、受給資格者等が求職活動に伴い次の①～③のいずれかに該当する行為をする場合において、公共職業安定所長が厚生労働大臣の定める基準に従って必要があると認めたときに、その区分に応じ、それぞれ①～③に定めるものを支給する。

① [A]による広範囲の地域にわたる求職活動…**広域求職活動費**

② [B]に従って行う職業に関する教育訓練の受講その他の活動…**短期訓練受講費**

③ 求職活動を容易にするための役務の利用…[C]

(2) 短期訓練受講費の額は、受給資格者等がその対象となる教育訓練の受講のために支払った費用の額（入学料及び受講料に限る。）に[D]を乗じて得た額（その額が[E]を超えるときは、[E]）とする。

選択肢

① 100分の20　② 100分の40　③ 100分の50
④ 100分の10　⑤ 2万円　⑥ 5万円
⑦ 10万円　⑧ 20万円
⑨ 公共職業安定所の紹介　⑩ 教育訓練機関の推薦
⑪ 公共職業安定所の指示　⑫ 公共職業安定所の職業指導
⑬ 認定職業訓練機関の指示　⑭ 厚生労働大臣の定める基準
⑮ 保育等サービス利用費
⑯ 対象教育訓練受講サービス費
⑰ 求職活動関係役務利用費　⑱ 受講費
⑲ 職業紹介事業者の紹介
⑳ 公共職業安定所又は職業紹介事業者の紹介

解答

A ▶ ⑨　公共職業安定所の紹介
B ▶ ⑫　公共職業安定所の職業指導
C ▶ ⑰　求職活動関係役務利用費
D ▶ ①　100分の20
E ▶ ⑦　10万円

根拠条文等
法59条、
則95条の２、
則100条の２、
則100条の３

1．求職活動支援費の支給額

①　広域求職活動費
・鉄道賃・船賃・航空賃・車賃…管轄公共職業安定所の所在地から訪問事業所の所轄公共職業安定所の所在地までの順路によって計算
・宿泊料…8,700円（一定地域7,800円）/１泊

②　短期訓練受講費
・入学料及び受講料の額×**100分の20**、上限10万円※下限なし

③　求職活動関係役務利用費
・保育等サービス利用のために負担した費用の額（１日当たり8,000円限度）×**100分の80**
・上限日数：面接等15日、訓練受講60日

2．求職活動支援費の支給申請書の提出日（期限）

①　広域求職活動費
広域求職活動を終了した日の翌日から起算して10日以内

②　短期訓練受講費
教育訓練を修了した日の翌日から起算して１箇月以内

③　求職活動関係役務利用費
・受給資格者…基本手当の失業の認定の対象となる日について、当該失業の認定を受ける日
・高年齢受給資格者、特例受給資格者又は日雇受給資格者…保育等サービスを利用をした日の翌日から起算して４箇月以内

健保	国年	厚年	社一

26 教育訓練給付金

Basic

チェック欄
1 ／
2 ／
3 ／

教育訓練給付金は、次の①又は②のいずれかに該当する者（教育訓練給付対象者）が、厚生労働省令で定めるところにより、[A]を図るために必要な職業に関する教育訓練として**厚生労働大臣が指定**する教育訓練を受け、当該教育訓練を修了した場合（[B]を受けている場合であって、当該[B]の受講状況が適切であると認められるときを含み、当該教育訓練に係る**指定教育訓練実施者**により厚生労働省令で定める**証明**がされた場合に限る。）において、**支給要件期間が**[C]**以上**であるときに、支給する。

① 基準日※に**一般被保険者又は高年齢被保険者**である者

② 上記①に掲げる者以外の者であって、基準日が当該基準日の直前の一般被保険者又は高年齢被保険者でなくなった日から厚生労働省令で定める期間内にあるもの

ただし、基準日前に教育訓練給付金を受けたことがない者にあっては、次の期間以上ある場合に支給要件期間を満たすものとされる。

一般教育訓練・特定一般教育訓練…[D]以上

専門実践教育訓練…[E]以上

選択肢

A	① 生活及び雇用の安定 ② 雇用機会の増大 ③ 能力の開発及び向上 ④ 雇用の安定及び就職の促進
B	① 専門実践教育訓練 ② 特定一般教育訓練 ③ 一般教育訓練 ④ 専門実践教育訓練又は特定一般教育訓練
C	① 1年 ② 2年 ③ 3年 ④ 4年
D	① 1年 ② 2年 ③ 3年 ④ 4年
E	① 1年 ② 2年 ③ 3年 ④ 4年

解答

A ▶ ④　雇用の安定及び就職の促進

B ▶ ①　専門実践教育訓練

C ▶ ③　3年

D ▶ ①　1年

E ▶ ②　2年

根拠条文等

法60条の2,1項、法附則11条、則101条の2の3、則附則24条

※基準日…教育訓練を開始した日

1．教育訓練支援給付金の支給要件

教育訓練支援給付金は、教育訓練給付対象者（基準日前に教育訓練給付金の支給を**受けたことがない**支給要件期間が**2年以上**の者のうち、基準日が当該基準日の直前の一般被保険者でなくなった日から**1年**（原則）の期間内にある**一般被保険者であった者**であって、厚生労働省令で定めるものに限る。）であって、**令和9年3月31日以前**に一定の**専門実践教育訓練**を開始したもの（当該教育訓練を開始した日における年齢が**45歳未満**であるものに限る。）が、当該教育訓練を受けている日（当該教育訓練に係る指定教育訓練実施者によりその旨の証明がされた日に限る。）のうち失業している日（失業していることについての認定を受けた日に限る。）について支給される。

2．教育訓練支援給付金の額（日額）

教育訓練支援給付金の額（日額）は、**基本手当の日額に相当する額**に**100分の60**を乗じて得た額である。

27 高年齢雇用継続基本給付金

Basic

チェック欄
1 ／
2 ／
3 ／

(1) **高年齢雇用継続基本給付金**は、被保険者（［ A ］を除く。以下本問において同じ。）が次の要件に該当するときに、**支給対象月**について支給する。

① 被保険者に対して**支給対象月**に支払われた賃金の額が、**みなし賃金日額**に**30**を乗じて得た額の**100分の**［ B ］に相当する額を下回っていること。

② 当該被保険者が［ C ］**に達した日**又は［ C ］**に達した日後**において、**算定基礎期間に相当する期間が**［ D ］以上あること。

③ **支給対象月**に支払われた賃金の額が、**支給限度額未満**であること。

(2) 被保険者は、**初めて**高年齢雇用継続基本給付金の支給を受けようとするときは、原則として、**支給対象月の初日から起算して**［ E ］以内に高年齢雇用継続給付受給資格確認票・(初回) 高年齢雇用継続給付支給申請書に雇用保険被保険者**六十歳到達時等賃金証明書**等を添えて、事業主を経由してその事業所の所在地を管轄する公共職業安定所の長に提出しなければならない。

選択肢

① 日雇労働被保険者　② 1年　③ 10年
④ 短期雇用特例被保険者及び日雇労働被保険者
⑤ 2年　⑥ 59歳
⑦ 高年齢被保険者、短期雇用特例被保険者及び日雇労働被保険者
⑧ 60歳　⑨ 65歳　⑩ 61歳　⑪ 80
⑫ 75　⑬ 2箇月　⑭ 4箇月　⑮ 61
⑯ 40　⑰ 6箇月　⑱ 15年
⑲ 高年齢被保険者　⑳ 5年

解答

A ▶ ④	短期雇用特例被保険者及び日雇労働被保険者
B ▶ ⑫	75
C ▶ ⑧	60歳
D ▶ ⑳	5年
E ▶ ⑭	4箇月

根拠条文等
法61条1項、則101条の5,1項

おぼえとるかい？

1．高年齢雇用継続基本給付金の支給額

●支給対象月の賃金額が
Ⓐ※の**64**％未満の場合→「支給対象月の賃金額×**10**％」（Ⓑ）を支給
Ⓐの**64**％以上**75**％未満→「支給対象月の賃金額×**10**％から一定割合で逓減する率」（Ⓑ）を支給
※Ⓐとは、「みなし賃金日額×30」相当額をいう。

●ただし、次の特例あり
① Ⓑ＋支給対象月の賃金額＞376,750円（支給限度額）の場合
→「376,750円－支給対象月の賃金額」を支給
② Ⓑが「2,869円×80％」以下（2,295円以下）の場合
→高年齢雇用継続基本給付金は支給されない。

2．高年齢雇用継続基本給付金の支給期間は、原則として、被保険者が**60歳**に達した日の属する月から**65歳**に達する日の属する月までである。

Step-Up! アドバイス

・**支給要件**の判断においては、支給対象月に**非行、疾病、負傷、事業所の休業**等の理由により支払を受けることができなかった賃金がある場合には、その**支払を受けたものとみなして**賃金額を算定する（高年齢再就職給付金も同様）。
・**支給額**の算定においては、非行、疾病、負傷、事業所の休業等の理由により支払を受けることができなかった賃金は加算せず、**実際に支払われた賃金額により算定**する（高年齢再就職給付金も同様）。

健保	国年	厚年	社一

28 高年齢再就職給付金

Basic

チェック欄
1 ／
2 ／
3 ／

(1) 高年齢再就職給付金は、受給資格者（その受給資格に係る離職の日における[A]**が５年以上**あり、かつ、当該受給資格に基づく基本手当の支給を**受けたことがある**者に限る。）が**60歳に達した日以後安定した職業に就く**ことにより**被保険者**※**となった**場合において、当該被保険者に対し**再就職後の支給対象月**に支払われた賃金の額が、当該基本手当の日額の算定の基礎となった賃金日額に30を乗じて得た額の[B]**に相当する額を下るに至ったとき**に、当該再就職後の支給対象月について支給する。ただし、次の①又は②に該当するときは、この限りでない。

① 当該職業に就いた日（(2)において「就職日」という。）の前日における支給残日数が、[C]であるとき。

② 当該再就職後の支給対象月に支払われた賃金の額が、**支給限度額以上**であるとき。

(2) 上記(1)の「再就職後の支給対象月」とは、就職日の属する月から当該就職日の翌日から起算して[D]（当該就職日の前日における支給残日数が**200日未満**である被保険者については、**１年**）を経過する日の属する月（その月が被保険者が[E]に達する日の属する月後であるときは、[E]に達する日の属する月）までの期間内にある月（その月の**初日から末日まで**引き続いて、**被保険者であり**、かつ、**介護休業給付金又は育児休業給付金、出生時育児休業給付金**若しくは**出生後休業支援給付金**の支給を受けることができる**休業をしなかった**月に限る。）をいう。

選択肢

① 被保険者期間	② 100日未満	③ 算定対象期間
④ 150日未満	⑤ 支給要件期間	⑥ 算定基礎期間
⑦ 200日以上	⑧ 65歳	⑨ 70歳
⑩ ３年	⑪ ２年	⑫ ６箇月
⑬ １年６箇月	⑭ 63歳	⑮ 61歳
⑯ 100日以上	⑰ 100分の50	⑱ 100分の80
⑲ 100分の67	⑳ 100分の75	

進捗チェック
労基 安衛 労災 雇用 労一

解答

A ▶ ⑥ 算定基礎期間

B ▶ ⑳ 100分の75

C ▶ ② 100日未満

D ▶ ⑪ 2年

E ▶ ⑧ 65歳

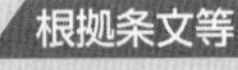

法61条の2,1項、2項

※短期雇用特例被保険者及び日雇労働被保険者を除く。

雇用

1. 高年齢再就職給付金の支給額は、高年齢雇用継続基本給付金と同様の方法により算定した額である。
2. 被保険者は、初めて高年齢再就職給付金の支給を受けようとするときは、原則として、再就職後の支給対象月の初日から起算して**4箇月以内**に、高年齢雇用継続給付受給資格確認票・（初回）高年齢雇用継続給付支給申請書に所定の書類を添えて、事業主を経由してその事業所の所在地を管轄する公共職業安定所の長に提出しなければならない。
3. 高年齢再就職給付金の支給を受けることができる者が、**同一の就職**につき**再就職手当**の支給を受けることができる場合において、その者が再就職手当の支給を受けたときは高年齢再就職給付金は支給されず、高年齢再就職給付金の支給を受けたときは再就職手当は支給されない（いずれの給付を受給するかは、本人の選択に委ねられている。）。
4. **偽り**その他**不正の行為**により次の①②に掲げる失業等給付の支給を受け、又は受けようとした者には、当該給付の支給を受け、又は受けようとした日以後、原則として当該①②に定める高年齢雇用継続給付を支給しない。
   ① 高年齢雇用継続基本給付金…**高年齢雇用継続基本給付金**
   ② 高年齢再就職給付金又は当該給付金に係る受給資格に基づく**求職者給付**若しくは**就職促進給付**…**高年齢再就職給付金**

29 介護休業給付金

Basic

チェック欄
1 ／
2 ／
3 ／

(1) 介護休業給付金は、被保険者※が、対象家族（当該被保険者の**配偶者**、**父母**、**子**、**祖父母**、**兄弟姉妹**及び**孫**並びに［ A ］をいう。）を介護するための休業（介護休業）をした場合において、原則として、当該介護休業（当該対象家族を介護するための2回以上の介護休業をした場合にあっては、初回の介護休業とする。）を開始した日**前2年間**に、**みなし被保険者期間**が**通算して12箇月以上**であったときに、支給単位期間について支給する。

(2) 上記(1)にかかわらず、被保険者が介護休業について介護休業給付金の支給を受けたことがある場合において、当該被保険者が次のいずれかに該当する介護休業をしたときは、介護休業給付金は、支給しない。

① **同一の対象家族**について当該被保険者が［ B ］以上の介護休業をした場合における［ B ］目以後の介護休業

② **同一の対象家族**について当該被保険者がした介護休業ごとに、当該介護休業を開始した日から当該介護休業を終了した日までの日数を合算して得た日数が［ C ］に達した日後の介護休業

(3) 介護休業給付金の額は、一支給単位期間について、休業開始時賃金日額に**支給日数**を乗じて得た額の［ D ］（当分の間、［ E ］）に相当する額とする（原則）。

選択肢

① 配偶者の父母及び祖父母

②	4回	③	100分の30	④	100分の50		
⑤	3回	⑥	100分の70	⑦	100分の40		
⑧	6回	⑨	100分の61	⑩	100分の67		
⑪	5回	⑫	100分の75	⑬	100分の80		
⑭	90日	⑮	180日	⑯	60日	⑰	93日

⑱ 配偶者の父母　⑲ 三親等内の親族　⑳ 同居の親族

解答

A ► ⑱ 配偶者の父母
B ► ② 4回
C ► ⑰ 93日
D ► ⑦ 100分の40
E ► ⑩ 100分の67

根拠条文等
法61条の4,1項、4項、6項、法附則12条、則101条の17

※短期雇用特例被保険者及び日雇労働被保険者を除く。

1．介護休業給付金の額

(1)原則

（休業開始時賃金日額×支給日数）×$\frac{40}{100}$（当分の間$\frac{67}{100}$）

支給単位期間	支給日数
①②以外の支給単位期間	30日
②**休業終了日**の属する支給単位期間	**休業開始日又は休業開始応当日から休業終了日までの日数**

(2)事業主から支給単位期間に賃金が支払われた場合

① 支払われた賃金額が「Ⓐ※の40%（13%）以下」
→Ⓐ×40%(67%)

② 支払われた賃金額が「Ⓐの40%（13%）超80%未満」
→Ⓐ×80%－賃金額

③ 支払われた賃金額が「Ⓐの80%以上」→不支給

※Ⓐ＝休業開始時賃金日額×支給日数

2．休業開始時賃金日額の上限

介護休業給付金の額の算定の基礎となる休業開始時賃金日額は、**45歳以上60歳未満**の受給資格者に係る賃金日額の最高限度額を上限とする。

健保	国年	厚年	社一

30 育児休業給付金

Basic

チェック欄
1 ／
2 ／
3 ／

(1) 育児休業給付金が支給されるためには、支給単位期間において公共職業安定所長が就業をしていると認める日数が[A]([A]を超える場合にあっては、公共職業安定所長が就業をしていると認める時間が[B]) 以下であることが必要である。

(2) 被保険者(短期雇用特例被保険者及び日雇労働被保険者を除く。31において同じ。) が育児休業について育児休業給付金の支給を受けたことがある場合において、当該被保険者が同一の子について[C]以上の育児休業 (厚生労働省令で定める場合に該当するものを除く。) をした場合における[C]目以後の育児休業については、育児休業給付金は、支給しない。

(3) 育児休業給付金の額は、一支給単位期間について、休業開始時賃金日額に支給日数を乗じて得た額の[D] (当該育児休業 (同一の子について2回以上の育児休業をした場合にあっては、初回の育児休業とする。) を開始した日から起算し当該育児休業給付金の支給に係る休業日数が通算して180日に達するまでの間に限り、[E]) に相当する額とする。

選択肢

A	① 5日 ② 10日 ③ 2週間 ④ 4週間
B	① 20時間 ② 60時間 ③ 80時間 ④ 100時間
C	① 2回 ② 3回 ③ 4回 ④ 5回
D	① 100分の50 ② 100分の64 ③ 100分の67 ④ 100分の75
E	① 100分の50 ② 100分の64 ③ 100分の67 ④ 100分の75

解答

A ► ② 10日
B ► ③ 80時間
C ► ② 3回
D ► ① 100分の50
E ► ③ 100分の67

根拠条文等
法61条の7,1項、2項、6項、則101条の22

1．育児休業等給付の全体図

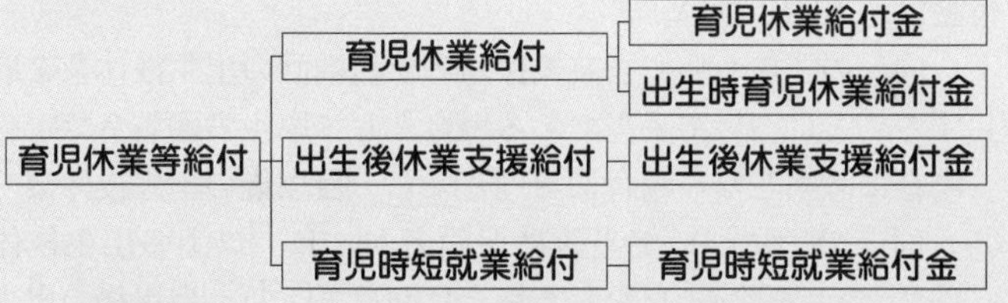

2．支給日数

設問文(3)の「支給日数」は、支給単位期間の区分に応じて、次のように定められている。

① 下記②に掲げる支給単位期間以外の支給単位期間…**30日**

② 当該育児休業を終了した日の属する支給単位期間
…当該支給単位期間における当該育児休業を開始した日又は休業開始応当日から当該育児休業を終了した日までの日数(**暦日数**)

雇用

31 出生時育児休業給付金・出生後休業支援給付金 Basic

チェック欄
1 ／
2 ／
3 ／

(1) 出生時育児休業給付金に係る「**出生時育児休業**」とは、原則として、被保険者の子の出生の日から起算して［ A ］**を経過する日の翌日**までの期間内に［ B ］**以内**の期間を定めて当該子を養育するための休業※（当該被保険者が出生時育児休業給付金の支給を受けることを**希望**する旨を公共職業安定所長に申し出たものに限る。）をいう。

(2) 被保険者が出生後休業について出生後休業支援給付金の支給を**受けたことがある**場合において、当該被保険者が次の①から③のいずれかに該当する出生後休業をしたときは、**出生後休業支援給付金は、支給しない**。

① 同一の子について当該被保険者が複数回の出生後休業を取得することについて妥当である場合として厚生労働省令で定める場合に該当しない場合における［ C ］**目以後**の出生後休業

② 同一の子について当該被保険者が［ D ］以上の出生後休業（一定の者を除く。）をした場合における［ D ］**目以後**の出生後休業

③ 同一の子について当該被保険者がした出生後休業ごとに、当該出生後休業を開始した日から当該出生後休業を終了した日までの日数を**合算して得た日数**が［ E ］に達した日後の出生後休業

選択肢

A	① 4週間	② 8週間	③ 1箇月	④ 16週間
B	① 1週間	② 10日	③ 2週間	④ 4週間
C	① 2回	② 3回	③ 4回	④ 5回
D	① 2回	② 3回	③ 4回	④ 5回
E	① 14日	② 28日	③ 30日	④ 56日

解答

A ▶ ② 8週間

B ▶ ④ 4週間

C ▶ ① 2回

D ▶ ④ 5回

E ▶ ② 28日

根拠条文等
法61条の8,1項、
法61条の10,3項

※既に同一の子について育児休業給付金の支給を受けていた場合は、当該育児休業給付金の支給に係るものは除かれる。

出生後休業支援給付金の支給要件

出生後休業支援給付金は、被保険者が、厚生労働省令で定めるところにより、対象期間内にその子を養育するための休業（出生後休業）をした場合において、次の①から③に掲げる要件のいずれにも該当するときに、支給される。ただし、配偶者のない者である場合等一定の場合については、③の要件は問われない。

① 原則として、当該出生後休業（当該子について2回以上の出生後休業をした場合にあっては、初回の出生後休業とする。）を**開始した日前2年間**に、みなし被保険者期間が通算して**12箇月以上**であったとき。

② 対象期間内にした**出生後休業**の日数が通算して**14日以上**であるとき。

③ 当該被保険者の**配偶者が**当該出生後休業に係る子について**出生後休業をしたとき**（当該配偶者が当該子の出生の日から起算して**8週間**を経過する日の翌日までの期間内にした出生後休業の日数が通算して**14日以上**であるときに限る。）。

32 給付制限

Basic

チェック欄
1 ／
2 ／
3 ／

被保険者が**自己の責めに帰すべき重大な理由**によって解雇され、又は**正当な理由がなく自己の都合**によって退職した場合には、**待期期間満了後**［ A ］の間で公共職業安定所長の定める期間は、基本手当を支給しない。ただし、次に掲げる受給資格者（①に掲げる者にあっては公共職業安定所長の指示した公共職業訓練等を受ける期間及び当該公共職業訓練等を［ B ］期間に限り、③に掲げる者にあっては②に規定する訓練を［ C ］期間に限る。）については、この限りでない。

① **公共職業安定所長の指示した公共職業訓練等**を受ける受給資格者（②に該当する者を除く。）

② **教育訓練給付金に係る教育訓練その他の厚生労働省令で定める訓練**を基準日［ D ］に受けたことがある受給資格者（**正当な理由がなく自己の都合**によって退職した者に限る。③において同じ。）

③ 上記②に規定する訓練を［ E ］に受ける受給資格者（②に該当する者を除く。）

選択肢

A	① 1箇月以上　② 3箇月以上 ③ 1箇月以上3箇月以内　④ 3箇月以内
B	① 受け終わった日後の　② 受けるまでの ③ 受け終わった日後30日の ④ 受け終わった日後90日の
C	① 受け終わった日後の　② 受けるまでの ③ 受けるまでの期間及び受ける ④ 受ける期間及び当該訓練を受け終わった日後の
D	① 前1年以内　② 以前1年以内 ③ 前2年以内　④ 以前2年以内
E	① 基準日以後　② 基準日後 ③ 基準日以後1年以内　④ 基準日後1年以内

進捗チェック
労基 安衛 労災 雇用 労一

解答

A ▶ ③　1箇月以上3箇月以内

B ▶ ①　受け終わった日後の

C ▶ ④　受ける期間及び当該訓練を受け終わった日後の

D ▶ ①　前1年以内

E ▶ ①　基準日以後

法33条1項

おぼえとるかい？

1．就職、職業訓練、職業指導拒否をした場合の給付制限

受給資格者（**受講後**の訓練延長給付、個別延長給付、広域延長給付、全国延長給付又は地域延長給付を受けている者を**除く**。）が、公共職業安定所の紹介する**職業に就くこと**又は公共職業安定所長の指示した**公共職業訓練等を受けること**を**拒んだとき**は、原則として、その拒んだ日から起算して**1箇月間**は、**基本手当は支給されない。**

2．不正受給による給付制限

偽りその他不正の行為によって求職者給付又は就職促進給付の支給を**受け**、又は**受けようとした**者は、これらの給付の**支給を受け、又は受けようとした日以後、基本手当は支給しない**。ただし、やむを得ない理由がある場合には、基本手当の全部又は一部を支給することができる。

健保	国年	厚年	社一

33 通則・雇用保険二事業

Basic

チェック欄
1 ／
2 ／
3 ／

(1) 失業等給付の支給を受けることができる者が死亡した場合において、その者に支給されるべき失業等給付でまだ支給されていないものがあるときは、その者の**配偶者**、**子**、**父母**、[A]であって、その者の死亡の当時その者と**生計を同じく**していたものは、その者が**死亡した日の翌日**から起算して[B]以内に、**自己の名**で、その未支給の失業等給付の支給を請求することができる。

(2) **政府**は、被保険者、被保険者であった者及び被保険者になろうとする者（以下本問において「被保険者等」という。）に関し、**失業の予防**、**雇用状態の是正**、[C]その他**雇用の安定**を図るため、**雇用安定事業**を行うことができる。

(3) **政府**は、被保険者等に関し、**職業生活の全期間**を通じて、これらの者の**能力を開発**し、及び**向上**させることを促進するため、[D]を行うことができる。

(4) 雇用安定事業及び[D]は、被保険者等の**職業の安定**を図るため、[E]に資するものとなるよう**留意**しつつ、行われるものとする。

選択肢

① 1年　② 2年　③ 6箇月　④ 1箇月
⑤ 労働福祉事業　⑥ 孫、祖父母又は兄弟姉妹
⑦ 雇用福祉事業　⑧ 福祉の増進　⑨ 就業の確保
⑩ 能力開発事業　⑪ 雇用機会の均等　⑫ 雇用機会の増大
⑬ 適応性の増大　⑭ 就職の促進　⑮ 雇用促進事業
⑯ 祖父母、兄弟姉妹又はこれら以外の三親等内の親族
⑰ 求職活動の支援　⑱ 労働生産性の向上
⑲ 孫、祖父母、兄弟姉妹又は配偶者の父母
⑳ 孫、祖父母又はこれら以外の三親等内の親族

解答

A ▶ ⑥ 孫、祖父母又は兄弟姉妹

B ▶ ③ 6箇月

C ▶ ⑫ 雇用機会の増大

D ▶ ⑩ 能力開発事業

E ▶ ⑱ 労働生産性の向上

根拠条文等

法10条の3,1項、法62条1項、法63条1項、法64条の2、則17条の2,1項

1. **失業等給付**を受ける権利は、譲り渡し、担保に供し、又は差し押えることができない。
2. **租税**その他の**公課**は、**失業等給付**として支給を受けた金銭を標準として課することができない。
3. 政府は、雇用安定事業及び能力開発事業の一部を独立行政法人**高齢・障害・求職者雇用支援機構**に行わせるものとする。
4. 政府は、被保険者であった者及び被保険者になろうとする者の就職に必要な能力を開発し、及び向上させるため、能力開発事業として、職業訓練の実施等による特定求職者の就職の支援に関する法律に規定する**認定職業訓練**を行う者に対して、同法の規定による助成を行うこと及び同法に規定する**特定求職者**に対して、同法の**職業訓練受講給付金**を支給することができる。
5. 雇用保険二事業の一部又は当該事業に係る施設は、被保険者等の**利用に支障がなく、かつ、その利益を害しない限り**、被保険者等**以外**の者に利用させることができる。

Step-Up! アドバイス

・未支給給付の請求、不正受給による給付の返還命令・納付命令、受給権の保護及び公課の禁止の規定は、育児休業等給付についても準用される。

健保	国年	厚年	社一

34 国庫負担

Basic

チェック欄 1 / 2 / 3 /

雇用保険法第66条第1項は、「国庫は、次に掲げる区分によって、求職者給付（ A を除く。第1号において同じ。）及び雇用継続給付（ B に限る。第3号において同じ。）、育児休業給付並びに第64条に規定する C の支給に要する費用の一部を負担する。

第1号　日雇労働求職者給付金以外の求職者給付については、次のイ又はロに掲げる場合の区分に応じ、当該イ又はロに定める割合

イ　毎会計年度の前々会計年度における労働保険特別会計の雇用勘定の財政状況及び求職者給付の支給を受けた受給資格者の数の状況が、当該会計年度における求職者給付の支給に支障が生じるおそれがあるものとして政令で定める基準に該当する場合…当該日雇労働求職者給付金以外の求職者給付に要する費用の D

ロ　イに掲げる場合以外の場合…当該日雇労働求職者給付金以外の求職者給付に要する費用の E

第2号～第5号（略）」と規定している。

選択肢

A	①	傷病手当	②	特例一時金				
	③	高年齢求職者給付金	④	日雇労働求職者給付金				
B	①	高年齢再就職給付金	②	高年齢雇用継続基本給付金				
	③	高年齢雇用継続給付	④	介護休業給付金				
C	①	就職促進給付	②	能力開発事業				
	③	職業訓練受講給付金	④	雇用安定事業				
D	①	4分の1	②	3分の1	③	30分の1	④	40分の1
E	①	4分の1	②	3分の1	③	30分の1	④	40分の1

進捗チェック
労基 | 安衛 | 労災 | 雇用 | 労一

解答

A ► ③ 高年齢求職者給付金

B ► ④ 介護休業給付金

C ► ③ 職業訓練受講給付金

D ► ① 4分の1

E ► ④ 40分の1

根拠条文等

法66条1項

国庫負担の割合は次の通りとなっている。

〈国庫負担の割合〉

給付		国庫負担の割合
日雇労働求職者給付金以外の求職者給付（高年齢求職者給付金及び広域延長給付受給者に係るものを除く。）	①雇用情勢及び雇用保険の財政状況が悪化している場合	**4分の1**
	②上記①以外の場合	**40分の1**
・**日雇労働求職者給付金** ・広域延長給付受給者に係る求職者給付	①雇用情勢及び雇用保険の財政状況が悪化している場合	**3分の1**
	②上記①以外の場合	**30分の1**
雇用継続給付（介護休業給付金に限る。）		**8分の1** ※1
育児休業給付		**8分の1**
職業訓練受講給付金		**2分の1** ※2

※1 当分の間は、当該負担割合の100分の55（令和6年度から令和8年度までの各年度においては、100分の10）

※2 当分の間は、当該負担割合の100分の55

雇用

健保	国年	厚年	社一

35 不服申立て・雑則

Basic

チェック欄
1 ／
2 ／
3 ／

(1) 被保険者となったこと若しくは被保険者でなくなったことの［ A ］、**失業等給付**及び**育児休業等給付**（以下「失業等給付等」という。）に関する処分又は**不正受給**による失業等給付の**返還命令**若しくは**納付命令**（育児休業等給付において準用する場合を含む。）に関する処分に**不服**のある者は、［ B ］に対して**審査請求**をし、その決定に不服のある者は、［ C ］に対して**再審査請求**をすることができる。

(2) 上記(1)の審査請求をしている者は、審査請求をした日の翌日から起算して［ D ］を経過しても審査請求についての決定がないときは、［ B ］が審査請求を棄却したものとみなすことができる。

(3) **失業等給付等**の支給を受け、又はその**返還を受ける権利**及び不正受給による失業等給付の返還命令又は納付命令の規定（育児休業等給付において準用する場合を含む。）により納付をすべきことを命ぜられた金額を**徴収する**権利は、これらを行使することができる時から［ E ］を経過したときは、時効によって消滅する。

選択肢

①　厚生労働大臣　　②　労働保険審査会
③　労働政策審議会　　④　公共職業安定所長
⑤　労使委員会　　⑥　1年　　⑦　2年
⑧　社会保険審査官　　⑨　3年　　⑩　4年
⑪　社会保障審議会　　⑫　認定　　⑬　裁定
⑭　雇用保険審査官　　⑮　承認　　⑯　確認
⑰　30日　　⑱　60日　　⑲　3箇月　　⑳　6箇月

解答

A ▶ ⑯　確認

B ▶ ⑭　雇用保険審査官

C ▶ ②　労働保険審査会

D ▶ ⑲　３箇月

E ▶ ⑦　２年

根拠条文等

法69条１項、２項、法74条

1．審査請求は、原則として、審査請求人が**原処分があったことを知った日の翌日**から起算して**３月**を経過したときは、することができない。また、再審査請求は、原則として、審査請求についての雇用保険審査官の**決定書の謄本が送付された日の翌日**から起算して**２月**を経過したときは、することができない。

2．審査請求及び再審査請求は、時効の**完成猶予及び更新**に関しては、**裁判上の請求**とみなされる。

3．被保険者となったこと又は被保険者でなくなったことの確認に関する処分が**確定**したときは、当該処分についての不服を当該処分に基づく**失業等給付等**に関する処分についての不服の理由とすることができない。

4．審査請求は、**文書又は口頭**ですることができるが、再審査請求は、**文書**でしなければならない。

5．事業主及び労働保険事務組合は、雇用保険に関する書類（雇用安定事業又は能力開発事業に関する書類及び労働保険徴収法又は同法施行規則による書類を除く。）をその完結の日から**２年間**（被保険者に関する書類にあっては、**４年間**）保管しなければならない。

1 定義等

Step-Up

チェック欄
1 ／
2 ／
3 ／

⑴ 雇用保険法第４条第２項において、「[A]」とは、被保険者について、事業主との「雇用関係」が終了することをいう、とされている。この「雇用関係」とは、民法第623条の規定による雇用関係のみでなく、労働者が[B]を受けて、その規律の下に労働を提供し、その提供した労働の対償として事業主から賃金、給料その他これらに準ずるものの支払を受けている関係をいう。

⑵ 雇用保険法第２条第２項において、雇用保険の事務の一部は、政令で定めるところにより、[C]が行うこととすることができる、とされている。なお、政令では、同法第63条第１項第１号に掲げる事業（能力開発事業）のうち職業能力開発促進法第11条第１項に規定する計画に基づく職業訓練を行う事業主及び職業訓練の推進のための活動を行う同法第13条に規定する事業主等（中央職業能力開発協会を除く。）に対する助成の事業の実施に関する事務は、[C]が行うこととする、とされている。

⑶ 厚生労働大臣は、雇用保険法の施行に関する重要事項について決定しようとするときは、あらかじめ、[D]の意見を聴かなければならない。

[D]は、厚生労働大臣の諮問に応ずるほか、必要に応じ、雇用保険事業の運営に関し、関係行政庁に[E]し、又はその報告を求めることができる。

選択肢

① 社会保障審議会　② 上申　③ 勧告
④ 労働基準法の適用　⑤ 解雇　⑥ 意見
⑦ 都道府県知事　⑧ 失業　⑨ 離職
⑩ 労働政策審議会　⑪ 退職　⑫ 建議
⑬ 事業主の管理　⑭ 政府の保護
⑮ 事業主の支配　⑯ 中央職業安定審議会
⑰ 労働基準監督署長　⑱ 地方事務官
⑲ 労働保険審査会　⑳ 都道府県労働局長

解答

A ▶ ⑨ 離職

B ▶ ⑮ 事業主の支配

C ▶ ⑦ 都道府県知事

D ▶ ⑩ 労働政策審議会

E ▶ ⑫ 建議

根拠条文等

法2条2項、
法4条2項、
法72条、
令1条1項、
行政手引20004

MEMO

健保	国年	厚年	社一

2 自動変更対象額 Step-Up

チェック欄
1 ／
2 ／
3 ／

(1) 雇用保険法において「自動変更対象額」とは、[A]の算定に当たって、100分の80を乗ずる[B]の範囲となる額及び100分の80から100分の50までの範囲の率を乗ずる[B]の範囲となる額（受給資格に係る離職の日において[C]である受給資格者については、100分の80から100分の45までの範囲の率を乗ずる[B]の範囲となる額）並びに[B]の最低限度額及び最高限度額をいう。

(2) 厚生労働大臣は、年度（4月1日から翌年の3月31日までをいう。以下同じ。）の平均給与額（厚生労働省において作成する[D]における労働者の平均定期給与額を基礎として厚生労働省令で定めるところにより算定した労働者1人当たりの給与の平均額をいう。以下同じ。）が直近の自動変更対象額が変更された年度の前年度の平均給与額を超え、又は下るに至った場合においては、その上昇し、又は低下した比率に応じて、その[E]以後の自動変更対象額を変更しなければならない。

選択肢

① 翌々年度の8月1日	② 雇用保険事業統計
③ 賃金構造基本統計調査	④ 標準賃金日額
⑤ 毎月勤労統計	⑥ 基本手当の日額
⑦ 平均賃金	⑧ 給付基礎日額
⑨ 60歳以上65歳未満	⑩ 翌々年度の9月1日
⑪ 賃金事情等総合調査	⑫ 標準報酬
⑬ 翌年度の9月1日	⑭ 45歳以上60歳未満
⑮ 翌年度の8月1日	⑯ 65歳以上
⑰ 算定基礎日額	⑱ 標準報酬日額
⑲ 賃金日額	⑳ 30歳未満

解答

A ▶ ⑥ 基本手当の日額
B ▶ ⑲ 賃金日額
C ▶ ⑨ 60歳以上65歳未満
D ▶ ⑤ 毎月勤労統計
E ▶ ⑮ 翌年度の８月１日

根拠条文等
法16条、
法18条１項、
４項

解き方 アドバイス

本問は自動変更対象額の問題ですが、空欄Ａと空欄Ｂは「⑲　賃金日額」と「⑥　基本手当の日額」の違いがきちんと理解できていれば解ける問題です。

なお、自動変更対象額として算定された額が、最低賃金日額〔その年度の４月１日に効力を有する地域別最低賃金（最低賃金法に規定する地域別最低賃金）の額を基礎として算定した額〕に達しないものは、当該最低賃金日額を自動変更対象額とするとされています。

3 失業の認定日の変更・基本手当の減額・特定受給資格者 Step-Up

チェック欄
1 ／
2 ／
3 ／

(1) 受給資格者が職業に就くためその他やむを得ない理由のため、所定の失業の認定日に出頭できない場合には、受給資格者の申出により、管轄公共職業安定所長は失業の認定日を変更することができる。この場合における失業の認定は、その申出を受けた日において、次の①②に掲げる日について行う。

① 当該申出を受けた日がやむを得ない理由のため出頭できない失業の認定日前の日であるときは、当該失業の認定日における失業の認定の対象となる日のうち、［ A ］の各日

② 当該申出を受けた日がやむを得ない理由のため出頭できない失業の認定日後の日であるときは、［ B ］までの各日

(2) 受給資格者が、失業の認定に係る期間中に自己の労働による収入(短時間就労による収入であり、原則として1日の労働時間が［ C ］のもの（被保険者となる場合を除く。）であって、就職とはいえない程度のものをいう。）を得た場合であっても、その収入の1日分に相当する額から控除額を控除した額と基本手当の日額との合計額が［ D ］に相当する額を超えないときは、その収入の基礎となった日数分の基本手当は減額されずに支給される。

(3) 一般被保険者が、賃金（退職手当を除く。）の額を［ E ］で除して得た額を上回る額が支払期日までに支払われなかったことにより離職し、受給資格を取得した場合には、就職困難者に該当する場合を除き、特定受給資格者となる。

選択肢

A	① 失業の認定日の前日まで ② 当該申出を受けた日前 ③ 当該申出を受けた日の前月 ④ 当該申出を受けた日以前
B	① 当該失業の認定日までの各日及び当該失業の認定日の翌日から当該申出を受けた日 ② 当該失業の認定日 ③ 当該失業の認定日における失業の認定の対象となる日及び当該失業の認定日から当該申出を受けた日の前日 ④ 当該失業の認定日の前日
C	① 4時間以下 ② 4時間未満 ③ 6時間未満 ④ 6時間以下
D	① 賃金日額 ② 賃金日額の100分の80 ③ 賃金日額の100分の70 ④ 賃金日額の100分の60
E	① 5 ② 4 ③ 3 ④ 2

解答

A ► ② 当該申出を受けた日前

B ► ③ 当該失業の認定日における失業の認定の対象となる日及び当該失業の認定日から当該申出を受けた日の前日

C ► ② 4時間未満

D ► ② 賃金日額の100分の80

E ► ③ 3

根拠条文等

法15条3項、法19条1項1号、法23条2項2号、則23条1項1号、則24条2項、則36条3号、行政手引51351、行政手引51652

雇用

4 広域延長給付

Step-Up

チェック欄
1 ／
2 ／
3 ／

(1) 厚生労働大臣は、その地域における雇用に関する状況等から判断して、その地域内に居住する求職者がその地域において職業に就くことが困難であると認める地域について、求職者が他の地域において職業に就くことを促進するための計画を作成し、関係都道府県労働局長及び［ A ］に、当該計画に基づく広範囲の地域にわたる職業紹介活動（以下「広域職業紹介活動」という。）を行わせた場合において、当該広域職業紹介活動に係る地域について、政令で定める基準に照らして必要があると認めるときは、その指定する期間内に限り、［ A ］が当該地域に係る当該広域職業紹介活動により［ B ］ことが適当であると認定する受給資格者について、本来の受給期間に政令で定める日数を加えた期間内の失業している日について、所定給付日数を超えて基本手当を支給する措置を決定することができる。この場合において、所定給付日数を超えて基本手当を支給する日数は、［ C ］日を限度とするものとする。

(2) 上記(1)の「政令で定める基準」は、広域職業紹介活動に係る地域について、下記①に掲げる率が②に掲げる率の100分の［ D ］以上となるに至り、かつ、その状態が継続すると認められることとする。

① 毎月、その月前4月間に、当該地域において離職し、当該地域を管轄する公共職業安定所において基本手当の支給を受けた初回受給者（その受給資格に係る離職後最初に基本手当の支給を受けた受給資格者をいう。以下同じ。）の合計数を、当該期間内の各月の末日において［ E ］一般被保険者の合計数で除して計算した率

② 毎年度、当該年度の前年度以前5年間における全国の初回受給者の合計数を当該期間内の各月の末日における全国の一般被保険者の合計数で除して計算した率

進捗チェック

労基	安衛	労災	雇用	労一

選択肢

①	4	②	事業主等	③	労働基準監督署長
④	90	⑤	公共職業安定所長	⑥	150
⑦	職業紹介事業者	⑧	200		
⑨	職業紹介事業者へ登録する	⑩	募集受託者の募集に応じる		
⑪	職業のあっせんを受ける	⑫	実習併用職業訓練を行う		
⑬	30	⑭	当該地域に所在する事業所に雇用されている		
⑮	40	⑯	当該地域に住所又は居所を有する		
⑰	60	⑱	当該地域以外の地域に住所又は居所を有する		
⑲	50	⑳	当該地域に所在する事業所を離職する		

解答

A ▶ ⑤ 公共職業安定所長

B ▶ ⑪ 職業のあっせんを受ける

C ▶ ④ 90

D ▶ ⑧ 200

E ▶ ⑭ 当該地域に所在する事業所に雇用されている

根拠条文等
法25条1項、4項、令5条の2,1号イカッコ書、令6条1項、3項

解き方 アドバイス

広域延長給付の措置が発動されるためには「その地域において職業に就くことが困難である」と認められる必要があるわけですから、空欄Eは、初回受給者と「⑭ 当該地域に所在する事業所に雇用されている」一般被保険者との比率をみる、ということで判断できるとよいでしょう。

健保 | 国年 | 厚年 | 社一 | Goal

5 育児時短就業給付金 Step-Up

チェック欄
1 /
2 /
3 /

(1) 育児時短就業給付金は、被保険者（短期雇用特例被保険者及び日雇労働被保険者を除く。以下本問において同じ。）が、厚生労働省令で定めるところにより、その[A]に満たない子を養育するための所定労働時間を短縮することによる就業（以下「育児時短就業」という。）をした場合において、原則として、当該育児時短就業※1を開始した日前2年間にみなし被保険者期間が通算して12箇月以上であったとき、又は当該被保険者が育児時短就業に係る子について、育児休業給付金の支給を受けていた場合であって当該育児休業給付金に係る育児休業終了後[B]育児時短就業をしたとき、若しくは出生時育児休業給付金の支給を受けていた場合であって当該出生時育児休業給付金に係る出生時育児休業終了後[B]育児時短就業※1をしたときに、[C]について支給する。

(2) (1)の規定にかかわらず、[C]に支払われた賃金の額が、[D]※2以上であるときは、当該[C]については、育児時短就業給付金は、支給しない。

(3) 育児時短就業給付金の支給を受けることができる者が、同一の就業につき[E]の支給を受けることができる場合において、その者が[E]の支給を受けたときは育児時短就業給付金を支給せず、育児時短就業給付金の支給を受けたときは[E]を支給しない。

選択肢

① 1歳	② 1歳6か月	③ 2歳
④ 3歳	⑤ 支給要件期間	⑥ 引き続き
⑦ 支給単位期間	⑧ 1年以内の間に	⑨ 受給期間
⑩ 同一の事業主の事業において		⑪ 支給対象月
⑫ 引き続き配偶者とともに		⑬ 再就職給付金
⑭ 支給限度額	⑮ 支給上限額	⑯ 支給基準額
⑰ 常用就職支度手当		⑱ 就業促進定着手当
⑲ 育児時短就業開始時賃金日額に30を乗じて得た額の100分の75		
⑳ 高年齢雇用継続基本給付金又は高年齢再就職給付金		

※1 当該子について2回以上の育児時短就業をした場合にあっては、初回の育児時短就業とする。

※2 労働者をその賃金の額の高低に従い区分し、その区分された階層のうち最も高い賃金の額に係る階層に属する労働者の賃金の額の中央値の額を基礎として厚生労働大臣が定める額

解答

A ► ③ 2歳

B ► ⑥ 引き続き

C ► ⑪ 支給対象月

D ► ⑭ 支給限度額

E ► ⑳ 高年齢雇用継続基本給付金又は高年齢再就職給付金

根拠条文等

法61条の12,1項、2項、10項

6 通則等

Step-Up

チェック欄
1 ／
2 ／
3 ／

(1) 偽りその他不正の行為により失業等給付の支給を受けた者がある場合には、政府は、その者に対して、支給した失業等給付の[A]を返還することを命ずることができ、また、厚生労働大臣の定める基準により、当該偽りその他不正の行為により支給を受けた失業等給付の[B]の金額を納付することを命ずることができる。

(2) 上記(1)の場合において、事業主、職業紹介事業者等、[C]を行う者（一定の者に限る。以下、本問において同じ。）又は指定教育訓練実施者が偽りの届出、報告又は証明をしたためその失業等給付が支給されたものであるときは、政府は、その事業主、職業紹介事業者等、[C]を行う者又は指定教育訓練実施者に対し、その失業等給付の支給を受けた者と連帯して、上記(1)の規定による失業等給付の返還又は納付を命ぜられた金額の納付をすることを命ずることができる。

(3) 雇用保険法第68条第２項によれば、雇用保険事業に要する費用に充てるため政府が徴収する保険料のうち、一般保険料徴収額から当該一般保険料徴収額に育児休業給付率を乗じて得た額及び当該一般保険料徴収額に二事業率を乗じて得た額の合計額を減じた額並びに[D]の額に相当する額の合計額は、[E]に要する費用に充てるものとし、一般保険料徴収額に育児休業給付率を乗じて得た額は、育児休業給付に要する費用に充てるものとし、一般保険料徴収額に二事業率を乗じて得た額は、雇用安定事業及び能力開発事業（同法第63条に規定するものに限る。）に要する費用に充てるものとする。

選択肢

① 特別加入保険料　② 額に相当する額以上
③ 求職者給付　④ 募集情報等提供事業
⑤ 全部又は一部　⑥ 印紙保険料
⑦ 失業等給付　⑧ 額の２倍に相当する額以下
⑨ 特別保険料　⑩ 失業等給付及び就職支援法事業
⑪ うち求職者給付の全部又は一部
⑫ 求職者給付及び就職促進給付　⑬ 労働者派遣事業
⑭ 額に相当する額以下　⑮ 求人者、労働者の募集
⑯ 特例納付保険料　⑰ 額の100分の40に相当する額
⑱ うち求職者給付及び就職促進給付の一部
⑲ うち異議のない部分
⑳ 国、都道府県、市町村その他これらに準ずるものの事業

解答

A ▶ ⑤ 全部又は一部
B ▶ ⑧ 額の２倍に相当する額以下
C ▶ ④ 募集情報等提供事業
D ▶ ⑥ 印紙保険料
E ▶ ⑩ 失業等給付及び就職支援法事業

根拠条文等
法10条の4,1項、2項、法68条２項

健保	国年	厚年	社一

労務管理その他の労働に関する一般常識

30問＋6問

労務管理その他の労働に関する一般常識●目次

Basic

1 労働組合法 1 …… 4
2 労働組合法 2 …… 6
3 労働関係調整法 …… 8
4 労働契約法 1 …… 10
5 労働契約法 2 …… 12
6 労働契約法 3 …… 14
7 労働時間等設定改善法 …… 16
8 個別労働紛争解決促進法 …… 18
9 パートタイム・有期雇用労働法 1 …… 20
10 パートタイム・有期雇用労働法 2 …… 22
11 男女雇用機会均等法 1 …… 24
12 男女雇用機会均等法 2 …… 26
13 育児介護休業法 1 …… 28
14 育児介護休業法 2 …… 30
15 次世代育成支援対策推進法 …… 32
16 女性活躍推進法 …… 34
17 最低賃金法 …… 36
18 労働施策総合推進法 1 …… 38
19 労働施策総合推進法 2 …… 40
20 職業安定法 …… 42
21 労働者派遣法 1 …… 44
22 労働者派遣法 2 …… 46
23 高年齢者雇用安定法 1 …… 48
24 高年齢者雇用安定法 2 …… 50
25 障害者雇用促進法 1 …… 52
26 障害者雇用促進法 2 …… 54
27 職業能力開発促進法 …… 56
28 労働統計 1 …… 58
29 労働統計 2 …… 60
30 労働統計 3 …… 62

Step-Up

1　男女雇用機会均等対策基本方針 …… 64
2　青少年雇用対策基本方針 …… 66
3　個別労働紛争解決制度の施行状況（令和５年度） …… 68
4　最高裁判所の判例　1 …… 70
5　最高裁判所の判例　2 …… 72
6　最高裁判所の判例　3 …… 74

1 労働組合法　1

Basic

チェック欄
1 ／
2 ／
3 ／

労働組合法で「労働組合」とは、労働者が主体となって**自主的**に労働条件の維持改善その他［　A　］の向上を図ることを主たる目的として組織する団体又はその連合団体をいう。但し、次の(1)〜(4)のいずれかに該当するものは、この限りでない。

(1)　役員、雇入解雇昇進又は異動に関して直接の権限を持つ**監督的地位**にある労働者、使用者の［　B　］についての計画と方針とに関する機密の事項に接し、そのためにその職務上の［　C　］とが当該労働組合の組合員としての［　D　］とに直接にてい触する**監督的地位**にある労働者その他**使用者の利益を代表する者**の参加を許すもの。

(2)　団体の運営のための経費の支出につき使用者の**経理上の援助**を受けるもの。但し、労働者が［　E　］中に時間又は賃金を失うことなく使用者と協議し、又は交渉することを使用者が許すことを妨げるものではなく、且つ、厚生資金又は経済上の不幸若しくは災厄を防止し、若しくは救済するための支出に実際に用いられる福利その他の基金に対する使用者の寄附及び最小限の広さの事務所の供与を除くものとする。

(3)　共済事業その他福利事業のみを目的とするもの。

(4)　**主として政治運動**又は**社会運動**を目的とするもの。

選択肢

①　福祉	②　権限と責任	③　労働関係
④　経営	⑤　義務と権限	⑥　義務と責任
⑦　労働時間	⑧　経済的地位	⑨　誠意と責任
⑩　地位と権限	⑪　争議行為	⑫　労働条件と誠意
⑬　賃金	⑭　労務管理	⑮　地位と労働条件
⑯　地位と義務	⑰　同盟罷業	⑱　経済的社会的地位
⑲　社会的地位	⑳　休憩時間	

解答

A ▶ ⑧　経済的地位
B ▶ ③　労働関係
C ▶ ⑥　義務と責任
D ▶ ⑨　誠意と責任
E ▶ ⑦　労働時間

根拠条文等
法2条

おぼえとるかい?

1．目的

労働組合法は、労働者が使用者との交渉において**対等の立場**に立つことを促進することにより**労働者の地位**を向上させること、労働者がその労働条件について交渉するために自ら代表者を選出することその他の団体行動を行うために**自主的**に労働組合を組織し、団結することを**擁護**すること並びに使用者と労働者との関係を規制する**労働協約**を締結するための団体交渉をすること及びその手続を**助成**することを目的とする。

2．労働者

労働組合法で「労働者」とは、職業の種類を問わず、賃金、給料その他これに準ずる収入によって生活する者をいう。

Step-Up! アドバイス

・労働組合の代表者又は労働組合の委任を受けた者は、労働組合又は組合員のために使用者又はその団体と労働協約の締結その他の事項に関して交渉する権限を有する。

2 労働組合法　2

Basic

チェック欄
1 ／
2 ／
3 ／

(1)　労働組合法第15条では、次のように規定している。

①　労働協約には、[A]をこえる有効期間の定をすることができない。

②　[A]をこえる有効期間の定をした労働協約は、[A]の有効期間の定をした労働協約とみなす。

③　有効期間の定がない労働協約は、当事者の一方が、署名し、又は記名押印した文書によって相手方に予告して、解約することができる。一定の期間を定める労働協約であって、その期間の経過後も期限を定めず効力を存続する旨の定があるものについて、その期間の経過後も、同様とする。

④　上記③の予告は、解約しようとする日の少くとも[B]前にしなければならない。

(2)　一の地域において従業する同種の労働者の[C]が一の労働協約の適用を受けるに至ったときは、当該労働協約の当事者の双方又は一方の申立てに基づき、[D]の決議により、[E]は、当該地域において従業する他の同種の労働者及びその使用者も当該労働協約の適用を受けるべきことの決定をすることができる（地域的の一般的拘束力）。

選択肢

①　10日	②　過半数	③　都道府県労働委員会
④　1年	⑤　大部分	⑥　厚生労働大臣又は労働委員会
⑦　90日	⑧　10年	⑨　都道府県労働局長
⑩　3年	⑪　労働委員会	⑫　労働政策審議会
⑬　30日	⑭　4分の3以上	⑮　都道府県知事
⑯　5年	⑰　3分の2以上	⑱　中央労働委員会
⑲　60日	⑳　厚生労働大臣又は都道府県知事	

進捗チェック
労基　安衛　労災　雇用　労一

解答

A ▶ ⑩　3年

B ▶ ⑦　90日

C ▶ ⑤　大部分

D ▶ ⑪　労働委員会

E ▶ ⑳　厚生労働大臣又は都道府県知事

法15条、法18条1項

おぼえとるかい？

1．規範的効力（基準の効力）

労働協約に定める労働条件その他の労働者の待遇に関する基準に**違反**する労働契約の**部分**は、**無効**とする。この場合において無効となった部分は、基準の定めるところによる。労働契約に**定がない部分**についても、同様とする。

2．一般的拘束力

一の工場事業場に常時使用される同種の労働者の**4分の3以上**の数の労働者が**一の労働協約**の適用を受けるに至ったときは、当該工場事業場に使用される他の同種の労働者に関しても、当該労働協約が適用されるものとする。

Step-Up! アドバイス

・労働組合と使用者又はその団体との間の労働条件その他に関する労働協約は、書面に作成し、両当事者が署名し、又は記名押印することによってその効力を生ずる（要式行為）。

健保	国年	厚年	社一

3 労働関係調整法

Basic

チェック欄
1 ／
2 ／
3 ／

(1)　労働関係調整法は、［　A　］と相俟って、労働関係の公正な調整を図り、［　B　］を予防し、又は解決して、**産業の平和**を維持し、もって**経済の興隆**に寄与することを目的とする。

(2)　労働関係調整法は、労働関係の当事者が、［　C　］によって、労働条件その他労働関係に関する事項を定め、又は労働関係に関する主張の不一致を調整することを妨げるものでないとともに、又、労働関係の当事者が、かかる努力をする責務を免除するものではない。

(3)　労働関係調整法において［　B　］とは、労働関係の当事者間において、労働関係に関する主張が一致しないで、そのために［　D　］が発生してゐる状態又は発生する虞がある状態をいふ。

(4)　労働関係調整法において［　D　］とは、同盟罷業、怠業、作業所閉鎖その他労働関係の当事者が、その主張を貫徹することを目的として行ふ行為及びこれに対抗する行為であって、［　E　］ものをいふ。

選択肢

A	①　労働契約法 ③　労働組合法	②　労働基準法 ④　労働者協同組合法
B	①　紛争 ③　労働争議	②　争議行為 ④　団体行動
C	①　同盟罷業又は作業所閉鎖 ③　直接の協議又は団体交渉	②　斡旋 ④　調停
D	①　紛争 ③　労働争議	②　争議行為 ④　団体行動
E	①　業務の正常な運営を阻害する ②　業務の継続を妨げる ③　事業の正常な運営を妨げる ④　事業の継続を阻害する	

解答

A ► ③　労働組合法
B ► ③　労働争議
C ► ③　直接の協議又は団体交渉
D ► ②　争議行為
E ► ①　業務の正常な運営を阻害する

根拠条文等
法1条、法4条、法6条、法7条

1．**争議行為の届出**
争議行為が発生したときは、その当事者は、直ちにその旨を労働委員会又は都道府県知事に届け出なければならない。

2．**公益事業に関する争議行為の通知**
公益事業に関する事件につき関係当事者が争議行為をするには、その争議行為をしようとする日の**少なくとも10日前**までに、労働委員会及び厚生労働大臣又は都道府県知事にその旨を通知しなければならない。

3．**緊急調整**
① **内閣総理大臣**は、事件が**公益事業**に関するものであるため、又はその規模が大きいため若しくは**特別の性質の事業**に関するものであるために、争議行為により当該業務が停止されるときは**国民経済の運行**を著しく阻害し、又は**国民の日常生活**を著しく危くする虞があると認める事件について、その虞が現実に存するときに限り、**緊急調整**の決定をすることができる。
② 緊急調整の決定をなした旨の公表があったときは、関係当事者は、公表の日から**50日間**は、争議行為をなすことができない。
③ 緊急調整の決定があった公益事業に関する事件については、**2.** による通知は、上記②の50日間を経過した後でなければこれをすることができない。

Step-Up! アドバイス

・内閣総理大臣は、緊急調整の決定をしようとするときは、あらかじめ中央労働委員会の意見を聴かなければならない。

健保	国年	厚年	社一

4 労働契約法 1

Basic

チェック欄
1 ／
2 ／
3 ／

(1) 労働契約法第1条では、「この法律は、労働者及び使用者の［ A ］な交渉の下で、労働契約が**合意**により成立し、又は変更されるという**合意の原則**その他労働契約に関する基本的事項を定めることにより、**合理的**な労働条件の決定又は変更が［ B ］に行われるようにすることを通じて、**労働者の保護**を図りつつ、［ C ］の安定に資することを目的とする。」と規定している。

(2) 労働契約法第5条では、「使用者は、［ D ］に伴い、労働者がその**生命、身体等**の**安全**を確保しつつ労働することができるよう、必要な**配慮**をするものとする。」と規定している。

(3) 労働契約法は、［ E ］の労働契約については、適用しない。

選択肢

① 労働契約	② 自由	③ 個別の労働関係
④ 適正	⑤ 職業生活	⑥ 業務の遂行
⑦ 対等	⑧ 中立的	⑨ 円滑
⑩ 職務の内容	⑪ 公正	⑫ 就業環境
⑬ 友好的	⑭ 労働者の生活	⑮ 就業規則
⑯ 自主的	⑰ 家事使用人	

⑱ 船員法の適用を受ける船員
⑲ 鉱山保安法の適用を受ける鉱山労働者
⑳ 使用者が同居の親族のみを使用する場合

解答

A ▶ ⑯ 自主的

B ▶ ⑨ 円滑

C ▶ ③ 個別の労働関係

D ▶ ① 労働契約

E ▶ ⑳ 使用者が同居の親族のみを使用する場合

根拠条文等

法1条、法5条、法21条2項

1．労働契約の原則

① 労働契約は、労働者及び使用者が**対等の立場**における**合意**に基づいて締結し、又は変更すべきものとする。

② 労働契約は、労働者及び使用者が、**就業の実態**に応じて、**均衡**を**考慮**しつつ締結し、又は変更すべきものとする。

③ 労働契約は、労働者及び使用者が**仕事と生活の調和**にも**配慮**しつつ締結し、又は変更すべきものとする。

④ 労働者及び使用者は、労働契約を遵守するとともに、**信義**に従い**誠実**に、権利を行使し、及び義務を履行しなければならない。

⑤ 労働者及び使用者は、労働契約に基づく権利の行使に当たっては、それを**濫用**することがあってはならない。

2．労働契約の内容の理解の促進

① 使用者は、労働者に提示する労働条件及び労働契約の内容について、労働者の**理解**を深めるようにするものとする。

② 労働者及び使用者は、労働契約の内容（期間の定めのある労働契約に関する事項を含む。）について、**できる限り書面**により確認するものとする。

Step-Up! アドバイス

・労働契約は、労働者が使用者に使用されて労働し、使用者がこれに対して賃金を支払うことについて、労働者及び使用者が合意することによって成立する。

健保	国年	厚年	社一

5 労働契約法 2

Basic

チェック欄
1 ／
2 ／
3 ／

⑴ 労働者及び使用者が労働契約を締結する場合において、使用者が［ A ］な労働条件が定められている就業規則を労働者に［ B ］させていた場合には、労働契約の内容は、その就業規則で定める労働条件によるものとする。ただし、労働契約において、労働者及び使用者が**就業規則の内容と異なる労働条件**を合意していた部分については、⑶に該当する場合を除き、この限りでない。

⑵ 使用者は、労働者と**合意**することなく、就業規則を変更することにより、労働者の**不利益**に労働契約の内容である労働条件を変更することはできない。ただし、使用者が就業規則の変更により労働条件を変更する場合において、変更後の就業規則を労働者に［ B ］させ、かつ、就業規則の変更が、労働者の受ける［ C ］の程度、労働条件の変更の［ D ］、変更後の就業規則の内容の［ E ］、労働組合等との交渉の状況その他の就業規則の変更に係る事情に照らして［ A ］なものであるときは、労働契約の内容である労働条件は、当該変更後の就業規則に定めるところによるものとする。ただし、労働契約において、労働者及び使用者が**就業規則の変更によっては変更されない労働条件**として合意していた部分については、⑶に該当する場合を除き、この限りでない。

⑶ 就業規則で定める基準に**達しない**労働条件を定める労働契約は、その部分については、無効とする。この場合において、無効となった部分は、就業規則で定める基準による。

選択肢

① 懲戒	② 適正	③ 相当性	④ 検討
⑤ 不利益	⑥ 損失	⑦ 交渉	⑧ 合理的
⑨ 同意	⑩ 代替性	⑪ 中立的	⑫ 妥当性
⑬ 合理性	⑭ 衝撃	⑮ 公平性	⑯ 必要性
⑰ 周知	⑱ 統一性	⑲ 公正	⑳ 網羅性

進捗チェック

労基	安衛	労災	雇用	労一

解答

A ▶ ⑧ 合理的

B ▶ ⑰ 周知

C ▶ ⑤ 不利益

D ▶ ⑯ 必要性

E ▶ ③ 相当性

根拠条文等

法7条、法9条、法10条、法12条

おぼえとるかい?

1. 法令及び労働協約と就業規則との関係

就業規則が**法令**又は**労働協約**に反する場合には、当該反する部分については、問題文(1)～(3)の規定は、当該法令又は労働協約の適用を受ける労働者との間の労働契約については、適用しない。

2. 労働契約の継続及び終了

① 使用者が労働者に**出向**を命ずることができる場合において、当該出向の命令が、その**必要性**、対象労働者の**選定に係る事情**その他の事情に照らして、その権利を濫用したものと認められる場合には、当該命令は、無効とする。

② 使用者が労働者を**懲戒**することができる場合において、当該懲戒が、当該懲戒に係る労働者の行為の**性質**及び**態様**その他の事情に照らして、**客観的**に**合理的**な理由を欠き、**社会通念上相当**であると認められない場合は、その権利を濫用したものとして、当該懲戒は、無効とする。

③ **解雇**は、**客観的**に**合理的**な理由を欠き、**社会通念上相当**であると認められない場合は、その権利を濫用したものとして、無効とする。

Step-Up! アドバイス

・労働者及び使用者は、その合意により、労働契約の内容である労働条件を変更することができる。

健保	国年	厚年	社一

6 労働契約法 3

Basic

チェック欄
1 ／
2 ／
3 ／

(1) **同一の使用者**との間で締結された**2以上**の有期労働契約（契約期間の［ A ］のものを除く。以下同じ。）の契約期間を通算した期間（以下「**通算契約期間**」という。）が［ B ］を**超える**労働者が、当該使用者に対し、現に締結している有期労働契約の契約期間が**満了する日まで**の間に、当該**満了する日の翌日**から労務が提供される**期間の定めのない労働契約**の締結の申込みをしたときは、使用者は当該申込みを承諾したものとみなす。

(2) 当該使用者との間で締結された一の有期労働契約の契約期間が満了した日と当該使用者との間で締結されたその次の有期労働契約の契約期間の初日との間にこれらの契約期間のいずれにも含まれない期間（以下「**空白期間**」という。）があり、当該空白期間が［ C ］（当該空白期間の直前に満了した一の有期労働契約の契約期間（当該一の有期労働契約を含む2以上の有期労働契約の契約期間の間に空白期間がないときは、当該2以上の有期労働契約の契約期間を通算した期間。以下同じ。）が［ D ］**に満たない**場合にあっては、当該一の有期労働契約の契約期間に［ E ］を乗じて得た期間を基礎として厚生労働省令で定める期間）以上であるときは、当該空白期間前に満了した有期労働契約の契約期間は、通算契約期間に算入しない。

選択肢

① 始期の到来後		② 始期の到来前	
③ 終期の到来後		④ 終期の到来前	
⑤ 2分の1		⑥ 3分の1	
⑦ 4分の1		⑧ 6分の1	
⑨ 1月	⑩ 2月	⑪ 3月	⑫ 6月
⑬ 1年	⑭ 2年	⑮ 3年	⑯ 5年
⑰ 6年	⑱ 7年	⑲ 8年	⑳ 10年

解答

A ▶ ② 始期の到来前

B ▶ ⑯ 5年

C ▶ ⑫ 6月

D ▶ ⑬ 1年

E ▶ ⑤ 2分の1

根拠条文等

法18条

おぼえとるかい？

1．有期労働契約の期間の定めのない労働契約への転換

問題文(1)の場合において、当該申込みに係る期間の定めのない労働契約の内容である労働条件は、現に締結している有期労働契約の内容である労働条件（**契約期間**を除く。）と**同一**の労働条件〔当該労働条件（**契約期間**を除く。）について**別段の定め**がある部分を**除く**。〕とする。

2．有期労働契約の更新等

有期労働契約であって次の①②のいずれかに該当するものの契約期間が**満了する日まで**の間に労働者が当該有期労働契約の更新の申込みをした場合又は当該契約期間の**満了後遅滞なく**有期労働契約の締結の申込みをした場合であって、使用者が当該申込みを拒絶することが、**客観的**に**合理的**な理由を欠き、**社会通念上相当**であると認められないときは、使用者は、従前の有期労働契約の内容である労働条件と**同一**の労働条件で当該申込みを承諾したものとみなす。

① 当該有期労働契約が**過去**に**反復**して**更新**されたことがあるものであって、その契約期間の満了時に当該有期労働契約を更新しないことにより当該有期労働契約を終了させることが、期間の定めのない労働契約を締結している労働者に**解雇の意思表示**をすることにより当該期間の定めのない労働契約を終了させることと**社会通念上同視**できると認められること。

② 当該労働者において当該有期労働契約の契約期間の満了時に当該有期労働契約が更新されるものと**期待**することについて**合理的な理由**があるものであると認められること。

労一

健保	国年	厚年	社一

7 労働時間等設定改善法

Basic

チェック欄
1 ／
2 ／
3 ／

(1) 労働時間等の設定の改善に関する特別措置法（以下「法」という。）第2条第1項では、「事業主は、その雇用する労働者の労働時間等の設定の改善を図るため、［ A ］に応じた労働者の**始業及び終業**の**時刻**の設定、［ B ］を確保するために必要な［ C ］の設定、**年次有給休暇**を取得しやすい環境の整備その他の必要な措置を講ずるように**努め**なければならない。」と規定している。

(2) 法第2条第2項では、「事業主は、労働時間等の設定に当たっては、その雇用する労働者のうち、その［ D ］及びその労働時間等に関する実情に照らして、**健康の保持**に努める必要があると認められる労働者に対して、休暇の付与その他の必要な措置を講ずるように**努め**るほか、その雇用する労働者のうち、その子の養育又は家族の介護を行う労働者、単身赴任者（転任に伴い生計を一にする配偶者との別居を常況とする労働者その他これに類する労働者をいう。）、自ら職業に関する教育訓練を受ける労働者その他の［ E ］を必要とする労働者について、その事情を考慮してこれを行う等その改善に**努め**なければならない。」と規定している。

選択肢

① 健康及び福祉	② 職制上の地位
③ 拘束時間	④ 精神的負荷
⑤ 職務の内容	⑥ 休憩時間及び休日
⑦ 労働条件	⑧ 事業の健全性
⑨ 特に配慮	⑩ 心身の状況
⑪ 快適な職場環境	⑫ 業務の繁閑
⑬ 終業から始業までの時間	⑭ 援助
⑮ 事業の性質	⑯ 事業主の協力
⑰ 身体的負荷	⑱ 安全及び衛生
⑲ 弾力的な労働時間	⑳ 特に支援

進捗チェック
労基 安衛 労災 雇用 労一

解答

A ▶ ⑫ 業務の繁閑

B ▶ ① 健康及び福祉

C ▶ ⑬ 終業から始業までの時間

D ▶ ⑩ 心身の状況

E ▶ ⑨ 特に配慮

法2条1項、2項

おぼえとるかい?

1．目的

労働時間等設定改善法は、我が国における労働時間等の現状及び動向にかんがみ、労働時間等設定改善指針を策定するとともに、事業主等による労働時間等の設定の改善に向けた**自主的**な**努力**を促進するための特別の措置を講ずることにより、労働者がその有する能力を有効に発揮することができるようにし、もって労働者の**健康で充実した生活**の実現と**国民経済**の健全な発展に資することを目的とする。

2．定義

① 労働時間等設定改善法において「労働時間等」とは、労働時間、休日及び年次有給休暇（労働基準法39条の規定による年次有給休暇として与えられるものをいう。）その他の休暇をいう。

② 労働時間等設定改善法において「労働時間等の設定」とは、労働時間、休日数、年次有給休暇を与える時季、深夜業の回数、終業から始業までの時間その他の労働時間等に関する事項を定めることをいう。

Step-Up! アドバイス

・事業主は、他の事業主との取引を行う場合において、著しく短い期限の設定及び発注の内容の頻繁な変更を行わないこと、当該他の事業主の講ずる労働時間等の設定の改善に関する措置の円滑な実施を阻害することとなる取引条件を付けないこと等取引上必要な配慮をするように努めなければならない。

健保	国年	厚年	社一

労一

8 個別労働紛争解決促進法 Basic

チェック欄
1 ／
2 ／
3 ／

(1) 個別労働関係紛争の解決の促進に関する法律第2条では、「個別労働関係紛争が生じたときは、当該個別労働関係紛争の当事者は、[A]、**自主的な解決**を図るように努めなければならない。」と規定している。

(2) [B]は、個別労働関係紛争を未然に防止し、及び個別労働関係紛争の**自主的な解決**を促進するため、[C]に対し、労働関係に関する事項並びに労働者の募集及び採用に関する事項についての情報の提供、相談その他の援助を行うものとする。

(3) [B]は、個別労働関係紛争（[D]及び行政執行法人の労働関係に関する法律に規定する紛争を除く。）に関し、当該個別労働関係紛争の当事者の**双方又は一方**からその解決につき**援助**を求められた場合には、当該個別労働関係紛争の当事者に対し、必要な[E]をすることができる。

選択肢

①	迅速かつ公正に	②	あっせん委員
③	厚生労働大臣	④	事業主又は事業主団体
⑤	勧告又は要請	⑥	早期に、かつ、誠意をもって
⑦	助言又は指導	⑧	勧告又は指示
⑨	都道府県労働局長	⑩	労働者、求職者又は事業主
⑪	労働者又は事業主	⑫	助言、指導又は勧告
⑬	誠実かつ熱心に	⑭	紛争調整委員会
⑮	労働者又は労働組合	⑯	信義に従い誠実に

⑰ 労働者の退職及び解雇に関する事項についての紛争
⑱ 労働関係調整法に規定する労働争議に当たる紛争
⑲ 労働者の募集及び採用に関する事項についての紛争
⑳ 労働者の退職手当に関する事項についての紛争

進捗チェック
労基 安衛 労災 雇用 労一

解答

A ▶ ⑥ 早期に、かつ、誠意をもって

B ▶ ⑨ 都道府県労働局長

C ▶ ⑩ 労働者、求職者又は事業主

D ▶ ⑱ 労働関係調整法に規定する労働争議に当たる紛争

E ▶ ⑦ 助言又は指導

法2条、法3条、法4条1項

おぼえとるかい？

1．目的

個別労働紛争解決促進法は、労働条件その他労働関係に関する事項についての**個々の労働者**と**事業主**との間の紛争（労働者の**募集及び採用**に関する事項についての個々の求職者と事業主との間の紛争を**含む**。「個別労働関係紛争」という。）について、**あっせん**の制度を設けること等により、その実情に即した迅速かつ適正な解決を図ることを目的とする。

2．あっせん

① 都道府県労働局長は、問題文(3)の個別労働関係紛争（労働者の**募集及び採用**に関する事項についての紛争を**除く**。）について、当該個別労働関係紛争の当事者（紛争当事者）の双方又は一方からあっせんの申請があった場合において当該個別労働関係紛争の解決のために必要があると認めるときは、**紛争調整委員会**にあっせんを行わせるものとする。

② 紛争調整委員会によるあっせんは、委員のうちから会長が事件ごとに指名する**3人**の**あっせん委員**によって行う。

③ あっせん委員は、あっせんによっては紛争の解決の見込みがないと認めるときは、あっせんを打ち切ることができる。

Step-Up! アドバイス

・あっせんが打ち切られた場合において、当該あっせんの申請をした者がその旨の通知を受けた日から30日以内に訴えを提起したときは、時効の完成猶予に関しては、あっせんの申請の時に、訴えの提起があったものとみなす。

健保	国年	厚年	社一

9 パートタイム・有期雇用労働法 1 Basic

チェック欄
1 ／
2 ／
3 ／

(1) 事業主は、その雇用する短時間・有期雇用労働者について、その［ A ］を考慮して、適正な労働条件の確保、教育訓練の実施、福利厚生の充実その他の雇用管理の改善及び**通常の労働者への転換**の推進（以下「雇用管理の改善等」という。）に関する措置等を講ずることにより、通常の労働者との**均衡のとれた待遇の確保**等を図り、当該短時間・有期雇用労働者がその有する能力を有効に発揮することができるように努めるものとする。

(2) 事業主は、短時間・有期雇用労働者を雇い入れたときは、速やかに、当該短時間・有期雇用労働者に対して、**特定事項**（①**昇給**の有無、②**退職手当**の有無、③［ B ］の有無、④短時間・有期雇用労働者の雇用管理の改善等に関する事項に係る［ C ］）を**文書の交付等**により明示しなければならない。

(3) 事業主は、その雇用する短時間・有期雇用労働者の基本給、［ B ］その他の待遇のそれぞれについて、当該待遇に対応する通常の労働者の待遇との間において、当該短時間・有期雇用労働者及び通常の労働者の**業務の内容**及び当該業務に伴う**責任の程度**（以下「**職務の内容**」という。）、当該**職務の内容及び配置**の**変更の範囲**その他の［ D ］のうち、当該［ E ］及び当該**待遇を行う目的**に照らして適切と認められるものを考慮して、**不合理**と認められる**相違**を設けてはならない。

選択肢

①	意欲及び能力	②	有給休暇	③	賞与
④	果たす役割	⑤	雇用の実態	⑥	事情
⑦	職務の重要性	⑧	苦情の処理	⑨	労働条件
⑩	職務の成果	⑪	情報の提供	⑫	就業の形態
⑬	福利厚生	⑭	評価	⑮	相談窓口
⑯	能力及び経験	⑰	就業の実態等	⑱	責任者
⑲	待遇の性質	⑳	労働保険・社会保険の適用		

進捗チェック
労基 安衛 労災 雇用 労一

解答

A ▶ ⑰ 就業の実態等

B ▶ ③ 賞与

C ▶ ⑮ 相談窓口

D ▶ ⑥ 事情

E ▶ ⑲ 待遇の性質

根拠条文等

法3条1項、法6条1項、法8条、則2条1項

1．目的

パートタイム・有期雇用労働法は、我が国における**少子高齢化**の進展、**就業構造の変化**等の社会経済情勢の変化に伴い、短時間・有期雇用労働者の**果たす役割**の**重要性**が**増大**していることに鑑み、短時間・有期雇用労働者について、その適正な労働条件の確保、雇用管理の改善、通常の労働者への転換の推進、職業能力の開発及び向上等に関する措置等を講ずることにより、通常の労働者との**均衡のとれた待遇の確保**等を図ることを通じて短時間・有期雇用労働者がその有する能力を有効に発揮することができるようにし、もってその**福祉の増進**を図り、あわせて**経済及び社会の発展**に寄与することを目的とする。

2．就業規則の作成の手続

① 事業主は、短時間労働者に係る事項について就業規則を作成し、又は変更しようとするときは、当該事業所において雇用する短時間労働者の過半数を代表すると認められるものの意見を聴くように**努める**ものとする。

② 事業主は、有期雇用労働者に係る事項について就業規則を作成し、又は変更しようとするときは、当該事業所において雇用する有期雇用労働者の過半数を代表すると認められるものの意見を聴くように**努める**ものとする。

10 パートタイム・有期雇用労働法　2　Basic

チェック欄
1 ／
2 ／
3 ／

(1) 事業主は、通常の労働者との均衡を考慮しつつ、その雇用する短時間・有期雇用労働者（通常の労働者と同視すべき短時間・有期雇用労働者を除く。）の［A］、**職務の成果**、**意欲**、**能力**又は**経験**その他の［B］に関する事項を勘案し、その**賃金**（［C］、家族手当、住宅手当、別居手当、子女教育手当その他名称の如何を問わず支払われる賃金（［A］に密接に関連して支払われるものを除く。）を除く。）を決定するように**努める**ものとする。

(2) 事業主は、通常の労働者に対して利用の機会を与える**福利厚生施設**であって、［D］又は業務の円滑な遂行に資するものとして厚生労働省令で定めるもの（①［E］、②**休憩室**、③**更衣室**）については、その雇用する短時間・有期雇用労働者（通常の労働者と同視すべき短時間・有期雇用労働者を除く。）に対しても、利用の機会を与えなければならない。

選択肢

① 保養所	② 通勤手当	③ 余暇施設
④ 就業の実態	⑤ 体育施設	⑥ 人事考課
⑦ 職制上の地位	⑧ 職務の内容	⑨ 役職手当
⑩ 労働意欲の向上	⑪ 健康の保持	⑫ 待遇
⑬ 職業能力の開発	⑭ 退職手当	⑮ 賞与
⑯ 有給の休暇	⑰ 給食施設	⑱ 職務評価
⑲ 労働時間	⑳ 就業の形態	

解答

A ▶ ⑧ 職務の内容

B ▶ ④ 就業の実態

C ▶ ② 通勤手当

D ▶ ⑪ 健康の保持

E ▶ ⑰ 給食施設

根拠条文等

法10条、法12条、則３条、則５条

1．通常の労働者と同視すべき短時間・有期雇用労働者に対する差別的取扱いの禁止

事業主は、職務内容同一短時間・有期雇用労働者であって、当該事業所における**慣行その他の事情**からみて、当該事業主との雇用関係が終了するまでの全期間において、その**職務の内容**及び**配置**が当該通常の労働者の職務の内容及び配置の変更の範囲と**同一の範囲**で変更されることが見込まれるもの（**通常の労働者と同視すべき短時間・有期雇用労働者**）については、短時間・有期雇用労働者であることを理由として、基本給、賞与その他の待遇のそれぞれについて、**差別的取扱い**をしてはならない。

2．教育訓練

① 事業主は、通常の労働者に対して実施する教育訓練であって、当該通常の労働者が従事する**職務の遂行**に**必要な能力**を付与するためのものについては、職務内容同一短時間･有期雇用労働者（通常の労働者と同視すべき短時間・有期雇用労働者を除く。以下同じ。）が既に当該職務に必要な能力を有している場合を除き、職務内容同一短時間・有期雇用労働者に対しても、これを実施しなければならない。

② 事業主は、上記①に定めるもののほか、通常の労働者との均衡を考慮しつつ、その雇用する短時間・有期雇用労働者（通常の労働者と同視すべき短時間・有期雇用労働者を除く。以下同じ。）の職務の内容、職務の成果、意欲、能力及び経験その他の就業の実態に関する事項に応じ、当該短時間・有期雇用労働者に対して教育訓練を実施するように**努める**ものとする。

11 男女雇用機会均等法　1

Basic

チェック欄
1 ／
2 ／
3 ／

(1) 男女雇用機会均等法は、[A]を保障する日本国憲法の理念にのっとり**雇用の分野**における**男女**の**均等な機会**及び**待遇**の確保を図るとともに、女性労働者の**就業**に関して[B]の**健康の確保**を図る等の措置を推進することを目的とする。

(2) 男女雇用機会均等法第6条では、「事業主は、次の①～④に掲げる事項について、労働者の**性別を理由**として、差別的取扱いをしてはならない。」と規定している。

① 労働者の**配置**（**業務の配分**及び[C]を含む。）、**昇進**、[D]及び**教育訓練**

② 住宅資金の貸付けその他これに準ずる**福利厚生**の措置であって厚生労働省令で定めるもの

③ 労働者の**職種**及び**雇用形態**の**変更**

④ **退職の勧奨**、**定年**及び**解雇**並びに[E]

選択肢

① 出向　② 職業選択の自由
③ 昇給　④ 職務の拡充
⑤ 子の養育期間中　⑥ 権限の付与
⑦ 生存権　⑧ 妊娠中及び出産後
⑨ 勤務の延長　⑩ 降格
⑪ 業務の変更　⑫ 退職手当
⑬ 転籍　⑭ 法の下の平等
⑮ 役職　⑯ 継続雇用
⑰ 産前及び産後休業期間中　⑱ 労働契約の更新
⑲ 勤労の権利　⑳ 母体及びその生児

解答

A ▶ ⑭　法の下の平等

B ▶ ⑧　妊娠中及び出産後

C ▶ ⑥　権限の付与

D ▶ ⑩　降格

E ▶ ⑱　労働契約の更新

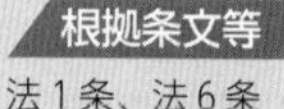

法１条、法６条

1．基本的理念

男女雇用機会均等法においては、労働者が**性別**により差別されることなく、また、女性労働者にあっては**母性**を**尊重**されつつ、**充実した職業生活**を営むことができるようにすることをその基本的理念とする。

2．性別を理由とする差別の禁止

事業主は、労働者の**募集及び採用**について、その性別にかかわりなく均等な機会を与えなければならない。

3．婚姻、妊娠、出産等を理由とする不利益取扱いの禁止等

①　事業主は、女性労働者が婚姻し、妊娠し、又は出産したことを**退職理由**として予定する定めをしてはならない。

②　事業主は、女性労働者が**婚姻**したことを理由として、**解雇**してはならない。

③　事業主は、その雇用する女性労働者が妊娠したこと、出産したこと、労働基準法の規定による産前休業を請求し、又は産前産後休業をしたことその他の**妊娠又は出産に関する事由**であって厚生労働省令で定めるものを理由として、当該女性労働者に対して**解雇**その他**不利益な取扱い**をしてはならない。

④　**妊娠中**の女性労働者及び**出産後１年を経過しない**女性労働者に対してなされた**解雇**は、**無効**とする。ただし、事業主が当該解雇が上記③の事由を理由とする解雇でないことを証明したときは、この限りでない。

労一

チェック欄 1 ／ 2 ／ 3 ／

12 男女雇用機会均等法 2

Basic

事業主は、**募集及び採用**並びに男女雇用機会均等法第6条各号（11の(2)の①～④）に掲げる事項に関する措置であって労働者の**性別以外の事由**を要件とするもののうち、措置の要件を満たす**男性及び女性の比率**その他の事情を勘案して［A］に**性別を理由**とする差別となる**おそれ**がある措置として厚生労働省令で定めるもの（下記の(1)～(3)）については、当該措置の対象となる業務の［B］に照らして当該措置の実施が当該**業務の遂行上**特に必要である場合、**事業の運営の状況**に照らして当該措置の実施が**雇用管理上**特に必要である場合その他の**合理的**な理由がある場合でなければ、これを講じてはならない。

(1) 労働者の**募集**又は**採用**に関する措置であって、労働者の身長、体重又は体力に関する事由を要件とするもの

(2) 労働者の**募集**若しくは**採用**、［C］又は**職種の変更**に関する措置であって、労働者の［D］を要件とするもの

(3) 労働者の［C］に関する措置であって、労働者が［E］を要件とするもの

選択肢

A	① 結果的	② 実質的	③ 必然的	④ 間接的
B	① 性質	② 内容	③ 範囲	④ 遂行
C	① 昇進	② 教育訓練	③ 解雇	④ 福利厚生
D	① 住居の移転を伴う配置転換に応じることができること ② 住居の移転を伴う配置転換の経験があること ③ 勤務する事業場と異なる事業場の配置転換に応じることができること ④ 勤務する事業場と異なる事業場に配置転換された経験があること			
E	① 住居の移転を伴う配置転換に応じることができること ② 住居の移転を伴う配置転換の経験があること ③ 勤務する事業場と異なる事業場の配置転換に応じることができること ④ 勤務する事業場と異なる事業場に配置転換された経験があること			

解答

A ▶ ② 実質的

B ▶ ① 性質

C ▶ ① 昇進

D ▶ ① 住居の移転を伴う配置転換に応じることができること

E ▶ ④ 勤務する事業場と異なる事業場に配置転換された経験があること

根拠条文等

法7条、則2条

1．ポジティブ・アクション

性別を理由とする差別の禁止（男女雇用機会均等法5条・6条）及び間接差別の禁止（問題文）の規定は、事業主が、雇用の分野における男女の均等な機会及び待遇の確保の**支障**となっている事情を**改善**することを目的として**女性**労働者に関して行う措置を講ずることを妨げるものではない。

2．セクシュアルハラスメント防止措置

事業主は、職場において行われる**性的な言動**に対するその雇用する**労働者**の**対応**により当該労働者がその労働条件につき**不利益**を受け、又は当該性的な言動により当該労働者の**就業環境が害される**ことのないよう、当該労働者からの相談に応じ、適切に対応するために必要な体制の整備その他の**雇用管理上**必要な措置を講じなければならない。

3．妊娠、出産等に関するハラスメント防止措置

事業主は、職場において行われるその雇用する女性労働者に対する当該女性労働者が妊娠したこと、出産したこと、産前休業を請求し、又は産前産後休業をしたことその他の**妊娠又は出産**に関する事由であって厚生労働省令で定めるものに関する**言動**により当該**女性**労働者の**就業環境が害される**ことのないよう、当該女性労働者からの相談に応じ、適切に対応するために必要な体制の整備その他の**雇用管理上**必要な措置を講じなければならない。

13 育児介護休業法　1

Basic

チェック欄
1 ／
2 ／
3 ／

(1) 育児介護休業法は、**育児休業**及び**介護休業**に関する制度並びに**子の看護等休暇**及び**介護休暇**に関する制度を設けるとともに、子の養育及び[A]の介護を[B]するため**所定労働時間等**に関し事業主が講ずべき措置を定めるほか、子の養育又は[A]の介護を行う労働者等に対する支援措置を講ずること等により、子の養育又は[A]の介護を行う労働者等の[C]及び**再就職の促進**を図り、もってこれらの者の**職業生活と家庭生活との両立**に寄与することを通じて、これらの者の**福祉の増進**を図り、あわせて**経済及び社会の発展**に資することを目的とする。

(2) 事業主は、その雇用する労働者（日々雇用される者を除く。以下同じ。）の**配置の変更**で[D]の変更を伴うものをしようとする場合において、その[D]の変更により就業しつつその子の養育又は[A]の介護を行うことが**困難**となることとなる労働者がいるときは、当該労働者の子の養育又は[A]の介護の状況[E]しなければならない。

選択肢

① 家族	② 職務の内容	③ 推進
④ 労働時間	⑤ 雇用の安定	⑥ を考慮
⑦ 円滑に	⑧ 親族	⑨ 容易に
⑩ 生活の安定	⑪ に特に留意	⑫ 雇用の継続
⑬ 支援	⑭ に配慮	⑮ 対象家族
⑯ 職業の安定	⑰ 同居の親族	⑱ 労働条件
⑲ 就業の場所	⑳ を把握	

進捗チェック
労基　安衛　労災　雇用　労一

解答

A ▶ ① 家族

B ▶ ⑨ 容易に

C ▶ ⑫ 雇用の継続

D ▶ ⑲ 就業の場所

E ▶ ⑭ に配慮

根拠条文等

法1条、法26条

1．基本的理念

① 育児介護休業法（以下「法」という。）の規定による子の養育又は家族の介護を行う労働者等の福祉の増進は、これらの者がそれぞれ**職業生活の全期間**を通じてその能力を有効に発揮して**充実した職業生活**を営むとともに、育児又は介護について**家族の一員**としての**役割**を円滑に果たすことができるようにすることをその本旨とする。

② 子の養育又は家族の介護を行うための休業をする労働者は、その**休業後**における**就業**を**円滑**に行うことができるよう必要な**努力**をするようにしなければならない。

2．用語の意義

① **育児休業**…労働者（日々雇用される者を除く。以下同じ。）が、法に定めるところにより、その子（特別養子縁組の成立について家庭裁判所に請求した者であって、当該労働者が現に監護する者等を含む。④を除き、以下同じ。）を養育するためにする休業をいう。

② **介護休業**…労働者が、法に定めるところにより、その要介護状態にある対象家族を介護するためにする休業をいう。

③ **要介護状態**…負傷、疾病又は身体上若しくは精神上の障害により、2週間以上の期間にわたり常時介護を必要とする状態をいう。

④ **対象家族**…配偶者（婚姻の届出をしていないが、事実上婚姻関係と同様の事情にある者を含む。以下同じ。）、子、父母、孫、祖父母及び兄弟姉妹並びに配偶者の父母をいう。

⑤ **家族**…対象家族及びこれら以外の同居の親族をいう。

健保	国年	厚年	社一

14 育児介護休業法　2　Basic

チェック欄
1 ／
2 ／
3 ／

(1) 労働者（日々雇用される者を除く。以下同じ。）は、その養育する子について、その事業主に申し出ることにより、**出生時育児休業**（育児休業のうち、子の出生の日から起算して［A］週間を経過する日の翌日まで※1の期間内に［B］週間以内の期間を定めてする休業をいう。以下同じ。）をすることができる。ただし、**期間を定めて雇用される者**にあっては、その養育する子の出生の日※2から起算して［A］週間を経過する日の翌日から［C］月を経過する日までに、その労働契約が**満了することが明らかでない**者に限り、当該申出をすることができる。

(2) 上記(1)にかかわらず、労働者は、その養育する子について次の①又は②のいずれかに該当する場合には、当該子については、出生時育児休業の申出をすることができない。

① 当該子の出生の日から起算して［A］週間を経過する日の翌日まで※1の期間内に［D］回の出生時育児休業をした場合

② 当該子の出生の日※3以後に出生時育児休業をする日数が［E］日に達している場合

※1 ①出産予定日前に子が出生した場合…「出生日」から「出産予定日から起算して［A］週間経過日の翌日」まで、②出産予定日後に子が出生した場合…「出産予定日」から「出生日から起算して［A］週間経過日の翌日」まで

※2 出産予定日前に子が出生した場合には、出産予定日

※3 出産予定日後に子が出生した場合には、出産予定日

選択肢

① 1	② 2	③ 3	④ 4	⑤ 5
⑥ 6	⑦ 7	⑧ 8	⑨ 9	⑩ 10
⑪ 11	⑫ 12	⑬ 13	⑭ 14	⑮ 16
⑯ 20	⑰ 24	⑱ 28	⑲ 32	⑳ 36

進捗チェック
労基　安衛　労災　雇用　労一

解答

A ▶ ⑧ 8

B ▶ ④ 4

C ▶ ⑥ 6

D ▶ ② 2

E ▶ ⑱ 28

根拠条文等

法9条の2,1項、2項

1．出生時育児休業期間中の就業可能日等の申出

出生時育児休業申出をした労働者（**労使協定**で、出生時育児休業期間中に就業させることができるものとして定められた労働者に該当するものに限る。）は、出生時育児休業**開始予定日**とされた日の**前日まで**の間、事業主に対し、**就業可能日等**〔①出生時育児休業期間において就業することができる日（就業可能日）及び②就業可能日における就業可能な時間帯（**所定労働時間内**の**時間帯**に限る。）その他の労働条件〕を申し出ることができる。

2．出生時育児休業期間中の就業の同意

事業主は、労働者から上記1．の申出があった場合には、**就業可能日等の範囲内**で**日時**を**提示**し、出生時育児休業**開始予定日**とされた日の**前日まで**に当該**労働者の同意**を得た場合に限り、次の①～③の範囲内で、当該労働者を当該日時に就業させることができる。

① 就業させることとした日（就業日）の数の合計が、出生時育児休業期間の**所定労働日数**の**2分の1以下**であること。

② 就業日における労働時間の合計が、出生時育児休業期間における**所定労働時間の合計**の**2分の1以下**であること。

③ 出生時育児休業**開始予定日**又は出生時育児休業**終了予定日**を就業日とする場合は、当該日の労働時間数は、当該日の**所定労働時間数未満**であること。

Step-Up! アドバイス

・出生時育児休業を2回に分割して取得する場合には、原則として、1度の申出で、2回分をまとめて申し出る必要がある。

健保	国年	厚年	社一

15 次世代育成支援対策推進法 Basic

チェック欄
1 ／
2 ／
3 ／

(1) 次世代育成支援対策推進法は、我が国における**急速**な**少子化**の進行並びに［ A ］を取り巻く**環境の変化**にかんがみ、次世代育成支援対策に関し、基本理念を定め、並びに国、地方公共団体、事業主及び国民の責務を明らかにするとともに、行動計画策定指針並びに地方公共団体及び事業主の行動計画の策定その他の次世代育成支援対策を推進するために必要な事項を定めることにより、次世代育成支援対策を**迅速かつ重点的**に推進し、もって次代の社会を担う子どもが健やかに生まれ、かつ、育成される［ B ］に資することを目的とする。

(2) 次世代育成支援対策推進法において「次世代育成支援対策」とは、次代の社会を担う子どもを育成し、又は育成しようとする［ C ］に対する**支援**その他の次代の社会を担う子どもが健やかに生まれ、かつ、育成される環境の整備のための国若しくは地方公共団体が講ずる施策又は事業主が行う［ D ］**の整備**その他の取組をいう。

(3) 次世代育成支援対策は、［ E ］が子育てについての**第一義的責任**を有するという基本的認識の下に、［ C ］その他の場において、子育ての意義についての理解が深められ、かつ、子育てに伴う喜びが実感されるように**配慮**して行われなければならない。

選択肢

① 家庭	② 家庭及び地域	③ 職場及び家庭
④ 国	⑤ 職場の支援	⑥ 職場環境
⑦ 政府	⑧ 社会の形成	⑨ 家庭の支援
⑩ 家族	⑪ 職場の形成	⑫ 父母その他の保護者
⑬ 職場	⑭ 労働条件	⑮ 職業生活
⑯ 地域	⑰ 地域及び職場	⑱ 家族その他の親族
⑲ 社会	⑳ 雇用環境	

解答

A ▶ ② 家庭及び地域
B ▶ ⑧ 社会の形成
C ▶ ① 家庭
D ▶ ⑳ 雇用環境
E ▶ ⑫ 父母その他の保護者

根拠条文等
法1条～法3条

〈一般事業主行動計画の策定等〉

① 国及び地方公共団体以外の事業主（一般事業主）であって、常時雇用する労働者の数が**100人を超える**ものは、**行動計画策定指針**に即して、一般事業主行動計画を策定し、厚生労働大臣（都道府県労働局長に権限委任）にその旨を届け出なければならない。これを変更したときも同様とする。

② 一般事業主行動計画においては、「ⓐ**計画期間**・ⓑ次世代育成支援対策の実施により達成しようとする**目標**・ⓒ実施しようとする次世代育成支援対策の**内容**及びその**実施時期**」を定めるものとする。

③ ①の一般事業主は、一般事業主行動計画を策定し、又は変更したときは、これを**公表**しなければならない。

④ ①の一般事業主は、一般事業主行動計画を策定し、又は変更したときは、これを労働者に**周知**させるための措置を講じなければならない。

⑤ ①の一般事業主が一般事業主行動計画の届出、③の公表又は④の周知の措置をしない場合には、厚生労働大臣（都道府県労働局長に権限委任）は、当該一般事業主に対し、相当の期間を定めて当該届出、公表又は周知の措置をすべきことを**勧告**することができる。

Step-Up! アドバイス

・常時雇用する労働者の数が100人以下の一般事業主は、上記①、③及び④は努力義務とされている。

16 女性活躍推進法 Basic

チェック欄
1 ／
2 ／
3 ／

(1) 一般事業主であって、常時雇用する労働者の数が［ A ］人を超えるものは、**事業主行動計画策定指針**に即して、一般事業主行動計画を定め、厚生労働大臣に届け出なければならない。

(2) 女性活躍推進法第8条第1項に規定する一般事業主（上記(1)の一般事業主行動計画の策定・届出義務のある一般事業主）であって、常時雇用する労働者の数が［ B ］人を超えるものは、職業生活を営み、又は営もうとする**女性の**［ C ］に資するよう、その事業における女性の職業生活における活躍に関する次の①及び②の情報を**定期的**に**公表**しなければならない。

① その雇用し、又は雇用しようとする**女性労働者**に対する**職業生活**に関する**機会の提供**に関する［ D ］

② その雇用する**労働者**の［ E ］に資する**雇用環境の整備**に関する［ D ］

(3) 女性活躍推進法第8条第1項に規定する一般事業主（上記(2)の一般事業主を除く。）は、上記(2)の①又は②の情報の少なくともいずれか一方を**定期的**に**公表**しなければならない。

(4) 常時雇用する労働者の数が［ A ］人以下の一般事業主は、上記(2)の①又は②の情報の少なくともいずれか一方を**定期的**に**公表**するよう**努め**なければならない。

選択肢

① 10	② 1,000	③ 施策の実施状況
④ 30	⑤ 実績	⑥ 就業環境の改善
⑦ 50	⑧ 雇用の継続	⑨ 取組の内容
⑩ 100	⑪ 方針	⑫ 職業の安定
⑬ 200	⑭ 能力の発揮	⑮ 家庭生活における活動
⑯ 300	⑰ 職業選択	⑱ 充実した職業生活
⑲ 500	⑳ 職業生活と家庭生活との両立	

解答

A ▶ ⑩	100	
B ▶ ⑯	300	
C ▶ ⑰	職業選択	
D ▶ ⑤	実績	
E ▶ ⑳	職業生活と家庭生活との両立	

根拠条文等
法8条1項、7項、法20条

おぼえとるかい？

1. 目的

女性活躍推進法は、近年、**自らの意思**によって職業生活を営み、又は営もうとする女性がその**個性**と**能力**を十分に発揮して職業生活において活躍すること（「女性の職業生活における活躍」という。）が一層重要となっていることに鑑み、**男女共同参画社会基本法**の基本理念にのっとり、女性の職業生活における活躍の推進について、その基本原則を定め、並びに国、地方公共団体及び事業主の責務を明らかにするとともに、基本方針及び事業主の行動計画の策定、女性の職業生活における活躍を推進するための支援措置等について定めることにより、女性の職業生活における活躍を**迅速かつ重点的**に推進し、もって**男女の人権**が尊重され、かつ、**急速**な**少子高齢化**の進展、**国民の需要の多様化**その他の社会経済情勢の変化に対応できる**豊かで活力ある社会**を実現することを目的とする。

2. 一般事業主行動計画

問題文(1)の一般事業主は、一般事業主行動計画を定め、又は変更しようとするときは、①採用した労働者に占める女性労働者の割合、②男女の継続勤務年数の差異、③労働時間の状況、④管理的地位にある労働者に占める女性労働者の割合その他のその事業における女性の職業生活における活躍に関する状況を**把握**し、女性の職業生活における活躍を推進するために改善すべき事情について**分析**した上で、その結果を勘案して、これを定めなければならない。

17 最低賃金法

Basic

チェック欄
1 ／
2 ／
3 ／

(1) 最低賃金法は、賃金の低廉な労働者について、賃金の最低額を保障することにより、**労働条件の改善**を図り、もって、労働者の**生活の安定**、労働力の**質的向上**及び［ A ］の確保に資するとともに、**国民経済**の健全な発展に寄与することを目的とする。

(2) 賃金の低廉な労働者について、賃金の最低額を保障するため、地域別最低賃金は、**あまねく全国各地域**について決定されなければならない。

(3) 地域別最低賃金は、**地域**における労働者の［ B ］及び**賃金**並びに通常の事業の［ C ］を**考慮**して定められなければならない。

(4) 上記(3)の労働者の［ B ］を考慮するに当たっては、労働者が健康で文化的な最低限度の生活を営むことができるよう、［ D ］に係る施策との**整合性**に**配慮**するものとする。

(5) **厚生労働大臣**又は［ E ］は、一定の地域ごとに、中央最低賃金審議会又は地方最低賃金審議会（「**最低賃金審議会**」という。）の調査審議を求め、その意見を聴いて、地域別最低賃金の決定をしなければならない。

選択肢

① 労働分配率	② 都道府県知事	③ 収益
④ 負担能力	⑤ 労働委員会	⑥ 雇用
⑦ 社会保障	⑧ 事業の公正な競争	⑨ 収入
⑩ 賃金支払能力	⑪ 適正な労働条件	⑫ 業績
⑬ 労働生産性	⑭ 都道府県労働局長	⑮ 福祉
⑯ 生活保護	⑰ 労働政策審議会	⑱ 資産
⑲ 生計費	⑳ 健康で文化的な最低限度の生活	

進捗チェック
労基 安衛 労災 雇用 労一

解答

A ▶ ⑧ 事業の公正な競争

B ▶ ⑲ 生計費

C ▶ ⑩ 賃金支払能力

D ▶ ⑯ 生活保護

E ▶ ⑭ 都道府県労働局長

根拠条文等

法1条、法9条、法10条1項

1．最低賃金の効力

① 使用者は、最低賃金の適用を受ける労働者に対し、その最低賃金額以上の賃金を支払わなければならない。

② 最低賃金の適用を受ける労働者と使用者との間の労働契約で最低賃金額に**達しない**賃金を定めるものは、その**部分**については**無効**とする。この場合において、無効となった部分は、最低賃金と**同様の定**をしたものと**みなす**。

2．派遣中の労働者の地域別最低賃金

労働者派遣法に規定する派遣中の労働者については、その**派遣先**の事業の事業場の所在地を含む地域について決定された地域別最低賃金において定める最低賃金額により最低賃金の効力の規定を適用する。

3．地域別最低賃金の公示及び発効

① 厚生労働大臣又は都道府県労働局長は、地域別最低賃金に関する決定をしたときは、決定した事項を**公示**しなければならない。

② 問題文(5)による地域別最低賃金の決定は、上記①の**公示の日**から起算して**30日**を経過した日から、その効力を生ずる。

Step-Up! アドバイス

・最低賃金額は、時間によって定めるものとする。

健保	国年	厚年	社一

18 労働施策総合推進法 1

Basic

チェック欄
1 ／
2 ／
3 ／

(1) 事業主は、**経済的事情**による**事業規模の縮小等**であって、当該事業規模の縮小等の実施に伴い、一の事業所において、常時雇用する労働者について［ A ］の期間内に［ B ］以上の離職者を生ずることとなるものを行おうとするときは、［ C ］を、**最初の離職者**の生ずる日の［ D ］までに作成しなければならない。

(2) 事業主は、上記(1)により［ C ］を作成するに当たっては、当該［ C ］に係る事業所に、労働者の過半数で組織する労働組合がある場合においてはその労働組合の、労働者の過半数で組織する労働組合がない場合においては労働者の過半数を代表する者の**意見を聴か**なければならない。

(3) 事業主は、［ C ］を作成したときは、**公共職業安定所長**に提出し、その［ E ］を受けなければならない。

(4) 上記(3)の［ E ］の申請をした事業主は、当該**申請をした日**に、**大量の雇用変動の届出**をしたものとみなす。

選択肢

① 1年	② 1箇月	③ 3月前
④ 職務経歴等記録書	⑤ 1月前	⑥ 承認
⑦ 再就職援助計画	⑧ 5人	⑨ 許可
⑩ 3箇月	⑪ 50人	⑫ 1週間
⑬ 求職活動支援書	⑭ 10日前	⑮ 認定
⑯ 就職支援計画	⑰ 認可	⑱ 30人
⑲ 10人	⑳ 2週間前	

解答

A ▶ ②　1箇月

B ▶ ⑱　30人

C ▶ ⑦　再就職援助計画

D ▶ ⑤　1月前

E ▶ ⑮　認定

根拠条文等

法24条1～3項、5項、
則7条の2、
則7条の3,1項

おぼえとるかい？

1．大量の雇用変動の届出

事業主は、その事業所における雇用量の変動であって、一の事業所において、**1月以内**の期間に、一定の者を除き、自己の都合又は自己の責めに帰すべき理由によらないで離職する者（天災事変その他やむを得ない事由のために事業の継続が不可能となったことにより離職する者を除く。）の数が**30以上**となる場合に該当するもの（**大量雇用変動**）については、大量雇用変動がある日（当該大量雇用変動に係る離職の全部が同一の日に生じない場合にあっては、当該大量雇用変動に係る**最後の離職**が生じる日）の少なくとも**1月前**に、大量離職届を当該事業所の所在地を管轄する**公共職業安定所の長**に提出することによって**厚生労働大臣**に届け出なければならない。

2．円滑な再就職の促進のための助成及び援助

政府は、事業規模の縮小等に伴い離職を余儀なくされる労働者（「**援助対象労働者**」という。）の円滑な再就職を促進するため、雇用保険法の**雇用安定事業**として、問題文(3)の**認定**を受けた**再就職援助計画**に基づき、その雇用する援助対象労働者に関し、求職活動をするための休暇（年次有給休暇として与えられるものを除く。）の付与その他の再就職の促進に特に資すると認められる措置を講ずる事業主に対して、必要な**助成**及び**援助**を行うものとする。

Step-Up! アドバイス

・事業主は、問題文(1)に該当しない場合においても、事業規模の縮小等に伴い離職を余儀なくされる労働者に関し、再就職援助計画を作成し、その認定を受けることができる。

健保	国年	厚年	社一

19 労働施策総合推進法　2

Basic

チェック欄
1 ／
2 ／
3 ／

(1)　事業主は、職場において行われる［　A　］を背景とした言動であって、［　B　］を超えたものによりその雇用する労働者の［　C　］が害されることのないよう、当該労働者からの**相談**に応じ、適切に対応するために必要な体制の整備その他の**雇用管理上**必要な措置を講じなければならない。

(2)　常時雇用する労働者の数が［　D　］を超える事業主は、労働者の**職業選択**に資するよう、雇い入れた**通常の労働者**及び**短時間正社員**の数に占める**中途採用**により雇い入れられた者の数の**割合**を**定期的**に（**おおむね1年**に**1回以上**、公表した日を明らかにして、［　E　］について、インターネットの利用その他の方法により、求職者等が容易に閲覧できるように）**公表**しなければならない。

選択肢

①　職業生活	②　直近の事業年度
③　100人	④　指揮命令関係
⑤　健康	⑥　社会的に許容し得る限度
⑦　優越的な関係	⑧　一般的妥当性を認め得る限度
⑨　300人	⑩　直近の3事業年度
⑪　人間関係	⑫　業務上必要かつ相当な範囲
⑬　500人	⑭　直近の5事業年度
⑮　支配関係	⑯　職務上妥当かつ適正な範囲
⑰　1,000人	⑱　雇用関係
⑲　就業環境	⑳　直近の2事業年度

解答

A ▶ ⑦ 優越的な関係
B ▶ ⑫ 業務上必要かつ相当な範囲
C ▶ ⑲ 就業環境
D ▶ ⑨ 300人
E ▶ ⑩ 直近の３事業年度

根拠条文等
法27条の2,1項、法30条の2,1項、則９条の2,1項、２項

1．解雇その他不利益な取扱いの禁止

事業主は、労働者が問題文(1)の**相談を行った**こと又は事業主による当該**相談**への対応に**協力**した際に**事実を述べた**ことを理由として、当該労働者に対して解雇その他不利益な取扱いをしてはならない。

2．雇用情報

① 厚生労働大臣は、**求人**と**求職**との**迅速かつ適正**な**結合**に資するため、労働力の需給の状況、求人及び求職の条件その他必要な雇用に関する情報（「**雇用情報**」という。）を収集し、及び整理しなければならない。

② 厚生労働大臣は、雇用情報を、求職者、求人者その他の関係者及び**職業紹介機関**、**募集情報等提供**を業として行う機関、職業訓練機関、教育機関その他の関係機関が、職業の選択、労働者の雇入れ、職業指導、職業紹介、募集情報等提供、職業訓練その他の措置を行うに際して活用することができるように**提供**するものとする。

Step-Up! アドバイス

・国は、事業主による問題文(2)の中途採用の割合その他の中途採用に関する情報の自主的な公表が促進されるよう、必要な支援を行うものとする。

20 職業安定法

Basic

チェック欄
1 ／
2 ／
3 ／

(1) 職業安定法第20条第１項では、「**公共職業安定所**は、**労働争議**に対する［ A ］を維持するため、［ B ］の行われている事業所に、**求職者**を**紹介**してはならない。」と規定している。

(2) 職業安定法第20条第２項では、「前項に規定する場合の外、［ C ］が公共職業安定所に対し、事業所において、［ B ］に至る虞の多い争議が発生していること及び求職者を**無制限**に紹介することによって、当該争議の解決が妨げられることを**通報**した場合においては、公共職業安定所は当該事業所に対し、求職者を紹介してはならない。但し、当該**争議の発生前**、**通常**使用されていた労働者の員数を**維持**するため必要な限度まで労働者を紹介する場合は、この限りでない。」と規定している。

(3) 職業安定法第20条の規定は、「特定地方公共団体が無料の職業紹介事業を行う場合」「職業紹介事業者が職業紹介事業を行う場合」「［ D ］」及び「労働組合等が［ E ］を行う場合」について準用する。

選択肢

① 都道府県労働局長	② 同盟罷業又は作業所閉鎖
③ 募集情報等提供事業	④ 労働者の募集
⑤ 産業の平和	⑥ 労働者の団結
⑦ 職業指導	⑧ 同盟罷業
⑨ 厚生労働大臣	⑩ 労働委員会
⑪ 職業安定機関	⑫ 労働力の需給
⑬ 労働者供給	⑭ 作業所閉鎖
⑮ 争議行為	⑯ 労働者供給事業
⑰ 中立の立場	⑱ 都道府県知事
⑲ 募集情報等提供	⑳ 特定募集等提供事業

解答

A ▶ ⑰ 中立の立場
B ▶ ② 同盟罷業又は作業所閉鎖
C ▶ ⑩ 労働委員会
D ▶ ④ 労働者の募集
E ▶ ⑯ 労働者供給事業

根拠条文等
法20条、
法29条の8、
法34条、
法42条の2、
法46条

〈求人等に関する情報の的確な表示〉

① 公共職業安定所、特定地方公共団体及び職業紹介事業者、労働者の募集を行う者及び募集受託者、募集情報等提供事業を行う者並びに労働者供給事業者は、職業安定法に基づく業務に関して新聞、雑誌その他の刊行物に掲載する広告、文書の掲出又は頒布その他厚生労働省令で定める方法（**広告等**）により求人若しくは労働者の募集に関する情報又は求職者若しくは労働者になろうとする者に関する情報その他厚生労働省令で定める情報（**求人等に関する情報**）を提供するときは、当該情報について**虚偽の表示**又は**誤解を生じさせる表示**をしてはならない。

② **労働者の募集**を行う者及び**募集受託者**は、職業安定法に基づく業務に関して広告等により労働者の募集に関する情報その他厚生労働省令で定める情報を提供するときは、**正確かつ最新**の内容に保たなければならない。

③ 公共職業安定所、特定地方公共団体及び職業紹介事業者、募集情報等提供事業を行う者並びに労働者供給事業者は、職業安定法に基づく業務に関して広告等により求人等に関する情報を提供するときは、**正確かつ最新**の内容に保つための措置を講じなければならない。

Step-Up! アドバイス

・職業安定法20条の規定は、労働者派遣事業について準用する（労働者派遣法24条）。

健保	国年	厚年	社一

21 労働者派遣法 1

Basic

チェック欄
1 ／
2 ／
3 ／

(1) 労働者派遣法は、[A]と相まって[B]の適正な調整を図るため労働者派遣事業の適正な運営の確保に関する措置を講ずるとともに、派遣労働者の**保護**等を図り、もって派遣労働者の[C]その他**福祉の増進**に資することを目的とする。

(2) 厚生労働大臣は、労働者派遣事業に係る労働者派遣法の規定の運用に当たっては、労働者の**職業生活**の**全期間**にわたるその**能力**の**有効**な**発揮**及びその[C]に資すると認められる[D]並びに派遣就業は[E]なものであることを**原則**とするとの考え方を考慮するとともに、労働者派遣事業による[B]の調整が[A]に定める他の[B]の調整に関する制度に基づくものとの**調和**の下に行われるように**配慮**しなければならない。

選択肢

① 雇用の安定	② 代替的
③ 雇用量	④ 雇用保険法
⑤ 安定的	⑥ 労働条件
⑦ 職業安定法	⑧ 雇用の継続
⑨ 就業環境	⑩ 短期的かつ突発的
⑪ 職業の安定	⑫ 雇用慣行
⑬ 労働生産性	⑭ 労働基準法
⑮ 臨時的かつ一時的	⑯ 職業の選択
⑰ 職業能力開発促進法	⑱ 労働力の需給
⑲ 業務の繁閑	⑳ 雇用管理制度

解答

A ▶ ⑦	職業安定法	
B ▶ ⑱	労働力の需給	
C ▶ ①	雇用の安定	
D ▶ ⑫	雇用慣行	
E ▶ ⑮	臨時的かつ一時的	

根拠条文等
法1条、法25条

〈用語の意義〉

① **労働者派遣**…**自己**の雇用する労働者を、当該**雇用関係**の下に、かつ、**他人**の**指揮命令**を受けて、当該**他人**のために労働に従事させることをいい、当該他人に対し当該労働者を当該他人に雇用させることを約してするものを含まないものとする。

② **派遣労働者**…事業主が雇用する労働者であって、労働者派遣の対象となるものをいう。

③ **紹介予定派遣**…労働者派遣のうち、労働者派遣事業の許可を受けた者（派遣元事業主）が労働者派遣の役務の提供の開始前又は開始後に、当該労働者派遣に係る派遣労働者及び派遣先について、職業安定法その他の法律の規定による許可を受けて、又は届出をして、**職業紹介**を行い、又は行うことを**予定**してするものをいい、当該職業紹介により、当該派遣労働者が当該**派遣先**に**雇用**される旨が、当該労働者派遣の役務の提供の終了前に当該派遣労働者と当該派遣先との間で約されるものを含むものとする。

Step-Up! アドバイス

・労働者派遣事業の許可を受けるには、その事業が「専ら労働者派遣の役務を特定の者に提供することを目的として行われるものでないこと〔当該事業を行う派遣元事業主が雇用する派遣労働者のうち、10分の3以上の者が60歳以上の者（他の事業主の事業所を60歳以上の定年により退職した後雇い入れた者に限る。）である場合において行われるものを除く。〕」を要する。

22 労働者派遣法　2

Basic

チェック欄
1 ／
2 ／
3 ／

⑴　派遣元事業主は、当該派遣元事業主の**経営**を**実質的**に**支配**することが可能となる関係にある者その他の当該派遣元事業主と［ A ］の関係のある者として厚生労働省令で定める者（**関係派遣先**）に労働者派遣をするときは、関係派遣先への**派遣割合**（一の事業年度における派遣元事業主が雇用する派遣労働者（［ B ］以上の**定年**に達したことにより退職した者であって当該派遣元事業主に雇用されているものを除く。）の関係派遣先に係る派遣就業に係る［ C ］を、その事業年度における当該派遣元事業主が雇用する派遣労働者の全ての派遣就業に係る［ C ］で除して得た割合をいう。）が［ D ］**以下**となるようにしなければならない。

⑵　派遣先は、労働者派遣の役務の提供を受けようとする場合において、当該労働者派遣に係る派遣労働者が当該**派遣先**を**離職**した者であるときは、当該**離職の日**から**起算**して［ E ］を経過する日までの間は、当該派遣労働者（［ B ］以上の**定年**に達したことにより退職した者であって当該労働者派遣をしようとする派遣元事業主に雇用されているものを除く。）に係る労働者派遣の役務の提供を受けてはならない。

選択肢

①　100分の60	②　3月	③　60歳
④　共同経営	⑤　総労働時間	⑥　1年
⑦　延労働者数	⑧　100分の70	⑨　70歳
⑩　6月	⑪　共同出資	⑫　55歳
⑬　100分の80	⑭　賃金総額	⑮　特別
⑯　派遣料金の総額	⑰　特殊	⑱　65歳
⑲　1月	⑳　100分の75	

解答

A ▶ ⑰ 特殊

B ▶ ③ 60歳

C ▶ ⑤ 総労働時間

D ▶ ⑬ 100分の80

E ▶ ⑥ 1年

根拠条文等

法23条の2、法40条の9,1項、則18条の3,4項、則33条の10,1項

おぼえとるかい?

1. **労働者派遣に関する料金の額の明示**

派遣元事業主は、労働者を派遣労働者として**雇い入れよう**とする場合には当該労働者に対し、**労働者派遣をしよう**とする場合及び労働者派遣に関する**料金の額を変更**する場合には当該労働者派遣に係る派遣労働者に対し、当該労働者に係る労働者派遣に関する料金の額として次のいずれかに掲げる額を**明示**しなければならない。

① 当該労働者に係る労働者派遣に関する料金の額

② 当該労働者に係る労働者派遣を行う事業所における前事業年度における派遣労働者1人1日当たりの労働者派遣に関する料金の額の**平均額**

2. **派遣労働者に係る雇用制限の禁止**

① 派遣元事業主は、その雇用する派遣労働者又は派遣労働者として雇用しようとする労働者との間で、正当な理由がなく、その者に係る派遣先である者(派遣先であった者を含む。以下同じ。)又は派遣先となることとなる者に当該派遣元事業主との雇用関係の終了後雇用されることを禁ずる旨の契約を締結してはならない。

② 派遣元事業主は、その雇用する派遣労働者に係る派遣先である者又は派遣先となろうとする者との間で、正当な理由がなく、その者が当該派遣労働者を当該派遣元事業主との雇用関係の終了後雇用することを禁ずる旨の契約を締結してはならない。

23 高年齢者雇用安定法 1

Basic

チェック欄
1 ／
2 ／
3 ／

(1) **定年**（［ A ］のものに限る。以下同じ。）の定めをしている事業主又は**継続雇用制度**（高年齢者を［ B ］まで引き続いて雇用する制度を除く。以下同じ。）を導入している事業主は、その雇用する高年齢者について、次に掲げる措置を講ずることにより、**65歳から70歳**までの**安定**した**雇用**を確保するよう**努め**なければならない。ただし、当該事業主が、労働者の過半数で組織する労働組合がある場合においてはその労働組合の、労働者の過半数で組織する労働組合がない場合においては労働者の過半数を代表する者の［ C ］を得た［ D ］を講ずることにより、その雇用する高年齢者について、定年後等（定年後又は継続雇用制度の対象となる年齢の上限に達した後をいう。）又は②の65歳以上継続雇用制度の対象となる年齢の上限に達した後70歳までの間の就業を確保する場合は、この限りでない。

① 当該**定年**の**引上げ**
② **65歳以上継続雇用制度**の導入
③ 当該**定年**の定めの**廃止**

(2) 事業主は、労働者の**募集及び採用**をする場合において、**やむを得ない理由**により一定の年齢（［ E ］のものに限る。）を**下回る**ことを条件とするときは、求職者に対し、当該**理由**を示さなければならない。

選択肢

① 60歳以上70歳未満	② 意見	③ 教育訓練
④ 65歳以上70歳未満	⑤ 75歳以上	⑥ 70歳以下
⑦ 創業支援等措置	⑧ 同意	⑨ 70歳以上
⑩ 60歳以上75歳未満	⑪ 協議	⑫ 職業紹介
⑬ 65歳以上75歳未満	⑭ 60歳以上	⑮ 65歳以下
⑯ 再就職援助措置	⑰ 75歳以下	⑱ 65歳以上
⑲ 定年の年齢以下	⑳ 書面による協定	

進捗チェック
労基 安衛 労災 雇用 労一

解答

A ▶ ④ 65歳以上70歳未満

B ▶ ⑨ 70歳以上

C ▶ ⑧ 同意

D ▶ ⑦ 創業支援等措置

E ▶ ⑮ 65歳以下

法10条の2,1項、法20条1項

おぼえとるかい？

1．目的

高年齢者雇用安定法は、定年の引上げ、継続雇用制度の導入等による高年齢者の**安定した雇用の確保**の促進、高年齢者等の**再就職**の促進、定年退職者その他の高年齢退職者に対する**就業の機会**の確保等の措置を総合的に講じ、もって高年齢者等の**職業の安定**その他福祉の増進を図るとともに、**経済及び社会の発展**に寄与することを目的とする。

2．**高年齢者雇用確保措置**

定年（**65歳未満**のものに限る。以下同じ。）の定めをしている事業主は、その雇用する高年齢者の**65歳**までの安定した雇用を確保するため、次に掲げる**高年齢者雇用確保措置**のいずれかを講じなければならない。

① 当該**定年**の**引上げ**

② **継続雇用制度**（現に雇用している高年齢者が**希望**するときは、当該高年齢者をその定年後も引き続いて雇用する制度をいう。）の導入

③ 当該**定年**の定めの**廃止**

Step-Up! アドバイス

・事業主は、高年齢者雇用確保措置（上記2．の措置）及び高年齢者就業確保措置（問題文⑴①～③の措置及び創業支援等措置）を推進するため、作業施設の改善その他の諸条件の整備を図るための業務を担当する者（高年齢者雇用等推進者）を選任するように努めなければならない。

健保	国年	厚年	社一

24 高年齢者雇用安定法　2

Basic

チェック欄
1 ／
2 ／
3 ／

(1)　事業主は、**解雇**(自己の責めに帰すべき理由によるものを除く。)その他これに類するものとして厚生労働省令で定める理由により離職することとなっている**高年齢者等**（厚生労働省令で定める者に限る。）が**希望**するときは、その**円滑な再就職**を促進するため、当該高年齢者等の**職務の経歴、職業能力**その他の当該高年齢者等の**再就職**に資する事項（［ A ］を除く。）として厚生労働省令で定める事項及び事業主が講ずる**再就職援助措置**を明らかにする書面（以下「［ B ］」という。）を作成し、当該高年齢者等に交付しなければならない。

(2)　上記(1)の厚生労働省令で定める者は、［ C ］**以上70歳未満**の者であって次のいずれにも該当しないものとする。

① 日々又は期間を定めて雇用されている者（同一の事業主に［ D ］を超えて引き続き雇用されるに至っている者を除く。）

② 試みの使用期間中の者（同一の事業主に14日を超えて引き続き雇用されるに至っている者を除く。）

③ 常時勤務に服することを要しない者として雇用されている者

(3)　上記(1)の［ B ］を作成した事業主は、その雇用する者のうちから［ E ］を選任し、その者に、当該［ B ］に基づいて、**公共職業安定所**と**協力**して、当該［ B ］に係る高年齢者等の**再就職の援助**に関する業務を行わせるものとする。

選択肢

① 職務経歴等記録書	② 30日	③ 45歳
④ 再就職援助計画	⑤ 賃金の額	⑥ 50歳
⑦ 職制上の地位	⑧ 解雇等の理由	⑨ 55歳
⑩ 求職活動支援書	⑪ 就職支援計画	⑫ 業績
⑬ 雇用管理責任者	⑭ 2月	⑮ 60歳
⑯ 職業訓練指導員	⑰ 1年	⑱ 6月
⑲ 再就職援助担当者	⑳ キャリアコンサルタント	

進捗チェック
労基　安衛　労災　雇用　労一

解答

A ▶ ⑧ 解雇等の理由

B ▶ ⑩ 求職活動支援書

C ▶ ③ 45歳

D ▶ ⑱ 6月

E ▶ ⑲ 再就職援助担当者

根拠条文等

法17条、則6条の3,9項

おぼえとるかい？

1．再就職援助措置

事業主は、その雇用する高年齢者等（厚生労働省令で定める者に限る。）その他厚生労働省令で定める者（**再就職援助対象高年齢者等**）が**解雇**（自己の責めに帰すべき理由によるものを除く。）その他の厚生労働省令で定める理由（下記①～③等の理由）により離職する場合において、当該再就職援助対象高年齢者等が再就職を**希望**するときは、**再就職援助措置**を講ずるように**努め**なければならない。

① 解雇（自己の責めに帰すべき理由によるものを除く。）その他の事業主の都合

② 定年（65歳以上のものに限る。）又は継続雇用制度の対象となる年齢の上限に達したことによる離職（65歳以上のものに限る。）

③ 高年齢者就業確保措置（定年の引上げ及び定年の定めの廃止を除く。）の対象となる年齢の上限に達したことによる離職

2．多数離職の届出

事業主は、**再就職援助対象高年齢者等**のうち**5人以上**の者が上記1．の厚生労働省令で定める理由により離職する場合には、**多数離職届**を当該届出に係る離職が生ずる日（当該届出に係る離職の全部が同一の日に生じない場合にあっては、当該届出に係る**最後の離職**が生ずる日）の**1月前**までに当該事業所の所在地を管轄する**公共職業安定所の長**に提出することによって、その旨を届け出なければならない。

健保	国年	厚年	社一

25 障害者雇用促進法　1

Basic

チェック欄
1 ／
2 ／
3 ／

(1) 全て事業主は、障害者の雇用に関し、[A]の理念に基づき、障害者である労働者が有為な職業人として自立しようとする努力に対して協力する責務を有するものであって、その有する能力を正当に評価し、**適当な雇用の場**を与えるとともに適正な雇用管理並びに**職業能力**の**開発**及び**向上**に関する措置を行うことによりその[B]を図るように努めなければならない。

(2) 令和8年6月30日までの間、一般事業主のうち、その雇用する労働者の数が**常時**[C]**以上**（特殊法人は**常時36人以上**）であるものは、**毎年**、[D]現在における対象障害者の雇用に関する状況を、[E]までに、厚生労働大臣の定める様式により、管轄公共職業安定所の長に報告しなければならない。

(3) 令和8年6月30日までの間、一般事業主のうち、その雇用する労働者の数が**常時**[C]**以上**（特殊法人は**常時36人以上**）であるものは、**障害者雇用推進者**を選任するように**努め**なければならない。

選択肢

① 4月1日	② 40人	③ 雇用の推進
④ 職場環境の改善	⑤ 6月1日	⑥ 相互扶助
⑦ 共同連帯	⑧ 翌月末日	⑨ 翌月15日
⑩ その月の末日	⑪ 33.5人	⑫ 施設の整備
⑬ 7月1日	⑭ 42人	⑮ 社会連帯
⑯ 社会福祉	⑰ その月の15日	⑱ 8月1日
⑲ 37.5人	⑳ 雇用の安定	

解答

A ▶ ⑮ 社会連帯

B ▶ ⑳ 雇用の安定

C ▶ ② 40人

D ▶ ⑤ 6月1日

E ▶ ⑨ 翌月15日

根拠条文等

法5条、法43条7項、法78条2項、則7条、則8条、令和5年則附則2条

1．障害者に対する差別の禁止

① 事業主は、労働者の**募集及び採用**について、障害者に対して、障害者でない者と**均等な機会**を与えなければならない。

② 事業主は、賃金の決定、教育訓練の実施、福利厚生施設の利用その他の待遇について、労働者が障害者であることを理由として、障害者でない者と**不当**な**差別的取扱い**をしてはならない。

2．雇用の分野における障害者と障害者でない者との均等な機会の確保等を図るための措置

① 事業主は、労働者の**募集及び採用**について、障害者と障害者でない者との均等な機会の確保の支障となっている事情を改善するため、労働者の**募集及び採用**に当たり障害者からの**申出**により当該障害者の**障害の特性**に配慮した必要な措置を講じなければならない。ただし、事業主に対して**過重な負担**を及ぼすこととなるときは、この限りでない。

② 事業主は、障害者である労働者について、障害者でない労働者との均等な待遇の確保又は障害者である労働者の有する能力の有効な発揮の支障となっている事情を改善するため、その雇用する障害者である労働者の**障害の特性**に配慮した職務の円滑な遂行に必要な施設の整備、援助を行う者の配置その他の必要な措置を講じなければならない。ただし、事業主に対して**過重な負担**を及ぼすこととなるときは、この限りでない。

③ 事業主は、上記①又は②に規定する措置を講ずるに当たっては、障害者の**意向**を十分に**尊重**しなければならない。

26 障害者雇用促進法　2

Basic

チェック欄
1 ／
2 ／
3 ／

(1) 厚生労働大臣は、対象障害者の雇用に伴う**経済的負担の調整**並びにその**雇用**の**促進**及び**継続**を図るため、納付金関係業務（**障害者雇用納付金**の徴収、**障害者雇用調整金**の支給等）を行う。ただし、その雇用する労働者の数が常時［ A ］である一般事業主については、当分の間、障害者雇用納付金の徴収及び障害者雇用調整金の支給は行わない。

(2) **独立行政法人高齢・障害・求職者雇用支援機構**（以下「機構」という。）は、一般事業主（**特殊法人**を**除く**。）に対し、**各年度**ごとに、当該年度に属する**各月ごと**にその**初日**におけるその雇用する対象障害者である労働者の数の合計数が、当該各月の初日における労働者の数に法定雇用率を乗じて得た数（その数に1人未満の端数があるときは、その端数は、**切り捨てる**。）の合計数を超える場合には、その超える数（超過数）に［ B ］（超過数が［ C ］を超えるときは、超過数［ C ］までは［ B ］、超過数［ C ］を超える部分は［ D ］）を乗じて得た額の障害者雇用調整金を支給する。

(3) 事業主は、各年度ごとに、障害者雇用納付金の申告書・障害者雇用調整金の申請書を翌年度の初日（当該年度の中途に事業を廃止した事業主にあっては、当該事業を廃止した日）から［ E ］以内に**機構**に提出しなければならない。

選択肢

① 100人未満	② 40人以下	③ 21,000円
④ 100人以下	⑤ 40人未満	⑥ 23,000円
⑦ 100	⑧ 120	⑨ 25,000円
⑩ 150	⑪ 50,000円	⑫ 27,000円
⑬ 180	⑭ 40,000円	⑮ 29,000円
⑯ 30,000円	⑰ 30日	⑱ 45日
⑲ 50日	⑳ 60日	

進捗チェック
労基　安衛　労災　雇用　労一

解答

A ▶ ④ 100人以下

B ▶ ⑮ 29,000円

C ▶ ⑧ 120

D ▶ ⑥ 23,000円

E ▶ ⑱ 45日

根拠条文等

法50条1項、2項、法56条1項、法附則4条1項、令14条、令15条、則15条3項、則25条の7他

1．一般事業主の雇用義務等

障害者雇用納付金及び障害者雇用調整金に係る「雇用する労働者」の数の算定に当たっては、短時間労働者（1週間の所定労働時間が、通常の労働者の1週間の所定労働時間に比し短く、かつ、**30時間未満**の者をいう。以下同じ。）はその1人をもって**0.5人**に換算して計算し、また、「対象障害者である労働者」の数の算定に当たっては、次表の左欄に掲げる区分に応じ、1人をもって、それぞれ右欄の数に換算して計算する。

障害者の区分	換算数
① 重度身体障害者又は重度知的障害者である労働者（短時間労働者を除く。）	2
② 重度身体障害者又は重度知的障害者である短時間労働者	1
③ 対象障害者である短時間労働者※1	0.5
④ 上記②③にかかわらず、重度身体障害者、重度知的障害者又は精神障害者である特定短時間労働者※2	0.5

※1 当分の間、精神障害者である短時間労働者は、その1人をもって、1人の雇用とみなす。

※2 「特定短時間労働者」とは、短時間労働者のうち、1週間の所定労働時間が10時間以上20時間未満の範囲内にある労働者（一定の者を除く。）をいう。

2．解雇の届出

事業主は、**障害者である労働者**を**解雇**（労働者の責めに帰すべき理由による解雇及び天災事変その他やむを得ない理由のために事業の継続が不可能となったことによる解雇を除く。）する場合には、その旨を**公共職業安定所長**に届け出なければならない。

健保	国年	厚年	社一

27 職業能力開発促進法 Basic

チェック欄 1 ／ 2 ／ 3 ／

(1) 職業能力開発促進法は、労働施策の総合的な推進並びに労働者の雇用の安定及び職業生活の充実等に関する法律と相まって、［ A ］及び［ B ］の内容の充実強化及びその実施の円滑化のための施策並びに労働者が自ら職業に関する［ C ］又は［ B ］を受ける機会を確保するための施策等を**総合的かつ計画的**に講ずることにより、職業に必要な労働者の能力を開発し、及び向上させることを促進し、もって、**職業の安定**と**労働者の地位の向上**を図るとともに、**経済及び社会の発展**に寄与することを目的とする。

(2) 職業能力開発促進法によれば、事業主は、当該事業主の行う**実習併用職業訓練**の実施計画が**青少年**（**15歳以上**［ D ］歳未満である者（15歳に達する日以後の最初の3月31日までの間にある者を除く。）をいう。）の実践的な職業能力の開発及び向上を図るために効果的であることの［ E ］の**認定**を受けて、当該実習併用職業訓練を実施することができる。

選択肢

A	① 職業訓練 ③ 技能検定	② 教育訓練 ④ 職業能力検定
B	① 職業訓練 ③ 技能検定	② 教育訓練 ④ 職業能力検定
C	① 職業訓練 ③ 技能検定	② 教育訓練 ④ 職業能力検定
D	① 30 ③ 40	② 35 ④ 45
E	① 厚生労働大臣 ③ 都道府県知事	② 公共職業安定所長 ④ 市町村長

解答

A ▶ ①　職業訓練

B ▶ ④　職業能力検定

C ▶ ②　教育訓練

D ▶ ④　45

E ▶ ①　厚生労働大臣

法１条、法14条、法26条の3,1項、則２条の２

おぼえとるかい？

1．定義

①　**職業能力**…職業に必要な労働者の能力をいう。

②　**職業能力検定**…職業に必要な労働者の技能及びこれに関する知識についての検定（厚生労働省の所掌に属しないものを除く。）をいう。

③　**職業生活設計**…労働者が、**自ら**その長期にわたる職業生活における職業に関する**目的**を定めるとともに、その目的の実現を図るため、その適性、職業経験その他の実情に応じ、職業の選択、職業能力の開発及び向上のための取組その他の事項について**自ら計画**することをいう。

④　**キャリアコンサルティング**…労働者の職業の選択、職業生活設計又は職業能力の開発及び向上に関する相談に応じ、助言及び指導を行うことをいう。

2．キャリアコンサルタント

①　キャリアコンサルタントは、キャリアコンサルタントの名称を用いて、キャリアコンサルティングを行うことを業とする。

②　キャリアコンサルタント試験に合格した者は、厚生労働省に備えるキャリアコンサルタント名簿に、氏名、事務所の所在地その他厚生労働省令で定める事項の**登録**を受けて、キャリアコンサルタントとなることができる。

③　上記②の登録は、**５年ごと**にその更新を受けなければ、その期間の経過によって、その効力を失う。

28 労働統計 1

Basic

チェック欄
1 ／
2 ／
3 ／

(1) 「労働力調査（総務省）」は、統計法に基づく［ A ］「労働力統計」を作成するための［ A ］調査であり、我が国における［ B ］の状態を明らかにするための基礎資料を得ることを目的としている。

(2) 労働力調査において「**労働力人口**」とは、［ C ］の人口のうち、「**就業者**」と「［ D ］」を合わせたものをいう。

(3) (2)の［ D ］とは、次の3つの条件を満たす者をいう。

① 仕事がなくて［ E ］中に少しも仕事をしなかった（就業者ではない。）。

② 仕事があればすぐ就くことができる。

③ ［ E ］中に、仕事を探す活動や事業を始める準備をしていた（過去の求職活動の結果を待っている場合を含む。）。

選択肢

① 基幹統計	② 一般統計
③ 業務統計	④ 加工統計
⑤ 賃金及び労働時間	⑥ 求職及び求人
⑦ 就業及び不就業	⑧ 雇用
⑨ 15歳以上	⑩ 18歳以上
⑪ 65歳以下	⑫ 70歳以下
⑬ 従業者	⑭ 休業者
⑮ 完全失業者	⑯ 自営業主
⑰ 毎年3月の1か月間	⑱ 毎月の初日に始まる1週間
⑲ 毎年12月の1か月間	⑳ 毎月の末日に終わる1週間

解答

A ▶ ① 基幹統計

B ▶ ⑦ 就業及び不就業

C ▶ ⑨ 15歳以上

D ▶ ⑮ 完全失業者

E ▶ ⑳ 毎月の末日に終わる１週間

根拠条文等

統計法２条４項３号、平成24.3.27総務省告示101号、労働力調査（総務省）

おぼえとるかい？

〈労働力調査における就業状態の区分〉

- 15歳以上人口
  - 労働力人口
    - 就業者
      - 従業者
        - 雇用者
        - 自営業主
        - 家族従業者
      - 休業者
    - 完全失業者
  - 非労働力人口

① **従業者…毎月の末日に終わる１週間（調査週間）**中に賃金、給料、諸手当、内職収入などの収入を伴う仕事（以下「仕事」という。）を**１時間以上**した者（家族従業者は収入を問わない。）

② **休業者**…仕事を持ちながら、調査週間中に少しも仕事をしなかった者のうち、ⓐ雇用者で、給料・賃金（休業手当を含む。）の支払を受けている者若しくは受けることになっている者又はⓑ自営業主で、自分の経営する事業を持ったままで、その仕事を休み始めてから30日にならない者

※家族従業者で調査週間中に少しも仕事をしなかった者は、完全失業者又は非労働力人口のいずれかとされる。

Step-Up! アドバイス

・15歳以上の人口に占める労働力人口の割合を「労働力人口比率（労働力率）」、15歳以上の人口に占める就業者の割合を「就業率」、労働力人口に占める完全失業者の割合を「完全失業率」という。

健保	国年	厚年	社一

29 労働統計 2

Basic

チェック欄
1 ／
2 ／
3 ／

(1) [A]（厚生労働省）は、**雇用**、**給与**及び**労働時間**について、全国調査にあってはその全国的**変動**を毎月明らかにすることを、地方調査にあってはその都道府県別の**変動**を毎月明らかにすることを目的としている。調査の時期は、毎月末現在（給与締切日の定めがある場合には、毎月最終給与締切日現在）である。

(2) [B]（厚生労働省）は、労働者の雇用形態、就業形態、職種、性、年齢、学歴、勤続年数、経験年数等の**属性別**に**賃金**等を明らかにするものである。同調査は、調査年[C]分の賃金等（賞与、期末手当等特別給与額については調査前年1年間）について同年7月に行う。なお、同調査の結果は、労働者災害補償保険法の給付基礎日額に係る[D]の基礎として用いられている。

(3) [A]及び[B]の「常用労働者」とは、いずれも「①期間を定めずに雇われている労働者又は②[E]以上の期間を定めて雇われている労働者のいずれかに該当する者」をいう。

選択肢

A	① 毎月勤労統計調査 ③ 就業構造基本調査	② 就労条件総合調査 ④ 賃金構造基本統計調査
B	① 毎月勤労統計調査 ③ 就業構造基本調査	② 就労条件総合調査 ④ 賃金構造基本統計調査
C	① 1月　② 3月	③ 4月　④ 6月
D	① スライド率 ③ 平均賃金の算定	② 自動変更対象額 ④ 年齢階層別の最低最高限度額
E	① 1か月 ③ 6か月	② 3か月 ④ 1年

進捗チェック
労基　安衛　労災　雇用　労一

解答

A ▶ ①　毎月勤労統計調査
B ▶ ④　賃金構造基本統計調査
C ▶ ④　6月
D ▶ ④　年齢階層別の最低最高限度額
E ▶ ①　1か月

根拠条文等
毎月勤労統計調査（厚生労働省）、賃金構造基本統計調査（厚生労働省）

1．用語の定義（毎月勤労統計調査）

①　**一般労働者**…常用労働者のうち、②のパートタイム労働者以外の者

②　**パートタイム労働者**…常用労働者のうち、ⓐ1日の所定労働時間が一般の労働者より短い者又はⓑ1日の所定労働時間が一般の労働者と同じで1週の所定労働日数が一般の労働者よりも少ない者

2．用語の定義（賃金構造基本統計調査）

①　**一般労働者**…常用労働者のうち、②の短時間労働者以外の者

②　**短時間労働者**…常用労働者のうち、ⓐ同一事業所の一般の労働者より1日の所定労働時間が短い労働者又はⓑ1日の所定労働時間が同じでも1週の所定労働日数が少ない労働者

Step-Up! アドバイス

・「毎月勤労統計調査」と「賃金構造基本統計調査」は厚生労働省が行う賃金に関する基幹統計調査である。調査対象は、民営事業所についてはいずれも常用労働者5人以上の事業所であるが、それぞれ調査目的が異なるため、用途に応じて使い分けられており、通常、労働者全体の賃金の水準や増減の状況をみるときは毎月勤労統計調査を用い、男女、年齢、勤続年数や学歴などの属性別にみるとき、また、賃金の分布をみるときは、賃金構造基本統計調査を用いる。

健保	国年	厚年	社一

30 労働統計 3

Basic

チェック欄
1 ／
2 ／
3 ／

(1) [A](厚生労働省)は、主要産業における企業の労働時間制度、賃金制度等について総合的に調査し、我が国の民間企業における就労条件の現状を明らかにすることを目的としている。

(2) [B]（厚生労働省）は、男女の雇用均等問題に係る雇用管理の実態を把握し、雇用均等行政の成果測定や方向性の検討を行う上での基礎資料を得ることを目的としている。

(3) [C]（厚生労働省）は、公共職業安定所における求人、求職、就職の状況（新規学卒者を除く。）を取りまとめ、求人倍率等の指標を作成することを目的としている。

(4) [D]（厚生労働省）は、「[E]」と毎年テーマを変えて実施される「実態調査」の２つの調査の総称で、労使関係の状況を総合的に把握することを目的としている。

選択肢

A	①	雇用の構造に関する実態調査	②	就労条件総合調査
	③	就業構造基本調査	④	毎月勤労統計調査
B	①	能力開発基本調査	②	雇用均等基本調査
	③	雇用の構造に関する実態調査	④	就労条件総合調査
C	①	就業構造基本調査	②	労働災害動向調査
	③	一般職業紹介状況	④	雇用動向調査
D	①	雇用動向調査	②	労使関係総合調査
	③	労働組合基礎調査	④	一般職業紹介状況
E	①	労働組合基礎調査	②	能力開発基本調査
	③	労使関係総合調査	④	雇用均等基本調査

解答

A ▶ ② 就労条件総合調査
B ▶ ② 雇用均等基本調査
C ▶ ③ 一般職業紹介状況
D ▶ ② 労使関係総合調査
E ▶ ① 労働組合基礎調査

根拠条文等
就労条件総合調査（厚生労働省）、雇用均等基本調査（厚生労働省）、一般職業紹介状況（厚生労働省）、労使関係総合調査（厚生労働省）

〈主な調査項目〉
① **就労条件総合調査**
…週休制、年次有給休暇（取得率）、変形労働時間制、みなし労働時間制、時間外労働の割増賃金率
② **雇用均等基本調査**
…管理職等に占める女性の割合、育児休業者割合（育児休業取得率）
③ **一般職業紹介状況（職業安定業務統計）**
…有効求人倍率、新規求人倍率
④ **労働組合基礎調査**
…労働組合数、労働組合員数、推定組織率

Step-Up! アドバイス

・「就業構造基本調査（総務省）」は、国民の就業及び不就業の状態を調査し、全国及び地域別の就業構造に関する基礎資料を得ることを目的としている。
・「能力開発基本調査（厚生労働省）」は、我が国の企業、事業所及び労働者の能力開発の実態を正社員・正社員以外別に明らかにし、職業能力開発行政に資することを目的としている。
・「雇用動向調査（厚生労働省）」は、入職・離職及び未充足求人の状況等を調査し、雇用労働力の産業、規模、職業及び地域間の移動の実態を明らかにすることを目的としている。

健保	国年	厚年	社一

1 男女雇用機会均等対策基本方針 Step-Up

チェック欄
1 ／
2 ／
3 ／

(1) **女性**の年齢階級別**労働力率**の[A]型カーブについては、全体が上方にシフトし、台形型に近づきつつある。配偶関係別に女性の労働力率を見ると、有配偶者の労働力率は特に[B]歳層の上昇幅が近年大きくなっている。

(2) 男女間賃金格差は、徐々に縮小傾向にあるものの、令和４年における男性の所定内給与額100に対する女性の割合は[C]と、依然として欧米諸国と比較すると大きな差がある。この格差については、主として、**役職**や**勤続年数**による影響が大きいと考えられるが、そのほかにも就業分野の違いなど様々な要因によるところもあるものと考えられる。

(3) 育児休業取得率は、女性ではおおむね横ばいで推移し、令和３年度では85.1％となっているなど制度の定着が見られる一方で、男性では13.97％であり、近年上昇傾向にあるものの、制度の活用は低水準に留まっている。また、令和２年度中に育児休業を終了し、復職した女性の育児休業期間は「[D]未満」が34.0％と最も高く、次いで「10か月～12か月未満」が30.0％となっている一方で、男性の育児休業期間は「[E]未満」が26.5％と最も高くなっている。

選択肢

A	① L字	② M字	③ N字	④ W字
B	① 20～44	② 25～49	③ 35～54	④ 45～59
C	① 58.3	② 64.9	③ 75.7	④ 84.6
D	① ３か月～６か月 ③ ８か月～10か月		② ６か月～８か月 ④ 12か月～18か月	
E	① ５日～２週間 ③ １か月～３か月		② ２週間～１か月 ④ ３か月～６か月	

解答

A ▶ ② M字
B ▶ ① 20～44
C ▶ ③ 75.7
D ▶ ④ 12か月～18か月
E ▶ ① 5日～2週間

根拠条文等
男女雇用機会均等対策基本方針（令和5.10.28厚労告218号）

解き方 アドバイス

「**令和5年度雇用均等基本調査**（厚生労働省）」によれば、令和5年度の女性の育児休業取得率（育児休業者割合）は、**84.1%**（令和4年度80.2%）、男性の育児休業取得率は、**30.1%**（令和4年度17.13%）となっている。

また、令和4年4月1日から令和5年3月31日までの1年間に育児休業を終了し、復職した女性の育児休業期間は、「**12か月～18か月未満**」が32.7%と最も高く、次いで「10か月～12か月未満」が30.9%の順となっている。一方、男性は「**1か月～3か月未満**」が28.0%と最も高く、次いで「5日～2週間未満」が22.0%、「2週間～1か月未満」が20.4%となっており、2週間以上取得する割合が上昇している。

2 青少年雇用対策基本方針 Step-Up

チェック欄
1 ／
2 ／
3 ／

(1) 学校等を卒業後、就職して3年以内に離職する者の割合は近年おおむね横ばいで推移しており、平成29年3月卒業者については、中学校卒業者で［ A ］%、高等学校卒業者で39.5%、大学卒業者で［ B ］%となっている。

(2) 学校卒業見込者の就職状況に改善が見られる一方で、学校等から職業生活への円滑な移行ができず、キャリア形成に課題を抱える青少年の存在が見られる。就職を希望しつつも就職先が決まらないまま卒業した者を含め、卒業後に進学も就職もしない学校等の卒業者は、高等学校卒業者で約4万8千人、大学卒業者で約4万1千人（令和2年3月卒業者）となっている。また、非正規雇用労働者のうち、不本意ながら非正規雇用で働いている青少年の割合は［ C ］%（令和元年）となっている。

非正規雇用労働者の給与は、ほぼ全ての世代で正規雇用労働者の給与を下回り、［ D ］による変化がほとんどないことから、就業年数を重ねても増加することなく固定化していることがうかがえる。

(3) 高等学校・大学等の中途退学者については、高等学校で約4万3千人（令和元年度）、大学等で約7万9千人（平成24年度）となり、中途退学後に就職した者の就業状況を見ると、正規雇用の比率が各学校を卒業した者に比べて著しく低く、約［ E ］（平成29年）がアルバイト・パートの形態で働いており、安定的な仕事に就くことが困難な状況が見られる。

選択肢

A	① 11.2	② 32.8	③ 59.8	④ 77.4
B	① 11.2	② 32.8	③ 59.8	④ 77.4
C	① 11.2	② 32.8	③ 59.8	④ 77.4
D	① 職種	② 性別	③ 学歴	④ 年齢
E	① 2割	② 4割	③ 6割	④ 8割

解答

A ▶ ③　59.8

B ▶ ②　32.8

C ▶ ①　11.2

D ▶ ④　年齢

E ▶ ③　6割

根拠条文等

青少年雇用対策基本方針（令和3.3.29厚労告114号）

解き方 アドバイス

厚生労働大臣は、青少年の福祉の増進を図るため、適職の選択並びに職業能力の開発及び向上に関する措置等に関する施策の基本となるべき方針（青少年雇用対策基本方針）を定めるものとされています（問題文の令和3年に策定された青少年雇用対策基本方針の運営期間は、令和3年度から令和7年度までの5年間です。）。

青少年雇用対策基本方針は、青少年の労働条件、意識並びに地域別、産業別及び企業規模別の就業状況等を考慮して定められなければならないとされており、次に掲げる事項を定めています。

① 青少年の職業生活の動向に関する事項

② 青少年について適職の選択を可能とする環境の整備並びに職業能力の開発及び向上を図るために講じようとする施策の基本となるべき事項

③ ①及び②に掲げるもののほか、青少年の福祉の増進を図るために講じようとする施策の基本となるべき事項

問題文(1)の新卒で就職した者のうち3年以内の離職の状況は、一般に「七五三現象（就職後3年以内に中学校卒業者で7割、高等学校卒業者で5割、大学卒業者で3割が離職する現象）」と表現されています。

3 個別労働紛争解決制度の施行状況（令和５年度） Step-Up

チェック欄 1 ／ 2 ／ 3 ／

厚生労働省では、毎年、個別労働紛争解決制度の施行状況を公表している。

「個別労働紛争解決制度」には、「総合労働相談」、都道府県労働局長による「助言・指導」、紛争調整委員会による「あっせん」の３つの方法があるが、令和５年度の総合労働相談件数は121万412件（前年度比3.0％減）で、［ A ］連続で120万件を超え、高止まりとなっている。

内容別の件数をみると、民事上の個別労働関係紛争における相談件数、あっせんの申請件数では「［ B ］」の件数が引き続き最多であるが、助言・指導の申出件数では、「［ C ］」の件数が最多となっている。また、「［ B ］」の件数は、民事上の個別労働関係紛争における相談件数、あっせんの申請件数、助言・指導の申出件数の全項目で前年度に比べ減少しているが、「［ C ］」の件数は、全項目で前年度に比べ増加している。

あっせんの申請件数では、最多の件数となった「［ B ］」のほか、「［ D ］」の件数が、ともに約20％となっている。なお、あっせんの処理終了件数3,681件のうち、合意の成立した件数は全体の約［ E ］となっている。

選択肢

① 出向・配置転換	② 雇止め	③ ４年
④ いじめ・嫌がらせ	⑤ 退職勧奨	⑥ ８年
⑦ 採用内定取り消し	⑧ 解雇	⑨ 12年
⑩ 自己都合退職	⑪ 雇用管理等	⑫ 16年
⑬ 労働条件の引下げ	⑭ 募集・採用	⑮ ４分の１
⑯ その他の労働条件	⑰ その他	⑱ ３分の１
⑲ ２分の１	⑳ ３分の２	

進捗チェック 労基 安衛 労災 雇用 労一

解答

A ▶ ③ 4年
B ▶ ④ いじめ・嫌がらせ
C ▶ ⑬ 労働条件の引下げ
D ▶ ⑧ 解雇
E ▶ ⑱ 3分の1

根拠条文等
令和5年度個別労働紛争解決制度の施行状況

解き方 アドバイス

令和5年度個別労働紛争解決制度の施行状況のポイントは、次のとおりです。

内容			件数	前年度比
総合労働相談			121万412件	3.0%**減**
	内訳延べ数	法制度の問い合わせ	83万4,829件	3.1%減
		労働基準法等の違反の疑いのあるもの	19万2,961件	2.4%増
		民事上の個別労働紛争相談	26万6,162件	2.2%**減**
助言・指導の申出			8,372件	4.5%**増**
あっせんの申請			3,687件	5.6%**増**

○ 民事上の個別労働関係紛争における相談件数では12年連続、あっせんの申請件数では10年連続で、「**いじめ・嫌がらせ**」の件数が最多
○ 助言・指導の申出件数では、「**労働条件の引下げ**」の件数が最多
○ 「**いじめ・嫌がらせ**」の件数は、民事上の個別労働関係紛争における相談件数、あっせんの申請件数、助言・指導の申出件数の全項目で前年度に比べ**減少**
○ 「**労働条件の引下げ**」「**解雇**」「**雇止め**」「**退職勧奨**」の件数は、民事上の個別労働関係紛争における相談件数、あっせんの申請件数、助言・指導の申出件数の全項目で前年度に比べ**増加**

4 最高裁判所の判例　1

Step-Up

チェック欄
1 ／
2 ／
3 ／

最高裁判所の判例では、「労働協約には、労働組合法17条により、一の工場事業場の［ A ］以上の数の労働者が一の労働協約の適用を受けるに至ったときは、当該工場事業場に使用されている他の同種労働者に対しても右労働協約の［ B ］が及ぶ旨の一般的拘束力が認められている。ところで、同条の適用に当たっては、右労働協約上の基準が一部の点において未組織の同種労働者の労働条件よりも不利益とみられる場合であっても、そのことだけで右の不利益部分についてはその効力を未組織の同種労働者に対して及ぼし得ないものと解するのは相当でない。けだし、同条は、その文言上、同条に基づき労働協約の［ B ］が同種労働者にも及ぶ範囲について何らの限定もしていない上、労働協約の締結に当たっては、その時々の社会的経済的条件を考慮して、総合的に労働条件を定めていくのが通常であるから、その一部をとらえて［ C ］をいうことは適当でないからである。また、右規定の趣旨は、主として一の事業場の［ A ］以上の同種労働者に適用される労働協約上の労働条件によって当該事業場の労働条件を統一し、労働組合の［ D ］と当該事業場における［ E ］労働条件の実現を図ることにあると解されるから、その趣旨からしても、未組織の同種労働者の労働条件が一部有利なものであることの故に、労働協約の［ B ］がこれに及ばないとするのは相当でない。」としている。

選択肢

① 直律的効力	② 最低限度の	③ 2分の1
④ 公正妥当な	⑤ 優越的な	⑥ 適不適
⑦ 団結権の維持強化	⑧ 債務的効力	⑨ 3分の2
⑩ 争議権の行使	⑪ 妥当、不当	⑫ 正当な
⑬ 強行的効力	⑭ 是非	⑮ 4分の3
⑯ 組合員の地位向上	⑰ 有利、不利	⑱ 5分の4
⑲ 団体交渉権の確保	⑳ 規範的効力	

進捗チェック
労基 ｜ 安衛 ｜ 労災 ｜ 雇用 ｜ 労一

解答

A ▶ ⑮ 4分の3

B ▶ ⑳ 規範的効力

C ▶ ⑰ 有利、不利

D ▶ ⑦ 団結権の維持強化

E ▶ ④ 公正妥当な

根拠条文等

最三小平成8.3.26朝日火災海上保険事件

解き方 アドバイス

就業規則がその事業場の最低基準の労働条件を定めるものであるのに対し、労働協約は団体交渉によりその事業場の標準的な労働条件を定めるものです。したがって、労働協約が個別の労働契約よりも一見不利な労働条件を定めている場合であっても、一般に、労働協約が労働契約に優先します。そして、一般的拘束力が及ぶ場合における未組織労働者についても、原則として、労働協約が労働契約に優先します（問題文）。ただし、問題文の最高裁判所の判例では、問題文に続けて、「労働協約を特定の未組織労働者に適用することが著しく不合理であると認められる特段の事情があるときは、労働協約の規範的効力を当該労働者に及ぼすことはできない（労働契約が優先する。）。」としています。

5 最高裁判所の判例　2

Step-Up

チェック欄
1 ／
2 ／
3 ／

(1) 労働契約法第5条では、使用者は当然に安全配慮義務を負うことを規定しているが、この規定の参考となる裁判例として、陸上自衛隊事件（最高裁昭和50年2月25日第三小法廷判決）では、「安全配慮義務は、ある法律関係に基づいて［ A ］の関係に入った当事者間において、当該法律関係の［ B ］として当事者の一方又は双方が相手方に対して［ C ］上負う義務として一般的に認められるべきもの」としている。

(2) 最高裁判所の判例では、「労働契約の内容である労働条件は、労働者と使用者との個別の合意によって変更することができるものであり、このことは、就業規則に定められている労働条件を労働者の不利益に変更する場合であっても、その［ D ］が必要とされることを除き、異なるものではないと解される。」としている。

(3) 最高裁判所の判例では、「民法715条1項が規定する使用者責任は、使用者が被用者の活動によって利益を上げる関係にあることや、自己の事業範囲を拡張して第三者に損害を生じさせる危険を増大させていることに着目し、［ E ］という見地から、その事業の執行について被用者が第三者に加えた損害を使用者に負担させることとしたものである。このような使用者責任の趣旨からすれば、使用者は、その事業の執行により損害を被った第三者に対する関係において損害賠償義務を負うのみならず、被用者との関係においても、損害の全部又は一部について負担すべき場合があると解すべきである。」としている。

選択肢

①	服従	②	変更後に就業規則の周知
③	社会通念	④	合意に際して就業規則の変更
⑤	効果	⑥	変更に際して客観的に合理的な理由
⑦	信義則	⑧	特別な社会的接触
⑨	応益負担	⑩	指揮命令
⑪	経験則	⑫	継続的な使用
⑬	付随義務	⑭	損害の公平な分担
⑮	結果	⑯	被用者の従属性
⑰	本旨	⑱	内容が合理的であること
⑲	理論	⑳	労働基準法16条の賠償予定の禁止

解答

A ▶ ⑧　特別な社会的接触

B ▶ ⑬　付随義務

C ▶ ⑦　信義則

D ▶ ④　合意に際して就業規則の変更

E ▶ ⑭　損害の公平な分担

根拠条文等

最三小昭和50.2.25陸上自衛隊事件、最二小平成28.2.19山梨県民信用組合事件、最二小令和2.2.28福山通運事件

解き方アドバイス

問題文(3)について、民法715条1項本文では、「ある事業のために他人を使用する者は、被用者がその事業の執行について第三者に加えた損害を賠償する責任を負う。」と規定されています。

6 最高裁判所の判例　3

Step-Up

チェック欄
1 ／
2 ／
3 ／

最高裁判所の判例では、「男女雇用機会均等法の規定の文言や趣旨等に鑑みると、同法9条3項の規定は、上記の目的及び基本的理念を実現するためにこれに反する事業主による措置を禁止する［ A ］として設けられたものと解するのが相当であり、女性労働者につき、妊娠、出産、産前休業の請求、産前産後の休業又は軽易業務への転換等を理由として解雇その他不利益な取扱いをすることは、同項に違反するものとして違法であり、無効であるというべきである。

一般に降格は労働者に不利な影響をもたらす処遇であるところ、上記のような均等法1条及び2条の規定する同法の目的及び基本的理念やこれらに基づいて同法9条3項の規制が設けられた趣旨及び目的に照らせば、女性労働者につき妊娠中の軽易業務への転換を［ B ］として降格させる事業主の措置は、原則として同項の禁止する取扱いに当たるものと解されるが、当該労働者が軽易業務への転換及び上記措置により受ける有利な影響並びに上記措置により受ける不利な影響の内容や程度、上記措置に係る事業主による説明の内容その他の経緯や当該労働者の意向等に照らして、当該労働者につき［ C ］に基づいて降格を承諾したものと認めるに足りる合理的な理由が客観的に存在するとき、又は事業主において当該労働者につき降格の措置を執ることなく軽易業務への転換をさせることに円滑な業務運営や人員の適正配置の確保などの［ D ］から支障がある場合であって、その［ D ］の内容や程度及び上記の有利又は不利な影響の内容や程度に照らして、上記措置につき同項の趣旨及び目的に［ E ］に反しないものと認められる特段の事情が存在するときは、同項の禁止する取扱いに当たらないものと解するのが相当である。」としている。

進捗チェック

労基	安衛	労災	雇用	労一

選択肢

① 義務規定	② 実質的	③ 取締規定
④ 契機	⑤ 就業規則	⑥ 制裁
⑦ 職務の特殊性	⑧ 意図的	⑨ 罰則規定
⑩ 職場環境の整備	⑪ 結果的	⑫ 自由な意思
⑬ 明文的	⑭ 理由	⑮ 労使慣行
⑯ 業務上の必要性	⑰ 強行規定	⑱ 労働契約
⑲ 労務管理の運用	⑳ 目的	

解答

A ▶ ⑰ 強行規定

B ▶ ④ 契機

C ▶ ⑫ 自由な意思

D ▶ ⑯ 業務上の必要性

E ▶ ② 実質的

根拠条文等

最一小平成26.10.23広島中央保健生活協同組合事件

解き方 アドバイス

最高裁判所の判例では、問題文の承諾に係る合理的な理由について、「有利又は不利な影響の内容や程度の評価に当たって、（降格の）措置の前後における職務内容の実質、業務上の負担の内容や程度、労働条件の内容等を勘案し、当該労働者が上記措置による影響につき事業主から適切な説明を受けて十分に理解した上でその諾否を決定し得たか否かという観点から、その存否を判断すべき」としています。また、特段の事情については、「業務上の必要性の有無及びその内容や程度の評価に当たって、当該労働者の転換後の業務の性質や内容、転換後の職場の組織や業務態勢及び人員配置の状況、当該労働者の知識や経験等を勘案するとともに、有利又は不利な影響の内容や程度の評価に当たって、（降格の）措置に係る経緯や当該労働者の意向等をも勘案して、その存否を判断すべき」としています。

健康保険法

35問＋6問

健康保険法●目次

Basic

1 目的・保険者 …… 4
2 全国健康保険協会 …… 6
3 健康保険組合 …… 8
4 適用事業所・任意適用事業所 …… 10
5 被保険者・適用除外者 …… 12
6 被保険者資格の得喪の確認等 …… 14
7 任意継続被保険者 …… 16
8 特例退職被保険者 …… 18
9 被扶養者 …… 20
10 療養担当者 …… 22
11 標準報酬月額 1（定時決定）…… 24
12 標準報酬月額 2（産前産後休業終了時改定）…… 26
13 標準報酬月額 3（等級区分の改定）…… 28
14 標準賞与額 …… 30
15 療養の種類 …… 32
16 一部負担金 …… 34
17 入院時生活療養費 …… 36
18 保険外併用療養費 …… 38
19 療養費 …… 40
20 訪問看護療養費 …… 42
21 高額療養費 1 …… 44
22 高額療養費 2・高額介護合算療養費 …… 46
23 家族療養費 …… 48
24 傷病手当金 …… 50
25 出産育児一時金・出産手当金 …… 52
26 死亡に関する給付・移送費 …… 54
27 資格喪失後の埋葬料等の支給 …… 56
28 国庫負担・国庫補助 …… 58
29 保険料 1 …… 60
30 保険料 2 …… 62
31 保険料 3 …… 64
32 延滞金 …… 66
33 日雇特例被保険者 …… 68

34 給付制限 …… 70
35 時効・不服申立て …… 72

Step-Up

1 基本的理念・法人の役員である被保険者等に係る保険給付の特例 …… 74
2 保険者 …… 76
3 短時間労働者に対する適用 …… 78
4 保険料 …… 80
5 保険外併用療養費 …… 82
6 高額療養費 …… 84

健保

1 目的・保険者

Basic

チェック欄
1 ／
2 ／
3 ／

(1) 健康保険法は、労働者又はその**被扶養者**の［ A ］（労働者災害補償保険法第7条第1項第1号に規定する［ A ］をいう。）**以外**の**疾病**、**負傷**若しくは［ B ］に関して保険給付を行い、もって国民の［ C ］と福祉の向上に寄与することを目的とする。

(2) 健康保険（［ D ］の保険を除く。）の保険者は、［ E ］及び**健康保険組合**とする。

選択肢

① 全国健康保険協会	② 生活の安定	③ 市町村
④ 医療費の適正化	⑤ 通勤災害	⑥ 政府
⑦ 任意継続被保険者	⑧ 都道府県	⑨ 業務外
⑩ 日雇特例被保険者	⑪ 業務行為	⑫ 社会保障
⑬ 障害又は出産	⑭ 業務災害	⑮ 老齢又は死亡
⑯ 障害又は死亡	⑰ 死亡又は出産	
⑱ 任意加入被保険者	⑲ 健康の保持増進	
⑳ 任意継続被保険者又は日雇特例被保険者		

解答

A ▶ ⑭　業務災害

B ▶ ⑰　死亡又は出産

C ▶ ②　生活の安定

D ▶ ⑩　日雇特例被保険者

E ▶ ①　全国健康保険協会

法１条、法４条

1．基本的理念

健康保険制度については、これが医療保険制度の基本をなすものであることにかんがみ、**高齢化の進展**、**疾病構造の変化**、社会経済情勢の変化等に対応し、その他の**医療保険制度**及び**後期高齢者医療制度**並びにこれらに密接に関連する制度と併せてその在り方に関して常に検討が加えられ、その結果に基づき、医療保険の運営の効率化、給付の内容及び費用の負担の適正化並びに国民が受ける医療の質の向上を総合的に図りつつ、実施されなければならない。

2．各保険者の管掌

①　全国健康保険協会（協会）→健康保険組合の組合員でない被保険者の保険

②　健康保険組合→組合員である被保険者の保険

3．被保険者（日雇特例被保険者を除く。）が、同時に２以上の事業所に使用され、保険者が２以上ある場合は、被保険者がいずれか一方の保険者を選択しなければならない。

（例）健保組合と健保組合・協会健保と健保組合→保険を管掌する協会又は健康保険組合を選択する。

Step-Up! アドバイス

・日雇特例被保険者の保険の保険者は協会のみである。

2 全国健康保険協会 Basic

チェック欄
1 ／
2 ／
3 ／

(1) 全国健康保険協会が管掌する健康保険の事業に関する業務のうち、被保険者の**資格の取得及び喪失の確認、標準報酬月額及び標準賞与額の決定**並びに［ A ］（［ B ］に係るものを除く。）並びにこれらに附帯する業務は、［ C ］が行う。

(2) 事業主及び被保険者の意見を反映させ、全国健康保険協会の業務の適正な運営を図るため、全国健康保険協会に［ D ］を設置する。

(3) 運営委員会の委員は、［ E ］とし、事業主、被保険者及び全国健康保険協会の業務の適正な運営に必要な学識経験を有する者のうちから、厚生労働大臣が各同数を任命する。

選択肢

① 任意継続被保険者　② 代議員会
③ 保険事業及び福祉事業　④ 厚生労働大臣
⑤ 協議会　⑥ 全国健康保険協会
⑦ 特例退職被保険者　⑧ 偶数　⑨ 保険料の徴収
⑩ 地方厚生局長　⑪ 5人以内　⑫ 運営委員会
⑬ 都道府県知事　⑭ 奇数　⑮ 保険給付
⑯ 保険料の徴収及び保険給付　⑰ 9人以内
⑱ 任意継続被保険者以外の被保険者　⑲ 評議会
⑳ 任意継続被保険者及び特例退職被保険者

解答

A ► ⑨　保険料の徴収

B ► ①　任意継続被保険者

C ► ④　厚生労働大臣

D ► ⑫　運営委員会

E ► ⑰　9人以内

法5条2項、
法7条の18,1項、
2項

1．全国健康保険協会の業務

全国健康保険協会は、次に掲げる業務を行う。

① **保険給付**に関する業務

② **保健事業**及び**福祉事業**に関する業務

③ 上記①②に掲げる業務のほか、全国健康保険協会が管掌する健康保険の事業に関する業務であって、厚生労働大臣が行う業務以外のもの

④ 厚生労働大臣が保険給付に関して事業主に対して行う命令･質問･検査についての権限（健康保険組合に係る場合を除く。）に係る事務に関する業務

⑤ 上記①～④に掲げる業務に附帯する業務

⑥ 船員保険法の規定による船員保険事業に関する業務（同法の規定により厚生労働大臣が行うものを除く。）

⑦ 前期高齢者納付金等、後期高齢者支援金等、介護納付金及び流行初期医療確保拠出金等の納付に関する業務

2．評議会

① 全国健康保険協会は、**都道府県**ごとの実情に応じた業務の適正な運営に資するため、**支部ごとに評議会**を設け、当該支部における業務の実施について、評議会の意見を聴くものとする。

② 評議会の委員は、定款で定めるところにより、当該評議会が設けられる支部の都道府県に所在する**適用事業所の事業主**及び**被保険者**並びに当該支部における業務の適正な実施に必要な**学識経験を有する者**のうちから、支部の長が委嘱する。

3 健康保険組合

Basic

チェック欄
1 ／
2 ／
3 ／

(1)　1又は2以上の適用事業所について**常時**［　A　］**以上**の被保険者を使用する事業主は、当該1又は2以上の適用事業所について、健康保険組合を設立することができる。

(2)　適用事業所の事業主は、共同して健康保険組合を設立することができる。この場合において、被保険者の数は、**合算**して**常時**［　B　］**以上**でなければならない。

(3)　健康保険組合は、次に掲げる理由により**解散**するが、次の①又は②に掲げる理由により解散しようとするときは、**厚生労働大臣**の［　C　］を受けなければならない。

①　組合会議員の定数の［　D　］による組合会の議決
②　健康保険組合の事業の継続の不能
③　厚生労働大臣による解散の命令

(4)　健康保険組合が解散により消滅した場合は、［　E　］がその権利義務を承継する。

選択肢

①　承認	②　認定	③　3分の2以上の多数
④　認可	⑤　許可	⑥　4分の3以上の多数
⑦　100人	⑧　300人	⑨　全国健康保険協会
⑩　500人	⑪　700人	⑫　他の健康保険組合
⑬　過半数	⑭　1,000人	⑮　健康保険組合連合会
⑯　1,500人	⑰　2,000人	⑱　2分の1以上
⑲　3,000人	⑳　厚生労働大臣	

進捗チェック
労基　安衛　労災　雇用　労一

解答

A ► ⑪　700人

B ► ⑲　3,000人

C ► ④　認可

D ► ⑥　4分の3以上の多数

E ► ⑨　全国健康保険協会

根拠条文等

法11条、
法26条1項、2項、4項、
令1条の3

1．健康保険組合の組織

健康保険組合は、適用事業所の**事業主**、その適用事業所に使用される**被保険者**及び**任意継続被保険者**で組織される。

2．健康保険組合の設立

適用事業所の事業主は、健康保険組合を設立しようとするときは、健康保険組合を設立しようとする適用事業所に使用される被保険者の**2分の1以上**の**同意**を得て、**規約**を作り、**厚生労働大臣の認可**を受けなければならない。

また、2以上の適用事業所について健康保険組合を設立する場合は、**各適用事業所ごと**に2分の1以上の同意を得なければならない。

3．健康保険組合の合併又は分割の要件

組合会において、組合会議員の**定数**の**4分の3以上**の多数により議決し、厚生労働大臣の**認可**を受けなければならない。

4．指定健康保険組合による健全化計画の作成

健康保険事業の収支が均衡しない健康保険組合であって、政令で定める要件に該当するものとして厚生労働大臣の指定を受けたもの（指定健康保険組合）は、その指定の日の属する年度の翌年度を初年度とする**3箇年間**の財政の健全化に関する計画を定め、厚生労働大臣の**承認**を受けなければならない。

4 適用事業所・任意適用事業所 Basic

チェック欄
1 ／
2 ／
3 ／

(1) 健康保険法において「適用事業所」とは、次のいずれかに該当する事業所をいう。

① 適用業種に該当する事業の事業所であって、**常時**［A］の従業員を使用するもの

② ［B］の事業所であって、**常時**従業員を使用するもの

(2) 適用事業所以外の事業所の事業主は、当該事業所に使用される者（被保険者となるべき者に限る。）の［C］の同意を得て、**厚生労働大臣**に申請し、［D］を受けることにより、当該事業所を適用事業所とすることができる。

(3) 任意適用事業所の事業主は、当該事業所に使用される者（被保険者である者に限る。）の［E］の同意を得て、厚生労働大臣に申請し、［D］を受けることにより、当該事業所を適用事業所でなくすることができる。

選択肢

① 2分の1以上	② 5人未満	③ 認可
④ 3分の1以上	⑤ 5人以上	⑥ 許可
⑦ 3分の2以上	⑧ 10人未満	⑨ 承諾
⑩ 4分の1以上	⑪ 10人以上	⑫ 法人
⑬ 4分の3以上	⑭ 過半数	⑮ 裁定
⑯ 5分の3以上	⑰ 国、地方公共団体又は法人	
⑱ 5分の4以上	⑲ 農林水産業の事業	
⑳ 都道府県、市町村又はこれに準ずるもの		

解答

A ▶ ⑤　5人以上

B ▶ ⑰　国、地方公共団体又は法人

C ▶ ①　2分の1以上

D ▶ ③　認可

E ▶ ⑬　4分の3以上

根拠条文等

法3条3項、
法31条2項、
法33条2項

おぼえとるかい？

1．適用事業所

規模＼業種等	適用業種		非適用業種	
	法人等※	個人	法人等	個人
常時5人以上	◎	◎	◎	○
常時1人以上5人未満	◎	○	◎	○

◎強制適用事業所　○任意適用事業所
※法人等…国、地方公共団体又は法人

2．任意適用、任意適用の取消しの効果

	効果	対象者	資格の取得･喪失日
任意適用	被保険者資格を取得	適用除外者以外のすべての者（不同意であった者も包括）	適用事業所となった日
任意適用の取消し	被保険者資格を喪失	すべての被保険者（不同意であった者も包括）	認可のあった日の翌日

Step-Up! アドバイス

・適用事業所が強制適用の要件を欠くに至った場合（常時使用する者が5人未満になったとき、又は業種が変わり適用業種でなくなったとき）には、手続することなく、任意適用事業所の認可があったものとみなされる（任意適用の擬制）。

健保

5 被保険者・適用除外者 Basic

チェック欄
1 ／
2 ／
3 ／

健康保険法において「被保険者」とは、**適用事業所に使用される者**及び**任意継続被保険者**※をいう。ただし、次のいずれかに該当する者は、［ A ］となる場合を除き、被保険者となることができない。

(1) ［ B ］
(2) **臨時に使用**される者であって、次に掲げるもの《注1》
　① **日々雇い入れられる者**
　② ［ C ］以内の期間を定めて使用される者であって、当該定めた期間を超えて使用されることが見込まれないもの
(3) 事業所で**所在地が一定しない**ものに使用される者
(4) **季節的業務**に使用される者（継続して**4月**を超えて使用されるべき場合を除く。）《注2》
(5) ［ D ］の事業所に使用される者（継続して**6月**を超えて使用されるべき場合を除く。）《注3》
(6) ［ E ］の事業所に使用される者
(7) **後期高齢者医療の被保険者等**
(8) 厚生労働大臣、健康保険組合又は共済組合の承認を受けた者《注4》
(9) 事業所に使用される者であって、その1週間の所定労働時間が同一の事業所に使用される通常の労働者の1週間の所定労働時間の4分の3未満である短時間労働者又はその1月間の所定労働日数が同一の事業所に使用される通常の労働者の1月間の所定労働日数の4分の3未満である短時間労働者に該当し、かつ、一定の要件に該当するもの《注5》

選択肢

①	1月	②	国又は地方公共団体	③	任意加入被保険者
④	2月	⑤	地方公共団体	⑥	共済組合の組合員
⑦	3月	⑧	日雇特例被保険者	⑨	特例退職被保険者
⑩	4月	⑪	日雇労働被保険者	⑫	労働者派遣事業

⑬ 臨時的事業　⑭ 船員保険の強制被保険者
⑮ 有期事業　⑯ 地方公務員又は国家公務員
⑰ 公共事業　⑱ 国民健康保険組合
⑲ 国　⑳ 生活保護法の規定による保護を受ける者

進捗チェック

労基	安衛	労災	雇用	労一

解答

A ▶ ⑧　日雇特例被保険者
B ▶ ⑭　船員保険の強制被保険者
C ▶ ④　2月
D ▶ ⑬　臨時的事業
E ▶ ⑱　国民健康保険組合

法3条1項

※なお、被保険者の種類には、特例退職被保険者もある。

【適用除外者についての注意事項】

《注1》日々雇い入れられる者は**1月**を超えて、2月以内の期間を定めて使用される者は**当該定めた期間**を超えて引き続き使用されるようになったときは、各々その超えた日から一般の被保険者となる。

《注2》季節的業務に**当初から**継続して4月を超える予定で使用される者は、使用された当初から一般の被保険者となる。一方、たまたま業務の都合等で継続して4月を超えて使用されることになっても一般の被保険者とならない。

《注3》臨時的事業に**当初から**継続して6月を超える予定で使用される者は、使用された当初から一般の被保険者となる。一方、たまたま業務の都合等で継続して6月を超えて使用されることになっても一般の被保険者とならない。

《注4》厚生労働大臣、健康保険組合又は共済組合の承認を受けた者は、国民健康保険の被保険者である期間に限り、健康保険の被保険者としない。

《注5》Step-Upの3参照。

Step-Up! アドバイス

・**所在地の一定しない**事業所に使用される者は、その使用期間の長さにかかわらず、被保険者となることはない。

健保	国年	厚年	社一

6 被保険者資格の得喪の確認等 Basic

チェック欄
1 ／
2 ／
3 ／

(1) 被保険者の資格の取得及び喪失は、保険者等※の［ A ］によって、その**効力を生ずる**。ただし、任意適用事業所の適用取消しによる被保険者の資格の喪失及び［ B ］の資格の取得及び喪失は、この限りでない。

(2) 上記(1)の［ A ］は、①**事業主の届出**若しくは②被保険者又は被保険者であった者からの［ C ］により、又は③**職権**で行うものとする。

(3) 事業主は、一般の被保険者の資格を取得した者があるときは、当該事実があった日から［ D ］に健康保険被保険者資格取得届を［ E ］又は健康保険組合に提出しなければならない。

選択肢

①	確認	②	5日以内	③	全国健康保険協会
④	申出	⑤	10日以内	⑥	任意継続被保険者
⑦	請求	⑧	14日以内	⑨	健康保険組合の組合員
⑩	申請	⑪	1月以内	⑫	日本年金機構
⑬	認可	⑭	被扶養者	⑮	都道府県知事
⑯	申告	⑰	市町村	⑱	70歳以上の者
⑲	承認	⑳	認定		

解答

A ▶ ① 確認

B ▶ ⑥ 任意継続被保険者

C ▶ ⑦ 請求

D ▶ ② 5日以内

E ▶ ⑫ 日本年金機構

根拠条文等
法39条1項、2項、則24条1項

※保険者等…協会が管掌する健康保険の被保険者の場合は厚生労働大臣、健康保険組合が管掌する健康保険の被保険者の場合は当該健康保険組合（以下、特に説明がない場合は、同じ）。

1．資格取得の時期

一般の被保険者は、次の①～③のいずれかに該当する**日**から、被保険者の資格を取得する。

① 適用事業所に使用されるに至ったとき。
② 使用される事業所が適用事業所となったとき。
③ 適用除外の規定に該当しなくなったとき。

2．資格喪失の時期

一般の被保険者は、次の①～④のいずれかに該当するに至った**日の翌日**（その事実のあった日に更に資格を取得したときは、**その日**）から、被保険者の資格を喪失する。

① 死亡したとき。
② その事業所に使用されなくなったとき。
③ 適用除外の規定に該当するに至ったとき。
④ 任意適用事業所について適用取消しの認可があったとき。

Step-Up! アドバイス

・任意継続被保険者及び特例退職被保険者の資格の取得及び喪失については、確認は行われない。

7 任意継続被保険者 Basic

チェック欄
1 ／
2 ／
3 ／

任意継続被保険者は、次の(1)から(7)のいずれかに該当するに至った日の翌日（ A までのいずれかに該当するに至ったときは、その日）から、その資格を喪失する。

(1) 任意継続被保険者となった日から起算して B を経過したとき。
(2) 死亡したとき。
(3) 保険料（ C 保険料を除く。）を納付期日までに納付しなかったとき（納付の遅延について正当な理由があると保険者が認めたときを除く。）。
(4) 被保険者となったとき。
(5) D となったとき。
(6) 後期高齢者医療の被保険者等となったとき。
(7) 任意継続被保険者でなくなることを希望する旨を、厚生労働省令で定めるところにより、保険者に申し出た場合において、その申出が受理された E が到来したとき。

選択肢

① (1)から(3)　② 国民年金法に規定する第1号被保険者
③ (3)から(6)　④ 納付することを要しないものとされた
⑤ (4)から(6)　⑥ 日の属する月の翌月1日
⑦ (3)から(7)　⑧ 厚生労働大臣が指定した月に係る
⑨ 日　⑩ 1年　⑪ 日の属する月の末日
⑫ 日の翌日　⑬ 1年6月　⑭ 船員保険の被保険者
⑮ 被扶養者　⑯ 2年　⑰ 初めて納付すべき
⑱ 保険料を納付することを要しないものとされた者
⑲ 任意継続被保険者の資格を取得した月から3月間に納付すべき
⑳ 3年

進捗チェック
労基 | 安衛 | 労災 | 雇用 | 労一

解答

A ▶ ⑤ ⑷から⑹

B ▶ ⑯ 2年

C ▶ ⑰ 初めて納付すべき

D ▶ ⑭ 船員保険の被保険者

E ▶ ⑪ 日の属する月の末日

法38条

1．任意継続被保険者の資格取得の要件

⑴ 適用事業所に使用されなくなったため、又は適用除外の要件に該当するに至ったため一般の被保険者の資格を喪失した者であること。

※ 任意適用事業所の取消しにより被保険者の資格を喪失した者は、任意継続被保険者となることができない。

⑵ 資格喪失の**日の前日**まで**継続して2月**以上被保険者（日雇特例被保険者、任意継続被保険者又は共済組合の組合員である被保険者を除く。）であったこと。

⑶ 船員保険の被保険者又は後期高齢者医療の被保険者等ではないこと。

⑷ 資格喪失の日から**20日以内**に保険者に申し出ること。

※ ただし、保険者は、正当な理由があると認めるときは、この期間を経過した後の申出であっても、受理することができる。

Step-Up! アドバイス

・任意継続被保険者は、一般の被保険者の資格を喪失した日に資格を取得する。

・初めて納付すべき保険料をその納付期日まで納付しなかったときは、その納付の遅延について正当な理由があると保険者が認めたときを除き、任意継続被保険者とならなかったものとみなされる。

8 特例退職被保険者

Basic

チェック欄 1 ／ 2 ／ 3 ／

(1) 厚生労働省令で定める要件に該当するものとして厚生労働大臣の[A]を受けた健康保険組合（「[B]」という。）の組合員である被保険者であった者であって、改正前の[C]に規定する[D]であるべきもののうち当該[B]の規約で定めるものは、当該[B]に申し出て、当該[B]の被保険者（「**特例退職被保険者**」という。）となることができる。ただし、任意継続被保険者であるときは、この限りでない。

(2) 特例退職被保険者には、[E]は、支給されない。

選択肢

① 認可　② 国民年金法　③ 特定健康保険組合
④ 指定　⑤ 第１号被保険者　⑥ 指定健康保険組合
⑦ 承認　⑧ 介護保険法　⑨ 死亡に関する給付
⑩ 特定　⑪ 国民健康保険法　⑫ 地域型健康保険組合
⑬ 退職被保険者　⑭ 前期高齢者　⑮ 付加給付
⑯ 傷病手当金　⑰ 後期高齢者
⑱ 承認健康保険組合　⑲ 被扶養者に関する給付
⑳ 高齢者の医療の確保に関する法律

解答

A ▶ ① 認可

B ▶ ③ 特定健康保険組合

C ▶ ⑪ 国民健康保険法

D ▶ ⑬ 退職被保険者

E ▶ ⑯ 傷病手当金

根拠条文等

法附則3条1項、5項

おぼえとるかい?

1．**資格取得の時期…申出が受理された日**

2．**資格喪失の時期**

① 改正前の国民健康保険法の規定による退職被保険者であるべき者に該当しなくなった**日の翌日**

② 保険料（初めて納付すべき保険料を除く。）を納付期日までに納付しなかった**日の翌日**（納付の遅延について正当な理由があると特定健康保険組合が認めたときを除く。）

③ 後期高齢者医療の被保険者等となった**日**

④ 特例退職被保険者でなくなることを希望する旨の申出が特定健康保険組合に受理された日の属する月の末日が到来したときは、その**翌日**

Step-Up! アドバイス

・特例退職被保険者は、健康保険法の規定の適用については、原則として任意継続被保険者とみなされる。

9 被扶養者

Basic

チェック欄
1 ／
2 ／
3 ／

健康保険法において「**被扶養者**」とは、次に掲げる者で、**日本国内に住所を有する**もの又は外国において留学をする学生その他の日本国内に住所を有しないが渡航目的その他の事情を考慮して**日本国内に生活の基礎がある**と認められるものとして厚生労働省令で定めるものをいう。ただし、[A]である者その他健康保険法の適用を除外すべき特別の理由がある者として厚生労働省令で定める者は、この限りでない。

① 被保険者（日雇特例被保険者であった者を含む。以下本問において同じ。）の[B]、**配偶者**、**子**、**孫**及び**兄弟姉妹**であって、主としてその被保険者[C]するもの

② 被保険者の[D]で①に掲げる者以外のものであって、その被保険者と同一の世帯に属し、主としてその被保険者[C]するもの

③ 被保険者の配偶者で届出をしていないが事実上婚姻関係と同様の事情にあるものの[E]であって、その被保険者と同一の世帯に属し、主としてその被保険者[C]するもの

④ ③の配偶者の死亡後におけるその[E]であって、引き続きその被保険者と同一の世帯に属し、主としてその被保険者[C]するもの

選択肢

① 3親等内の親族	② 直系尊属	③ 前期高齢者
④ と生計を同じく	⑤ 直系姻族	⑥ 父母及び子
⑦ 6親等内の親族	⑧ 直系血族	⑨ 子及び孫
⑩ と生活を同じく	⑪ 父母	⑫ 祖父母

⑬ により家計を維持　⑭ 祖父母及び父母
⑮ 祖父母、父母及び子　⑯ 生活保護法の被扶助者
⑰ 介護保険の被保険者　⑱ により生計を維持
⑲ 後期高齢者医療の被保険者等
⑳ 直系血族又は直系姻族

進捗チェック
労基 ・ 安衛 労災 雇用 労一

解答

A ▶ ⑲　後期高齢者医療の被保険者等
B ▶ ②　直系尊属
C ▶ ⑱　により生計を維持
D ▶ ①　３親等内の親族
E ▶ ⑥　父母及び子

根拠条文等
法３条７項

被扶養者の範囲に係る３親等内の親族とは次の表に属する者である。何度も確認しておこう！

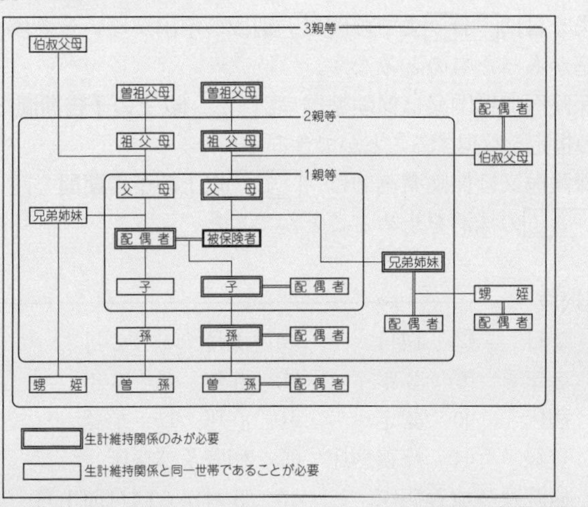

Step-Up! アドバイス

・「同一の世帯」とは、住居及び家計を共にしている状況をいう。なお、入院している場合や転勤に伴う一時的な別居についても同一の世帯にあるものとされる。

健保　国年　厚年　社一

10 療養担当者

Basic

チェック欄
1 ／
2 ／
3 ／

⑴ 保険医療機関又は保険薬局に係る指定は、病院若しくは診療所又は薬局の開設者の申請により行う。また、保険医療機関において健康保険の診療に従事する医師若しくは歯科医師又は保険薬局において健康保険の調剤に従事する薬剤師は、厚生労働大臣の［ A ］を受けた医師若しくは歯科医師（「保険医」という。）又は薬剤師（「保険薬剤師」という。）でなければならない。

⑵ 保険医療機関の指定は、指定の日から起算して［ B ］を経過したときは、その効力を失う。

⑶ 保険医療機関（［ C ］を有する診療所を除く。）又は保険薬局であって厚生労働省令で定めるものについては、その指定の効力を失う日前［ D ］までの間に、別段の申出がないときは、指定の申請があったものとみなす。

⑷ 保険医療機関又は保険薬局は、［ E ］**以上の予告期間**を設けて、その指定を辞退することができる。

⑸ 保険医又は保険薬剤師は、［ E ］**以上の予告期間**を設けて、その［ A ］の抹消を求めることができる。

選択肢

① 7日	② 14日	③ 1月	④ 2月
⑤ 2年	⑥ 3年	⑦ 5年	⑧ 6年
⑨ 病床	⑩ 認定	⑪ 許可	⑫ 承認
⑬ 登録	⑭ 療養病床	⑮ 病院及び病床	
⑯ 病院及び療養病床		⑰ 3月から同日前1月	
⑱ 6月から同日前3月		⑲ 1年から同日前6月	
⑳ 1年6月から同日前1年			

解答

A ▶ ⑬　登録
B ▶ ⑧　６年
C ▶ ⑮　病院及び病床
D ▶ ⑱　６月から同日前３月
E ▶ ③　１月

根拠条文等
法64条、
法65条１項、
法68条、法79条

1．指定及び登録

保険医療機関・保険薬局	保険医・保険薬剤師
病院若しくは診療所又は薬局の開設者が申請	医師若しくは歯科医師又は薬剤師が申請
厚生労働大臣の**指定** ※**地方社会保険医療協議会に諮問**	厚生労働大臣の**登録**

2．指定又は登録の拒否

厚生労働大臣は、保険医療機関・保険薬局の指定及び保険医・保険薬剤師の登録を拒むときは、**地方社会保険医療協議会の議**を経なければならない。

3．指定又は登録の取消し

厚生労働大臣は、保険医療機関・保険薬局の指定を取り消そうとするとき、又は保険医・保険薬剤師の登録を取り消そうとするときは、**地方社会保険医療協議会**に**諮問**するものとする。

Step-Up! アドバイス

・保険医又は保険薬剤師の登録の際には、地方社会保険医療協議会への諮問は要しない。
・保険医及び保険薬剤師の登録は、登録の抹消、取消しがない限り、その効力を失わない。

11 標準報酬月額　1（定時決定）　Basic

チェック欄
1 ／
2 ／
3 ／

(1) 保険者等は、被保険者が毎年［ A ］**現に使用される**事業所において同日前**3月間**（その事業所で継続して使用された期間に限るものとし、かつ、報酬支払の基礎となった日数が**17日未満**（厚生労働省令で定める者※にあっては［ B ］**未満**）である月があるときは、その月を除く。）に受けた報酬の総額をその期間の月数で除して得た額を報酬月額として、標準報酬月額を決定する。

(2) 上記(1)の規定は、［ C ］までの間に被保険者の資格を取得した者及び［ D ］までのいずれかの月から随時改定、育児休業等終了時改定又は産前産後休業終了時改定が行われ、又はこれらの改定が行われるべき被保険者については、その年に限り適用しない。

(3) 事業主は、毎年［ A ］現に使用する被保険者の報酬月額に関する届出を、［ E ］までに、健康保険被保険者報酬月額算定基礎届を日本年金機構又は健康保険組合に提出することによって行うものとする。

選択肢

① 4月1日	② 同月末日	③ 6月1日から6月30日
④ 7月1日	⑤ 同月20日	⑥ 6月1日から7月1日
⑦ 8月1日	⑧ 同月10日	⑨ 7月1日から8月1日
⑩ 9月1日	⑪ 同月5日	⑫ 7月1日から7月31日
⑬ 7月から9月	⑭ 8月から10月	⑮ 11日
⑯ 5月から7月	⑰ 6月から8月	⑱ 10日
⑲ 12日	⑳ 15日	

進捗チェック
労基　安衛　労災　雇用　労一

解答

A ▶ ④　7月1日
B ▶ ⑮　11日
C ▶ ⑥　6月1日から7月1日
D ▶ ⑬　7月から9月
E ▶ ⑧　同月10日

根拠条文等
法41条1項、3項、則25条1項

※「厚生労働省令で定める者」とは、被保険者であって、その1週間の所定労働時間が同一の事業所に使用される通常の労働者の1週間の所定労働時間の4分の3未満である短時間労働者又はその1月間の所定労働日数が同一の事業所に使用される通常の労働者の1月間の所定労働日数の4分の3未満である短時間労働者をいう。

1．資格取得時決定

資格取得時の標準報酬月額は、次の①～④の額を報酬月額として決定する。

① **月**、**週**、その他一定期間により報酬が定められる場合
・報酬月額＝$\frac{\text{資格取得日現在の報酬の額}}{\text{その期間の総日数}}\times 30$

② **日**、時間、出来高又は請負により報酬が定められる場合
・報酬月額＝資格を取得した月**前1月間**に当該事業所で、同様の業務に従事し、かつ、同様の報酬を受ける者が受けた報酬額の平均額

③ 報酬月額を上記①②の方法で算定するのが困難な場合
・報酬月額＝資格を取得した月前1月間に、**その地方**で、同様の業務に従事し、かつ、同様の報酬を受ける者が受けた報酬額

④ 報酬が上記①～③の2つ以上に該当するとき
・報酬月額＝①～③で計算した額の合算額

2．随時改定

随時改定は、固定的賃金に変動がなければ他の賃金に変動があっても対象とならない。また、固定的賃金が昇給により上昇しても、他の賃金の減少により3月間の報酬総額の平均額が従前のものと変わらない場合は、対象とならない。

12 標準報酬月額 2（産前産後休業終了時改定） Basic

チェック欄
1 ／
2 ／
3 ／

(1) 保険者等は、**産前産後休業**※1を終了した被保険者が、当該産前産後休業を終了した日（以下「産前産後休業終了日」という。）において当該産前産後休業に係る**子**を養育する場合において、その使用される事業所の事業主を経由して保険者等に申出をしたときは、産前産後休業終了日の［ A ］**3月間**（産前産後休業終了日の翌日において使用される事業所で**継続して使用**された期間に限るものとし、かつ、報酬支払の基礎となった日数が［ B ］未満（厚生労働省令で定める者※2にあっては**11日**未満）である月があるときは、その月を**除く**。）に受けた報酬の総額をその期間の月数で除して得た額を報酬月額として、標準報酬月額を改定する。ただし、産前産後休業終了日の翌日に［ C ］被保険者は、この限りでない。

(2) 上記(1)によって改定された標準報酬月額は、産前産後休業終了日の翌日から起算して［ D ］を経過した日の属する**月の翌月**からその年の［ E ］（当該翌月が**7月から12月**までのいずれかの月である場合は、翌年の［ E ］）までの各月の標準報酬月額とする。

選択肢

①	1月	②	13日	③	年次有給休暇を取得している
④	2月	⑤	15日	⑥	介護休業を開始している
⑦	3月	⑧	17日	⑨	育児休業等を開始している
⑩	4月	⑪	20日	⑫	翌日が属する月以後
⑬	7月	⑭	6月	⑮	翌日が属する月後
⑯	9月	⑰	8月	⑱	属する月以後　⑲　属する月後

⑳ 所定労働時間の短縮措置等の申出をしている

解答

A ▶ ⑫ 翌日が属する月以後

B ▶ ⑧ 17日

C ▶ ⑨ 育児休業等を開始している

D ▶ ④ 2月

E ▶ ⑰ 8月

根拠条文等
法43条の3、則24条の2

※1 「産前産後休業」とは、出産の日(出産の日が出産の予定日後であるときは、出産の予定日)以前42日(多胎妊娠の場合においては、98日)から出産の日後56日までの間において労務に服さないこと(妊娠又は出産に関する事由を理由として労務に服さない場合に限る。)をいう。

※2 「厚生労働省令で定める者」についてはBasicの11※参照。

1．届出

産前産後休業終了時改定の要件に該当するときは、**速やかに**、「産前産後休業終了時報酬月額変更届」を、日本年金機構又は健康保険組合に提出することによって、報酬月額の届出を行うものとする。

2．標準報酬月額の有効期間

定時決定	9月から翌年の8月まで	
資格取得時決定	1/1～5/31に取得	その年の8月まで
	6/1～12/31に取得	翌年の8月まで
随時改定 育児休業等終了時改定 産前産後休業終了時改定	1月から6月に改定	その年の8月まで
	7月から12月に改定	翌年の8月まで

※各有効期間内に随時改定、育児休業等終了時改定又は産前産後休業終了時改定が行われるときは、改定月の前月までとされる。

Step-Up! アドバイス

・定時決定、育児休業等終了時改定及び産前産後休業終了時改定では、報酬支払基礎日数が17日（11日）未満の月は、算定対象月から除外して報酬月額を算定する。一方、随時改定は、継続した3月間に報酬支払基礎日数が17日（11日）未満の月があるときは、行われない(算定対象月はいずれも報酬支払基礎日数が17日（11日）以上でなければならない。)。

13 標準報酬月額 3（等級区分の改定） Basic

チェック欄
1 ／
2 ／
3 ／

(1) 毎年［ A ］における標準報酬月額等級の**最高等級**に該当する被保険者数の被保険者総数に占める割合が［ B ］を超える場合において、その状態が継続すると認められるときは、［ C ］から、政令で、当該最高等級の上に更に等級を加える標準報酬月額の等級区分の改定を行うことができる。ただし、その年の［ A ］において、改定後の標準報酬月額等級の最高等級に該当する被保険者数の同日における被保険者総数に占める割合が［ D ］を下回ってはならない。

(2) 厚生労働大臣は、上記(1)の政令の制定又は改正について立案を行う場合には、［ E ］の**意見を聴く**ものとする。

選択肢

① 100分の0.5　② 1月1日　③ 全国健康保険協会
④ 100分の1　⑤ 3月31日　⑥ 社会保障審議会
⑦ 100分の1.5　⑧ 4月1日　⑨ 地方社会保険医療協議会
⑩ 100分の3　⑪ 12月31日　⑫ 中央社会保険医療協議会
⑬ 1000分の0.5　⑭ 1000分の1　⑮ その年の4月1日
⑯ 1000分の1.5　⑰ 1000分の3　⑱ その年の9月1日
⑲ 翌年4月1日　⑳ 翌年9月1日

解答

A ► ⑤　3月31日
B ► ⑦　100分の1.5
C ► ⑱　その年の9月1日
D ► ①　100分の0.5
E ► ⑥　社会保障審議会

根拠条文等

法40条2項、3項

おぼえとるかい?

1．**標準報酬月額等級**

第1級58,000円～**第50級**1,390,000円

2．**任意継続被保険者の標準報酬月額（原則）**《注》

次の①及び②に掲げる額のうち**いずれか少ない額**をもって、その者の標準報酬月額とする。

① 当該任意継続被保険者が被保険者の資格を喪失したときの標準報酬月額

② 前年（1月から3月までの標準報酬月額については、前々年）の**9月30日**における当該任意継続被保険者の属する保険者が管掌する全被保険者の同月標準報酬月額を平均した額※を標準報酬月額の基礎となる報酬月額とみなしたときの標準報酬月額

※健康保険組合が当該平均した額の範囲内において規約で定めた額があるときは、当該規約で定めた額

《注》保険者が健康保険組合である場合には、例外規定が設けられている。

3．**特例退職被保険者の標準報酬月額**

当該特定健康保険組合が管掌する前年（1月から3月までの標準報酬月額については、前々年）の**9月30日**における特例退職被保険者以外の全被保険者の同月の標準報酬月額を平均した額の範囲内においてその規約で定めた額を標準報酬月額の基礎となる報酬月額とみなしたときの標準報酬月額とする。

14 標準賞与額

Basic

チェック欄
1 ／
2 ／
3 ／

(1) 保険者等は、被保険者が賞与を受けた月において、その月に当該被保険者が受けた賞与額に基づき、これに[A]円未満の端数を生じたときは、これを切り捨てて、その月における**標準賞与額**を決定する。ただし、その月に当該被保険者が受けた賞与によりその年度(毎年4月1日から翌年3月31日までをいう。以下同じ。)における標準賞与額の**累計額**が[B](標準報酬月額の[C]が行われたときは、政令で定める額。以下同じ。)を超えることとなる場合には、当該累計額が[B]となるようその月の標準賞与額を決定し、その年度においてその月の翌月以降に受ける賞与の標準賞与額は[D]とする。

(2) 事業主は、その使用する被保険者に賞与を支払ったときは、賞与を支払った日[E]、健康保険被保険者賞与支払届を日本年金機構又は健康保険組合に提出することにより、賞与額の届出を行うものとする。なお、当該届出は、特定法人の事業所の事業主にあっては、原則として、電子情報処理組織を使用して行うものとする。

選択肢

① 等級区分の改定　② 150万円　③ 零
④ その月の報酬月額　⑤ 200万円　⑥ 10
⑦ 随時改定　⑧ 540万円　⑨ 100
⑩ 金額の改定　⑪ 573万円　⑫ 1,000
⑬ 定時決定　⑭ から5日以内に
⑮ 10,000　⑯ から10日以内に
⑰ 翌年度の標準賞与額　⑱ 保険者等が定める額
⑲ から30日以内に
⑳ の属する月の翌月10日までに

進捗チェック

労基	安衛	労災	雇用	労一

解答

A ▶ ⑫ 1,000

B ▶ ⑪ 573万円

C ▶ ① 等級区分の改定

D ▶ ③ 零

E ▶ ⑭ から５日以内に

根拠条文等

法45条１項、法48条、則27条１項、３項

おぼえとるかい？

１．報酬

健康保険法において「**報酬**」とは、賃金、給料、俸給、手当、賞与その他いかなる名称であるかを問わず、労働者が、**労働の対償**として受けるすべてのものをいう。ただし、**臨時**に受けるもの及び**３月を超える期間ごと**に受けるものは、**この限りでない**。

２．賞与

健康保険法において「**賞与**」とは、賃金、給料、俸給、手当、賞与その他いかなる名称であるかを問わず、労働者が、**労働の対償**として受けるすべてのもののうち、**３月を超える期間ごと**に受けるものをいう。

Step-Up! アドバイス

・報酬又は賞与の全部又は一部が、通貨以外のもので支払われる場合においては、その価額は、その地方の時価によって、厚生労働大臣が定める。この場合において、健康保険組合は、規約で別段の定めをすることができる。
・標準賞与額の決定は、例えば、１年度に３回賞与を受けた場合に、１回目が300万円、２回目が200万円、３回目が100万円であったときは、それぞれの標準賞与額は、１回目300万円、２回目200万円、３回目73万円となる。
・標準賞与額の累計については、保険者単位で行われる。

15 療養の種類

Basic

チェック欄
1 ／
2 ／
3 ／

⑴ **生活療養**とは、［ A ］の提供である療養並びに温度、照明及び給水に関する適切な療養環境の形成である療養であって、病院又は診療所への入院及びその療養に伴う世話その他の看護と併せて行うもの（療養病床に入院する［ B ］に達する日の属する月の翌月以後である被保険者※に係るものに限る。）をいう。

⑵ **患者申出療養**とは、［ C ］を用いた療養であって、当該療養を受けようとする者の**申出**に基づき、［ D ］の対象とすべきものであるか否かについて、適正な医療の［ E ］な提供を図る観点から評価を行うことが必要な療養として厚生労働大臣が定めるものをいう。

選択肢

① 保険給付	② 高度の医療技術	③ 60歳
④ 薬剤	⑤ 先進医療機器	⑥ 65歳
⑦ 病室	⑧ 訪問看護療養費	⑨ 70歳
⑩ 計画的	⑪ 複数の医療技術	⑫ 75歳
⑬ 食事	⑭ 療養の給付	⑮ 先進的
⑯ 総合的	⑰ 新規医薬品	⑱ 効率的
⑲ 療養費	⑳ 診察	

解答

A ▶ ⑬ 食事

B ▶ ⑥ 65歳

C ▶ ② 高度の医療技術

D ▶ ⑭ 療養の給付

E ▶ ⑱ 効率的

法63条２項２号、３号

※特定長期入院被保険者という。

【療養の種類】

① **療養の給付**
- 診察
- 薬剤又は治療材料の支給
- 処置、手術その他の治療
- 居宅における療養上の管理及びその療養に伴う世話その他の看護
- 病院又は診療所への入院及びその療養に伴う世話その他の看護

② **食事療養**…入院時に受ける食事の提供である療養（特定長期入院被保険者に係るものを除く。）

③ **評価療養**…厚生労働大臣が定める**高度の医療技術**を用いた療養その他の療養であって、**療養の給付**の対象とすべきものであるか否かについて、適正な医療の効率的な提供を図る観点から評価を行うことが必要な療養（**患者申出療養**を除く。）として厚生労働大臣が定める療養

④ **選定療養**…被保険者の選定に係る特別の病室の提供その他の厚生労働大臣が定める療養

Step-Up! アドバイス

・食事療養、生活療養、評価療養、患者申出療養、選定療養、指定訪問看護は、「療養の給付の範囲」に含まれない。

16 一部負担金

Basic

チェック欄
1 ／
2 ／
3 ／

70歳に達する日の属する月の翌月以後に保険医療機関又は保険薬局から療養の給付を受ける被保険者について、療養の給付を受ける月の標準報酬月額が［ A ］円以上であっても、次の①②のいずれかに該当する者については、申請により一部負担金の負担割合が**100分の20**とされる。

① 被保険者及びその被扶養者（**70歳**に達する日の属する月の翌月以後である場合に該当する者に限る。）について厚生労働省令で定めるところにより算定した収入の額が［ B ］**円**（当該被扶養者がいない者にあっては、［ C ］**円**）**に満たない者**

② 被保険者（70歳に達する日の属する月の翌月以後である場合に該当する被扶養者がいない者であってその被扶養者であった者（［ D ］の被保険者等に該当するに至ったため被扶養者でなくなった者であって、［ D ］の被保険者等に該当するに至った日の属する月以後［ E ］を経過する月までの間に限り、同日以後継続して［ D ］の被保険者等に該当するものをいう。）がいるものに限る。）及びその被扶養者であった者について厚生労働省令で定めるところにより算定した収入の額が［ B ］**円に満たない者**

選択肢

① 26万	② 338万	③ 480万
④ 28万	⑤ 383万	⑥ 520万
⑦ 56万	⑧ 392万	⑨ 530万
⑩ 58万	⑪ 432万	⑫ 540万
⑬ 2年	⑭ 4年	⑮ 5年
⑯ 6年	⑰ 介護保険	⑱ 船員保険
⑲ 国民健康保険		⑳ 後期高齢者医療

解答

A ► ④ 28万

B ► ⑥ 520万

C ► ⑤ 383万

D ► ⑳ 後期高齢者医療

E ► ⑮ 5年

根拠条文等

法74条1項3号、令34条、則56条1項等

1．一部負担金の負担割合

<table>
<tr><th colspan="2">被保険者の区分</th><th>負担割合</th></tr>
<tr><td colspan="2">①70歳未満※1</td><td>3割</td></tr>
<tr><td rowspan="2">70歳以上※2</td><td>②一般</td><td>2割</td></tr>
<tr><td>③一定以上所得者（標準報酬月額が28万円以上）《注》</td><td>3割</td></tr>
</table>

※1　70歳到達日の属する月以前

※2　70歳到達日の属する月の翌月以後

《注》70歳以上で標準報酬月額が**28万円以上**の被保険者であっても、被保険者及びその被扶養者（70歳以上の者に限る）の年収が**520万円**（当該被扶養者がいない者にあっては、**383万円**）**未満**である場合等は、申請により一部負担金の割合が**2割**となる。

2． 保険者は、**災害**その他の厚生労働省令で定める**特別の事情**がある被保険者であって、保険医療機関等に一部負担金を支払うことが**困難**であると認められるものに対し、次の措置を採ることができる。

① 一部負担金を**減額**すること。

② 一部負担金の支払を**免除**すること。

③ 保険医療機関又は保険薬局に対する支払に代えて、一部負担金を直接に徴収することとし、その**徴収**を**猶予**すること。

17 入院時生活療養費

Basic

チェック欄
1 ／
2 ／
3 ／

(1) [A]が、保険医療機関等のうち自己の選定するものから、電子資格確認等により、被保険者であることの確認を受け、入院及びその療養に伴う世話その他の看護と併せて受けた生活療養に要した費用について、**入院時生活療養費**を支給する。

(2) 入院時生活療養費の額は、当該生活療養につき生活療養に要する平均的な費用の額を勘案して[B]が定める基準により算定した費用の額（その額が現に当該生活療養に要した費用の額を超えるときは、当該現に生活療養に要した費用の額）から、**平均的な家計**における**食費及び光熱水費**の状況並びに病院及び診療所における生活療養に要する費用について[C]に規定する食費の[D]及び居住費の[D]に相当する費用の額を勘案して[B]が定める額（所得の状況、病状の程度、治療の内容その他の事情をしん酌して厚生労働省令で定める者については、別に定める額。「**生活療養標準負担額**」という。）を控除した額とする。

(3) [B]は、上記(2)の基準を定めようとするときは、[E]に**諮問**するものとされている。

選択肢

① 基本費用額	② 地方厚生局長	③ 厚生労働大臣
④ 標準費用額	⑤ 財務大臣	⑥ 平均費用額
⑦ 特定長期入院被保険者	⑧ 保険医療機関	
⑨ 国民健康保険法	⑩ 介護保険法	
⑪ 長期入院被保険者	⑫ 生活保護法	
⑬ 社会保障審議会	⑭ 基準費用額	
⑮ 保険者	⑯ 特例退職被保険者	⑰ 高齢者医療確保法
⑱ 特例長期入院被保険者	⑲ 中央社会保険医療協議会	
⑳ 地方社会保険医療協議会		

進捗チェック

労基	安衛	労災	雇用	労一

解答

A ▶ ⑦　特定長期入院被保険者

B ▶ ③　厚生労働大臣

C ▶ ⑩　介護保険法

D ▶ ⑭　基準費用額

E ▶ ⑲　中央社会保険医療協議会

根拠条文等

法85条の2,1項～3項、平成30.7.31厚労告296号

1．食事療養標準負担額　　（1食につき）

<table>
<tr><td rowspan="2">(1)
下記(2)
以外の者</td><td>下記以外の者</td><td>490円</td></tr>
<tr><td>小児慢性特定疾病児童等又は指定難病の患者</td><td>280円</td></tr>
<tr><td rowspan="3">(2)
市町村民
税の非課
税者等</td><td>入院90日以下</td><td>230円</td></tr>
<tr><td>入院90日超</td><td>180円</td></tr>
<tr><td>70歳以上で判定基準所得がない者</td><td>110円</td></tr>
</table>

2．生活療養標準負担額

<table>
<tr><td colspan="4">対象者</td><td>(1)
右記(2)(3)
以外の者</td><td>(2)
入院医療の必要性の高い者</td><td>(3)
指定難病の患者</td></tr>
<tr><td>居住費
（1日）</td><td colspan="3">一律</td><td>370円</td><td>370円</td><td>0円</td></tr>
<tr><td rowspan="5">食　費
（1食）</td><td rowspan="2">低所得者以外</td><td colspan="2">保険医療機関（Ⅰ）に入院</td><td>490円</td><td>490円</td><td rowspan="2">280円</td></tr>
<tr><td colspan="2">保険医療機関（Ⅱ）に入院</td><td>450円</td><td>450円</td></tr>
<tr><td rowspan="3">低所得者</td><td rowspan="2">市町村民税非課税者</td><td>入院90日以下</td><td rowspan="2">230円</td><td>230円</td><td>230円</td></tr>
<tr><td>入院90日超</td><td>180円</td><td>180円</td></tr>
<tr><td colspan="2">70歳以上で判定基準所得がない者</td><td>140円</td><td>110円</td><td>110円</td></tr>
</table>

なお、生活保護法の要保護者である者のうち、食費及び居住費について、1食110円、1日0円に減額されたとすれば、生活保護法の規定による保護を必要としない状態になる者については、上記の額にかかわらず、生活療養標準負担額は、「居住費0円（1日）＋食費110円（1食）」となる。

18 保険外併用療養費 Basic

チェック欄
1 ／
2 ／
3 ／

(1) 被保険者が、保険医療機関等のうち［ A ］するものから、電子資格確認等により、被保険者であることの確認を受け、評価療養※、患者申出療養※又は［ B ］※を受けたときは、その療養に要した費用について、**保険外併用療養費**が支給される。

(2) 保険医療機関等は、被保険者から保険外併用療養費に係る療養に要した費用について支払を受ける際、その支払をした被保険者に対し、保険外併用療養費に係る一部負担金相当額と［ C ］の額とを区分（食事療養又は生活療養を含むときは、当該食事療養に係る食事療養［ D ］又は生活療養に係る生活療養［ D ］についても区分）した［ E ］を交付しなければならない。

選択肢

① その他の利用料	② 標準額	③ 入院療養
④ 保険者の指示	⑤ 標準負担額	⑥ 基本利用料
⑦ 主治医の指示	⑧ 特別料金	⑨ 自由診療
⑩ 事業主の選択	⑪ 基準負担額	⑫ 基準額
⑬ その他の費用	⑭ 選定療養	⑮ 領収証
⑯ 自己の選定	⑰ 先進医療	⑱ 請求書
⑲ レセプト	⑳ 料金表	

解答

A ▶ ⑯ 自己の選定

B ▶ ⑭ 選定療養

C ▶ ⑬ その他の費用

D ▶ ⑤ 標準負担額

E ▶ ⑮ 領収証

根拠条文等

法86条1項、4項、則64条

※「評価療養」「患者申出療養」及び「選定療養」については、Basicの15を参照。

1．保険外併用療養費の範囲

・評価療養 ・患者申出療養 ・選定療養	全額自己負担
基礎部分	一部負担金相当額（自己負担）
	保険外併用療養費として支給
食事療養	食事療養標準負担額（自己負担）
	保険外併用療養費として支給
生活療養	生活療養標準負担額（自己負担）
	保険外併用療養費として支給

2．支給額（①の額又は①及び②の額若しくは①及び③の額）

① 療養（食事療養及び生活療養を除く。）につき算定した費用の額から、その額に療養の給付に係る一部負担金の区分に応じた割合を乗じて得た額（原則）を控除した額

② 食事療養につき算定した費用の額から食事療養標準負担額を控除した額

③ 生活療養につき算定した費用の額から生活療養標準負担額を控除した額

19 療養費 Basic

チェック欄 1 ／ 2 ／ 3 ／

(1) 保険者は、**療養の給付**若しくは入院時食事療養費、入院時生活療養費若しくは［ A ］の支給（以下「療養の給付等」という。）を行うことが［ B ］と認めるとき、又は［ C ］が保険医療機関等以外の病院、診療所、薬局その他の者から診療、薬剤の支給若しくは手当を受けた場合において、保険者が［ D ］と認めるときは、療養の給付等に代えて、**療養費**を支給することができる。

(2) 療養費の額は、当該療養（食事療養及び生活療養を除く。）について算定した費用の額から、その額に法第74条第1項各号に掲げる場合の区分に応じ、同項各号に定める**一部負担金の割合**を乗じて得た額を控除した額及び当該食事療養又は生活療養について算定した費用の額から食事療養標準負担額又は生活療養標準負担額を控除した額を基準として、［ E ］。

選択肢

① 訪問看護療養費	② 被保険者又は被扶養者
③ やむを得ないもの	④ 相当の理由がある
⑤ 困難である	⑥ 保険者が定める
⑦ 被保険者	⑧ 被保険者以外の者
⑨ 政令で定める	⑩ 告示する
⑪ 必要である	⑫ 保険外併用療養費
⑬ 被扶養者	⑭ 厚生労働大臣が定める
⑮ 不可避である	⑯ 家族療養費
⑰ 適当である	⑱ 不可能なもの
⑲ 移送費	⑳ 正当である

進捗チェック

労基	安衛	労災	雇用	労一

解答

A ▶ ⑫ 保険外併用療養費
B ▶ ⑤ 困難である
C ▶ ⑦ 被保険者
D ▶ ③ やむを得ないもの
E ▶ ⑥ 保険者が定める

根拠条文等
法87条１項、２項

1．療養費の支給の対象となる場合

① （その地域に）保険医療機関がない場合
② 事業主が資格取得届の提出を怠ったため、被保険者たる身分を証明し得ない場合の診療
③ 柔道整復師の施術を受けたとき（原則）
④ コルセット類、義手、義足等を購入したとき（原則）
⑤ 輸血の場合における血液料金（生血のみ）※1
⑥ **海外療養費**※2
⑦ 緊急のためやむを得ず保険医療機関等以外の医療機関で診療を受けたとき　等

※１　輸血のために保存血を使用した場合は、療養の給付として現物給付される。
※２　療養費の支給額の算定に用いる邦貨換算率は、支給決定日における外国為替換算率を用いる。

2．支給額

次の①及び②の額を基準として保険者が定めた額
① 療養（食事療養又は生活療養を除く。）につき算定した費用の額から、その額に療養の給付に係る一部負担金の区分に応じた割合を乗じて得た額を控除した額
② 食事療養又は生活療養につき算定した費用の額から食事療養標準負担額又は生活療養標準負担額を控除した額

20 訪問看護療養費

Basic

チェック欄
1 ／
2 ／
3 ／

(1) 訪問看護事業とは、疾病又は負傷により、**居宅**において**継続**して療養を受ける状態にある者（[A]がその治療の必要の程度につき厚生労働省令で定める基準に適合していると認めたものに限る。）に対し、その者の居宅において看護師等が行う[B]又は必要な診療の補助（[C]又は**介護老人保健施設**若しくは**介護医療院**によるものを除く。）を行う事業をいう。

(2) 被保険者が、厚生労働大臣が指定する者（指定訪問看護事業者）から当該指定に係る訪問看護事業を行う事業所により行われる訪問看護（指定訪問看護）を受けたときは、その指定訪問看護に要した費用について、**訪問看護療養費**を支給する。指定訪問看護事業者は、指定訪問看護の事業の[D]**に関する基準**に従い、訪問看護を受ける者の心身の状況等に応じて[E]指定訪問看護を提供するものとする。

選択肢

① 施設 ② 処置 ③ 運営 ④ 役務
⑤ 安全な ⑥ 問診 ⑦ 診察 ⑧ 自ら適切な
⑨ 適正化 ⑩ 公平な ⑪ 保険医 ⑫ 保険者
⑬ 特定機能病院 ⑭ 主治の医師 ⑮ 地域医療支援病院
⑯ 地方厚生局長 ⑰ 療養上の世話 ⑱ 介護老人福祉施設
⑲ 保険医療機関等 ⑳ 迅速かつ公正な

解答

A ▶ ⑭ 主治の医師

B ▶ ⑰ 療養上の世話

C ▶ ⑲ 保険医療機関等

D ▶ ③ 運営

E ▶ ⑧ 自ら適切な

法88条1項、
法90条1項

おぼえとるかい？

1．保険医療機関等又は介護保険法に規定する介護老人保健施設若しくは介護医療院から居宅において療養上の世話等を受けた場合は、療養の給付又は介護保険法の保険給付等の対象となり、訪問看護療養費の支給対象とはならない。

2．基本利用料とその他の利用料

(1) 基本利用料…被保険者は、**基本利用料**（指定訪問看護につき算定した費用の額から訪問看護療養費の額を控除した額）を指定訪問看護事業者に支払う。

(2) その他の利用料…指定訪問看護事業者は、(1)の基本利用料の他に、次に掲げる費用の額をその他の利用料として支払いを受けることができる。

① 指定訪問看護に要する平均的な時間を超える指定訪問看護（原則）及び訪問看護ステーションの定める営業日以外の日又は営業時間以外の時間における指定訪問看護の提供に関しての割増料金

② 指定訪問看護の提供に係る交通費、おむつ代等に要する費用

Step-Up! アドバイス

・基本利用料は、高額療養費の対象となる。

21 高額療養費 1

Basic

チェック欄
1 ／
2 ／
3 ／

(1) 療養の給付について支払われた［ A ］又は療養(［ B ］を除く。(2)において同じ。）に要した費用の額からその療養に要した費用につき保険外併用療養費、療養費、訪問看護療養費、家族療養費若しくは家族訪問看護療養費として支給される額に相当する額を控除した額が［ C ］ときは、その療養の給付又はその保険外併用療養費、療養費、訪問看護療養費、家族療養費若しくは家族訪問看護療養費の支給を受けた者に対し、**高額療養費**を支給する。

(2) 高額療養費の支給要件、支給額その他高額療養費の支給に関して必要な事項は、療養に必要な費用の負担の［ D ］及び療養に要した費用の額を考慮して、［ E ］。

選択肢

①	先進医療の額	②	食事療養及び生活療養
③	所得額との均衡	④	生計費に占める割合
⑤	政令で定める	⑥	厚生労働大臣が定める
⑦	一部負担金の額	⑧	保険者が定める療養
⑨	家計に与える影響	⑩	食事療養標準負担額
⑪	告示する	⑫	著しく高額である
⑬	保険者が定める	⑭	平均的な費用の額
⑮	指定訪問看護	⑯	生活に影響を与える
⑰	所得額を上回る	⑱	平均負担額を超える
⑲	入院療養の費用の額		
⑳	評価療養、患者申出療養及び選定療養		

進捗チェック
労基 安衛 労災 雇用 労一

解答

A ▶ ⑦　一部負担金の額

B ▶ ②　食事療養及び生活療養

C ▶ ⑫　著しく高額である

D ▶ ⑨　家計に与える影響

E ▶ ⑤　政令で定める

法115条

【高額療養費算定基準額】

1．70歳未満の場合

所得区分	高額療養費算定基準額
①標準報酬月額83万円以上	252,600円＋(療養に要した費用－842,000円)×１％
②標準報酬月額 53万円以上83万円未満	167,400円＋(療養に要した費用－558,000円)×１％
③標準報酬月額 28万円以上53万円未満	80,100円＋(療養に要した費用－267,000円)×１％
④標準報酬月額28万円未満	57,600円
⑤低所得者 (市町村民税非課税者等)	35,400円

2．70歳以上の場合

所得区分		高額療養費算定基準額	
		外来(個人)	世帯合算
一定以上所得者	①標準報酬月額 83万円以上	252,600円＋(療養に要した費用－842,000円)×１％	
	②標準報酬月額 53万円以上83万円未満	167,400円＋(療養に要した費用－558,000円)×１％	
	③標準報酬月額 28万円以上53万円未満	80,100円＋(療養に要した費用－267,000円)×１％	
④一般所得者		18,000円〔年間上限144,000円〕	57,600円
⑤低所得者Ⅱ※1		8,000円	24,600円
⑥低所得者Ⅰ※2			15,000円

※１　市町村民税非課税者等
※２　市町村民税非課税者であって判定基準所得がない者等

22 高額療養費　2・高額介護合算療養費 Basic

チェック欄
1 ／
2 ／
3 ／

(1) 70歳未満の被保険者で、標準報酬月額が**28万円以上53万円未満**のものに係る高額療養費算定基準額は、原則として、「**80,100円＋(療養に要した費用の額－［ A ］円)×1％**」の式により算定した額とされる（なお、療養に要した費用の額が［ A ］円に満たないときは、当該額を［ A ］円として計算する。）。ただし、当該療養のあった月以前の**12月以内**に既に高額療養費が支給されている月数が［ B ］以上ある場合（高額療養費多数回該当の場合）の高額療養費算定基準額は、［ C ］円となる。

(2) 一部負担金等の額（［ D ］が支給される場合にあっては、当該支給額に相当する額を控除して得た額）並びに介護保険法の規定による介護サービス利用者負担額及び［ E ］利用者負担額（それぞれ高額介護サービス費又は高額［ E ］費が支給される場合にあっては、当該支給額を控除して得た額）の合計額が著しく高額であるときは、当該一部負担金等の額に係る療養の給付等を受けた者に対し、**高額介護合算療養費**が支給される。

選択肢

① 3月	② 140,100	③ 44,400
④ 842,000	⑤ 267,000	⑥ 558,000
⑦ 24,600	⑧ 6月	⑨ 4月
⑩ 2月	⑪ 18,000	⑫ 57,600
⑬ 福祉サービス	⑭ 高額療養費	
⑮ 訪問看護療養費	⑯ 医療サービス	
⑰ 療養の給付	⑱ 居宅介護サービス	
⑲ 介護予防サービス	⑳ 療養費	

解答

A ▶ ⑤ 267,000

B ▶ ① 3月

C ▶ ③ 44,400

D ▶ ⑭ 高額療養費

E ▶ ⑲ 介護予防サービス

根拠条文等

法115条、
法115条の2、
令41条1項、
令42条1項1号

【介護合算算定基準額】

1．70歳未満の場合

所得区分	介護合算算定基準額
①標準報酬月額83万円以上	2,120,000円
②標準報酬月額53万円以上83万円未満	1,410,000円
③標準報酬月額28万円以上53万円未満	670,000円
④標準報酬月額28万円未満	600,000円
⑤低所得者	340,000円

2．70歳以上の場合

所得区分		介護合算算定基準額
一定以上所得者	①標準報酬月額83万円以上	2,120,000円
	②標準報酬月額53万円以上83万円未満	1,410,000円
	③標準報酬月額28万円以上53万円未満	670,000円
④一般所得者		560,000円
⑤低所得者Ⅱ		310,000円
⑥低所得者Ⅰ		190,000円

※ 高額介護合算療養費は、実際には、支払った額の合計額が上記介護合算算定基準額に支給基準額（500円）を加えた額を超えるときに支給される。

Step-Up! アドバイス

・高額介護合算療養費の支給を受けるためには、必ずしも高額療養費、高額介護サービス費又は高額介護予防サービス費の支給を受けていることは要しない。

23 家族療養費

Basic

チェック欄
1 ／
2 ／
3 ／

(1) [A]に達する日以後の最初の3月31日の翌日以後であって[B]に達する日の属する月以前である被扶養者が、保険医療機関等のうち自己の選定するものから療養（食事療養及び生活療養を除く。）を受けたときは、[C]に対し、当該療養につき算定した費用の額に100分の[D]を乗じて得た額の**家族療養費**が支給される。

(2) 保険者は、災害その他の厚生労働省令で定める特別の事情がある被保険者であって、保険医療機関又は保険薬局に一部負担金を支払うことが困難であると認められるものの被扶養者に係る家族療養費の支給について、法第110条第2項第1号イからニまでに定める割合〔家族療養費の給付割合〕を、それぞれの割合を超え100分の[E]以下の範囲内において保険者が定める割合とする措置を採ることができる。

選択肢

① 10	② 20	③ 30	④ 50
⑤ 70	⑥ 80	⑦ 90	⑧ 100
⑨ 75歳	⑩ 70歳	⑪ 65歳	⑫ 60歳
⑬ 18歳	⑭ 15歳	⑮ 6歳	⑯ 3歳
⑰ 保険者	⑱ 世帯主	⑲ 被保険者	⑳ 被扶養者

解答

A ► ⑮ 6歳

B ► ⑩ 70歳

C ► ⑲ 被保険者

D ► ⑤ 70

E ► ⑧ 100

根拠条文等

法110条1項、2項、法110条の2,1項

【家族療養費の額】

家族療養費の額は、次の(1)の額（当該療養に食事療養が含まれているときは(1)及び(2)の合算額、当該療養に生活療養が含まれているときは(1)及び(3)の合算額）である。

(1) 療養（食事療養及び生活療養を除く。）につき算定した費用の額に次の①～④に掲げる区分に応じ、それぞれに定める割合を乗じて得た額

① 被扶養者が6歳到達年度末日後70歳未満である場合…**100分の70**

② 被扶養者が6歳到達年度末日以前である場合…**100分の80**

③ 被扶養者（④の被扶養者を除く。）が**70歳**以上である場合…**100分の80**

④ 70歳以上の一定以上所得者である被保険者の被扶養者が**70歳**以上である場合…**100分の70**

(2) 食事療養につき算定した費用の額から食事療養標準負担額を控除した額

(3) 生活療養につき算定した費用の額から生活療養標準負担額を控除した額

Step-Up! アドバイス

・家族療養費、家族訪問看護療養費、家族移送費、家族埋葬料及び家族出産育児一時金は、被保険者に対し、支給される。

24 傷病手当金

Basic

チェック欄
1 ／
2 ／
3 ／

(1) 被保険者（任意継続被保険者を除く。）が**療養のため労務に服することができない**ときは、その労務に服することができなくなった日から起算して[A]**を経過した日**から労務に服することができない期間、**傷病手当金**を支給する。

(2) 傷病手当金の額は、１日につき、原則として、傷病手当金の支給を始める日の属する月以前の**直近の**[B]の各月の**標準報酬月額**（被保険者が現に属する保険者等により定められたものに限る。）**を平均した額の30分の１**に相当する額（その額に、５円未満の端数があるときは、これを切り捨て、５円以上10円未満の端数があるときは、これを10円に切り上げるものとする。）の[C]に相当する金額（その金額に、50銭未満の端数があるときは、これを切り捨て、50銭以上１円未満の端数があるときは、これを１円に切り上げるものとする。）とする。

(3) 傷病手当金の支給期間は、同一の疾病又は負傷及びこれにより発した疾病に関しては、その[D]から通算して[E]間とされている。

選択肢

① ３日　② ４日　③ ７日　④ 14日
⑤ ６月　⑥ １年　⑦ １年６月　⑧ ２年
⑨ 支給を始めた日　⑩ 継続した３月間
⑪ 労務不能となった日　⑫ 継続した５月間
⑬ 療養を始めた日　⑭ 継続した６月間
⑮ 入院をした日　⑯ 継続した12月間
⑰ 100分の60　⑱ 100分の70　⑲ ４分の３
⑳ ３分の２

解答

A ▶ ①　3日

B ▶ ⑯　継続した12月間

C ▶ ⑳　3分の2

D ▶ ⑨　支給を始めた日

E ▶ ⑦　1年6月

根拠条文等

法99条

おぼえとるかい？

1．傷病手当金が支給されない場合

① **出産手当金**の支給を受けることができるとき（原則）。

② 事業主から引き続き**報酬**（全部又は一部）を受けることができるとき（原則）。

③ 少年院等に収容等されているとき（厚生労働省令で定める場合に限る）。

④ 障害厚生年金又は障害手当金を受けることができるとき（原則）。

⑤ 退職者であって、傷病手当金の継続給付を受けることができるものが老齢退職年金給付を受けることができるとき（原則）。

等

2． 上記②の場合において、受けた報酬額が傷病手当金の額を下回るときは、原則としてその**差額**が支給される（上記①、④、⑤の場合においても差額支給あり）。

3． 出産手当金を支給すべき日に傷病手当金が支払われたときは、その支払われた傷病手当金は、差額として支払われた部分を除き、出産手当金の**内払**とみなされる。

25 出産育児一時金・出産手当金

Basic

チェック欄
1 ／
2 ／
3 ／

(1) 被保険者が出産したときは、**出産育児一時金**として、［ A ］円（公益財団法人日本医療機能評価機構が運営する産科医療補償制度に加入する医療機関等の医学的管理下において、［ B ］に達した日以後の出産（死産を含む。）がなされたことを保険者が認めた場合には、［ A ］円に［ C ］万円を超えない範囲内で保険者が定める金額※を加算する。）が支給される。

(2) 被保険者（任意継続被保険者を除く。）が出産したときは、出産の日（出産の日が出産の予定日後であるときは、出産の予定日）［ D ］（多胎妊娠の場合においては、**98日**）から出産の日後**56日**までの間において［ E ］期間、**出産手当金**として、1日につき、原則として、出産手当金の支給を始める日の属する月以前の**直近の継続した12月間**の各月の**標準報酬月額**（被保険者が現に属する保険者等により定められたものに限る。）**を平均した額の30分の1**に相当する額（その額に、5円未満の端数があるときは、これを切り捨て、5円以上10円未満の端数があるときは、これを10円に切り上げるものとする。）の**3分の2**に相当する金額（その金額に、50銭未満の端数があるときは、これを切り捨て、50銭以上1円未満の端数があるときは、これを1円に切り上げるものとする。）を支給する。

選択肢

① 1	② 2	③ 労務に服することができない
④ 3	⑤ 4	⑥ 保険者が必要と認める
⑦ 336,000	⑧ 352,000	⑨ 労務に服さなかった
⑩ 420,000	⑪ 488,000	⑫ 政令で定める
⑬ 以前42日	⑭ 以前48日	⑮ 入院日数90日
⑯ 前42日	⑰ 前48日	⑱ 在胎週数22週
⑲ 妊娠4月以上		⑳ 在胎週数28週

進捗チェック
労基 安衛 労災 雇用 労一

解答

A ▶ ⑪ 488,000
B ▶ ⑱ 在胎週数22週
C ▶ ④ 3
D ▶ ⑬ 以前42日
E ▶ ⑨ 労務に服さなかった

根拠条文等
法101条、
法102条、
令36条等

※現在1万2千円である。

1．出産に関する保険給付が行われるのは、妊娠**4月（85日）以上**の出産に限られる。妊娠4月以上の出産であれば、生産だけでなく、死産、流産（人工妊娠中絶を含む）等も含まれる。
2．実際の出産が出産予定日より遅れた場合は、出産予定日から実際の出産までの期間も産前の休業として出産手当金が支給される。
3．多胎出産の場合は、1産児排出を1出産と認め、胎児数に応じて、出産育児一時金が支給される〔双児の場合は、48万8千円（50万円）×2＝97万6千円（100万円）〕。
4．家族出産育児一時金
　被扶養者が出産したときは、被保険者に対し家族出産育児一時金として**48万8千円（50万円）**が支給される。

Step-Up! アドバイス

・「労務に服さなかった期間」と「労務に服することができない期間」との違い
　①「労務に服さなかった期間」とは、会社を休んだ期間（働くことができる状態であってもOK）…出産手当金
　②「労務に服することができない期間」とは、働くことができないので、会社を休んだ期間…傷病手当金
・出産育児一時金及び家族出産育児一時金の支給に要する費用の一部については、高齢者医療確保法の規定により社会保険診療報酬支払基金が保険者に対して交付する出産育児交付金が充てられる。

26 死亡に関する給付・移送費

Basic

チェック欄
1 ／
2 ／
3 ／

(1) 被保険者が死亡したときは、その者[A]していた者であって、[B]に対し、**埋葬料**として、[C]**万円**が支給される。

(2) 被保険者が**療養の給付**（[D]に係る療養を含む。）を受けるため、病院又は診療所に移送されたときは、保険者が必要であると認める場合（次の①から③のいずれにも該当する場合）に限り、**移送費**として、厚生労働省令で定めるところにより算定した金額※が支給される。

① 移送により健康保険法に基づく[E]を受けたこと

② 移送の原因である疾病又は負傷により移動をすることが著しく困難であったこと

③ 緊急その他やむを得なかったこと

※最も経済的な通常の経路及び方法により移送された場合の費用により算定した金額とする（ただし、現に移送に要した費用の金額を超えることはできない）。

選択肢

① 保険外併用療養費	② 救急診療	③ 5
④ 埋葬を行ったもの	⑤ 被扶養者	⑥ 10
⑦ により生計を維持	⑧ 入院療養	⑨ 20
⑩ 訪問看護療養費	⑪ 適切な療養	⑫ 30
⑬ と生計を同じく	⑭ 相続人	⑮ 療養費
⑯ 効果的な療養	⑰ 埋葬を行うもの	
⑱ と生計を同じくし、かつ、生計を維持		
⑲ により主として生計を維持	⑳ 食事療養	

進捗チェック
労基 安衛 労災 雇用 労一

解答

A ▶ ⑦　により生計を維持

B ▶ ⑰　埋葬を行うもの

C ▶ ③　5

D ▶ ①　保険外併用療養費

E ▶ ⑪　適切な療養

根拠条文等
法97条、
法100条1項、
令35条、
則81条

1．**埋葬費**（法律上は、埋葬に要した費用に相当する金額）
　埋葬費は、埋葬料の支給を受けるべき者がない場合に、実際に埋葬を行った者に対し支給される。
・埋葬費の額…埋葬料の金額の範囲内で埋葬に直接要した実費額（霊柩車代、僧侶の謝礼等）

2．**家族埋葬料**
　被扶養者が死亡したときは、被保険者に対し家族埋葬料として、**5万円**が支給される。

Step-Up! アドバイス

・「埋葬を行う者」と「埋葬を行った者」との違い
①「埋葬を行う者」とは、埋葬が実際に行われたか否かにかかわらず社会通念上埋葬を行うべき者をいう。
②「埋葬を行った者」とは、実際に埋葬を行った者をいう。生計維持関係のなかった子、父母等や知人が埋葬を行った場合はこれに該当する。

27 資格喪失後の埋葬料等の支給 Basic

チェック欄 1 / 2 / 3 /

(1) [A]の継続給付を受ける者が死亡したとき、[A]の継続給付を受けていた者がその給付を受けなくなった日後[B]**以内**に死亡したとき、又はその他の被保険者であった者が被保険者の資格を喪失した日後[B]**以内**に死亡したときは、被保険者であった者により生計を維持していた者であって、埋葬を行うものは、その被保険者の最後の保険者から**埋葬料**の支給を受けることができる。

(2) 被保険者の資格を喪失した日の前日まで引き続き[C]以上被保険者（任意継続被保険者又は[D]を除く。）であった者が被保険者の資格を喪失した日後[E]**以内**に出産したときは、被保険者として受けることができるはずであった**出産育児一時金**の支給を最後の保険者から受けることができる。

選択肢

① 1月　② 30日　③ 特定長期入院被保険者
④ 2月　⑤ 60日　⑥ 傷病手当金
⑦ 3月　⑧ 90日　⑨ 出産手当金
⑩ 4月　⑪ 1年　⑫ 療養費
⑬ 6月　⑭ 2年　⑮ 5年　⑯ 1年6月
⑰ 傷病手当金又は出産手当金
⑱ 介護保険第2号被保険者である被保険者
⑲ 共済組合の組合員である被保険者
⑳ 健康保険組合の組合員である被保険者

解答

A ▶ ⑰ 傷病手当金又は出産手当金
B ▶ ⑦ 3月
C ▶ ⑪ 1年
D ▶ ⑲ 共済組合の組合員である被保険者
E ▶ ⑬ 6月

根拠条文等
法105条1項、法106条

おぼえとるかい?

1．傷病手当金・出産手当金の継続給付

(1) 支給要件

資格喪失後の傷病手当金又は出産手当金の継続給付を受けるには、次の①及び②の要件を満たさなければならない。

① 資格喪失の際、現に傷病手当金又は出産手当金の支給を受けているか、受け得る状態であること。

② 被保険者の**資格を喪失した日の前日まで、引き続き1年以上被保険者**（任意継続被保険者又は共済組合の組合員である被保険者を除く。）であったこと。

(2) 支給期間

被保険者の資格喪失前後を通算して、被保険者として受けることができるはずであった期間、**継続して**同一の保険者からその給付を受けることができる。

2．資格喪失後の死亡に関する給付

(1) 埋葬料の支給を受けるべき者がいない場合には、埋葬を行った者に対して埋葬費が支給される。

(2) 資格喪失後の死亡に関する給付については、他の資格喪失後の給付と異なり、その被保険者期間の長さは問われない。

3．被保険者の資格喪失後は、出産手当金（継続給付を受けることができる場合を除く。）や家族出産育児一時金は支給されない。

Step-Up! アドバイス

・1年以上被保険者であった者が6月以内に出産し、被扶養者となっている場合には、その者が、最後の保険者から出産育児一時金の支給を受けるか、被扶養者として家族出産育児一時金の支給を受けるかを選択することにより、いずれか一方の給付が支給される。

28 国庫負担・国庫補助

Basic

チェック欄
1 ／
2 ／
3 ／

(1) 健康保険組合に対して交付する国庫負担金は、各健康保険組合における［ A ］を基準として、**厚生労働大臣**が算定する。

(2) 国庫は、全国健康保険協会が管掌する健康保険事業の執行に要する費用のうち、被保険者（日雇特例被保険者を除く。）に係る保険給付※の支給に要する費用（療養の給付については、一部負担金に相当する額を控除）の額、［ B ］の納付に要する費用の額及び流行初期医療確保拠出金の納付に要する費用の額について、所定の方法により算定した額に、当分の間、原則として、［ C ］を乗じて得た額を補助する。

(3) 国庫は、［ D ］**の範囲内**において、健康保険事業の執行に要する費用のうち、［ E ］の実施に要する費用の一部を補助することができる。

選択肢

①	1000分の120	②	後期高齢者支援金	③	介護事業
④	1000分の130	⑤	前期高齢者納付金	⑥	予算
⑦	1000分の164	⑧	総報酬額の総額	⑨	看護事業
⑩	1000分の183	⑪	保健事業及び福祉事業		
⑫	日雇拠出金	⑬	前期高齢者納付金等の額		
⑭	介護納付金	⑮	被保険者数及び総報酬額の総額		
⑯	被保険者数	⑰	被保険者数及び被扶養者数		
⑱	特定健康診査等	⑲	保険給付に要する費用の額		
⑳	前期高齢者納付金等の額及び後期高齢者支援金等の額の合算額				

進捗チェック
労基 安衛 労災 雇用 労一

解答

A ▶ ⑯ 被保険者数

B ▶ ⑤ 前期高齢者納付金

C ▶ ⑦ 1000分の164

D ▶ ⑥ 予算

E ▶ ⑱ 特定健康診査等

根拠条文等
法152条1項、
法153条、
法154条の2等

※出産育児一時金、家族出産育児一時金、埋葬料、埋葬費、家族埋葬料を除く。

1．事務費に対する国庫負担

国庫は、毎年度、**予算の範囲内**において、健康保険事業の**事務**（前期高齢者納付金等、後期高齢者支援金等及び日雇拠出金、介護納付金並びに流行初期医療確保拠出金の納付に関する事務を**含む**。）の執行に要する費用を**負担**する。

2．協会管掌健康保険に対する国庫補助の割合

	主要な保険給付の支給に要する費用等
本則上	**1000分の130から1000分の200**までの範囲内において政令で定める割合
当分の間（原則）※	**1000分の164**

3．健康保険組合連合会に対する国庫負担

国は、政令で定めるところにより、健康保険組合連合会に対し、政令で定める健康保険組合に対する交付金※の交付に要する費用について、**予算の範囲内**で、その一部を負担する。

※　健康保険組合が管掌する健康保険の医療に関する給付等に要する費用の財源の不均衡を調整するため、健康保険組合連合会が、政令で定める健康保険組合に対して交付するものである。この費用に充てるため、健康保険組合は、健康保険組合連合会に対して拠出金を拠出する。この拠出金の拠出に要する費用に充てるため、健康保険組合は、事業主及び被保険者から**調整保険料**を徴収する。

Step-Up! アドバイス

・協会健保の主要保険給付に関する国庫補助については、出産育児一時金、家族出産育児一時金、埋葬料、埋葬費及び家族埋葬料は対象となっていないが、出産手当金は補助の対象となっている。

29 保険料 1

Basic

チェック欄
1 ／
2 ／
3 ／

(1) 全国健康保険協会（以下「協会」という。）が管掌する健康保険の被保険者に関する一般保険料率（以下「**都道府県単位保険料率**」という。）は、［ A ］までの範囲内において、**支部被保険者**※を単位として**協会**が決定するものとする。

(2) 協会は、支部被保険者及びその被扶養者の［ B ］の分布状況と協会が管掌する健康保険の被保険者及びその被扶養者の［ B ］の分布状況との差異によって生ずる療養の給付等に要する費用の額の**負担の不均衡**並びに支部被保険者の［ C ］と協会が管掌する健康保険の被保険者の［ C ］との差異によって生ずる**財政力の不均衡**を是正するため、支部被保険者を単位とする健康保険の**財政の調整**を行うものとする。

(3) 協会が都道府県単位保険料率を**変更**しようとするときは、あらかじめ、［ D ］が当該変更に係る都道府県に所在する支部の支部長の意見を聴いた上で、［ E ］**の議**を経なければならない。

選択肢

① 保険料負担総額	② 所得別	③ 企業規模別
④ 総報酬額の総額	⑤ 評議会	⑥ 運営委員会
⑦ 厚生労働大臣	⑧ 会長	⑨ 都道府県別
⑩ 年間の収入額	⑪ 監事	⑫ 年齢階級別
⑬ 総報酬額の平均額	⑭ 理事長	⑮ 理事会

⑯ 中央社会保険医療協議会
⑰ 1000分の30から1000分の100
⑱ 1000分の30から1000分の130
⑲ 1000分の82から1000分の120
⑳ 1000分の82から1000分の164

進捗チェック
労基 安衛 労災 雇用 労一

解答

A ► ⑱ 1000分の30から1000分の130

B ► ⑫ 年齢階級別

C ► ⑬ 総報酬額の平均額

D ► ⑭ 理事長

E ► ⑥ 運営委員会

根拠条文等

法160条１項、４項、６項

※各支部の都道府県に所在する適用事業所に使用される被保険者及び当該都道府県の区域内に住所又は居所を有する任意継続被保険者をいう。

【地域型健康保険組合の一般保険料率】

合併により設立された健康保険組合又は合併後存続する健康保険組合のうち次の①②の要件のいずれにも該当する合併に係るもの（「地域型健康保険組合」という。）は、当該**合併が行われた日の属する年度及びこれに続く５箇年度**に限り、1000分の30から1000分の130までの範囲内において、**不均一の一般保険料率**を決定することができる。

① 合併前の健康保険組合の設立事業所がいずれも**同一都道府県**の区域にあること。

② 当該合併が指定健康保険組合、被保険者の数が健康保険組合の設立に必要な数に満たなくなった健康保険組合その他事業運営基盤の安定が必要と認められる健康保険組合として厚生労働省令で定めるものを含むこと。

30 保険料　2

Basic

チェック欄
1 ／
2 ／
3 ／

⑴　被保険者に関する毎月の保険料は、［A］までに、納付しなければならない。ただし、任意継続被保険者に関する保険料については、［B］（初めて納付すべき保険料については、［C］）までとする。

⑵　任意継続被保険者は、将来の一定期間の保険料を前納することができる。この保険料の前納は、原則として、［D］又は4月から翌年3月までの12月間を単位として行う。

⑶　上記⑵により前納された保険料については、前納に係る期間の［E］**が到来したとき**に、それぞれその月の保険料が納付されたものとみなす。

選択肢

① その月の末日　② その月の10日　③ 各月の末日
④ 政令で定める日　⑤ その月の初日　⑥ 前月初日
⑦ 翌月の10日　⑧ 各月の初日　⑨ 翌月末日
⑩ 各月の前月末日　⑪ 翌月初日　⑫ 前月10日
⑬ 各月の翌月初日　⑭ 保険者が指定する日
⑮ 厚生労働大臣が定める日
⑯ 申出の受理があった日から10日を経過した日
⑰ 4月及び5月、6月及び7月、8月及び9月、10月及び11月、12月及び翌年1月若しくは翌年2月及び翌年3月の2月間
⑱ 4月から6月まで、7月から9月まで、10月から12月まで若しくは翌年1月から3月までの3月間
⑲ 4月から7月まで、8月から11月まで若しくは12月から翌年3月までの4月間
⑳ 4月から9月まで若しくは10月から翌年3月までの6月間

進捗チェック

労基	安衛	労災	雇用	労一

解答

A ▶ ⑨	翌月末日	
B ▶ ②	その月の10日	
C ▶ ⑭	保険者が指定する日	
D ▶ ⑳	4月から9月まで若しくは10月から翌年3月までの6月間	
E ▶ ⑧	各月の初日	

根拠条文等

法164条1項、法165条1項、3項、令48条

【被保険者に関する保険料額】

被保険者に関する保険料額は、各月につき次に掲げる額とする。

(1) 介護保険第2号被保険者※1である被保険者

…一般保険料額と介護保険料額の合算額（下記の①と②の合算額）

① **一般保険料額＝（標準報酬月額＋標準賞与額）×一般保険料率（基本保険料率＋特定保険料率）**

② **介護保険料額＝（標準報酬月額＋標準賞与額）×介護保険料率**

(2) 介護保険第2号被保険者である被保険者以外の被保険者…**一般保険料額**

(3) 特定被保険者※2…健康保険組合の場合

① 一般保険料額（原則）

② **一般保険料額と介護保険料額の合算額**（規約で定めた場合）

※1 介護保険第2号被保険者とは、介護保険法第9条第2号に規定する被保険者（市町村の区域内に住所を有する40歳以上65歳未満の医療保険加入者）をいう。

※2 特定被保険者とは、健康保険組合における介護保険第2号被保険者以外の被保険者であって、その被扶養者が介護保険第2号被保険者であるものをいう。

31 保険料 3

Basic

チェック欄
1 ／
2 ／
3 ／

育児休業等をしている被保険者（[A]の適用を受けている被保険者を除く。）が使用される事業所の事業主が、厚生労働省令で定めるところにより保険者等に申出をしたときは、次の(1)、(2)に掲げる場合の区分に応じ、当該(1)、(2)に定める月の当該被保険者に関する保険料（その育児休業等の期間が[B]以下である者については、標準報酬月額に係る保険料に限る。）は、徴収しない。

(1) その育児休業等[C]とその育児休業等が終了する[D]とが異なる場合
…その育児休業等[C]からその育児休業等が終了する[D]の前月までの月

(2) その育児休業等[C]とその育児休業等が終了する[D]とが同一であり、かつ、当該月における育児休業等の日数として厚生労働省令で定めるところにより計算した日数が[E]である場合
…当該月

選択肢

① 7日未満　② 一部負担金等の減額、免除又は徴収猶予
③ 7日以上　④ 産前産後休業期間中の保険料免除
⑤ 14日未満　⑥ の申出をした日の属する月の翌月
⑦ 14日以上　⑧ を開始した日の属する月
⑨ 1月　⑩ を開始した日の属する月の翌月
⑪ 2月　⑫ 日の前々日が属する月
⑬ 3月　⑭ 日の前日が属する月
⑮ 6月　⑯ 日が属する月
⑰ 育児休業等終了時改定　⑱ 日の翌日が属する月
⑲ の申出をした日の属する月
⑳ 産前産後休業終了時改定

進捗チェック
労基	安衛	労災	雇用	労一

解答

A ▶ ④　産前産後休業期間中の保険料免除

B ▶ ⑨　1月

C ▶ ⑧　を開始した日の属する月

D ▶ ⑱　日の翌日が属する月

E ▶ ⑦　14日以上

根拠条文等

法159条１項

おぼえとるかい?

1．保険料が免除される場合

一般の被保険者が次の①～④に該当するとき

① **育児休業等**をしている被保険者（産前産後休業期間中の保険料免除の適用を受けている被保険者を除く。）につき**事業主**が保険者等に**申出**をしたとき

② **産前産後休業**をしている被保険者につき**事業主**が保険者等に**申出**をしたとき

③ **少年院**その他これに準ずる施設に**収容**されたとき

④ **刑事施設**、**労役場**その他これらに準ずる施設に**拘禁**されたとき

2．保険料の繰上充当

保険者等※は、被保険者に関する保険料の納入の告知をした後に告知をした保険料額が当該納付義務者の納付すべき保険料額を超えていることを知ったとき、又は納付した被保険者に関する保険料額が当該納付義務者の納付すべき保険料額を超えていることを知ったときは、その超えている部分に関する納入の告知又は納付を、その告知又は納付の日の翌日から**６月以内**の期日に納付されるべき保険料について納期を繰り上げてしたものとみなすことができる。

※　この場合の「保険者等」とは、被保険者が協会が管掌する健康保険の任意継続被保険者である場合は協会、被保険者が健康保険組合が管掌する健康保険の被保険者である場合は当該健康保険組合、これら以外の場合は厚生労働大臣をいう。

Step-Up! アドバイス

・任意継続被保険者及び特例退職被保険者には、保険料の免除に係る規定は適用されない。

32 延滞金

Basic

チェック欄 1 / 2 / 3 /

保険料等を滞納する者に対して督促をしたときは、保険者等※は、徴収金額に、[A]**から徴収金完納又は財産差押えの日の前日**までの期間の日数に応じ、**年[B]%**（当該督促が**保険料**に係るものであるときは、当該[A]から[C]を経過する日までの期間については、年[D]%）の割合を乗じて計算した延滞金を徴収する。

なお、上記「年[B]%の割合」及び「年[D]%の割合」については、当分の間、各年の延滞税特例基準割合が年[D]%の割合に満たない場合には、その年中においては、年[B]%の割合にあっては当該延滞税特例基準割合に年[D]%の割合を加算した割合とし、年[D]%の割合にあっては当該延滞税特例基準割合に年[E]%の割合を加算した割合（当該加算した割合が年[D]%の割合を超える場合には、年[D]%の割合）とする軽減措置が定められている。

選択肢

① 14.6	② 0.1	③ 3	④ 2月
⑤ 15.6	⑥ 0.5	⑦ 4	⑧ 3月
⑨ 16.4	⑩ 1	⑪ 5	⑫ 4月
⑬ 29.2	⑭ 7.3	⑮ 6	⑯ 6月

⑰ 納期限の翌日　⑱ 納期限の日
⑲ 督促状に指定した期限の日
⑳ 督促状に指定した期限の翌日

進捗チェック　労基　安衛　労災　雇用　労一

解答

A ► ⑰ 納期限の翌日

B ► ① 14.6

C ► ⑧ 3月

D ► ⑭ 7.3

E ► ⑩ 1

根拠条文等

法181条1項、法附則9条

※この場合の「保険者等」とは、①被保険者が協会が管掌する健康保険の任意継続被保険者である場合、協会が管掌する健康保険の被保険者若しくは日雇特例被保険者であって不正利得の徴収金等を納付しなければならない場合又は解散により消滅した健康保険組合の権利を協会が承継した場合であって当該健康保険組合の保険料等で未収のものに係るものがあるときは協会、②被保険者が健康保険組合が管掌する健康保険の被保険者の場合は当該健康保険組合、③これら以外の場合は厚生労働大臣をいう。

おぼえとるかい？

1. **延滞金が徴収されない場合**
   次の①～⑥の場合には、延滞金は、徴収されない。
   ① **徴収金額**が**1,000円未満**であるとき
   ② 納期を繰り上げて徴収（**繰上徴収**）するとき
   ③ **公示送達**の方法によって督促をしたとき
   ④ **督促状の指定期限**までに徴収金を**完納**したとき
   ⑤ **延滞金**の金額が**100円未満**であるとき
   ⑥ 滞納につきやむを得ない事情があると認められる場合
2. 督促は、**時効の更新の効力**を有する。

Step-Up! アドバイス

・延滞金の計算の起算日は、法定の納期限の翌日であって、督促状に指定した期限の翌日ではないことに注意。

健保

33 日雇特例被保険者 Basic

チェック欄
1 ／
2 ／
3 ／

(1) 日雇特例被保険者に係る出産手当金の額は、1日につき、出産の日の属する月の［ A ］の保険料が納付された日に係る当該日雇特例被保険者の標準賃金日額の各月ごとの合算額のうち［ B ］に相当する金額である。

(2) 月の途中で初めて日雇特例被保険者手帳の交付を受けた者等一定の者に該当する日雇特例被保険者でその該当するに至った［ C ］から起算して［ D ］※を経過しないもの又はその被扶養者が、［ E ］を保険医療機関等に提出して、療養等を受けたときは、日雇特例被保険者に対し、その療養等に要した費用について、**特別療養費**が支給される。

選択肢

① 日の翌日が属する月の初日　② 前2月間
③ 特別療養費受給票　④ 前3月間
⑤ 印紙保険料納付状況報告書　⑥ 前4月間
⑦ 日の属する月の初日　⑧ 前6月間
⑨ 最大のものの30分の1　⑩ 1月　⑪ 2月
⑫ 最大のものの45分の1　⑬ 3月　⑭ 6月
⑮ 最小のものの30分の1　⑯ 資格確認書
⑰ 最小のものの45分の1　⑱ 日
⑲ 日雇受給資格者証　⑳ 日の翌日

解答

A ▶ ⑥ 前４月間

B ▶ ⑫ 最大のものの45分の１

C ▶ ⑦ 日の属する月の初日

D ▶ ⑬ ３月

E ▶ ③ 特別療養費受給票

法138条２項、
法145条１項

※月の初日に該当するに至った者については、２月。

1．療養の給付等

(1) 支給要件

初めて療養の給付等を受ける日の属する月の**前２月間に通算して26日分以上**又は**前６月間に通算して78日分以上**の保険料が納付されていること。

(2) 支給期間（原則）

療養の給付等の開始の日から**１年間**。厚生労働大臣が指定する疾病（結核性疾病）については**５年間**。

2．傷病手当金の支給期間

同一の傷病について、支給を始めた日から起算して**６月**（結核性疾病は**１年６月**）が限度

3．出産育児一時金

(1) 支給要件…出産の日の属する月の**前４月間に通算して26日分以上**の保険料が納付されていること。

(2) 支給額

48万8千円（一定の場合※は**50万円**）

※Basicの25参照。

Step-Up! アドバイス

・日雇特例被保険者本人の出産に関しては、支給要件が緩和されている。

34 給付制限

Basic

チェック欄
1 ／
2 ／
3 ／

(1) 被保険者又は被保険者であった者が［ A ］により、又は**故意**に給付事由を生じさせたときは、当該給付事由に係る保険給付は行わない。

(2) 被保険者が**闘争**、**泥酔又は著しい不行跡**によって給付事由を生じさせたときは、当該給付事由に係る［ B ］を行わないことができる。

(3) 保険者は、**偽りその他不正の行為**により保険給付を受け、又は受けようとした者に対して、［ C ］の期間を定めてその者に支給すべき［ D ］の全部又は一部を支給しない旨の決定をすることができる。ただし、偽りその他不正の行為のあった日から［ E ］を経過したときは、この限りでない。

選択肢

①	6月	②	出産手当金及び出産育児一時金
③	1年6月	④	自己の故意の犯罪行為
⑤	1年	⑥	保険給付の全部又は一部
⑦	2年	⑧	責に帰すべき重大な事由
⑨	6月以内	⑩	傷病手当金又は出産手当金
⑪	1年6月以内	⑫	犯罪行為　⑬ 療養費
⑭	1年以内	⑮	重大な過失　⑯ 療養の給付
⑰	2年以内	⑱	保険給付の一部
⑲	保険給付	⑳	保険給付の全部

解答

A ▶ ④ 自己の故意の犯罪行為

B ▶ ⑥ 保険給付の全部又は一部

C ▶ ⑨ 6月以内

D ▶ ⑩ 傷病手当金又は出産手当金

E ▶ ⑤ 1年

根拠条文等

法116条、
法117条、
法120条

1．全面的制限

被保険者又は被保険者であった者が、**自己の故意の犯罪行為**により、又は**故意**に給付事由を生じさせたときは、当該給付事由に係る保険給付は行われないが、死亡原因が自殺の場合には、死亡に関する給付（埋葬料又は埋葬費）は支給される。

2．一部制限

保険者は、被保険者又は被保険者であった者が、正当な理由なしに療養に関する指示に従わないときは、保険給付の一部を行わないことができる。

3．少年院等にある場合の給付制限

被保険者又は被保険者であった者が、少年院等に収容されたとき又は刑事施設、労役場等に拘禁されたときは、**死亡に関する給付**（埋葬料、埋葬費）**を除いて**保険給付（傷病手当金又は出産手当金の支給にあっては、厚生労働省令で定める場合に限る。）は行われない。ただし、**被扶養者に対する保険給付は制限されない。**

35 時効・不服申立て

Basic

チェック欄
1 ／
2 ／
3 ／

(1) 高額療養費を受ける権利は、［ A ］から起算して［ B ］を経過したときは、時効によって消滅する。ただし、診療日の属する月の翌月以後に診療に係る自己負担分を支払った場合には、支払った日の翌日が起算日となる。

(2) **保険料**その他健康保険法の規定による**徴収金の賦課**若しくは**徴収の処分**又は［ C ］に不服がある者は、［ D ］に対して**審査請求**をすることができる。この場合、審査請求は、原則として、その処分があったことを知った日の翌日から起算して［ E ］を経過したときは、することができない。

選択肢

① 5年	② 2年	③ 1年
④ 6月	⑤ 3年	⑥ 3月
⑦ 60日	⑧ 30日	⑨ 診療月の末日
⑩ 診療月の翌月1日		⑪ 診療日の翌日
⑫ 診療日		⑬ 処分庁
⑭ 社会保険審査会		⑮ 社会保険審査官
⑯ 厚生労働大臣		⑰ 滞納処分
⑱ 保険給付に関する処分		⑲ 被扶養者の認定
⑳ 標準報酬に関する処分		

解答

A ► ⑩ 診療月の翌月１日
B ► ② ２年
C ► ⑰ 滞納処分
D ► ⑭ 社会保険審査会
E ► ⑥ ３月

根拠条文等
法190条、
法193条１項、
社審法32条２項、
昭和48.11.7
保険発99号・
庁保険発21号

1．保険給付（現金給付）の時効の起算日

保険給付	時効の起算日
療養費	療養に要した費用を支払った日の翌日
高額療養費	診療日の属する月の翌月１日※
高額介護合算療養費	基準日（７月31日）の翌日
傷病手当金	労務不能であった日ごとにその翌日
出産手当金	労務に服さなかった日ごとにその翌日
出産育児一時金	出産した日の翌日
埋葬料	死亡した日の翌日
埋葬費	埋葬を行った日の翌日
移送費	移送に要した費用を支払った日の翌日

※ただし、診療日の属する月の翌月以後に診療に係る自己負担分を支払った場合には支払った日の翌日

2．社会保険審査官に対する審査請求

被保険者の資格、**標準報酬**又は**保険給付に関する処分**に不服がある者は、**社会保険審査官**に対して審査請求をすることができる。この場合、審査請求は、原則として、その処分があったことを知った日の翌日から起算して**３月**を経過したときは、することができない。

1 基本的理念・法人の役員である被保険者等に係る保険給付の特例 Step-Up

チェック欄
1 ／
2 ／
3 ／

⑴ 健康保険法第2条は、健康保険法の基本的理念を定めており、これによると、「健康保険制度については、これが医療保険制度の基本をなすものであることにかんがみ、[A]、**疾病構造の変化**、社会経済情勢の変化等に対応し、その他の**医療保険制度**及び[B]並びにこれらに密接に関連する制度と併せてその在り方に関して常に検討が加えられ、その結果に基づき、医療保険の運営の効率化、給付の内容及び費用の負担の適正化並びに[C]を総合的に図りつつ、実施されなければならない。」としている。

⑵ 被保険者又はその被扶養者が**法人の役員**（業務を執行する社員、取締役、執行役又はこれらに準ずる者をいい、相談役、顧問その他いかなる名称を有する者であるかを問わず、法人に対し業務を執行する社員、取締役、執行役又はこれらに準ずる者と同等以上の[D]ものと認められる者を含む。以下同じ。）であるときは、当該被保険者又はその被扶養者のその**法人の役員としての業務**（被保険者の数が[E]である適用事業所に使用される法人の役員としての業務であって当該法人における従業員が従事する業務と同一であると認められるものを**除く**。）に起因する疾病、負傷又は死亡に関して保険給付は、行わない。

選択肢

① 5人以下 ② 少子化傾向 ③ 支配力を有する
④ 5人未満 ⑤ 介護保険制度 ⑥ 社会構造の変化
⑦ 10人未満 ⑧ 階級にある ⑨ 制度の実施状況
⑩ 10人以下 ⑪ 社会福祉制度 ⑫ 報酬を受けている
⑬ 高齢化の進展 ⑭ 国民が受ける医療の質の向上
⑮ 年金制度 ⑯ 社会保障及び国民保健の向上
⑰ 職務遂行能力を有する ⑱ 後期高齢者医療制度
⑲ 国民の生活の安定と福祉の向上
⑳ 国民の保健医療の向上及び福祉の増進

解答

A ▶ ⑬ 高齢化の進展
B ▶ ⑱ 後期高齢者医療制度
C ▶ ⑭ 国民が受ける医療の質の向上
D ▶ ③ 支配力を有する
E ▶ ④ 5人未満

根拠条文等

法2条、法53条の2、則52条の2

解き方 アドバイス

⑵は、法人の役員である被保険者又はその被扶養者に係る保険給付の特例に関する問題です。どのような場合に、これらの者について保険給付が行われないこととなるのかを押さえましょう。Dについては、役職名等を問わず一般の労働者と異なる部分に言及しているものと考えて、選択肢の中から正解肢を選びましょう。

2 保険者

Step-Up

チェック欄
1 ／
2 ／
3 ／

⑴　全国健康保険協会（以下「協会」という。）は、毎事業年度の決算を翌事業年度の［ A ］までに完結しなければならない。

⑵　協会は、毎事業年度、財務諸表を作成し、これに当該事業年度の事業報告書及び決算報告書を添え、監事及び会計監査人の意見を付けて、［ B ］に厚生労働大臣に提出し、その承認を受けなければならない。

⑶　健康保険組合は、［ C ］に、厚生労働省令で定めるところにより、事業及び決算に関する報告書を作成し、厚生労働大臣に提出しなければならない。

⑷　健康保険事業の収支が均衡しない健康保険組合であって、政令で定める要件に該当するものとして厚生労働大臣の指定を受けたものは、その指定の日の属する年度の翌年度を初年度とする［ D ］の財政の健全化に関する計画を定め、厚生労働大臣の［ E ］を受けなければならない。

選択肢

①　毎年度終了後２月以内	②　２箇年間	③　許可
④　毎年度終了後３月以内	⑤　３箇年間	⑥　認可
⑦　毎年度終了後４月以内	⑧　５箇年間	⑨　承認
⑩　毎年度終了後６月以内	⑪　６箇年間	⑫　認定
⑬　決算完結後２月以内	⑭　４月30日	
⑮　決算完結後３月以内	⑯　５月31日	
⑰　決算完結後４月以内	⑱　９月30日	
⑲　決算完結後６月以内	⑳　開始前	

解答

A ▶ ⑯　5月31日

B ▶ ⑬　決算完結後2月以内

C ▶ ⑩　毎年度終了後6月以内

D ▶ ⑤　3箇年間

E ▶ ⑨　承認

根拠条文等

法7条の28, 1項、2項、法7条の42、法28条1項、令24条1項、令30条1項

解き方アドバイス

保険者の組織等に関する細かい事項については、択一式を中心に出題されていますが、選択式でも要注意です。全国健康保険協会に関する規定と、健康保険組合に関する規定を混同しないよう、注意しましょう。

3 短時間労働者に対する適用 Step-Up

チェック欄
1 ／
2 ／
3 ／

事業所に使用される者であって、その**1週間の所定労働時間**が同一の事業所に使用される通常の労働者の1週間の所定労働時間の［ A ］未満である**短時間労働者**（1週間の所定労働時間が同一の事業所に使用される通常の労働者の1週間の所定労働時間に比し短い者をいう。以下同じ。）又はその**1月間の所定労働日数**が同一の事業所に使用される通常の労働者の1月間の所定労働日数の［ A ］未満である**短時間労働者**に該当し、かつ、①から④までのいずれかの要件に該当する者は、日雇特例被保険者となる場合を除き、健康保険の被保険者となることができない。

① 1週間の所定労働時間が［ B ］**未満**であること。
② 報酬（一定のものを除く。）について、厚生労働省令で定めるところにより、法42条（標準報酬月額の資格取得時決定）の規定の例により算定した額が、［ C ］**円未満**であること。
③ 学校教育法に規定する**学生等**であること。
④ 原則として、その使用される事業所（国又は地方公共団体である適用事業所を除く。）が、特定適用事業所（事業主が同一である1又は2以上の適用事業所であって、使用される特定労働者（［ D ］の者のうち、厚生年金保険法の適用除外に該当しないものであって、特定4分の3未満短時間労働者※以外のものをいう。）の総数が常時［ E ］人を超えるものの各適用事業所をいう。）に該当しないこと。

選択肢

① 45歳以上60歳未満　② 2分の1　③ 58,000
④ 65歳以上70歳未満　⑤ 3分の2　⑥ 68,000
⑦ 70歳未満　⑧ 4分の3　⑨ 80,100
⑩ 60歳未満　⑪ 5分の4　⑫ 88,000
⑬ 15時間　⑭ 20時間　⑮ 50　⑯ 100
⑰ 25時間　⑱ 30時間　⑲ 300　⑳ 500

解答

A ▶ ⑧ 4分の3

B ▶ ⑭ 20時間

C ▶ ⑫ 88,000

D ▶ ⑦ 70歳未満

E ▶ ⑮ 50

根拠条文等

法3条1項9号、(24)法附則46条1項、12項
令和4.9.28保保発0928第6号

※「特定4分の3未満短時間労働者」とは、1週間の所定労働時間が同一の事業所に使用される通常の労働者の4分の3未満である短時間労働者又は1月間の所定労働日数が同一の事業所に使用される通常の労働者の4分の3未満である短時間労働者であって、適用除外の規定のいずれにも該当しないものをいう。

健
保

健保	国年	厚年	社一

Goal

4 保険料

Step-Up

チェック欄
1 ／
2 ／
3 ／

(1) 合併により設立された健康保険組合又は合併後存続する健康保険組合のうち次の要件のいずれにも該当する合併に係るもの（「**地域型健康保険組合**」という。）は、当該**合併が行われた日の属する年度及びこれに続く** A に限り、**1000分の30から** B **までの範囲内**において、厚生労働大臣の認可を受けて、**不均一の一般保険料率**を決定することができる。

① 合併前の健康保険組合の設立事業所がいずれも C こと。

② 当該合併が指定健康保険組合、被保険者の数が健康保険組合の設立に必要な数に満たなくなった健康保険組合その他事業運営基盤の安定が必要と認められる健康保険組合として厚生労働省令で定めるものを含むこと。

(2) 健康保険組合連合会の会員である健康保険組合は、当該健康保険組合連合会の D の事業に要する費用に充てるため、当該健康保険組合連合会に対して拠出金を拠出するものとされているが、当該拠出金の額は、各年度につき当該健康保険組合が徴収する E の総額である。

選択肢

① 1000分の120　② 2箇年度　③ 交付金の交付
④ 1000分の130　⑤ 3箇年度　⑥ 準備金の管理
⑦ 1000分の164　⑧ 4箇年度　⑨ 調整保険料
⑩ 1000分の200　⑪ 5箇年度　⑫ 代行保険料
⑬ 積立金の運用　⑭ 基本保険料　⑮ 特定保険料
⑯ 運営管理　⑰ 同一都道府県の区域にある
⑱ 同種の事業又は業務を行う事業所である
⑲ 地方厚生局長等が指定する区域にある
⑳ 同一都道府県又はこれと隣接する都道府県の区域にある

進捗チェック
労基	安衛	労災	雇用	労一

解答

A ▶ ⑪　5箇年度
B ▶ ④　1000分の130
C ▶ ⑰　同一都道府県の区域にある
D ▶ ③　交付金の交付
E ▶ ⑨　調整保険料

根拠条文等
法附則2条1項～3項、法附則3条の2,1項、2項、令66条1項

解き方 アドバイス

空欄Eについて、「健康保険組合連合会」「健康保険組合連合会の会員である健康保険組合」「拠出金を拠出」「健康保険組合が徴収」という文言をヒントとして、健康保険組合連合会の交付金の交付事業に要する費用に充てるため、健康保険組合が拠出金を拠出する財源として徴収する「⑨　調整保険料」を選びたいところです。

5 保険外併用療養費

Step-Up

チェック欄
1 ／
2 ／
3 ／

(1) 保険外併用療養費の支給対象となる「**選定療養**」とは、[A]に係る特別の病室の提供その他の厚生労働大臣が定める療養をいう。

(2) 選定療養には、病床数が[B]以上の病院について受けた初診（他の病院又は診療所からの文書による紹介がある場合及び緊急その他やむを得ない事情がある場合に受けたものを除く。）や、厚生労働大臣が定める方法により計算した入院期間が[C]を超えた日以後の入院及びその療養に伴う世話その他の看護（厚生労働大臣が定める状態等にある者の入院及びその療養に伴う世話その他の看護を除く。）などが掲げられる。

(3) 40歳で標準報酬月額が36万円である被保険者が選定療養を受け、その費用が保険診療の部分が30万円、保険外診療の部分が10万円であるとき、被保険者の負担額は[D]円となる。

(4) 厚生労働大臣は、保険外併用療養費に係る療養についての費用の額の算定方法を定めようとするときは、[E]に諮問するものとする。

選択肢

① 社会保険診療報酬支払基金	② 50	③ 3万
④ 地方社会保険医療協議会	⑤ 100	⑥ 9万
⑦ 中央社会保険医療協議会	⑧ 200	⑨ 13万
⑩ 厚生労働大臣の選定	⑪ 300	⑫ 19万
⑬ 社会保障審議会	⑭ 90日	⑮ 120日
⑯ 被保険者の選定	⑰ 150日	⑱ 180日
⑲ 主治医の指示	⑳ 保険者の指定	

解答

A ▶ ⑯ 被保険者の選定

B ▶ ⑧ 200

C ▶ ⑱ 180日

D ▶ ⑫ 19万

E ▶ ⑦ 中央社会保険医療協議会

根拠条文等

法63条２項５号、法86条１項～３項、令和6.3.27厚労告122号

解き方 アドバイス

空欄Ｄについて、設問の被保険者の自己負担割合は３割であるため、保険診療部分の負担額は９万円（30万円×0.3＝９万円）であり、保険外診療部分の負担額10万円を合わせて19万円が被保険者の負担額となります。

チェック欄
1 ／
2 ／
3 ／

6 高額療養費

Step-Up

(1) 45歳の被保険者で、標準報酬月額[A]円以上83万円未満に該当するものについて、ある月の一部負担金等の額は、X病院での入院療養（食事療養を除く。）に係るものが300,000円であった。この場合、高額療養費算定基準額は、[B]円＋（療養に要した費用－558,000円）×１％の算定式で算出され、当該月の高額療養費の額は[C]円となる。

(2) 72歳で一般所得者に該当する被保険者について、ある月の一部負担金等の額は、Y病院での外来療養に係るものが28,000円、Z病院での外来療養に係るものが20,000円であった。この場合、外来療養に係る月間の高額療養費の高額療養費算定基準額は[D]円であるので、当該月の高額療養費の額は[E]円となる。

選択肢

① 16,000	② 34,000	③ 18,000	④ 14,000
⑤ 45,820	⑥ 128,180	⑦ 240,820	⑧ 50万
⑨ 57,600	⑩ 53万	⑪ 80,100	⑫ 218,320
⑬ 30,000	⑭ 32,000	⑮ 12,000	⑯ 28万
⑰ 252,600	⑱ 56万	⑲ 167,400	⑳ 10,000

解答

A ▶ ⑩ 53万

B ▶ ⑲ 167,400

C ▶ ⑥ 128,180

D ▶ ③ 18,000

E ▶ ⑬ 30,000

根拠条文等

法115条、令41条1項、5項、令42条1項3号、5項1号

解き方 アドバイス

⑴について、70歳未満で標準報酬月額53万円以上83万円未満の被保険者に係る高額療養費算定基準額は、原則として「167,400円＋(療養に要した費用－558,000円)×1％」の算定式で算出されます。設問の被保険者の一部負担金等の負担割合は3割であることから、その月の療養に要した費用は、1,000,000円（300,000円×100/30）となり、高額療養費算定基準額は、167,400円＋(1,000,000円－558,000円)×1％＝171,820円です。したがって、高額療養費の額は、300,000円－171,820円＝128,180円となります。

なお、空欄Bの「167,400円」は、「558,000円」の3割の額であることを覚えておくとよいでしょう。

⑵について、70歳以上で一般所得者である被保険者の外来療養（個人）に係る月間の高額療養費の高額療養費算定基準額は、原則として「18,000円」です。70歳以上の高額療養費については、70歳未満の高額療養費にあるような合算対象基準額（21,000円）が定められていませんので、一部負担金等の額は、28,000円＋20,000円＝48,000円として計算します。したがって、高額療養費の額は、48,000円－18,000円＝30,000円となります。

国民年金法

35問＋6問

国民年金法●目次

Basic

1 目的等 …… 4
2 国民年金事業の財政 …… 6
3 強制加入被保険者 …… 8
4 任意加入被保険者 …… 10
5 被保険者資格の得喪 …… 12
6 届出 …… 14
7 国民年金原簿等 …… 16
8 保険料 …… 18
9 保険料の免除：法定免除 …… 20
10 保険料の一部（4分の3）免除 …… 22
11 保険料の追納 …… 24
12 基礎年金拠出金等 …… 26
13 督促・滞納処分 …… 28
14 老齢基礎年金の支給要件 …… 30
15 老齢基礎年金の年金額：振替加算 …… 32
16 老齢基礎年金の支給の繰上げ …… 34
17 老齢基礎年金の支給の繰下げ …… 36
18 障害基礎年金の支給要件 …… 38
19 20歳前傷病による障害基礎年金 …… 40
20 障害基礎年金の年金額 …… 42
21 障害基礎年金の年金額の改定 …… 44
22 20歳前傷病による障害基礎年金等の支給停止 …… 46
23 障害基礎年金の失権 …… 48
24 遺族基礎年金の支給要件 …… 50
25 死亡の推定・失踪の宣告 …… 52
26 遺族基礎年金の年金額 …… 54
27 遺族基礎年金の失権 …… 56
28 付加保険料・付加年金 …… 58
29 寡婦年金 …… 60
30 死亡一時金 …… 62
31 脱退一時金 …… 64
32 改定率の改定 …… 66
33 積立金の運用 …… 68

34 審査請求・時効 …… 70
35 国民年金基金 …… 72

Step-Up

1 年金制度 …… 74
2 被保険者に対する情報の提供 …… 76
3 保険料の納付委託 …… 78
4 悪質な滞納者に対する財務大臣（国税庁長官）への強制徴収委任 …… 80
5 基礎年金拠出金 …… 82
6 国民年金基金 …… 84

1 目的等

Basic

チェック欄
1 ／
2 ／
3 ／

(1) 国民年金制度は、**日本国憲法**第25条第2項に規定する理念に基き、［ A ］によって［ B ］がそこなわれることを［ C ］によって防止し、もって健全な**国民生活の維持及び向上**に寄与することを目的とする。

(2) 国民年金事業は［ D ］が管掌する。

(3) 国民年金法による**年金の額**は、**国民の生活水準**その他の諸事情に著しい変動が生じた場合には、変動後の諸事情に応ずるため、［ E ］改定の措置が講ぜられなければならない。

選択肢

① 国民経済の発達　② 社会福祉の向上　③ 政府
④ 国民生活の安定　⑤ 消費者生活の安定
⑥ 世代間扶養　⑦ 日本年金機構
⑧ 国民の共同連帯　⑨ 国民の自助努力
⑩ 老齢、障害又は死亡　⑪ 老齢、障害、死亡又は脱退
⑫ 国民年金の被保険者の生活
⑬ おおむね3年以内に　⑭ 負傷、疾病、障害、死亡等
⑮ おおむね5年以内に　⑯ 速やかに
⑰ 少なくとも5年以内に
⑱ 疾病、負傷若しくは死亡又は出産
⑲ 実施機関　⑳ 国民年金基金

進捗チェック

労基	安衛	労災	雇用	労一

解答

A ▶ ⑩　老齢、障害又は死亡

B ▶ ④　国民生活の安定

C ▶ ⑧　国民の共同連帯

D ▶ ③　政府

E ▶ ⑯　速やかに

根拠条文等

法1条、
法3条1項、
法4条

1．国民年金は、問題文(1)の目的を達成するため、国民の**老齢**、**障害**又は**死亡**に関して**必要な給付**を行うものとする。

2．国民年金事業の事務の一部は、政令の定めるところにより、法律によって組織された共済組合、国家公務員共済組合連合会、全国市町村職員共済組合連合会、地方公務員共済組合連合会又は日本私立学校振興・共済事業団に行わせることができる。また、政令の定めるところにより、市町村長（特別区の区長を含む。）が行うこととすることができる。

Step-Up! アドバイス

・国民年金の給付は、業務上、業務外を問わずに行われる。

2 国民年金事業の財政

Basic

チェック欄
1 ／
2 ／
3 ／

(1) **国民年金事業の財政**は、**長期的**にその［ A ］が保たれたものでなければならず、著しくその［ A ］を失すると見込まれる場合には、**速やかに**所要の措置が講ぜられなければならない。

(2) 政府は、［ B ］ごとに、**保険料**及び**国庫負担の額**並びに国民年金法による**給付に要する費用**の額その他の国民年金事業の［ C ］についてその**現況**及び［ D ］期間における見通し（「**財政の現況及び見通し**」という。）を作成しなければならない。

(3) 上記(2)の［ D ］期間は、財政の現況及び見通しが作成される年以降おおむね［ E ］間とする。

選択肢

① 少なくとも3年	② おおむね3年		
③ 少なくとも5年	④ おおむね5年		
⑤ 安定性	⑥ 相互性	⑦ 均衡	⑧ 整合性
⑨ 特定	⑩ 調整	⑪ 今後の方向性	
⑫ 財政均衡	⑬ 将来性	⑭ 財政に係る収支	
⑮ 財政検証	⑯ 持続可能性	⑰ 10年	
⑱ 20年	⑲ 50年	⑳ 100年	

進捗チェック

労基	安衛	労災	雇用	労一

解答

A ▶ ⑦　均衡

B ▶ ③　少なくとも５年

C ▶ ⑭　財政に係る収支

D ▶ ⑫　財政均衡

E ▶ ⑳　100年

根拠条文等

法４条の２、
法４条の３,１項、
２項

1．政府は、問題文(2)の財政の現況及び見通しを作成するに当たり、国民年金事業の財政が、**財政均衡期間**の終了時に給付の支給に支障が生じないようにするために**必要な積立金**を保有しつつ当該財政均衡期間にわたってその**均衡**を保つことができないと見込まれる場合には、年金たる給付（**付加年金を除く**。）の額（給付額）を調整するものとし、政令で、給付額を調整する期間（**調整期間**）の開始年度を定めるものとする（開始年度は政令で平成17年度とされている。）。

2．政府は、問題文(2)により財政の現況及び見通しを作成したときは、**遅滞なく**、これを**公表**しなければならない。

3 強制加入被保険者　Basic

チェック欄　1 ／　2 ／　3 ／

次のいずれかに該当する者は、国民年金の被保険者とする。

(1)　[A]を有する[B]の者であって、下記(2)及び(3)のいずれにも該当しないもの（厚生年金保険法に基づく[C]を受けることができる者その他国民年金法の適用を除外すべき特別の理由がある者として厚生労働省令で定める者を除く。）…**第1号被保険者**

(2)　厚生年金保険の**被保険者**（原則）…**第2号被保険者**

(3)　**第2号被保険者**の配偶者（[A]を有する者又は外国において留学をする学生その他の[A]を有しないが渡航目的その他の事情を考慮して[D]があると認められる者として厚生労働省令で定める者に限る。）であって主として第2号被保険者[E]もの（第2号被保険者である者その他国民年金法の適用を除外すべき特別の理由がある者として厚生労働省令で定める者を除く。「**被扶養配偶者**」という。）のうち[B]のもの…**第3号被保険者**

選択肢

①　宥恕すべき理由　②　特別な理由　③　やむを得ない理由
④　日本国内に生活の基礎　⑤　65歳未満
⑥　20歳以上60歳未満　⑦　20歳以上
⑧　20歳以上65歳未満　⑨　老齢給付等
⑩　障害給付等　⑪　遺族給付等
⑫　老齢給付等又は障害給付等
⑬　公的年金制度の被保険者資格
⑭　日本国籍　⑮　日本国内に住所
⑯　一定以上の所得　⑰　と生計を同じくする
⑱　と国籍を同じくしている
⑲　の収入により生計を維持する
⑳　と同一の世帯に属する

進捗チェック

労基	安衛	労災	雇用	労一

解答

A ▶ ⑮　日本国内に住所
B ▶ ⑥　20歳以上60歳未満
C ▶ ⑨　老齢給付等
D ▶ ④　日本国内に生活の基礎
E ▶ ⑲　の収入により生計を維持する

根拠条文等
法7条1項

おぼえとるかい？

1．問題文(2)のカッコ書で「原則」としているのは、第2号被保険者となるのは、**65歳以上の者**については老齢基礎年金その他の**老齢又は退職**を支給事由とする年金たる給付であって政令で定める給付の**受給権を有しない**被保険者に限られるからである。

2．**強制加入被保険者の要件**

被保険者の種類	国内居住要件	年齢要件	生計維持要件	国籍要件
第1号被保険者	**あり**	**20歳以上60歳未満**	なし	なし
第2号被保険者	なし	なし（原則）	なし	なし
第3号被保険者	**あり**（原則）	**20歳以上60歳未満**	第2号被保険者による生計維持必要	なし

Step-Up! アドバイス

・厚生年金保険法に基づく老齢給付等を受けることができるからといって、第3号被保険者からは除かれない（要件を満たしていれば第3号被保険者となる）。
・被扶養配偶者の認定は、健康保険法等における被扶養者の認定の取扱いを勘案して、日本年金機構が行う。

4 任意加入被保険者 Basic

チェック欄 1／ 2／ 3／

(1) 次のいずれかに該当する者（［ A ］を除く。）は、**厚生労働大臣に申し出て**、被保険者となることができる。

(a) **日本国内に住所**を有する［ B ］の者であって、**厚生年金保険法に基づく老齢給付等**を受けることができるもの（国民年金法の適用を除外すべき特別の理由がある者として厚生労働省令で定める者を除く。）

(b) **日本国内に住所**を有する［ C ］の者（国民年金法の適用を除外すべき特別の理由がある者として厚生労働省令で定める者を除く。）

(c) **日本国籍**を有する者であって、**日本国内に住所を有しない**［ D ］のもの

(2) 上記(1)の［ E ］に該当する者が任意加入の申出を行おうとする場合には、**口座振替納付**を希望する旨の申出又は**口座振替納付**によらない正当な事由がある場合として厚生労働省令で定める場合に該当する旨の申出を厚生労働大臣に対してしなければならない。

選択肢

A	①	第1号被保険者	②	第2号被保険者
	③	第3号被保険者	④	第2号被保険者及び第3号被保険者
B	①	18歳以上	②	20歳以上60歳未満
	③	20歳以上65歳未満	④	65歳以上
C	①	50歳以上65歳未満	②	55歳以上60歳未満
	③	60歳以上65歳未満	④	60歳以上
D	①	18歳以上	②	18歳以上60歳未満
	③	20歳以上	④	20歳以上65歳未満
E	①	(a)又は(b)	②	(a)又は(c)
	③	(b)又は(c)	④	(a)、(b)又は(c)

解答

A ▶ ④　第２号被保険者及び第３号被保険者
B ▶ ②　20歳以上60歳未満
C ▶ ③　60歳以上65歳未満
D ▶ ④　20歳以上65歳未満
E ▶ ①　(a)又は(b)

根拠条文等
法附則５条１項、２項

1．「口座振替納付」とは、預金又は貯金の払出しとその払い出した金銭による保険料の納付をその預金口座又は貯金口座のある金融機関に委託して行うことをいう。
2．**20歳未満の者**は、任意加入被保険者となることができない。
3．**特例による任意加入被保険者**((6)法附則11条、(16)法附則23条)の要件※

住所地	国籍	生年月日	年齢	受給権の有無
日本国内	問わない	**昭和40年４月１日以前**生まれ	**65歳以上70歳未満**	老齢基礎年金、老齢厚生年金等の**受給権を有しない**
日本**国外**	日本**国籍**			

※厚生労働大臣に申し出ることが必要。

4．**日本国内に住所を有する**任意加入被保険者（特例による任意加入被保険者を含む。）については、原則として、保険料を口座振替により納付しなければならない。
5．問題文(1)(b)(c)に該当する任意加入被保険者（**昭和40年４月１日以前生まれの者**に限る。）が**65歳**に達した場合において、**老齢基礎年金、老齢厚生年金等の受給権を有しないとき**は、特例による任意加入被保険者となる**申出があったものとみなす**。

Step-Up! アドバイス

・65歳未満の任意加入被保険者は、付加保険料を納付する者となることができる（65歳以上の特例による任意加入被保険者は、付加保険料を納付する者となることはできない。）。
・日本国内に住所を有しない者は、日本国籍を有していなければ任意加入被保険者（特例による任意加入被保険者を含む。）となることができない。

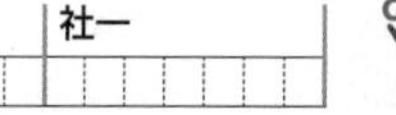

国年

5 被保険者資格の得喪 Basic

チェック欄 1 / 2 / 3 /

(1) 強制加入被保険者は、次のいずれかに該当するに至った**日の翌日**に、被保険者の資格を喪失する。

(a) 死亡したとき

(b) 第1号被保険者が**日本国内に住所**を有しなくなったとき(**日本国内に住所**を有しなくなった日に、第2号被保険者又は第3号被保険者に該当したときは、[A]に被保険者資格を喪失する。)

(c) 第3号被保険者が[B]でなくなったとき（第1号被保険者又は第2号被保険者に該当するときを除く。)

(d) 第1号被保険者が、国民年金法の適用を除外すべき特別の理由がある者として厚生労働省令で定める者となったとき（第2号被保険者に該当するときを除く。)

(2) 強制加入被保険者は、次のいずれかに該当するに至った**日**に、被保険者の資格を喪失する。

(a) [C]に達したとき(第2号被保険者に該当するときを除く。)

(b) 第1号被保険者が**厚生年金保険法に基づく老齢給付等**を受けることができる者となったとき（第2号被保険者又は第3号被保険者に該当するときを除く。)

(c) 第2号被保険者が**厚生年金保険の被保険者の資格を喪失**したとき（第1号被保険者、第2号被保険者又は第3号被保険者に該当するときを除く。)

(d) 第2号被保険者が[D]に達したとき（[E]を支給事由とする年金たる給付の受給権を有しない場合を除く。)

選択肢

A	① その日 ③ その日の前日	② その日の属する月の末日 ④ その日の属する月の翌月初日
B	① 世帯主 ③ 日本国籍を有する者	② 被扶養配偶者 ④ 所得を有する者
C	① 60歳 ③ 65歳	② 70歳 ④ 75歳
D	① 60歳 ③ 65歳	② 70歳 ④ 75歳
E	① 障害 ③ 障害又は死亡	② 死亡 ④ 老齢又は退職

解答

A ► ① その日
B ► ② 被扶養配偶者
C ► ① 60歳
D ► ③ 65歳
E ► ④ 老齢又は退職

根拠条文等
法9条、
法附則4条

【被保険者資格の取得】

強制加入被保険者の資格は、次のいずれかに該当するに至った日に取得する。

(1) 第1号被保険者
- 20歳に達したとき
- 日本国内に住所を有するに至ったとき
- 厚生年金保険法に基づく老齢給付等を受けることができる者その他国民年金法の適用を除外すべき特別の理由がある者として厚生労働省令で定める者でなくなったとき

(2) 第2号被保険者
- 厚生年金保険の被保険者の資格を取得したとき

(3) 第3号被保険者
- 20歳以上60歳未満の間において被扶養配偶者となったとき
- 被扶養配偶者が20歳に達したとき

Step-Up! アドバイス

- 任意加入被保険者は、日本国内に住所を有する者の場合は、厚生労働大臣に口座振替納付を希望する旨又は口座振替納付によらない正当な事由がある場合として厚生労働省令で定める場合に該当する旨の申出をした日に被保険者資格を取得し、日本国内に住所を有しない者の場合は厚生労働大臣に任意加入の申出をした日に被保険者の資格を取得するものとする。

6 届出

Basic

チェック欄
1 ／
2 ／
3 ／

(1) 第３号被保険者の未届出期間については、第３号被保険者となったことに関する届出が行われた日の属する月の［ A ］までの［ B ］のうちにあるものを除き、第３号被保険者としての被保険者期間は［ C ］に算入しない。ただし、届出を遅滞したことについて、**やむを得ない事由**があると認められるときは、厚生労働大臣にその旨の届出をすることができ、当該届出が行われた［ D ］当該届出に係る期間は［ C ］に算入する。

(2) 上記(1)の届出に係る期間が［ E ］に属する場合には、届出を遅滞したことについての、**やむを得ない事由**の有無にかかわらず、届出をすることにより、当該届出が行われた［ D ］当該届出に係る期間は［ C ］に算入する。

選択肢

① 日後		② 日以後	
③ 日の属する月の翌月初日以後			
④ 日の属する月の初日以後			
⑤ 前々月	⑥ 前月	⑦ 翌月	⑧ 翌々月
⑨ １年間	⑩ ２年間	⑪ ３年間	⑫ ４年間
⑬ 保険料納付済期間		⑭ 保険料免除期間	
⑮ 保険料滞納期間		⑯ 合算対象期間	
⑰ 平成17年４月１日以前		⑱ 平成17年４月１日前	
⑲ 平成19年４月１日以前		⑳ 平成19年４月１日前	

解答

A ► ⑤　前々月

B ► ⑩　２年間

C ► ⑬　保険料納付済期間

D ► ②　日以後

E ► ⑱　平成17年４月１日前

根拠条文等

法附則７条の３，１項～３項、(16)法附則20条、21条１項、２項

【被保険者及び受給権者に係る主な届出】

	届出の種類	提出期限	届出先
第1号被保険者※	資格取得届	当該事実があった日から**14日以内**	**市町村長**（特別区の区長を含む。）
	資格喪失届		
	種別変更届		
	氏名変更届		
	住所変更届		
	死亡届		
第3号被保険者※	資格取得届	当該事実があった日から**14日以内**	**厚生労働大臣（日本年金機構）**
	資格喪失届		
	種別変更届		
	被扶養配偶者非該当届		
	種別確認届		
	氏名変更届		
	住所変更届		
	死亡届		
受給権者※	氏名変更届	当該事実があった日から**14日以内**	**厚生労働大臣（日本年金機構）**
	住所変更届		
	死亡届		

20歳に達したことにより**第１号被保険者**の資格を取得する場合であって、厚生労働大臣（日本年金機構）が住民基本台帳法の規定により地方公共団体情報システム機構から住民基本台帳情報の提供を受けることにより当該者が20歳に達した事実を確認できるときは、当該**第１号被保険者**の資格取得の届出は不要とされる。

※住民基本台帳法の規定による機構保存本人確認情報の提供を受けることができる**被保険者**及び**受給権者**に係る氏名変更届、**住所変更届**、**死亡届**（受給権者の死亡の日から**７日以内**に戸籍法の規定による死亡の届出をした場合に限る。）については、**届出は不要**である。

※住民基本台帳法の規定による機構保存本人確認情報の提供を受けることが**できない受給権者**については、**現況届**を毎年**指定日**（原則：**誕生日の属する月の末日**）までに厚生労働大臣に提出することになる。

7 国民年金原簿等

Basic

チェック欄
1 ／
2 ／
3 ／

(1) 厚生労働大臣は、国民年金原簿を備え、これに被保険者（第2号被保険者のうち第2号厚生年金被保険者、第3号厚生年金被保険者又は第4号厚生年金被保険者であるものを除く。下記(2)において同じ。）の**氏名**、**資格**の**取得**及び**喪失**、**種別の変更**、[A]、**基礎年金番号**その他厚生労働省令で定める事項を記録するものとする。

(2) 被保険者又は被保険者であった者は、国民年金原簿に記録された**自己**に係る[B]（被保険者の資格の取得及び喪失、**種別の変更**、[A]その他厚生労働省令で定める事項の内容をいう。以下同じ。）が**事実でない**、又は国民年金原簿に自己に係る[B]が**記録されていない**と**思料**するときは、厚生労働省令で定めるところにより、厚生労働大臣に対し、国民年金原簿の**訂正の請求**をすることができる。

(3) 厚生労働大臣は、国民年金制度に対する**国民の**理解を増進させ、及びその[C]させるため、厚生労働省令で定めるところにより、[D]に対し、当該被保険者の**保険料納付の実績**及び[E]に関する**必要な情報**を分かりやすい形で**通知**するものとする。

選択肢

①	事業主	②	受給権者	③	被保険者
④	保険料納付確認団体	⑤	不信感を払拭		
⑥	納得性を向上	⑦	信頼を向上	⑧	信頼を回復
⑨	積立金の運用利回り	⑩	農業者年金基金への加入状況		
⑪	将来の給付	⑫	標準報酬		
⑬	指定国民年金原簿記録	⑭	指定住民基本台帳記録		
⑮	特定国民年金原簿記録	⑯	特定住民基本台帳記録		
⑰	保険料の納付状況	⑱	国籍		
⑲	厚生年金基金加入実績	⑳	扶養親族の有無		

進捗チェック

労基	安衛	労災	雇用	労一

解答

A ▶ ⑰ 保険料の納付状況

B ▶ ⑮ 特定国民年金原簿記録

C ▶ ⑦ 信頼を向上

D ▶ ③ 被保険者

E ▶ ⑪ 将来の給付

根拠条文等

法14条、
法14条の2、
法14条の5、
法附則7条の5,1項

1．厚生年金保険被保険者の種類

①	第1号厚生年金被保険者	下記②～④以外の厚生年金保険の被保険者
②	第2号厚生年金被保険者	国家公務員共済組合の組合員たる厚生年金保険の被保険者
③	第3号厚生年金被保険者	地方公務員共済組合の組合員たる厚生年金保険の被保険者
④	第4号厚生年金被保険者	私立学校教職員共済制度の加入者たる厚生年金保険の被保険者

2．第2号厚生年金被保険者、第3号厚生年金被保険者又は第4号厚生年金被保険者については、問題文(1)の国民年金原簿及び(2)の訂正の請求に関する規定は適用されない。当該組合員等については、被保険者として国民年金原簿への記録管理を行わないこととしているので、当該組合員等に対しては訂正の請求の対象としていない。なお、第2号厚生年金被保険者、第3号厚生年金被保険者又は第4号厚生年金被保険者は、問題文(3)の通知の対象からは除かれていない。

8 保険料

Basic

チェック欄
1 ／
2 ／
3 ／

⑴　第１号被保険者は、保険料を納付しなければならない。

⑵　第１号被保険者は、**出産の予定日**（産前産後期間の保険料免除の届出前に出産した場合は、出産の日。）の属する月（以下「**出産予定月**」という。）**の**［ A ］（多胎妊娠の場合においては、［ B ］）から**出産予定月の**［ C ］までの期間に係る保険料は、納付することを要しない。

⑶　令和７年度の保険料の額は、［ D ］（基本額）に［ E ］（1.030）を乗じて得た額（その額に５円未満の端数が生じたときには、これを切り捨て、５円以上10円未満の端数が生じたときは、これを10円に切り上げる。）である17,510円とされる。

選択肢

①　６週間前	②　42日前	③　４月前
④　３月前	⑤　前々月	⑥　14週間前
⑦　前月	⑧　98日前	⑨　８週間後
⑩　56日後	⑪　翌々月	⑫　１年後
⑬　16,610円	⑭　16,900円	⑮　17,000円
⑯　18,300円	⑰　名目賃金変動率	
⑱　名目手取り賃金変動率		
⑲　保険料改定率	⑳　可処分所得割合変化率	

解答

A ▶ ⑦ 前月

B ▶ ④ 3月前

C ▶ ⑪ 翌々月

D ▶ ⑮ 17,000円

E ▶ ⑲ 保険料改定率

根拠条文等

法87条3項、法88条1項、88条の2、改定率改定令2条、則73条の6

おぼえとるかい?

1. 保険料改定率

保険料改定率は、毎年度、当該年度の前年度の保険料改定率に**名目賃金変動率**※を乗じて得た率を基準として改定する。

※ 名目賃金変動率 = 当該年度の初日の属する年の**2年前の物価変動率** × 当該年度の初日の属する年の**4年前の年度の実質賃金変動率**(3年前から5年前のものの3年平均)

2. 保険料の口座振替納付

厚生労働大臣は、被保険者から、預金又は貯金の払出しとその払い出した金銭による保険料の納付をその預金口座又は貯金口座のある金融機関に委託して行うこと(口座振替納付)を希望する旨の申出があった場合には、その**納付が確実**と認められ、かつ、その申出を**承認**することが**保険料の徴収上有利**と認められるときに限り、その申出を**承認**することができる。

Step-Up! アドバイス

・任意加入被保険者については、第1号被保険者の産前産後期間の保険料免除の規定を適用しない。

・産前産後期間にある第1号被保険者の保険料免除は、後述の法定免除・申請免除よりも優先される。また、第1号被保険者の産前産後期間の保険料免除に係る被保険者期間は、後述の死亡一時金、脱退一時金についても、保険料納付済期間に算入される。

9 保険料の免除：法定免除 Basic

チェック欄
1 ／
2 ／
3 ／

被保険者（法第88条の２（産前産後期間の保険料免除）及び法第90条の２第１項から第３項（４分の３免除、半額免除、４分の１免除）の規定の適用を受ける被保険者を除く。）が次のいずれかに該当するに至ったときは、その[A]に係る保険料は、[B]を**除き**、納付することを要しない。

(1) **障害基礎年金**又は厚生年金保険法に基づく**障害**を支給事由とする年金たる給付その他の障害を支給事由とする給付であって政令で定めるものの受給権者であるとき。ただし、最後に同法に規定する障害等級**３級以上**の障害状態（以下「障害状態」という。）に**該当しなくなった日**から起算して障害状態に**該当することなく**[C]を経過した障害基礎年金の受給権者（現に障害状態に該当しない者に限る。）その他の政令で定める者を**除く**。

(2) **生活保護法による**[D]その他の援助であって厚生労働省令で定めるものを受けるとき。

(3) 厚生労働省令で定める[E]しているとき。

選択肢

① 前納されたもの　② 既に納付されたもの
③ 厚生労働大臣が指定したもの
④ 既に納付されたもの及び前納されたもの　⑤ １年
⑥ １年６月　⑦ ３年　⑧ ５年　⑨ 援助
⑩ 生活補助　⑪ 生活扶助　⑫ 生活扶助以外の扶助
⑬ 病院に入院　⑭ 疾病を治療　⑮ 施設で保養
⑯ 施設に入所　⑰ 指定する期間
⑱ 該当するに至った日の属する月からこれに該当しなくなる日の属する月の前月までの期間
⑲ 該当するに至った日の属する月の前月からこれに該当しなくなる日の属する月までの期間
⑳ 該当するに至った日の属する月の翌月からこれに該当しなくなる日の属する月までの期間

解答

A ▶ ⑲	該当するに至った日の属する月の前月からこれに該当しなくなる日の属する月までの期間
B ▶ ②	既に納付されたもの
C ▶ ⑦	3年
D ▶ ⑪	生活扶助
E ▶ ⑯	施設に入所

根拠条文等

法89条1項

おぼえとるかい?

【保険料の免除】

(1) 保険料の免除制度には、保険料の全部が免除されるものと一部が免除されるものがある。

・全部免除…法定免除、全額免除、学生納付特例、納付猶予

・一部免除…4分の3免除、半額免除、4分の1免除

(2) **任意加入被保険者**は、保険料免除の対象とならない。

【法定免除】

(1) 問題文(3)の「厚生労働省令で定める施設」は、国立ハンセン病療養所、本邦に設置された厚生労働大臣が定めるハンセン病療養所、国立保養所等である。

(2) 法定免除の要件に該当する場合、申請することなく、**法律上当然に**保険料は免除されることとなる。

Step-Up! アドバイス

・法定免除の対象となる期間であっても、申出により当該期間に係る保険料を納付することができる。

・刑務所に服役していることを理由として、法定免除の対象となることはない。

10 保険料の一部(4分の3)免除

Basic

チェック欄
1 ／
2 ／
3 ／

次のいずれかに該当する[A]から申請があったときは、厚生労働大臣は、その**指定する期間**※に係る保険料につき、**既に納付されたもの**を**除き**、その**4分の3**を納付することを要しないものとし、申請のあった日以後、当該保険料に係る期間を保険料**4分の3**免除期間(**追納**が行われた場合にあっては、当該追納に係る期間を除く。)に算入することができる。ただし、[B]が次のいずれにも該当しないときは、この限りでない。

(1) 当該保険料を納付することを要しないものとすべき月の属する年の**前年の所得**(1月から[C]までの月分の保険料については、前々年の所得とする。以下同じ。)が、その者の扶養親族等の有無及び数に応じて、政令で定める額以下であるとき。

(2) 被保険者又は被保険者の属する世帯の他の世帯員が**生活保護法による**[D]を受けるとき。

(3) 地方税法に定める**障害者**、**寡婦**その他の同法の規定による市町村民税が課されない者として政令で定める者であって、当該保険料を納付することを要しないものとすべき月の属する年の前年の所得が[E]以下であるとき。

(4) 保険料を納付することが**著しく困難**である場合として**天災**その他の厚生労働省令で定める事由があるとき。

選択肢

① 108万円　② 130万円　③ 135万円　④ 180万円
⑤ 直系血族　⑥ 世帯主又は配偶者のいずれか
⑦ 父又は母のいずれか　⑧ 世帯主及び配偶者のいずれも
⑨ 生活扶助　⑩ 生活補助　⑪ 医療補助
⑫ 生活扶助以外の扶助　⑬ 3月　⑭ 5月
⑮ 6月　⑯ 7月　⑰ 被保険者
⑱ 被保険者であった者
⑲ 被保険者又は被保険者であった者
⑳ 被保険者、被保険者であった者又は受給権者

進捗チェック

労基	安衛	労災	雇用	労一

解答

A ▶ ⑲ 被保険者又は被保険者であった者

B ▶ ⑥ 世帯主又は配偶者のいずれか

C ▶ ⑮ 6月

D ▶ ⑫ 生活扶助以外の扶助

E ▶ ③ 135万円

根拠条文等

法90条の2,1項、令6条の8、則76条の2、則77条の2

※「指定する期間」から、全額免除期間、半額免除期間、4分の1免除期間又は納付猶予の適用を受ける期間、学生等である期間若しくは学生等であった期間は除かれる。

【申請免除の所得要件のまとめ】

	所得の要件			
	対象者	額		
全額免除	本人 配偶者 世帯主	単身	67万円	
		一般	35万円×(扶養親族等※の数+1)+32万円	
4分の3免除		単身	88万円	+40万円
		一般	88万円+38万円(原則)×扶養親族等※の数	
半額免除		単身	128万円	+40万円
		一般	128万円+38万円(原則)×扶養親族等※の数	
4分の1免除		単身	168万円	
		一般	168万円+38万円(原則)×扶養親族等※の数	
学生納付特例	本人のみ	半額免除と同じ		
納付猶予	本人 配偶者	全額免除と同じ		

※特定年齢扶養親族にあっては、控除対象扶養親族に限る。

11 保険料の追納

Basic

チェック欄
1 ／
2 ／
3 ／

⑴ 被保険者又は被保険者であった者（ A を除く。）は、**厚生労働大臣**の B を受け、全額又は一部の額につき納付することを要しないものとされた保険料（ B の日の属する C 以内の期間に係るものに限る。）の**全部又は一部**につき**追納**をすることができる。ただし、法第90条の２第１項から第３項（４分の３免除、半額免除、４分の１免除）の規定によりその一部の額につき納付することを要しないものとされた保険料については、その D **につき納付**されたときに限る。

⑵ 追納すべき額は、当該追納に係る期間の各月の保険料の額に政令で定める額を加算した額とする。ただし、原則として、保険料の全額又は一部の額につき納付することを要しないものとされた月の属する年度の E までに追納する場合には、免除を受けた当時の保険料の額を追納すればよい。

選択肢

① 許可　② 認定　③ 承認　④ 確認
⑤ 月以前10年　⑥ 月前10年　⑦ 月以前２年
⑧ 月前２年　⑨ 残余の額の半額
⑩ 残余の額以外の部分　⑪ 残余の額
⑫ 残余の額の一部
⑬ ３月１日から起算して３年を経過した日前
⑭ ４月１日から起算して２年を経過した日前
⑮ ４月１日から起算して３年を経過した日前
⑯ ５月１日から起算して３年を経過した日前
⑰ 老齢基礎年金の受給権者
⑱ 障害基礎年金の受給権者
⑲ 国民年金基金の加入員であった者
⑳ 老齢基礎年金の受給資格期間を満たした者

解答

A ▶ ⑰ 老齢基礎年金の受給権者

B ▶ ③ 承認

C ▶ ⑥ 月前10年

D ▶ ⑪ 残余の額

E ▶ ⑮ 4月1日から起算して3年を経過した日前

根拠条文等

法94条1項、3項、令10条1項

一部の期間につき追納する場合

〈原則〉

まず次の(1)の保険料について行い、次いで(2)の保険料について行うこととし、これらの保険料のうちにあっては**先に経過した月の分から順次**行うものとする。

(1) **学生納付特例**又は**納付猶予**に係る保険料

(2) 法定免除、全額免除、4分の3免除、半額免除、4分の1免除に係る保険料

〈例外〉

上記(1)に係る保険料よりも**前に納付義務**が生じた上記(2)により免除された保険料がある場合には、(1)と(2)に係る保険料のどちらから追納するか**選択することができる**。

Step-Up! アドバイス

・保険料の追納は、保険料を滞納した期間について行うことができるわけではない。

・問題文(2)の免除月が3月である場合には、翌々年の4月までに追納するときは、免除を受けた当時の保険料の額を追納すればよい。

12 基礎年金拠出金等

Basic

チェック欄
1 ／
2 ／
3 ／

(1) **厚生年金保険の実施者たる政府**は、毎年度、基礎年金の給付に要する費用に充てるため、［ A ］を**負担**する。また、［ B ］は、毎年度、基礎年金の給付に要する費用に充てるため、［ A ］を**納付**する。

(2) ［ A ］の額は、**保険料・拠出金算定対象額**に当該年度における被保険者の総数に対する当該年度における当該政府及び実施機関に係る被保険者（**第2号被保険者**及びその被扶養配偶者である**第3号被保険者**）の総数の比率に相当するものとして、毎年度、政令で定めるところにより算定した率を乗じて得た額とされているが、この場合の被保険者の総数並びに政府及び実施機関に係る被保険者の総数は、第1号被保険者にあっては［ C ］、第2号被保険者にあっては［ D ］、第3号被保険者にあっては［ E ］を基礎として計算するものとする。

選択肢

① 老齢給付等の受給権を有しない者
② 未届出期間を有しない者
③ 保険料納付済期間のみを有する者
④ 国庫補助金　⑤ 国庫負担金　⑥ 退職者給付拠出金
⑦ すべての者　⑧ 基礎年金拠出金
⑨ 法律によって組織された共済組合　⑩ 共済組合等
⑪ 全国市町村職員共済組合連合会
⑫ 実施機関たる共済組合等
⑬ 日本国内に住所を有しない者
⑭ 保険料の滞納期間を有しない者
⑮ 日本国内に住所を有する者
⑯ 20歳以上65歳未満の者　⑰ 20歳以上60歳未満の者
⑱ 保険料納付済期間又は保険料の一部の納付を免除された期間を有する者
⑲ 被扶養配偶者である第3号被保険者を有する者
⑳ 老齢基礎年金の受給資格期間を満たしていない者

解答

A ▶ ⑧ 基礎年金拠出金

B ▶ ⑫ 実施機関たる共済組合等

C ▶ ⑱ 保険料納付済期間又は保険料の一部の納付を免除された期間を有する者

D ▶ ⑰ 20歳以上60歳未満の者

E ▶ ⑦ すべての者

根拠条文等
法94条の2,1項、2項、法94条の3,1項、2項、令11条の3

1.「実施機関たる共済組合等」とは、厚生年金保険の実施機関たる国家公務員共済組合連合会、地方公務員共済組合連合会又は日本私立学校振興・共済事業団をいう。

2. 財政の現況及び見通しが作成されるときは、厚生労働大臣は、厚生年金保険の実施者たる政府が負担し、又は実施機関たる共済組合等が納付すべき基礎年金拠出金について、その将来にわたる予想額を算定するものとする。

3. **基礎年金拠出金の額**

$$\text{保険料・拠出金算定対象額（基礎年金の給付費）} \times \frac{\text{第2号・第3号被保険者数}}{\text{国民年金の被保険者数}}$$

13 督促・滞納処分

Basic

チェック欄
1 ／
2 ／
3 ／

(1) 保険料その他国民年金法の規定による徴収金を滞納する者があるときは、厚生労働大臣は、期限を指定して、これを督促[A]。

(2) 厚生労働大臣は、督促を受けた者がその指定の期限（督促状を発する日から起算して[B]以上を経過した日でなければならない。）までに保険料その他国民年金法の規定による徴収金を納付しないときは、**国税滞納処分**の例によってこれを処分し、又は滞納者の居住地若しくはその者の財産所在地の**市町村**に対して、その処分を**請求**することができる。

(3) 市町村は、上記(2)による処分の**請求**を受けたときは、**市町村税**の例によってこれを処分することができる。この場合においては、厚生労働大臣は、徴収金の[C]に相当する額を当該市町村に交付しなければならない。

(4) 上記(2)、(3)による処分によって受け入れた金額を保険料に**充当**する場合においては、[D]の保険料から順次これに充当し、1箇月の保険料の額に満たない端数は、[E]するものとする。

選択肢

① 100分の6　② 100分の5　③ 100分の4
④ 100分の3　⑤ 30日　⑥ 20日
⑦ 14日　⑧ 10日
⑨ することができる　⑩ しなければならない
⑪ するように努めなければならない
⑫ するように努めるものとする　⑬ 直近の月
⑭ 納付を猶予された月　⑮ さきに経過した月
⑯ 免除を受けた月　⑰ 納付義務者に交付
⑱ 納付義務者に還付　⑲ 国に納付
⑳ その後に支払うべき保険料に充当

進捗チェック
労基 安衛 労災 雇用 労一

解答

A ▶ ⑨ することができる

B ▶ ⑧ 10日

C ▶ ③ 100分の４

D ▶ ⑮ さきに経過した月

E ▶ ⑰ 納付義務者に交付

根拠条文等

法96条
３項～６項

おぼえとるかい?

【延滞金】

厚生労働大臣は、保険料その他国民年金法の規定による徴収金を滞納する者に対して督促をしたときは、徴収金額に、納期限の翌日から徴収金完納又は財産差押の日の前日までの期間の日数に応じ、**年14.6%**※の割合（当該督促が**保険料**に係るものであるときは、当該納期限の翌日から**３月**を経過する日までの期間については、**年7.3%**※の割合）を乗じて計算した延滞金を徴収する。ただし、**徴収金額が500円未満**であるとき、又は滞納につきやむを得ない事情があると認められるときは、延滞金を徴収しない。

※「年14.6%」の割合及び「年7.3%」の割合については、当分の間、各年の延滞税特例基準割合が年7.3%の割合に満たない場合には、その年中においては、年14.6%の割合にあっては「**延滞税特例基準割合＋年7.3%**」の割合とされ、年7.3%の割合にあっては「**延滞税特例基準割合＋年１%**」の割合又は「年7.3%」の割合（**いずれか低い方**の割合）とされる。

Step-Up! アドバイス

・延滞金を計算するに当たり、徴収金額に500円未満の端数がある場合には、その端数は切り捨てる。

・督促状に指定した期限までに徴収金を完納したとき、又は計算した延滞金の金額が50円未満であるときは、延滞金は徴収しない。

14 老齢基礎年金の支給要件 Basic

チェック欄
1 ／
2 ／
3 ／

(1) 老齢基礎年金は、[A]又は[B]（学生納付特例又は納付猶予の規定により納付することを要しないものとされた保険料に係るものを除く。）を有する者が[C]に達したときに、その者に支給する。ただし、その者の[A]と[B]とを合算した期間が[D]に満たないときは、この限りでない。

(2) 上記(1)のただし書に該当する者であっても、[E]を合算した期間が[D]以上ある場合には、その者にも老齢基礎年金を支給する。

選択肢

① 40年　② 25年　③ 20年　④ 10年
⑤ 70歳　⑥ 66歳　⑦ 65歳　⑧ 60歳
⑨ 被保険者期間　⑩ 保険料免除期間
⑪ 組合員期間　⑫ 第１号被保険者期間
⑬ 第２号被保険者期間　⑭ 保険料納付済期間
⑮ 通算対象期間　⑯ 第３号被保険者期間
⑰ 保険料納付済期間及び通算対象期間
⑱ 保険料納付済期間及び保険料滞納期間
⑲ 保険料納付済期間、保険料免除期間及び合算対象期間
⑳ 保険料納付済期間、保険料免除期間及び算定対象期間

解答

A ► ⑭ 保険料納付済期間
B ► ⑩ 保険料免除期間
C ► ⑦ 65歳
D ► ④ 10年
E ► ⑲ 保険料納付済期間、保険料免除期間及び合算対象期間

根拠条文等
法26条、法附則9条、(16)法附則19条4項、(26)法附則14条3項

おぼえとるかい?

老齢基礎年金は次の(1)～(3)の要件を満たしたときに支給される。

(1) **65歳**に達していること

(2) **保険料納付済期間** **又は** **保険料免除期間**※1 を有していること（いずれかの期間を必ず有していること）

※1 学生納付特例期間及び納付猶予期間を**除く**。

(3) **受給資格期間**を満たしていること
⇒**原則**：「**保険料納付済期間** ＋ **保険料免除期間**※2」が**10年以上**であること

※2 学生納付特例期間及び納付猶予期間を**含む**。

15 老齢基礎年金の年金額：振替加算 Basic

チェック欄 1 ／ 2 ／ 3 ／

老齢基礎年金の額は、受給権者が、大正15年4月2日から［ A ］までの間に生まれた者であって、［ B ］に達した日において、次の(1)又は(2)に該当するその者の**配偶者**［ C ］していたとき（当該［ B ］に達した日の前日において当該配偶者がその受給権を有する次の(1)又は(2)の年金たる給付の**加給年金額**の計算の基礎となっていた場合に限る。）は、法第27条等に定める老齢基礎年金の額に、**224,700円**に**改定率**を乗じて得た額（その額に50円未満の端数が生じたときは、これを切り捨て、50円以上100円未満の端数が生じたときは、これを100円に切り上げるものとする。）に［ D ］に応じて政令で定める率を乗じて得た額を加算した額とする。

(1) **老齢厚生年金**等（その額の計算の基礎となる被保険者期間等の月数が［ E ］（原則）以上であるものに限る。）の受給権者

(2) **障害厚生年金**等の受給権者（当該障害厚生年金等と**同一の支給事由**に基づく**障害基礎年金**の受給権を有する者に限る。）

選択肢

① 480　② 300　③ 240　④ 180
⑤ 70歳　⑥ 66歳　⑦ 65歳　⑧ 60歳
⑨ 昭和31年4月1日　⑩ 昭和40年4月1日
⑪ 昭和41年4月1日　⑫ 昭和61年4月1日
⑬ その者の配偶者の被保険者期間
⑭ その者の配偶者の生年月日
⑮ その者の被保険者期間
⑯ その者の生年月日　⑰ と家計を同じく
⑱ の生計を維持　⑲ によって生計を維持
⑳ と生計を同じく

解答

A ▶ ⑪	昭和41年4月1日
B ▶ ⑦	65歳
C ▶ ⑲	によって生計を維持
D ▶ ⑯	その者の生年月日
E ▶ ③	240

根拠条文等

(60) 法附則14条1項

1．例えば、妻が夫より年上の場合のように、妻が65歳に達したとき以後に夫の老齢厚生年金の受給権が発生するときであっても、当該受給権が発生した時点において、加給年金額の対象となる要件を満たしている場合は、振替加算が行われる。

2．**振替加算を行わない場合**

　老齢基礎年金の受給権者が、厚生年金保険の被保険者期間の月数が**240**(原則)**以上**である**老齢厚生年金等**を受けることができるとき。

3．**振替加算を支給停止する場合**

　老齢基礎年金の受給権者が、**障害基礎年金**、**障害厚生年金等**（ただし、その全額につき支給を停止されている給付を除く。）の支給を受けることができるとき。

Step-Up! アドバイス

・合算対象期間と学生納付特例期間を合算した期間のみが10年以上ある者が、問題文の振替加算の加算要件を満たす場合には、振替加算相当額の老齢基礎年金が支給される。

16 老齢基礎年金の支給の繰上げ

Basic

チェック欄
1 ／
2 ／
3 ／

(1) 保険料納付済期間又は保険料免除期間（学生納付特例又は納付猶予の規定により納付することを要しないものとされた保険料に係るものを除く。）を有する者であって、[A]であるもの（老齢基礎年金の受給資格期間を満たしている者であって、[B]でないものに限るものとし、法附則第9条の2の2第1項による老齢基礎年金の一部の支給繰上げの[C]をすることができるものを除く。）は、当分の間、**65歳に達する前**に、**厚生労働大臣**に老齢基礎年金の全部の支給繰上げの[C]をすることができる。

(2) (1)の[C]は、老齢厚生年金の支給繰上げの[C]をすることができる者にあっては、当該[C]と[D]。また(1)の規定により支給する老齢基礎年金の額は、本来の老齢基礎年金の額から政令で定める額を減じた額とされる。

(3) [E]の受給権は、受給権者が(1)の繰上げ支給の老齢基礎年金の受給権を取得したときは、消滅する。

選択肢

① 国民年金基金の加入員
② 第2号被保険者又は第3号被保険者
③ 第2号被保険者　④ 任意加入被保険者
⑤ 同時に行うことはできない
⑥ 同時に行うことを要さない
⑦ 同時に行わなければならない
⑧ 同時に行うことができる
⑨ 55歳以上65歳未満　⑩ 60歳以上65歳未満
⑪ 60歳以上75歳未満　⑫ 65歳以上75歳未満
⑬ 申請　⑭ 要請　⑮ 請求　⑯ 申出
⑰ 遺族基礎年金　⑱ 寡婦年金
⑲ 障害基礎年金　⑳ 遺族厚生年金

進捗チェック

労基	安衛	労災	雇用	労一

解答

A ▶ ⑩　60歳以上65歳未満

B ▶ ④　任意加入被保険者

C ▶ ⑮　請求

D ▶ ⑦　同時に行わなければならない

E ▶ ⑱　寡婦年金

法附則9条の2,1項、2項、4項、5項

おぼえとるかい?

1. 支給繰上げに係る減額率

支給繰上げの請求をした者に支給される老齢基礎年金は、年金額に減額率を乗じて得た額が減額される。この減額率は、**1000分の4**に、**支給の繰上げを請求した日の属する月**から**65歳に達する日の属する月の前月**までの月数を乗じて得た率である。

$$\text{減額率}=\frac{4}{1000}\times(\text{繰上げ請求月から65歳到達月の前月までの月数})$$

2. 支給繰上げを受けた者の取扱い

(1) 「**事後重症**」や「**基準傷病に基づく障害**」による**障害基礎年金等は支給されない。**

(2) 寡婦年金は支給されない。**寡婦年金**の受給権を有していた場合は、その**受給権は消滅**する。

(3) 国民年金の**任意加入被保険者となることはできない。**

Step-Up! アドバイス

・老齢基礎年金の支給繰上げをした場合の減額は、将来を通じて行われるものであり、65歳になっても年金額が引き上げられることはない。

・老齢基礎年金の支給繰上げをした場合であっても、振替加算は繰上げ支給されない。

17 老齢基礎年金の支給の繰下げ　Basic

チェック欄 1 ／ 2 ／ 3 ／

(1) 老齢基礎年金の受給権を有する者であって［ A ］に達する前に当該老齢基礎年金を請求していなかったものは、**厚生労働大臣**に当該老齢基礎年金の支給繰下げの**申出**をすることができる。ただし、その者が**65歳**に達したときに、**他の年金たる給付**※の受給権者であったとき、又は**65歳**に達した日から［ A ］に達した日までの間において他の年金たる給付の受給権者となったときは、この限りでない。

(2) ［ A ］**に達した日後**に次の(a)又は(b)に掲げる者が上記(1)の申出((3)の規定により(1)の申出があったものとみなされた場合における当該申出を除く。以下(2)において同じ。)をしたときは、当該(a)又は(b)に定める日において、当該**申出があったものとみなす**。

(a) ［ B ］歳に達する日前に他の年金たる給付の受給権者となった者
→他の年金たる給付を支給すべき事由が生じた日

(b) ［ B ］歳に達した日後にある者((a)に該当する者を除く。)
→［ B ］歳に達した日

(3) (1)の規定により老齢基礎年金の支給繰下げの申出をすることができる者が、［ C ］**歳に達した日後**に当該**老齢基礎年金を請求**し、かつ、当該請求の際に**(1)の支給繰下げの申出をしないとき**は、当該**請求をした日の**［ D ］**の日**に**(1)の支給繰下げの申出があったものとみなす**。ただし、その者が次の(a)又は(b)のいずれかに該当する場合は、この限りでない。

(a) ［ E ］歳に達した日以後にあるとき。

(b) 当該請求をした日の［ D ］の日以前に他の年金たる給付の受給権者であったとき。

選択肢

①	10年前	②	5年前	③	3年前	④	2年前	⑤	70歳
⑥	68歳	⑦	67歳	⑧	66歳	⑨	65	⑩	66
⑪	67	⑫	68	⑬	69	⑭	70	⑮	71
⑯	73	⑰	75	⑱	80	⑲	83	⑳	85

解答

A ▶ ⑧ 66歳

B ▶ ⑰ 75

C ▶ ⑭ 70

D ▶ ② 5年前

E ▶ ⑱ 80

根拠条文等

法28条1項
2項、5項

※「他の年金たる給付」とは、「他の年金給付（付加年金を除く。）又は厚生年金保険法による年金たる保険給付（老齢を支給事由とするものを除く。）」をいう。

1. **支給繰下げによる年金額の増額**
   年金額に**増額率**※を乗じて得た額を加算
   ※**1000分の7**に老齢基礎年金の**受給権取得月**から支給繰下げの**申出をした月の前月**までの月数（120月を限度とする。）を乗じて得た率
2. 支給繰下げの申出をした者に対する老齢基礎年金の支給は、当該申出のあった日の属する**月の翌月から**始めるものとする。
3. 問題文(2)又は(3)の規定により申出があったものとみなした場合、繰下げ支給の老齢基礎年金の支給は、「申出があったものとみなした日」の属する月の翌月から（さかのぼって）開始する。また、上記1．の増額率についても、「申出があったものとみなした日」を基準として計算することとなる。

Step-Up! アドバイス

・振替加算については、増額されない。
・老齢厚生年金の支給繰下げの申出と老齢基礎年金の支給繰下げの申出は同時に行う必要はない。老齢厚生年金又は老齢基礎年金のいずれか一方のみを繰り下げることもできる。

18 障害基礎年金の支給要件 Basic

チェック欄
1 ／
2 ／
3 ／

障害基礎年金は、傷病について初めて医師又は歯科医師の診療を受けた日（以下「**初診日**」という。）において次の(1)又は(2)のいずれかに該当した者が、当該初診日から起算して［ A ］を経過した日（その期間内にその傷病が治った場合においては、その**治った日**（その症状が固定し治療の効果が期待できない状態に至った日を含む。）とし、以下「**障害認定日**」という。）において、その傷病により**障害等級**に該当する程度の障害の状態にあるときに、その者に支給する。ただし、当該傷病に係る［ B ］において、当該**初診日の属する**［ C ］**まで**に**被保険者期間**があり、かつ、当該被保険者期間に係る**保険料納付済期間と保険料免除期間とを合算した期間**が当該被保険者期間の［ D ］に満たないときは、この限りでない。

(1) **被保険者**であること。

(2) **被保険者であった者**であって、［ E ］であること。

選択肢

① 月の前々月	② 月の前月	③ 月
④ 月の末日	⑤ 6月	⑥ 1年
⑦ 1年6月	⑧ 3年	⑨ 3分の1
⑩ 2分の1	⑪ 3分の2	⑫ 4分の3
⑬ 傷病の発生が確定した日		⑭ 初診日
⑮ 初診日の前日		⑯ 初診日の前々日
⑰ 60歳以上65歳未満		⑱ 60歳以上70歳未満

⑲ 日本国内に住所を有し、かつ、60歳以上65歳未満

⑳ 日本国内に住所を有し、かつ、60歳以上70歳未満

解答

A ▶ ⑦　1年6月

B ▶ ⑮　初診日の前日

C ▶ ①　月の前々月

D ▶ ⑪　3分の2

E ▶ ⑲　日本国内に住所を有し、かつ、60歳以上65歳未満

法30条1項

おぼえとるかい?

1．障害認定日とは、次のいずれかの日をいう。

(1)　**初診日**から起算して**1年6月**を経過した日

(2)　(1)の期間内にその傷病が治った場合においては、その**治った日**（その症状が固定し治療の効果が期待できない状態に至った日を含む。）

2．**保険料納付要件の特例**

初診日が**令和8年4月1日前**にあるときは、**初診日の前日**において初診日の属する**月の前々月**までの**1年間**に保険料未納期間がなければよい。ただし、初診日に**65歳以上**である者には、この特例の適用はない。

Step-Up! アドバイス

・初診日の属する月の前々月までに被保険者期間がない者については、保険料納付要件は問われない。

・厚生年金保険の被保険者期間のうち、20歳前及び60歳以後の期間は、老齢基礎年金の支給要件等をみる際には合算対象期間とされるが、障害基礎年金では保険料納付済期間とされる。

・身体の障害だけでなく、精神の障害も障害基礎年金の支給対象となる。

19 20歳前傷病による障害基礎年金 Basic

チェック欄
1 ／
2 ／
3 ／

(1) 疾病にかかり、又は負傷し、その**初診日において20歳未満**であった者が、［ A ］に20歳に達したときは**20歳に達した日**において、障害認定日が20歳に達した［ B ］であるときはその**障害認定日**において、障害等級に該当する程度の障害の状態にあるときは、その者に障害基礎年金を支給する。

(2) 疾病にかかり、又は負傷し、その**初診日**において20歳未満であった者（初診日において［ C ］者に限る。）が、［ A ］に20歳に達したときは20歳に達した［ B ］において、障害認定日が20歳に達した［ B ］であるときはその障害認定日後において、その傷病により、**65歳に達する**［ D ］**までの間に**、障害等級に該当する程度の障害の状態に該当するに至ったときは、その者は、その**期間内**に上記(1)の障害基礎年金の支給を**請求**することができる。

(3) 上記(2)の請求をしたときは、当該［ E ］から障害基礎年金を支給する。

選択肢

① 請求のあった月の前月		② 請求のあった月	
③ 請求のあった月の翌月		④ 請求のあった月の翌々月	
⑤ 障害認定日前		⑥ 障害認定日以前	
⑦ 障害認定日以後		⑧ 障害認定日の翌日後	
⑨ 18歳に達していなかった			
⑩ 保険料納付済期間を有していた			
⑪ 障害等級に該当していなかった			
⑫ 被保険者でなかった		⑬ 日	⑭ 日の前日
⑮ 日の属する月の前月		⑯ 日の属する月	
⑰ 日前	⑱ 日以後	⑲ 日後	⑳ 日の翌日後

解答

A ▶ ⑦ 障害認定日以後

B ▶ ⑲ 日後

C ▶ ⑫ 被保険者でなかった

D ▶ ⑭ 日の前日

E ▶ ③ 請求のあった月の翌月

根拠条文等

法18条1項、法30条の4

1．事後重症による障害基礎年金・基準傷病に基づく障害による障害基礎年金

	事後重症	基準傷病
初診日の被保険者等要件	要	要 （既存障害は不要）
障害認定日の障害の程度要件	該当せず→65歳到達日の前日までに障害等級に該当	該当せず→65歳到達日の前日までに、「基準障害＋既存障害」で障害等級に該当
保険料納付要件	要	要 （既存障害は不要）
請求時期	障害認定日後**65歳到達日の前日まで**	基準障害に係る障害認定日以後**いつでも**

2．障害基礎年金の受給権の発生

事後重症による障害基礎年金は、「障害等級に該当＋**請求**」により受給権が発生する。基準傷病に基づく障害基礎年金は、「障害等級に該当」により受給権が発生する。

20 障害基礎年金の年金額

Basic

チェック欄
1 ／
2 ／
3 ／

(1) 障害基礎年金の額は、**780,900円**に改定率を乗じて得た額（その額に50円未満の端数が生じたときは、これを切り捨て、50円以上100円未満の端数が生じたときは、これを100円に切り上げるものとする。）とする。

(2) 障害の程度が障害等級の**1級**に該当する者に支給する障害基礎年金の額は、上記(1)の額の［ A ］に相当する額とする。

(3) 障害基礎年金の額は、受給権者によって**生計を維持している**その者の**子**（［ B ］**までの間**にある子及び［ C ］**であって障害等級に該当**する障害の状態にある子に限る。）があるときは、上記(1)又は(2)の額にその子1人につきそれぞれ［ D ］に改定率を乗じて得た額（そのうち2人までについては、それぞれ［ E ］に改定率を乗じて得た額とし、それらの額に50円未満の端数が生じたときは、これを切り捨て、50円以上100円未満の端数が生じたときは、これを100円に切り上げるものとする。）を加算した額とする。

選択肢

① 234,800円　② 224,900円　③ 224,700円
④ 388,900円　⑤ 78,300円　⑥ 74,900円
⑦ 75,000円　⑧ 79,400円　⑨ 15歳未満
⑩ 16歳未満　⑪ 18歳未満　⑫ 20歳未満
⑬ 18歳に達する日　⑭ 20歳に達する日
⑮ 18歳に達する日以後の最初の3月31日
⑯ 18歳に達する日以後の最初の12月31日
⑰ 100分の120　⑱ 100分の125
⑲ 100分の150　⑳ 100分の200

解答

A ► ⑱　100分の125

B ► ⑮　18歳に達する日以後の最初の3月31日

C ► ⑫　20歳未満

D ► ⑥　74,900円

E ► ③　224,700円

根拠条文等

法33条、
法33条の2，1項

【子の加算に係る障害基礎年金の額の改定】

加算対象となる子が次に掲げる事由に該当したため、子の数に変動が生じたときは、その増減した日の属する**月の翌月**から年金額を改定する。

増額改定	受給権取得日の翌日以後にその者によって**生計を維持しているその者の子**（18歳に達する日以後の最初の3月31日までの間にある子及び20歳未満であって障害等級に該当する障害の状態にある子に限る。）を有するに至ったとき
減額改定	**死亡**したとき
	受給権者による**生計維持の状態がやんだ**とき
	婚姻をしたとき
	受給権者の**配偶者以外の者の養子**となったとき
	離縁によって、**受給権者の子でなくなった**とき
	18歳に達した日以後の最初の3月31日が終了したとき（障害等級に該当する障害の状態にあるときを除く。）
	障害等級に該当する障害の状態にある子について、その事情がやんだとき（その子が18歳に達する日以後の最初の3月31日までの間にあるときを除く。）
	20歳に達したとき

Step-Up! アドバイス

・障害基礎年金には、配偶者に係る加算は行われない。

・障害基礎年金の受給権発生後に、加算額の対象となる子を有するに至ったときも、子の加算は行われる。

21 障害基礎年金の年金額の改定 Basic

チェック欄
1 ／
2 ／
3 ／

(1) **厚生労働大臣**は、障害基礎年金の受給権者について、その障害の程度を［ A ］し、その程度が**従前の障害等級以外**の障害等級に該当すると認めるときは、障害基礎年金の額を**改定**することができる。

(2) 障害基礎年金の**受給権者**は、**厚生労働大臣に対し**、障害の程度が［ B ］したことによる障害基礎年金の額の**改定を請求**することができる。

ただし、この請求は、障害基礎年金の受給権者の**障害の程度が**［ B ］**したことが明らかである場合**として厚生労働省令で定める場合を**除き**、当該障害基礎年金の［ C ］又は上記(1)による**厚生労働大臣の**［ A ］を受けた日から起算して［ D ］でなければ行うことができない。

(3) 上記(1)により障害基礎年金の額が改定されたときは、改定後の額による障害基礎年金の支給は、**改定が行われた日の属する**［ E ］から始めるものとする。

選択肢

① 支給を請求した日	② 受給権を取得した日	
③ 裁定が行われた日	④ 支給が開始された日	
⑤ 2年を経過した日後	⑥ 1年6月を経過した日以後	
⑦ 1年を経過した日後	⑧ 6月を経過した日以後	
⑨ 年度の翌年度	⑩ 月	⑪ 月の翌月
⑫ 月の翌々月	⑬ 検査	⑭ 審判
⑮ 調査	⑯ 診査	⑰ 軽快
⑱ 軽減	⑲ 増進	⑳ 併合

進捗チェック
労基 安衛 労災 雇用 労一

解答

A ▶ ⑯　診査

B ▶ ⑲　増進

C ▶ ②　受給権を取得した日

D ▶ ⑦　１年を経過した日後

E ▶ ⑪　月の翌月

根拠条文等
法34条１項〜３項、６項

おぼえとるかい？

【障害基礎年金の年金額が改定される場合】

(1)　**厚生労働大臣**の職権による改定

(2)　**受給権者**からの改定請求

①　増進改定請求…障害の程度が**増進**した場合

②　**併合改定**…「その他障害」との併合により既存の障害基礎年金の障害の程度より**増進**した場合※

※65歳到達日の前日までに増進した場合に限り、その期間内に請求することができる。

障害基礎年金２級 ＋ その他障害 ｝ 併合して既存の障害の程度より増進 → 改定請求 → 障害基礎年金１級

Step-Up! アドバイス

・障害基礎年金の額の増進改定請求に関しては、事務負担等を考慮し、原則１年間の待機期間を設けているが、障害の程度が明らかに増進したことが確認できる傷病については、１年間の待機期間を要しないものとされている。

国年

22 20歳前傷病による障害基礎年金等の支給停止 Basic

チェック欄
1 ／
2 ／
3 ／

⑴ 20歳前傷病による障害基礎年金は、受給権者が次のいずれかに該当するとき（⒝及び⒞に該当する場合にあっては、厚生労働省令で定める場合に限る。）は、その該当する期間、その**支給を停止**する。

⒜ **恩給法**に基づく**年金たる給付**、**労働者災害補償保険法**による**年金たる給付**等を受けることができるとき。

⒝ **刑事施設**、**労役場**等に拘禁されているとき。

⒞ **少年院等**に収容されているとき。

⒟ [A]とき。

⑵ 20歳前傷病による障害基礎年金は、[B]**の前年の所得**が政令で定める額を超えるときは、その年の[C]まで政令で定めるところにより、その**全部**又は[D]（**子の加算額**がある場合はその額を**控除した額の**[D]）に相当する部分の支給を停止する。

⑶ 障害基礎年金は、受給権者が**障害等級**に該当する程度の障害の状態に該当しなくなったときは、[E]、原則として、その支給を停止する。

選択肢

① 婚姻をした　② 日本国籍を有しない
③ 厚生年金保険の被保険者となった
④ 日本国内に住所を有しない
⑤ 10月から翌年の9月　⑥ 8月から翌年の7月
⑦ 4月から翌年の3月　⑧ 1月から12月
⑨ 扶養親族　⑩ 配偶者　⑪ 受給権者及び配偶者
⑫ 受給権者本人　⑬ 3分の1
⑭ 3分の2　⑮ 2分の1　⑯ 4分の1
⑰ 厚生労働大臣が指定する期間
⑱ その障害の状態に該当しない間
⑲ 受給権者が65歳に達するまでの間
⑳ その障害の状態に該当しなくなった日から3年間

解答

A ► ④ 日本国内に住所を有しない

B ► ⑫ 受給権者本人

C ► ⑤ 10月から翌年の９月

D ► ⑮ ２分の１

E ► ⑱ その障害の状態に該当しない間

根拠条文等

法36条２項、
法36条の２、
法36条の３,１項

おぼえとるかい?

【障害基礎年金の支給停止】

障害基礎年金は、その受給権者が当該傷病による障害について、**労働基準法**の規定による障害補償を受けることができるときは、**6年間**、その支給を停止する。

Step-Up! アドバイス

- 所得による支給停止（問題文(2)）の例外…震災、風水害、火災等により、住宅、家財又は政令で定めるその他の財産のおおむね**２分の１以上**の損害を受けたときは、その損害を受けた月から翌年９月までは支給停止されない。
- 障害基礎年金の受給権者が厚生年金保険の被保険者となったことを理由に、当該障害基礎年金が支給停止されたり、年金額が減額されたりすることはない。

23 障害基礎年金の失権 Basic

チェック欄
1 ／
2 ／
3 ／

障害基礎年金の受給権は、受給権者が次のいずれかに該当するに至ったときは、**消滅**する。

(1) [A]とき。

(2) [B]法第47条第2項に規定する障害等級に該当する程度の**障害の状態にない者が、**[C]**歳に達した**とき。ただし、[C]**歳に達した日**において、同項に規定する障害等級に該当する程度の障害の状態に該当しなくなった日から起算して同項に規定する障害等級に該当する程度の障害の状態に該当することなく[D]**を経過していない**ときを除く。

(3) [B]法第47条第2項に規定する障害等級に該当する程度の障害の状態に該当しなくなった日から起算して同項に規定する障害等級に該当する程度の障害の状態に該当することなく[D]**を経過した**とき。ただし、[D]**を経過した日**において、当該受給権者が[C]**歳未満**であるときを除く。

(4) **併合認定**により、[E]障害の程度による障害基礎年金の受給権を取得したとき（**従前**の障害基礎年金の受給権が消滅）。

選択肢

① 20　② 60　③ 65　④ 75
⑤ 1年　⑥ 2年　⑦ 3年　⑧ 5年
⑨ 前後の障害を併合した　⑩ 後の障害に係る
⑪ その他障害を併合した　⑫ 養子となった
⑬ 基準障害と他の障害とを併合した
⑭ 厚生年金保険　⑮ 船員保険
⑯ 労働者災害補償保険　⑰ 国民年金
⑱ 婚姻した　⑲ 死亡した
⑳ 老齢基礎年金の受給権を取得した

進捗チェック
労基　安衛　労災　雇用　労一

解答

A ► ⑲ 死亡した

B ► ⑭ 厚生年金保険

C ► ③ 65

D ► ⑦ 3年

E ► ⑨ 前後の障害を併合した

法31条2項、
法35条

【問題文(2)(3)の失権事由について】

簡単に記述すると、次のいずれか**遅い方**が到来したときに、障害基礎年金の受給権は**消滅**する。

(1) 厚生年金保険法に規定する障害等級に該当する程度の障害の状態にない者が**65歳**に達したとき。

(2) 厚生年金保険法に規定する障害等級に該当する程度の障害の状態に該当しなくなった日から起算して当該障害等級に該当する程度の障害の状態に該当することなく**3年**を経過したとき。

Step-Up! アドバイス

・新法同士の併合認定の場合と異なり、旧法の障害年金と障害基礎年金が併合認定されても、旧法の障害年金の受給権は消滅しない。この場合、受給権者は併合認定後の新法の年金と従前の旧法の年金のいずれかを選択し、受給することとなる。

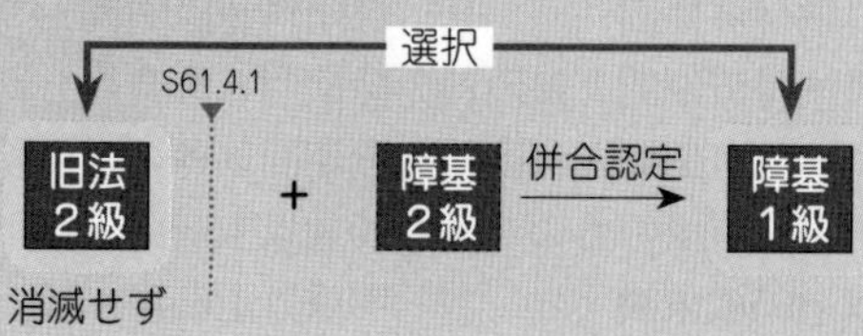

24 遺族基礎年金の支給要件 Basic

チェック欄
1 ／
2 ／
3 ／

遺族基礎年金は、被保険者又は被保険者であった者が次の(1)〜(4)のいずれかに該当する場合に、その者の**配偶者又は子**に支給する。ただし、［ A ］に該当する場合にあっては、死亡した者につき、**死亡日の前日**において、死亡日の属する**月の前々月**までに被保険者期間があり、かつ、当該被保険者期間に係る［ B ］が当該被保険者期間の**3分の2**に満たないときは、この限りでない。

(1) **被保険者**が、死亡したとき。

(2) **被保険者であった者**であって、［ C ］を有し、かつ、［ D ］であるものが、死亡したとき。

(3) **老齢基礎年金**の**受給権者**（保険料納付済期間と保険料免除期間とを合算した期間が［ E ］**以上**である者※に限る。）が、死亡したとき。

(4) 保険料納付済期間と保険料免除期間とを合算した期間が［ E ］**以上**である者※が、死亡したとき。

選択肢

① 日本国内に住所　② 相当な財産　③ 日本国籍
④ 日本国外に住所　⑤ 25年　⑥ 20年
⑦ 15年　⑧ 10年
⑨ (1)　⑩ (2)
⑪ (1)又は(2)　⑫ (1)、(2)又は(3)
⑬ 保険料納付済期間　⑭ 保険料免除期間
⑮ 保険料納付済期間と保険料免除期間とを合算した期間
⑯ 保険料納付済期間と保険料免除期間以外の被保険者期間
⑰ 日本国籍を有するもの　⑱ 20歳以上60歳未満
⑲ 20歳以上65歳未満　⑳ 60歳以上65歳未満

解答

A ▶ ⑪	(1)又は(2)
B ▶ ⑮	保険料納付済期間と保険料免除期間とを合算した期間
C ▶ ①	日本国内に住所
D ▶ ⑳	60歳以上65歳未満
E ▶ ⑤	25年

根拠条文等
法37条

※保険料納付済期間又は保険料免除期間（学生納付特例及び納付猶予の規定により納付することを要しないものとされた保険料に係るものを除く。）を有する者のうち、保険料納付済期間と保険料免除期間とを合算した期間が25年に満たない者であって保険料納付済期間、保険料免除期間及び合算対象期間を合算した期間が25年以上であるものは、(3)及び(4)の規定の適用については、保険料納付済期間と保険料免除期間とを合算した期間が25年以上であるものとみなす。

おぼえとるかい？

【旧法の遺族年金等の取扱い】

1．昭和61年３月31日において、**旧法**による**母子年金**、**準母子年金**、**遺児年金**の受給権を有していた者については昭和61年４月１日以後も引き続き旧法のこれらの給付が支給されていた。

2．昭和61年３月31日において、**旧法**による**母子福祉年金**又は**準母子福祉年金**の受給権を有していた者については、昭和61年４月１日以後は新法の遺族基礎年金に**裁定替え**され支給されていた。

Step-Up! アドバイス

・被保険者等の死亡の当時、胎児であった子が生まれたときは、**将来に向かって**、その**子**は被保険者等の**死亡の当時生計維持関係があったとみなされ**、**配偶者**については、被保険者等の**死亡の当時その子と生計を同じくしていたものとみなされる**ため、胎児が出生した月の**翌月**から配偶者に対して遺族基礎年金の支給が開始される（すでに受給権者である配偶者は、年金額が改定される。）。

25 死亡の推定・失踪の宣告 Basic

チェック欄
1 ／
2 ／
3 ／

(1) **船舶**が沈没し、転覆し、滅失し、若しくは行方不明となった際現にその船舶に乗っていた者若しくは船舶に乗っていてその船舶の航行中に行方不明となった者の**生死が**［ A ］**間分らない**場合又はこれらの者の死亡が［ A ］以内に明らかとなり、かつ、その［ B ］**が分らない**場合には、死亡を支給事由とする給付の支給に関する規定の適用については、その船舶が**沈没し**、**転覆し**、**滅失し**、若しくは**行方不明となった日**又はその者が**行方不明となった日**に、その者は、死亡したものと**推定する**。**航空機**が墜落し、滅失し、若しくは行方不明となった際現にその航空機に乗っていた者若しくは航空機に乗っていてその航空機の航行中に行方不明となった者の生死が［ A ］間分らない場合又はこれらの者の死亡が［ A ］以内に明らかとなり、かつ、その［ B ］が分らない場合にも、同様とする。

(2) 上記(1)に該当せず、**民法**の規定による［ C ］を受けたことにより、行方不明となった日から［ D ］**が経過した日**に**死亡したとみなされた**者に係る死亡を支給事由とする給付の支給に関する規定については、その者の**被保険者資格**、**保険料納付要件**及び受給権者となるべき遺族の**生計維持関係**については、これらの規定中「**死亡日**」とあるのは「［ E ］**日**」と置き換えて、「**死亡の当時**」とあるのは「［ E ］**当時**」と置き換えて適用する。

選択肢

① 1箇月	② 4月1日	③ 失踪宣告を受けた
④ 死亡の推定	⑤ 3箇月	⑥ 死亡したとみなされた
⑦ 死亡の宣告	⑧ 6箇月	⑨ 行方不明となった
⑩ 失踪の確認	⑪ 1年	⑫ 死亡の場所
⑬ 失踪の宣告	⑭ 3年	⑮ 死亡の原因
⑯ 死亡の時期	⑰ 5年	⑱ 行方不明となった原因
⑲ 7年	⑳ 10年	

解答

A ▶ ⑤　3箇月
B ▶ ⑯　死亡の時期
C ▶ ⑬　失踪の宣告
D ▶ ⑲　7年
E ▶ ⑨　行方不明となった

根拠条文等
法18条の3、法18条の4、民法30条1項、31条

【失踪宣告】

船舶などに乗っていた者が行方不明となった場合は、問題文(1)の「死亡の推定」が行われるが、これに該当せず民法の規定により失踪の宣告を受けた者は、行方不明となった日から7年経過した日に死亡したとみなされる。

死亡を支給事由とする給付の支給要件を問う場合、身分関係、年齢、障害の状態については、原則（民法）どおり死亡したとみなされる日を基準に問われるが、例外として、生計維持関係、被保険者資格及び保険料納付要件は、行方不明となった日を基準に問われる。

(1)　死亡の推定

「船舶·航空機の事故の日」
又は「行方不明となった日」

3箇月

死亡の推定
受給権発生日

(2)　失踪の宣告

受給権発生日
失踪宣告
（死亡したとみなされる日）

船舶·航空機事故以外の
行方不明の日

7年

生計維持関係
被保険者の資格
保険料納付要件

身分関係
年齢
障害の状態

26 遺族基礎年金の年金額

Basic

チェック欄
1 ／
2 ／
3 ／

(1) 遺族基礎年金の額は、**780,900円**に改定率を乗じて得た額（その額に50円未満の端数が生じたときは、これを切り捨て、50円以上100円未満の端数が生じたときは、これを100円に切り上げるものとする。）とする。

(2) **配偶者**に支給する遺族基礎年金の額は、上記(1)に定める額に、配偶者が遺族基礎年金の受給権を取得した当時遺族基礎年金の遺族の範囲に該当し、かつ、その者［ A ］した**子**につきそれぞれ［ B ］に改定率を乗じて得た額(そのうち［ C ］までについては、それぞれ［ D ］に改定率を乗じて得た額とし、それらの額に50円未満の端数が生じたときは、これを切り捨て、50円以上100円未満の端数が生じたときは、これを100円に切り上げるものとする。)を加算した額とする。

(3) **子**に支給する遺族基礎年金の額は、遺族基礎年金の受給権を取得した子が［ C ］以上あるときは、上記(1)に定める額にその子のうち［ E ］を除いた子につきそれぞれ［ B ］に改定率を乗じて得た額（そのうち［ E ］については、［ D ］に改定率を乗じて得た額とし、それらの額に50円未満の端数が生じたときは、これを切り捨て、50円以上100円未満の端数が生じたときは、これを100円に切り上げるものとする。）を加算した額を、その**子の数で除して得た額**とする。

選択肢

① と同一の地域に居住　② と生計を同じく
③ と同一の世帯に属　④ の収入により生計を維持
⑤ 78,300円　⑥ 74,900円　⑦ 75,000円　⑧ 79,400円
⑨ 1人　⑩ 2人　⑪ 3人　⑫ 4人
⑬ 5人　⑭ 6人　⑮ 7人　⑯ 8人
⑰ 227,000円　⑱ 224,700円　⑲ 234,800円　⑳ 224,900円

進捗チェック

労基	安衛	労災	雇用	労一

解答

A ▶ ② と生計を同じく
B ▶ ⑥ 74,900円
C ▶ ⑩ 2人
D ▶ ⑱ 224,700円
E ▶ ⑨ 1人

根拠条文等
法38条、
法39条1項、
法39条の2,1項

【遺族基礎年金の支給停止事由】

(1) 被保険者等の死亡について、労働基準法の遺族補償が行われるべきものであるとき…死亡日から**6年間**支給停止

(2) 子の遺族基礎年金
① 配偶者に遺族基礎年金の受給権があるとき（下記(3)又は配偶者の申出によりその支給を停止されているときを除く。）
② 生計を同じくするその子の父又は母があるとき

(3) 受給権者の所在が**1年以上**明らかでないとき
配偶者が受給権を有するときは子が、子のみが受給権を有するときは他の子が申請し、その**所在が明らかでなくなった時にさかのぼって**、支給停止される。

27 遺族基礎年金の失権

Basic

チェック欄
1 ／
2 ／
3 ／

[A]の有する遺族基礎年金の受給権は、[A]が次のいずれかに該当するに至ったときは、**消滅**する。

(1) [B]とき。
(2) **婚姻**（事実上の婚姻を含む。）をしたとき。
(3) **養子**（事実上の養子を含む。）となったとき（[C]の養子となったときを除く。）。
(4) **離縁**によって、死亡した被保険者等の[A]でなくなったとき。
(5) **18歳**に達した日以後の最初の**3月31日**が終了したとき（[D]に該当する障害の状態にあるときを除く。）。
(6) [D]に該当する障害の状態にある[A]について、その事情がやんだとき（18歳に達する日以後の最初の3月31日までの間にあるときを除く。）。
(7) [E]に達したとき。

選択肢

① 65歳	② 60歳	③ 30歳
④ 20歳	⑤ 配偶者	⑥ 妻
⑦ 配偶者又は子	⑧ 子	⑨ 障害等級
⑩ 配偶者以外の者		⑪ 傷病等級
⑫ 死亡した		⑬ 親族が障害等級
⑭ 直系血族又は直系姻族		⑮ 3親等内の親族

⑯ 直系血族又は直系姻族以外の者
⑰ 生計を同じくする父又は母がある
⑱ 厚生年金保険法に規定する障害等級
⑲ その所在が1年以上明らかでない
⑳ 日本国内に住所を有しなくなった

進捗チェック
労基	安衛	労災	雇用	労一

解答

A ▶ ⑧ 子

B ▶ ⑫ 死亡した

C ▶ ⑭ 直系血族又は直系姻族

D ▶ ⑨ 障害等級

E ▶ ④ 20歳

根拠条文等

法40条1項、3項

おぼえとるかい？

【配偶者の失権事由】

(1) **死亡**したとき。

(2) **婚姻**（事実上の婚姻を含む。）をしたとき。

(3) **養子**（事実上の養子を含む。）となったとき（**直系血族又は直系姻族**の養子となったときを除く。）。

(4) **子のすべて**が遺族基礎年金の**減額改定事由**に該当するに至ったとき（例えば、**子のすべてが配偶者以外**の者の養子となったとき）。

Step-Up! アドバイス

・遺族基礎年金を20歳に達するまで受給できる子には、遺族基礎年金の受給権取得当時、障害等級に該当する障害の状態になかったが、18歳に達する日以後の最初の3月31日までの間に障害等級に該当する障害の状態になった子も含まれる。

28 付加保険料・付加年金

Basic

チェック欄
1 /
2 /
3 /

(1) **第1号被保険者**（保険料免除の規定により、保険料の全部又は一部を納付することを要しないものとされている者及び［ A ］を除く。）及び**65歳未満の任意加入被保険者**（［ A ］を除く。）は、厚生労働大臣に申し出て、その申出をした日の属する月以後の各月につき、国民年金法第87条第3項に定める国民年金の保険料のほか、［ B ］円の**付加保険料**を納付する者となることができる。

(2) 付加年金は、付加保険料に係る保険料納付済期間を有する者が［ C ］の**受給権を取得**したときに、その者に支給する。

(3) 付加年金の額は、［ D ］に付加保険料に係る**保険料納付済期間**の月数を乗じて得た額とする。

(4) 付加年金は、［ C ］が［ E ］されているときは、その間、その**支給を停止**する。

選択肢

① 50円　② 200円　③ 400円
④ 200円に改定率を乗じて得た額　⑤ 老齢基礎年金
⑥ 遺族基礎年金　⑦ 障害基礎年金
⑧ 寡婦年金　⑨ 国民年金基金の加入員
⑩ 任意継続被保険者　⑪ 農業者年金の被保険者
⑫ 産前産後期間の保険料免除の適用を受ける者
⑬ 全額につき支給　⑭ その一部について支給を停止
⑮ 全額につき支給を停止
⑯ 全部又は一部について支給を停止
⑰ 200　⑱ 300　⑲ 360　⑳ 400

進捗チェック
労基 | 安衛 | 労災 | 雇用 | 労一

解答

A ► ⑨	国民年金基金の加入員
B ► ⑳	400
C ► ⑤	老齢基礎年金
D ► ②	200円
E ► ⑮	全額につき支給を停止

根拠条文等

法43条、法44条、法47条、法87条の２、法附則５条10項

1．付加保険料納付の辞退

付加保険料を納付する者となったものは、いつでも、厚生労働大臣に申し出て、申出月の**前月以後の各月**の付加保険料（原則として、**既に納付されたもの**及び**前納されたもの**を**除く**。）を納付する者でなくなることができる。

2．付加年金

⑴　付加年金は、老齢基礎年金の支給の繰上げの請求又は繰下げの申出があったときは、**老齢基礎年金**に合わせて支給が繰り上げ又は繰り下げられる。この場合、老齢基礎年金と**同じ割合**で**減額**あるいは**増額**された額となる。

⑵　改定率の改定による自動改定の適用なし。

Step-Up! アドバイス

・付加保険料の納付は、通常の保険料の納付が行われた月（追納制度により保険料が納付されたものとみなされた月を除く。）又は産前産後期間に係る保険料免除の規定により納付することを要しないものとされた保険料に係る期間の各月についてのみ行うことができる。

29 寡婦年金

Basic

チェック欄
1 ／
2 ／
3 ／

寡婦年金は、死亡日の**前日**において死亡日の属する［ A ］までの**第1号被保険者**としての被保険者期間に係る［ B ］とを合算した期間が［ C ］**以上**である**夫**（保険料納付済期間、又は学生納付特例及び納付猶予の規定により納付することを要しないものとされた保険料に係る期間以外の保険料免除期間を有する者に限る。）が死亡した場合において、夫の死亡の当時夫によって**生計を維持**し、かつ、夫との**婚姻関係**（届出をしていないが、事実上婚姻関係と同様の事情にある場合を含む。）が［ C ］**以上継続**した［ D ］**の妻**があるときに、その者に支給する。

ただし、**老齢基礎年金**又は［ E ］の**支給を受けたことがある**夫が死亡したときは、この限りでない。

選択肢

① 5年　② 10年　③ 20年
④ 25年　⑤ 60歳未満　⑥ 60歳以上65歳未満
⑦ 40歳以上65歳未満　⑧ 65歳未満
⑨ 遺族厚生年金　⑩ 遺族基礎年金
⑪ 死亡一時金　⑫ 障害基礎年金
⑬ 月の前月　⑭ 月
⑮ 月の前々月　⑯ 月の3月前の月
⑰ 保険料納付済期間と合算対象期間
⑱ 保険料納付済期間、保険料免除期間及び合算対象期間
⑲ 保険料納付済期間と保険料免除期間
⑳ 合算対象期間と学生納付特例期間

解答

A ► ⑬	月の前月
B ► ⑲	保険料納付済期間と保険料免除期間
C ► ②	10年
D ► ⑧	65歳未満
E ► ⑫	障害基礎年金

根拠条文等

法49条１項、(60)法附則29条１項、(16)法附則19条４項、(26)法附則14条３項

1．年金額

死亡日の前日における死亡日の属する**月の前月まで**の死亡した夫の**第１号被保険者**としての被保険者期間※に係る保険料納付済期間と保険料免除期間につき、老齢基礎年金の年金額の規定の例によって計算した額の**４分の３**相当額

※　65歳未満の任意加入被保険者としての被保険者期間を含む。

2．支給期間

妻が**60歳に達した日の属する月の翌月**（夫の死亡の当時60歳以上の妻については、夫の死亡日の属する月の翌月）から**65歳に達する日の属する月まで**。

3．支給停止

夫の死亡について労働基準法の**遺族補償**が行われるべきものであるときは、死亡日から**６年間**支給停止。

4．失権事由

(1)　**65歳**に達したとき。
(2)　**死亡**したとき。
(3)　**婚姻**（事実婚も含む。）をしたとき。
(4)　**養子**（事実上の養子を含む。）となったとき（直系血族又は直系姻族の養子となったときを除く。）。
(5)　**繰上げ支給の老齢基礎年金の受給権**を取得したとき。

30 死亡一時金 Basic

チェック欄
1 ／
2 ／
3 ／

(1) 死亡一時金は、死亡日の**前日**において死亡日の［ A ］**までの第1号被保険者**としての被保険者期間に係る保険料納付済期間の月数、保険料［ B ］**免除**期間の月数の**4分の3**に相当する月数、保険料**半額免除**期間の月数の**2分の1**に相当する月数及び保険料［ C ］**免除**期間の月数の**4分の1**に相当する月数を合算した月数が［ D ］**月以上**である者が死亡した場合において、その者に遺族があるときに、その遺族に支給する。ただし、**老齢基礎年金**又は**障害基礎年金**の支給を受けたことがある者が死亡したときは、この限りでない。

(2) 死亡一時金を受けることができる遺族は、死亡した者の［ E ］であって、その者の死亡の当時その者と**生計を同じく**していたものとする。

選択肢

A	① 前日 ③ 属する月の前月	② 属する月の前々月 ④ 属する月
B	① 全額 ③ 3分の1	② 4分の3 ④ 4分の1
C	① 全額 ③ 3分の1	② 4分の3 ④ 4分の1
D	① 300 ③ 36	② 240 ④ 6
E	① 配偶者又は子 ② 配偶者、子、父母、孫、祖父母、兄弟姉妹又はこれらの者以外の3親等内親族 ③ 配偶者、子、父母、孫又は祖父母 ④ 配偶者、子、父母、孫、祖父母又は兄弟姉妹	

進捗チェック
労基 安衛 労災 雇用 労一

解答

A ► ③ 属する月の前月

B ► ④ 4分の1

C ► ② 4分の3

D ► ③ 36

E ► ④ 配偶者、子、父母、孫、祖父母又は兄弟姉妹

根拠条文等

法52条の2，1項、法52条の3，1項

1．死亡一時金の額

死亡一時金の額は、死亡日の属する**月の前月まで**の**第1号被保険者**としての被保険者期間※に係る死亡日の前日における保険料納付済期間の月数、保険料**4分の1免除**期間の月数の**4分の3**に相当する月数、保険料**半額免除**期間の月数の**2分の1**に相当する月数及び保険料**4分の3免除**期間の月数の**4分の1**に相当する月数を合算した月数に応じて、それぞれ次の額となる。

※ 65歳未満の任意加入被保険者及び65歳以上の特例による任意加入被保険者としての被保険者期間を含む。

合算した月数	金額
36月以上180月未満	120,000円
180月以上240月未満	145,000円
240月以上300月未満	170,000円
300月以上360月未満	220,000円
360月以上420月未満	270,000円
420月以上	320,000円

死亡日の属する月の前月までの第1号被保険者としての被保険者期間に係る死亡日の前日における**付加保険料に係る保険料納付済期間が3年以上**である者が死亡した場合は、上記の額に**8,500円**が加算される。

2．支給の調整

夫の死亡により死亡一時金の支給を受ける妻が、寡婦年金を受けることができるときは、その者の**選択**により、死亡一時金と寡婦年金とのうち、いずれか一方が支給され、他方は支給されない。

31 脱退一時金

Basic

チェック欄
1 ／
2 ／
3 ／

外国人に対する脱退一時金制度に関する規定が公布されたのは、平成６年11月のことである。

当分の間、保険料納付済期間等の月数（**請求の日の前日**において［ A ］までの**第１号被保険者**としての被保険者期間に係る保険料納付済期間の月数、保険料**４分の１免除**期間の月数の**４分の３**に相当する月数、保険料**半額免除**期間の月数の**２分の１**に相当する月数及び保険料**４分の３免除**期間の月数の**４分の１**に相当する月数を合算した月数をいう。）が［ B ］**以上**である**日本国籍を有しない者**（［ C ］に限る。）であって、国民年金法第26条ただし書に該当するもの（老齢基礎年金の受給資格期間を満たさない者）その他これに準ずるものとして政令で定めるものは、脱退一時金の支給を請求することができる。ただし、その者が次のいずれかに該当するときは、この限りでない。

⑴　**日本国内に住所**を有するとき。
⑵　［ D ］その他政令で定める給付の受給権を有したことがあるとき。
⑶　最後に被保険者の資格を**喪失した日**（同日において日本国内に住所を有していた者にあっては、同日後初めて、**日本国内に住所を有しなくなった日**）から起算して［ E ］を経過しているとき。

選択肢

①　１年　②　２年　③　３年　④　５年
⑤　被保険者　⑥　厚生年金保険の被保険者
⑦　被保険者でない者　⑧　厚生年金保険の被保険者でない者
⑨　障害基礎年金　⑩　死亡一時金　⑪　遺族基礎年金
⑫　厚生年金保険法に基づく年金給付
⑬　請求の日の属する月
⑭　請求の日の属する月の前月
⑮　日本国内に住所を有しなくなった日の属する月
⑯　日本国内に住所を有しなくなった日の属する月の前月
⑰　６月　⑱　36月　⑲　240月　⑳　300月

解答

A ► ⑭　請求の日の属する月の前月
B ► ⑰　６月
C ► ⑦　被保険者でない者
D ► ⑨　障害基礎年金
E ► ②　２年

根拠条文等
法附則９条の３の２,１項、(6)法附則１条

おぼえとるかい？

1．脱退一時金は、平成６年11月９日（脱退一時金の規定が公布された日）において日本国内に住所を有しない者（同日において国民年金の被保険者であった者及び同日以後国民年金の被保険者となった者を除く。）については適用しない。
2．脱退一時金の額は、**基準月**（請求の日の属する月の前月までの第１号被保険者としての被保険者期間※に係る保険料納付済期間、保険料４分の１免除期間、保険料半額免除期間又は保険料４分の３免除期間のうち請求の日の前日までに当該期間の各月の保険料として納付された保険料に係る月及び産前産後期間の保険料免除の規定により納付することを要しないものとされた保険料に係る月のうち**直近の月**をいう。）の属する年度における**保険料の額**に**２分の１**を乗じて得た額に**保険料納付済期間等の月数に応じて政令で定める数**（６～60）を乗じて得た額とする。
※　65歳未満の任意加入被保険者及び65歳以上の特例による任意加入被保険者としての被保険者期間を含む。

Step-Up! アドバイス

・脱退一時金の支給を受けたときは、その額の計算の基礎となった第１号被保険者としての被保険者であった期間は、被保険者でなかったものとみなされる。

32 改定率の改定

Basic

チェック欄
1 ／
2 ／
3 ／

(1) 新規裁定者の改定率については、毎年度、［ A ］を基準として改定し、［ B ］以降の年金たる給付について適用する。

(2) 上記(1)の［ A ］は、［ C ］に**実質賃金変動率**及び**可処分所得割合変化率**を乗じて得た率である。

(3) 受給権者が［ D ］に達した日の属する年度の初日の属する年の**3年後**の年の4月1日の属する年度（**基準年度**という。）以後において適用される改定率（「**基準年度以後改定率**」という。）については、上記(1)にかかわらず、［ E ］（［ E ］が［ A ］を上回るときは、［ A ］）を基準として改定する。

選択肢

A	① 名目手取り賃金変動率 ③ 物価変動率	② 再評価率 ④ 調整率
B	① 当該年度の4月 ③ 当該年度の9月	② 翌年度の4月 ④ 翌年度の9月
C	① 物価変動率 ③ 保険料改定率	② 再評価率 ④ 調整率
D	① 60歳 ③ 68歳	② 65歳 ④ 70歳
E	① 名目手取り賃金変動率 ③ 物価変動率	② 再評価率 ④ 調整率

解答

A ▶ ① 名目手取り賃金変動率

B ▶ ① 当該年度の４月

C ▶ ① 物価変動率

D ▶ ② 65歳

E ▶ ③ 物価変動率

法27条の2,2項、法27条の3,1項

おぼえとるかい？

1．調整期間における（新規裁定者の）改定率の改定

(1) 調整期間における改定率の改定については、**名目手取り賃金変動率**に、「**調整率に当該年度の前年度の特別調整率を乗じて得た率**」を乗じて得た率（当該率が１を下回るときは、１）を基準とする。

(2) **名目手取り賃金変動率が１を下回る場合**の調整期間における改定率の改定については、上記(1)の規定にかかわらず、**名目手取り賃金変動率**を基準とする。

2．調整期間における基準年度以後改定率の改定

(1) 調整期間における基準年度以後改定率の改定については、上記１．にかかわらず、**物価変動率**（物価変動率が名目手取り賃金変動率を上回るときは、名目手取り賃金変動率）に、「**調整率に当該年度の前年度の基準年度以後特別調整率を乗じて得た率**」を乗じて得た率（当該率が１を下回るときは、１）を基準とする。

(2) 次の①②に掲げる場合の調整期間における基準年度以後改定率の改定については、上記(1)の規定にかかわらず、当該①②に定める率を基準とする。

①	**物価変動率が１を下回る**とき（②に掲げる場合を除く。）	**物価変動率**
②	**物価変動率が名目手取り賃金変動率を上回り**、かつ、**名目手取り賃金変動率が１を下回る**とき	**名目手取り賃金変動率**

33 積立金の運用

Basic

チェック欄
1 ／
2 ／
3 ／

(1) **積立金**（**年金特別会計**の**国民年金勘定**の積立金をいう。以下同じ。）**の運用**は、積立金が［ A ］から徴収された保険料の一部であり、かつ、将来の給付の貴重な財源となるものであることに特に留意し、専ら［ A ］の利益のために、**長期的な観点**から、［ B ］に行うことにより、将来にわたって、国民年金事業の［ C ］に資することを目的として行うものとする。

(2) 積立金の運用は、**厚生労働大臣**が、上記(1)の目的に沿った運用に基づく納付金の納付を目的として、［ D ］に対し、**積立金を**［ E ］することにより行うものとする。

(3) 積立金の運用に係る行政事務に従事する厚生労働省の職員（政令で定める者に限る。）は、積立金の運用の目的に沿って、**慎重かつ細心の注意**を払い、全力を挙げてその職務を遂行しなければならない。

選択肢

① 繊細かつ効率的　② 委託　③ 寄付
④ 大胆かつ効果的　⑤ 国民年金基金連合会
⑥ 健全な発展　⑦ 企業年金連合会　⑧ 国民
⑨ 年金受給者　⑩ 被用者
⑪ 預託　⑫ 寄託
⑬ 国民年金の被保険者　⑭ 安全かつ効率的
⑮ 運営の効率化　⑯ 大胆かつ繊細
⑰ 資産管理運用機関　⑱ 運営の安定
⑲ 持続可能性の向上
⑳ 年金積立金管理運用独立行政法人

解答

A ▶ ⑬	国民年金の被保険者
B ▶ ⑭	安全かつ効率的
C ▶ ⑱	運営の安定
D ▶ ⑳	年金積立金管理運用独立行政法人
E ▶ ⑫	寄託

法75条～法77条

【積立金の保有水準】

平成16年の法改正により**有限均衡方式**が導入され、積立金水準の目標は、財政均衡期間の最終年度において、**支払準備金（給付費の１年分）**程度の保有となるように設定すればよいことになった（従来の永久均衡方式では、遠い将来の給付のために６～７年分の積立金を保有している必要があった。）。有限均衡方式では、**定期的（５年ごと）**に行う**財政検証**ごとに、常に**100年程度**の期間で年金財政を見直していくことにより、将来にわたる財政均衡を確保することとされている。

【財政融資資金に対する積立金の預託】

厚生労働大臣は、問題文(2)に基づく**寄託**をするまでの間、財政融資資金に**積立金を預託**することができる。

34 審査請求・時効

Basic

チェック欄
1 ／
2 ／
3 ／

(1) [A]に関する処分、[B]に関する処分（共済組合等が行った障害基礎年金に係る障害の程度の診査に関する処分を除く。）又は**保険料等**に関する処分に不服がある者は、**社会保険審査官**に対して審査請求をし、その**決定**に不服がある者は、**社会保険審査会**に対して**再審査請求**をすることができる。ただし、国民年金法第14条の４第１項又は第２項（訂正請求に対する措置）の規定による決定については、この限りでない※。

(2) **審査請求をした日から**[C]**以内に決定がない**ときは、審査請求人は、社会保険審査官が審査請求を棄却したものとみなすことができる。

(3) [A]に関する処分が**確定**したときは、その処分についての不服を当該処分に基づく[B]に関する処分の不服の理由とすることができない。

(4) **年金給付**を受ける権利は、その**支給すべき事由が生じた日**から[D]を経過したとき、当該権利に基づき支払期月ごとに支払うものとされる年金給付の支給を受ける権利は、当該日の属する月の翌月以後に到来する当該年金給付の支給に係る**支払期月の翌月の初日**から[D]を経過したときは、時効によって、**消滅**する。

(5) **保険料**その他国民年金法の規定による徴収金を**徴収**し、又はその**還付**を受ける権利及び**死亡一時金**を受ける権利は、これらを行使することができる時から[E]を経過したときは、時効によって**消滅**する。

選択肢

A	① 標準報酬 ③ 給付	② 被保険者の資格 ④ 保険給付
B	① 標準報酬 ③ 給付	② 被保険者の資格 ④ 保険給付
C	① 30日 ③ ２月	② 60日 ④ ３月
D	① ２年 ③ ５年	② ３年 ④ 10年
E	① ２年 ③ ５年	② ３年 ④ 10年

進捗チェック
労基 安衛 労災 雇用 労一

解答

A ▶ ② 被保険者の資格

B ▶ ③ 給付

C ▶ ③ 2月

D ▶ ③ 5年

E ▶ ① 2年

根拠条文等

法101条1項、2項、4項、法102条1項、4項

※法第14条の4第1項又は第2項（訂正請求に対する措置）の規定による決定は、本問の審査請求及び再審査請求の対象とはされず、当該決定に不服がある場合は、行政不服審査法に基づく審査請求又は処分取消しの訴えを行うこととなる。

【審査請求の期限】

1．審査請求は、問題文⑴の処分があったことを**知った日の翌日**から起算して**3月**を経過したときは、することができない。

2．被保険者の資格に関する処分に対する審査請求は、その**処分のあった日の翌日**から起算して**2年**を経過したときは、することができない。

【再審査請求の期限】

再審査請求は、社会保険審査官の決定書の謄本が**送付された日の翌日**から起算して**2月**を経過したときはすることができない。

35 国民年金基金

Basic

チェック欄
1 ／
2 ／
3 ／

(1) 国民年金基金（以下「基金」という。）が支給する**年金**は、少なくとも、当該基金の加入員であった者が［ A ］の受給権を取得したときには、その者に支給されるものでなければならない。
(2) 基金が支給する**一時金**は、少なくとも、当該基金の加入員又は加入員であった者が**死亡**した場合において、その遺族が［ B ］を受けたときには、その遺族に支給されるものでなければならず、当該一時金の額は、［ C ］**を超える**ものでなければならない。
(3) 基金は、**中途脱退者**及び［ D ］に係る年金及び一時金の支給を共同して行うため、［ E ］を設立することができる。

選択肢

① 解散基金加入員　② 60歳未満の加入員
③ 70歳以上の者　④ 任意加入被保険者
⑤ 死亡一時金　⑥ 寡婦年金
⑦ 遺族一時金　⑧ 遺族基礎年金
⑨ 脱退一時金　⑩ 老齢基礎年金
⑪ 脱退手当金
⑫ 厚生年金保険法に基づく老齢給付等
⑬ 企業年金連合会　⑭ 資産管理機関
⑮ 国民年金基金連合会
⑯ 国民年金事務組合　⑰ 8,500円
⑱ 10,000円　⑲ 43,980円
⑳ 200円に基金の加入員期間の月数を乗じて得た額

解答

A ▶ ⑩ 老齢基礎年金
B ▶ ⑤ 死亡一時金
C ▶ ⑰ 8,500円
D ▶ ① 解散基金加入員
E ▶ ⑮ 国民年金基金連合会

根拠条文等
法129条1項、3項、法130条3項、法137条の4

おぼえとるかい？

1．基金の加入員の資格取得時期
当該資格取得の申出をした日

2．基金の加入員の資格喪失時期
(1) 被保険者の資格を喪失した**日**、又は第2号被保険者若しくは第3号被保険者となった**日**
(2) 地域型国民年金基金→基金の地区内に住所を有しなくなった**日の翌日**
(3) 職能型国民年金基金→基金に係る事業又は業務に従事しなくなった**日の翌日**
(4) 保険料免除の規定により、その全部又は一部の額につき保険料を納付することを要しないものとされた**月の初日**
(5) 農業者年金の被保険者となった**日**
(6) 加入していた基金が解散した**日の翌日**

3．基金が老齢基礎年金の受給権者に対して支給する年金額
［**200円**×基金の加入員期間の月数］の額を超えるものでなければならない。

Step-Up! アドバイス

・加入員の資格を取得した月にその資格を喪失した者は、その資格を取得した日にさかのぼって、加入員でなかったものとみなされる。

1 年金制度

Step-Up

チェック欄
1 ／
2 ／
3 ／

※次の文章は、令和５年版厚生労働白書を参照している。

公的年金制度は、予測することが難しい将来のリスクに対して、社会全体であらかじめ備えるための制度であり、現役世代の保険料負担により、その時々の高齢世代の年金給付をまかなう**世代間扶養**である［ A ］を基本とした仕組みで運営されている。賃金や物価の変化を年金額に反映させながら、生涯にわたって年金が支給される制度として設計されており､必要なときに給付を受けることができる保険として機能している。

直近の公的年金制度の適用状況に関しては、被保険者数は全体で6,729万人（2021（令和３）年度末）であり、全人口の［ B ］にあたる。国民年金の被保険者の種別ごとに見てみると、いわゆるサラリーマンや公務員等である**第２号被保険者等**※が4,535万人（2021年度末）と**全体の約67%**を占めており、自営業者や学生等である第１号被保険者が1,431万人、第２号被保険者の被扶養配偶者である第３号被保険者は763万人（2021年度末）となっている。被保険者数の増減について見てみると、**第２号被保険者等**は対前年比22万人増で、**近年増加傾向**にある一方、**第１号被保険者**や**第３号被保険者**はそれぞれ対前年比18万人､30万人減で、**近年減少傾向**にある。これらの要因として、被用者保険（健康保険・厚生年金保険）の適用拡大や加入促進策の実施、高齢者等の就労促進などが考えられる。

また、公的年金制度の給付の状況としては、全人口の約［ C ］にあたる4,023万人（2021年度末）が公的年金の受給権を有している。高齢者世帯に関してみれば、その収入の**約６割**を公的年金等が占めるなど、年金給付が国民の老後生活の基本を支えるものとしての役割を担っていることがわかる。

公的年金制度については、［ D ］年の年金制度改革により、中長期的に持続可能な運営を図るための財政フレームワークが導入された。具体的には、**基礎年金国庫負担割合の引上げ**と**積立金の活用**により保険料の段階的な引上げ幅を極力抑えた上で、**保険料の上限を固定**し、その保険料収入の範囲内で年金給付をまかなうことができるよう、給付水準について、前年度よりも年金の名目額を下げずに賃金・物価上昇の範囲内で自動的に調整する仕組み（**マクロ経済スライド**）が導入された。

保険料の段階的な引上げについては、国民年金の保険料は E 年4月に、厚生年金（第1号厚生年金被保険者）の保険料率は同年9月に、それぞれ完了した。これにより、消費税率の引上げ（5％→8％）による財源を充当した**基礎年金国庫負担率**の**2分の1**への引上げとあわせ、収入面では、公的年金制度の財政フレームは完成をみた。一方、給付面では、マクロ経済スライドについて、前年度よりも年金の名目額を下げないという措置は維持しつつ、**未調整分を翌年度以降に繰り越して調整**する見直しが2016（平成28）年の制度改正で行われた。

選択肢

A	① 賦課方式 ③ 社会保険方式		② 積立方式 ④ 公的扶助方式	
B	① 4分の1	② 3分の1	③ 約半数	④ 4分の3
C	① 1割	② 2割	③ 3割	④ 6割
D	① 1985（昭和60） ③ 2000（平成12）		② 1994（平成6） ④ 2004（平成16）	
E	① 2004（平成16） ③ 2014（平成26）		② 2011（平成23） ④ 2017（平成29）	

解答

A ▶ ① 賦課方式

B ▶ ③ 約半数

C ▶ ③ 3割

D ▶ ④ 2004（平成16）

E ▶ ④ 2017（平成29）

根拠条文等
令和5年版厚生労働白書P256

※第2号被保険者等とは、厚生年金被保険者のことをいう（国民年金第2号被保険者のほか、65歳以上の厚生年金被保険者を含む。）。

2 被保険者に対する情報の提供 Step-Up

チェック欄
1 ／
2 ／
3 ／

(1) 国民年金法第14条の5（被保険者に対する情報の提供）の規定による厚生労働大臣の通知は、次の(a)～(c)に掲げる事項を記載した書面によって行うものとする。ただし、厚生年金保険法第31条の2（被保険者に対する情報の提供）の規定による通知が行われる場合は、この限りでない。

(a) 次に掲げる被保険者期間の区分に応じ、それぞれ次に定める事項

イ	第1号被保険者としての被保険者期間	[A]、最近1年間の被保険者期間における[B]及び被保険者期間における[B]に応じた保険料の総額
ロ	第2号被保険者としての被保険者期間	[A]、最近1年間の被保険者期間における[C]及び被保険者期間における[C]に応じた保険料（[D]に限る。）の総額
ハ	第3号被保険者としての被保険者期間	[A]

(b) 老齢基礎年金及び厚生年金保険法による老齢厚生年金の額の見込額

(c) その他必要な事項

(2) 上記(1)の規定にかかわらず、国民年金法第14条の5の規定により通知が行われる被保険者が[E]に達する日の属する年度における通知は、当該被保険者に係る上記(1)(a)～(c)に掲げる事項（最近1年間の第1号被保険者としての被保険者期間における[B]及び最近1年間の第2号被保険者としての被保険者期間における[C]を除く。）のほか、次の(a)、(b)に掲げる事項を記載した書面によって行うものとする。

(a) 被保険者の資格の取得及び喪失並びに種別の変更の履歴

(b) 全ての第1号被保険者としての被保険者期間における[B]並びに第2号被保険者としての被保険者期間における[C]

選択肢

①	被保険者の区分	②	被保険者の区別
③	滞納状況	④	保険料免除月数の状況
⑤	被保険者期間の月数	⑥	国民年金基金の加入状況
⑦	保険料の納付状況	⑧	被保険者の種別
⑨	40歳、50歳及び59歳	⑩	35歳、45歳及び59歳
⑪	30歳、40歳及び59歳	⑫	35歳、45歳及び58歳

⑬ 報酬標準給与及び賞与標準給与
⑭ 基準標準給与月額及び基準標準給与額
⑮ 標準報酬月額及び標準賞与額　⑯ 報酬月額及び賞与額
⑰ 被保険者及び事業主が負担するもの
⑱ 被保険者の負担するもの
⑲ 第１号厚生年金被保険者に係るもの
⑳ 第１号厚生年金被保険者及び第４号厚生年金被保険者に係るもの

解答

A ▶ ⑤ 被保険者期間の月数
B ▶ ⑦ 保険料の納付状況
C ▶ ⑮ 標準報酬月額及び標準賞与額
D ▶ ⑱ 被保険者の負担するもの
E ▶ ⑩ 35歳、45歳及び59歳

根拠条文等
法14条の５、則15条の４、厚年則12条の２，１項１号～３号

3 保険料の納付委託 Step-Up

チェック欄
1 ／
2 ／
3 ／

(1) 次に掲げる者は、被保険者（(a)に掲げる者にあっては、[A]の加入員に限る。）の委託を受けて、保険料の納付に関する事務（以下「納付事務」という。）を行うことができる。

(a) [A]又は[A]**連合会**

(b) 納付事務を[B]に実施することができると認められ、かつ、政令で定める要件に該当する者として**厚生労働大臣が指定**するもの

(2) 上記(a)、(b)に掲げる者で納付事務を行うもの（以下「**納付受託者**」という。）は、上記(1)の委託に基づき被保険者から保険料の交付を受けたときは、[C]、その旨及び[D]を厚生労働大臣に報告しなければならない。

(3) 納付受託者は、国民年金保険料納付受託記録簿を備え付け、これに納付事務に関する事項を記載し、及びこれを[E]保存しなければならない。

選択肢

① 柔軟かつ適当	② 適正かつ確実	③ 大胆かつ繊細
④ 3年間	⑤ 2年間	⑥ 柔軟かつ誠実
⑦ 4年間	⑧ 5年間	⑨ 国民年金基金
⑩ 14日以内に	⑪ 10日以内に	⑫ 健康保険組合
⑬ 3月以内に	⑭ 遅滞なく	
⑮ 受託状況の見通し	⑯ 国民健康保険組合	
⑰ 存続厚生年金基金	⑱ 受託件数の推移	
⑲ 交付を受けた年月日	⑳ 保険料の納付計画	

解答

A ▶ ⑨ 国民年金基金

B ▶ ② 適正かつ確実

C ▶ ⑭ 遅滞なく

D ▶ ⑲ 交付を受けた年月日

E ▶ ④ 3年間

根拠条文等

法92条の3，1項、法92条の4，1項カッコ書、2項、法92条の5，1項、則72条の7

MEMO

4 悪質な滞納者に対する財務大臣（国税庁長官）への強制徴収委任 Step-Up

チェック欄
1 ／
2 ／
3 ／

(1) 厚生労働大臣は、**滞納処分**等その他の処分に係る納付義務者が滞納処分等その他の処分の執行を免れる目的でその財産について**隠ぺい**しているおそれがあることその他の政令で定める事情があるため保険料その他国民年金法の規定による徴収金の効果的な徴収を行う上で必要があると認めるときは、政令で定めるところにより、［ A ］に、当該納付義務者に関する情報その他**必要な情報を提供**するとともに、当該納付義務者に係る滞納処分等その他の処分の権限の**全部又は一部**を委任することができる。なお、上記の政令で定める事情は、次の［ B ］該当するものであることとする。

(a) 納付義務者が［ C ］**分以上**の**保険料を滞納**していること。

(b) 納付義務者が滞納処分等その他の処分の執行を免れる目的でその財産について**隠ぺい**しているおそれがあること。

(c) 納付義務者の**前年の所得**（1月から6月までにおいては、前々年の所得）**が**［ D ］**以上**であること。

(d) 滞納処分等その他の処分を受けたにもかかわらず、納付義務者が滞納している保険料その他国民年金法の規定による徴収金の納付について**誠実な意思**を有すると認められないこと。

(2) ［ A ］は、上記(1)により委任された権限を［ E ］に委任する。

選択肢

A	① 内閣総理大臣	② 総務大臣
	③ 地方厚生局長	④ 財務大臣
B	① (a)～(d)のいずれか2つ以上に	
	② (a)～(d)のいずれか3つ以上に	
	③ (a)～(d)のいずれかに	④ (a)～(d)のいずれにも
C	① 13月	② 24月
	③ 36月	④ 240月
D	① 1千万円	② 5千万円
	③ 1億円	④ 3億円
E	① 地方厚生支局長	② 国税庁長官
	③ 総務大臣政務官	④ 内閣官房長官

進捗チェック

労基	安衛	労災	雇用	労一

解答

A ▶ ④ 財務大臣

B ▶ ④ (a)〜(d)のいずれにも

C ▶ ① 13月

D ▶ ① 1千万円

E ▶ ② 国税庁長官

根拠条文等

法109条の5，1項、5項、令11条の10、則105条、則106条

解き方 アドバイス

悪質な滞納者に対する財務大臣（国税庁長官）への強制徴収委任の問題です。

一定月数分以上の保険料の滞納があることが、設問の「財務大臣への強制徴収委任」の要件の一つであり、空欄Cにはその月数である「① 13月」が入るのですが、厚生年金保険法の場合、その月数が「24月」とされています。この違いに留意しながら解答しましょう。

また、厚生年金保険法においては、「滞納している保険料等の合計額が5千万円以上であること」も財務大臣への強制徴収委任の要件の一つですが、空欄Dに誤ってこの「② 5千万円」を入れないように注意しましょう。

5 基礎年金拠出金

Step-Up

チェック欄
1 ／
2 ／
3 ／

(1) **財政の現況及び見通し**が作成されるときは、厚生労働大臣は、[A]が**負担**し、又は**実施機関たる共済組合等**が**納付**すべき**基礎年金拠出金**について、その[B]するものとする。

(2) 各地方公務員共済組合（指定都市職員共済組合、市町村職員共済組合及び都市職員共済組合にあっては、[C]）は、毎年度、政令で定めるところにより、[D]が納付すべき基礎年金拠出金の額のうち各地方公務員共済組合における厚生年金保険法第28条に規定する[E]（以下本問において「[E]」という。）の総額（[C]にあっては、全ての指定都市職員共済組合、市町村職員共済組合及び都市職員共済組合における[E]の総額）を考慮して政令で定めるところにより算定した額を負担する。

選択肢

A	① 国家公務員共済組合連合会	② 厚生年金保険の実施者たる政府
	③ 地方公務員共済組合連合会	④ 日本私立学校振興・共済事業団
B	① 過去の納付状況を評価	② 過去の納付状況の実態を把握
	③ 将来にわたる予想額を算定	④ 納付義務者の負担能力を評価
C	① 国家公務員共済組合連合会	② 厚生年金保険の実施者たる政府
	③ 地方公務員共済組合連合会	④ 全国市町村職員共済組合連合会
D	① 国家公務員共済組合連合会	② 厚生年金保険の実施者たる政府
	③ 地方公務員共済組合連合会	④ 全国市町村職員共済組合連合会
E	① 標準報酬月額	② 総報酬月額相当額
	③ 標準報酬	④ 基準標準給与額

解答

A ▶ ② 厚生年金保険の実施者たる政府
B ▶ ③ 将来にわたる予想額を算定
C ▶ ④ 全国市町村職員共済組合連合会
D ▶ ③ 地方公務員共済組合連合会
E ▶ ③ 標準報酬

根拠条文等
法94条の2,3項、法94条の4

解き方アドバイス

問題文(2)は、地方公務員共済組合連合会が納付する基礎年金拠出金についての各地方公務員共済組合の負担に関する規定からの問題です。

地方公務員に係る基礎年金拠出金の「納付主体」は空欄Dに入る「③ 地方公務員共済組合連合会」ですが、各地方公務員共済組合は、この地方公務員共済組合連合会に対して基礎年金拠出金を実質的に負担すべきこととされています。

この負担額については、厚生年金保険制度内部における負担の公平という観点から、組合員の「標準報酬」の総額を考慮して政令で定めるところにより算定することとされていますが、市町村職員共済組合（47組合)、都市職員共済組合（3組合）及び指定都市職員共済組合（10組合）が加入する（空欄Cの)「④ 全国市町村職員共済組合連合会」にあっては、これを全ての指定都市職員共済組合、市町村職員共済組合及び都市職員共済組合における標準報酬の総額を考慮して政令で定めるところにより算定することとされています。

6 国民年金基金

Step-Up

チェック欄
1 ／
2 ／
3 ／

(1) 国民年金基金（以下「基金」という。）は、［ A ］**の認可**を受けて、他の基金と**吸収合併**（基金が他の基金とする合併であって、合併により消滅する基金の権利義務の［ B ］を合併後存続する基金に承継させるものをいう。以下同じ。）をすることができる。ただし、**地域型基金**※1と**職能型基金**※2との吸収合併については、［ C ］が国民年金法第137条の3の2に規定する**吸収合併存続基金**となる場合を除き、これをすることができない。なお、合併をする基金は、**吸収合併契約**を締結しなければならない。

(2) 基金は、**吸収合併契約**について**代議員会**において［ D ］**以上の多数により議決**しなければならない。

(3) 基金は、上記(2)の代議員会の議決があったときは、その議決があった日から［ E ］以内に、財産目録及び貸借対照表を作成しなければならない。

選択肢

A	① 日本年金機構	② 国民年金基金連合会
	③ 厚生労働大臣	④ 地方厚生局長
B	① 3分の2	② 4分の3
	③ 全部又は一部	④ 全部
C	① 職能型基金	② 国民年金基金連合会
	③ 2以上の都道府県の区域の全部を地区とする地域型基金	
	④ その地区が全国である地域型基金	
D	① 出席した代議員の3分の2	② 出席した代議員の4分の3
	③ 代議員の定数の3分の2	④ 代議員の定数の4分の3
E	① 2週間	② 4週間
	③ 1月	④ 3月

解答

A ▶ ③ 厚生労働大臣
B ▶ ④ 全部
C ▶ ④ その地区が全国である地域型基金
D ▶ ③ 代議員の定数の3分の2
E ▶ ① 2週間

根拠条文等
法137条の3、法137条の3の3、法137条の3の4, 1項

※1 「地域型基金」とは、「地域型国民年金基金」のことをいう。
※2 「職能型基金」とは、「職能型国民年金基金」のことをいう。

解き方 アドバイス

問題文(1)について、基金は、厚生労働大臣の認可を受けて、他の基金と吸収合併をすることができます。ただし、地域型基金と職能型基金との吸収合併については、職能型基金に係る地区が全国とされていることから、その地区が全国である地域型基金が吸収合併存続基金となる場合でなければ、これをすることができないとされています。

なお、吸収合併とは、基金が他の基金とする合併であって、合併により消滅する基金の権利義務の「全部」を合併後存続する基金に承継させるものをいいます。

問題文(2)及び(3)について、合併をする基金は、吸収合併契約を締結しなければなりませんが、この吸収合併契約について、基金は、代議員会において代議員の定数の3分の2以上の多数により議決しなければならないこととされています。

なお、基金は、この代議員会の議決があったときは、その議決があった日から2週間以内に、財産目録及び貸借対照表を作成しなければならないこととされています。

厚生年金保険法

35問＋６問

厚生年金保険法●目次

Basic

1 総則・適用事業所 …… 4
2 任意単独被保険者 …… 6
3 適用除外 …… 8
4 届出等 …… 10
5 標準報酬等級区分の改定・標準賞与額 …… 12
6 養育期間の標準報酬月額の特例措置 …… 14
7 本来の老齢厚生年金（年金額） …… 16
8 本来の老齢厚生年金（加給年金額） …… 18
9 本来の老齢厚生年金（高在老） …… 20
10 本来の老齢厚生年金（支給繰上げ） …… 22
11 本来の老齢厚生年金（支給繰下げ） …… 24
12 特別支給の老齢厚生年金（支給要件） …… 26
13 特別支給の老齢厚生年金（特例） …… 28
14 雇用保険法の基本手当との調整 …… 30
15 雇用保険法の高年齢雇用継続給付との調整 …… 32
16 障害厚生年金の支給要件 …… 34
17 併合認定・障害厚生年金の年金額 …… 36
18 障害厚生年金の加給年金額 …… 38
19 障害手当金 …… 40
20 遺族厚生年金の支給要件 …… 42
21 遺族厚生年金の遺族の範囲等 …… 44
22 遺族厚生年金の額 …… 46
23 中高齢寡婦加算 …… 48
24 遺族厚生年金の支給停止 …… 50
25 遺族厚生年金の失権 …… 52
26 脱退一時金 …… 54
27 離婚等をした場合における特例 …… 56
28 被扶養配偶者である期間についての特例 …… 58
29 厚生年金保険事業の財政等 …… 60
30 費用負担 …… 62
31 延滞金 …… 64
32 被保険者に対する情報の提供 …… 66
33 厚生年金保険事業の円滑な実施を図るための措置 …… 68

34 併給の調整 …… 70
35 滞納処分等の権限の委任 …… 72

Step-Up

1 短時間労働者に対する厚生年金保険の適用 …… 74
2 原簿の記録及び訂正の請求 …… 76
3 財務大臣への滞納処分等の権限委任 …… 78
4 老齢厚生年金の支給繰下げ …… 80
5 脱退一時金の額 …… 82
6 年金額（再評価率）の改定 …… 84

1 総則・適用事業所

Basic

チェック欄
1 ／
2 ／
3 ／

(1)　厚生年金保険法は、［ A ］の老齢、障害又は死亡について保険給付を行い、［ A ］及びその遺族の［ B ］に寄与することを目的とする。

(2)　適用業種である事業の事業所であって、常時［ C ］以上の従業員を使用するもの、国、地方公共団体又は法人の事業所であって、常時従業員を使用するもの又は船員法第1条に規定する船員として船舶所有者に使用される者が乗り組む船舶のいずれかに該当する事業所若しくは船舶を適用事業所とする。

(3)　適用事業所**以外**の事業所の事業主は、厚生労働大臣の［ D ］を受けて、当該事業所を適用事業所とすることができる。

(4)　上記(3)の［ D ］を受けようとする事業主は、当該事業所に使用される者（適用除外の規定に該当する者を除く。）の［ E ］の同意を得て、厚生労働大臣に申請しなければならない。

選択肢

A	①　労働者	②　被保険者
	③　国民	④　被保険者又は被扶養者
B	①　生活の維持及び向上	②　福祉の増進
	③　生活の維持と福祉の増進	
	④　生活の安定と福祉の向上	
C	①　1人	②　3人
	③　5人	④　10人
D	①　承認	②　許可
	③　認可	④　確認
E	①　2分の1以上	②　過半数
	③　3分の2以上	④　4分の3以上

進捗チェック
労基　安衛　労災　雇用　労一

解答

A ▶ ①　労働者

B ▶ ④　生活の安定と福祉の向上

C ▶ ③　5人

D ▶ ③　認可

E ▶ ①　2分の1以上

根拠条文等

法1条、法6条、法8条

1．強制適用事業所と任意適用事業所

規模＼業種等	適用業種		非適用業種	
	法人等※	個人	法人等※	個人
5人以上	◎	◎	◎	○
1人以上5人未満	◎	○	◎	○

◎強制適用事業所　○任意適用事業所

※国、地方公共団体及び法人の事業所及び船員法第1条に規定する船員として船舶所有者に使用される者が乗り組む船舶

2．任意適用事業所の適用と適用取消

適用	取消
①事業所に使用される者※の**2分の1以上の同意** ②事業主の**申請** ③**厚生労働大臣の認可**	①事業所に使用される者※の**4分の3以上の同意** ②事業主の**申請** ③**厚生労働大臣の認可**

※適用除外の規定に該当する者を除く。

3．適用事業所の一括

①　**船舶以外**の適用事業所の事業主が同一
…**厚生労働大臣の承認**を受けて一括できる。

②　船舶所有者が同一…**法律上当然に**一括される。

Step-Up! アドバイス

・適用事業所の範囲は、「船舶」を除いて、健康保険法と厚生年金保険法では同一である。

厚年

2 任意単独被保険者

Basic

チェック欄
1 ／
2 ／
3 ／

(1) 適用事業所**以外**の事業所に使用される［ A ］**未満**の者は、厚生労働大臣の［ B ］を受けて、厚生年金保険の被保険者（**任意単独被保険者**）となることができる。

(2) 上記(1)の［ B ］を受けるには、その事業所の［ C ］を得なければならない。

(3) 任意単独被保険者は、厚生労働大臣の［ D ］に、被保険者の資格を取得する。

(4) 任意単独被保険者は、厚生労働大臣の［ B ］を受けて、被保険者の資格を喪失することができる。

(5) 任意単独被保険者は、［ A ］に達したときは、［ E ］に被保険者の資格を喪失する。

選択肢

① 60歳	② 労働者の過半数の同意
③ 65歳	④ 労働者の２分の１以上の同意
⑤ 70歳	⑥ 事業主の同意
⑦ 75歳	⑧ 事業主の承認
⑨ 承認	⑩ 承認があった日
⑪ 認可	⑫ 同意があった日の翌日
⑬ 同意	⑭ 認可があった日
⑮ 許可	⑯ 許可があった日の翌日
⑰ その日	⑱ その日の属する月の前月末日
⑲ その日の翌日	⑳ その翌月の初日

解答

A ▶ ⑤　70歳
B ▶ ⑪　認可
C ▶ ⑥　事業主の同意
D ▶ ⑭　認可があった日
E ▶ ⑰　その日

根拠条文等
法10条、法11条、法13条２項、法14条５号

被保険者の種類
- 当然被保険者…適用事業所に使用される**70歳未満**の者
- 任意加入被保険者
  - 任意単独被保険者
  - 高齢任意加入被保険者

【任意加入被保険者】

	任意単独被保険者	高齢任意加入被保険者	
		（法附則４条の３）	（法附則４条の５）
対象者	適用事業所**以外**の事業所に使用される**70歳未満**の者	**適用事業所**に使用される**70歳以上**の者	適用事業所**以外**の事業所に使用される**70歳以上**の者
受給権の有無	問わない	老齢厚生年金等の**老齢又は退職**を支給事由とする年金の**受給権を有しない**	
手　続	**事業主の同意**＋厚生労働大臣の**認可**	実施機関に**申出**	**事業主の同意**＋厚生労働大臣の**認可**

Step-Up! アドバイス

・問題文(2)の同意をした事業主は、適用事業所の事業主と同様に、保険料の負担（事業主負担分）と納付義務が生じる。
・任意単独被保険者及び高齢任意加入被保険者に係る資格喪失については、事業主の同意は**不要である**。

チェック欄
1 ／
2 ／
3 ／

3 適用除外

Basic

厚生年金保険法第12条においては、次のいずれかに該当する者は、厚生年金保険の**被保険者としない**こととされている。

(1) **臨時に使用される者**（［ A ］を除く。）であって、次に掲げるもの。ただし、①に掲げるものにあっては［ B ］**を超え**、②に掲げるものにあっては**定めた期間を超え**、引き続き使用されるに至った場合を除く。
① **日々雇い入れられる者**
② ［ C ］の期間を定めて使用される者であって、当該定めた期間を超えて使用されることが見込まれないもの

(2) **所在地が一定しない事業所**に使用される者

(3) **季節的業務**に使用される者（［ A ］を除く。）。
ただし、**継続して4月**を超えて使用されるべき場合は、この限りでない。

(4) **臨時的事業の事業所**に使用される者。ただし、**継続して**［ D ］使用されるべき場合は、この限りでない。

(5) いわゆる4分の3基準を満たさない短時間労働者に該当し、かつ、①から③までのいずれかの要件に該当するもの
① 1週間の所定労働時間が［ E ］であること。
② 報酬（一定のものを除く。）について、資格取得時決定の規定の例により算定した額が、88,000円未満であること。
③ 学校教育法に規定する**高等学校の生徒**、同法に規定する**大学の学生**その他の厚生労働省令で定める者であること。

選択肢

① 1月	② 2月	③ 4月	④ 6月
⑤ 2月未満	⑥ 2月以内	⑦ 4月未満	
⑧ 4月以内	⑨ 5月以上	⑩ 5月を超えて	
⑪ 6月以上	⑫ 6月を超えて	⑬ 20時間未満	
⑭ 20時間以上	⑮ 厚生労働大臣の認可を受けた者		
⑯ 30時間未満	⑰ 船舶所有者に使用される船員		
⑱ 25時間未満	⑲ 国、地方公共団体に使用される者		
⑳ 私立学校教職員共済制度の加入者			

解答

A ▶ ⑰　船舶所有者に使用される船員

B ▶ ①　1月

C ▶ ⑥　2月以内

D ▶ ⑫　6月を超えて

E ▶ ⑬　20時間未満

根拠条文等

法12条

おぼえとるかい?

1．**臨時に使用される者**であって、「**日々雇い入れられる者**」は**1月**を超え、「**2月以内の期間**を定めて使用される者であって、当該定めた期間を超えて使用されることが見込まれないもの」はその**定めた期間**を超えて引き続き使用されるようになったときは、それぞれその**超えた日**から被保険者となる。

2．**季節的業務**に使用される者であっても、**当初から**継続して**4月**を超える予定で使用される者は、当初から被保険者となる。一方、業務の都合によりたまたま4月を超えて使用されるに至っても被保険者にはならない。

3．**臨時的事業**に使用される者であっても、**当初から**継続して**6月**を超える予定で使用される者は、当初から被保険者となる。一方、業務の都合によりたまたま6月を超えて使用されるに至っても被保険者にはならない。

4．**所在地が一定しない事業所**に使用される者は、長期にわたって使用されても被保険者とならない。

5．臨時に使用される者又は季節的業務に使用される者であっても、**船舶所有者に使用される船員**については、適用除外とされない。

Step-Up! アドバイス

・問題文(1)～(5)の適用除外者は、健康保険と概ね共通しているので、あわせて覚えよう。

4 届出等

Basic

チェック欄
1 ／
2 ／
3 ／

(1) 第1号厚生年金被保険者に係る**事業主**は、被保険者（被保険者であった[A]の者であって当該適用事業所に使用されるものとして厚生労働省令で定める要件に該当するもの（以下「[A]の使用される者」という。）を含む。）の資格の**取得及び喪失**（[A]の使用される者にあっては、その要件に該当するに至った日及び該当しなくなった日）並びに[B]に関する事項を**厚生労働大臣に届け出**なければならない。

(2) 第1号厚生年金被保険者の資格の**取得及び喪失**は、[C]によってその**効力を生じる**。ただし、法第10条第1項の規定による[D]の資格の取得及び法第8条第1項の**任意適用事業所の適用取消**に係る[E]又は法第11条の[D]の資格の喪失に係る[E]を受けたことによる被保険者の資格の喪失は、**この限りでない**。

選択肢

A	① 60歳以上 ③ 65歳未満	② 70歳以上 ④ 75歳未満
B	① 被扶養者の有無 ③ 報酬月額及び賞与額	② 障害の程度 ④ 総報酬月額相当額
C	① 事業主の届出 ③ 厚生労働大臣の認可	② 実施機関の承認 ④ 厚生労働大臣の確認
D	① 任意単独被保険者 ③ 第3種被保険者	② 任意継続被保険者 ④ 第4種被保険者
E	① 事業主の届出 ③ 厚生労働大臣の認可	② 実施機関の承認 ④ 厚生労働大臣の確認

解答

A ▶ ② 70歳以上
B ▶ ③ 報酬月額及び賞与額
C ▶ ④ 厚生労働大臣の確認
D ▶ ① 任意単独被保険者
E ▶ ③ 厚生労働大臣の認可

根拠条文等
法18条1項、4項、法27条、法31条の3

1．**厚生年金保険原簿**

① **実施機関**は、被保険者に関する**原簿**を備え、これに被保険者の氏名、資格の**取得及び喪失の年月日**、**標準報酬**（標準報酬月額及び標準賞与額）、**基礎年金番号**その他主務省令で定める事項を記録しなければならない。

② 第1号厚生年金被保険者であり、又はあった者は、上記①の原簿（**厚生年金保険原簿**）に記録された自己に係る**特定厚生年金保険原簿記録**（第1号厚生年金被保険者の資格の**取得及び喪失の年月日**、**標準報酬**その他厚生労働省令で定める事項の内容）**が事実でない**、**又は**厚生年金保険原簿に自己に係る特定厚生年金保険原簿記録が**記録されていないと思料するとき**は、厚生労働省令で定めるところにより、**厚生労働大臣に対し**、厚生年金保険原簿の**訂正の請求**をすることができる。

2．**確認の方法**

「**確認**」とは、一定の法律関係の存否を確認する行政処分をいう。資格取得、資格喪失及び種別の変更についての確認は、次の①～③のいずれかによって行われる。

① 事業主からの**届出**
② 被保険者又は被保険者であった者の**請求**
③ 保険者の**職権**

Step-Up! アドバイス

・確認の請求は、いつでも、**文書又は口頭**で行うことができる。

厚
年

健保	国年	厚年	社一

5 標準報酬等級区分の改定・標準賞与額 Basic

チェック欄
1 ／
2 ／
3 ／

(1) 毎年［ A ］における**全被保険者の標準報酬月額を平均**した額の100分の［ B ］に相当する額が標準報酬月額等級の**最高等級の標準報酬月額**を超える場合において、その状態が継続すると認められるときは、［ C ］から、**健康保険法**に規定する標準報酬月額の等級区分を参酌して、政令で、当該最高等級の上に更に等級を加える標準報酬月額の等級区分の改定を行うことができる。

(2) **実施機関**は、被保険者が**賞与**を受けた月において、その月に当該被保険者が受けた賞与額に基づき、これに［ D ］**未満**の端数を生じたときはこれを**切り捨て**て、その月における**標準賞与額**を決定する。この場合において、当該標準賞与額が［ E ］**円**（標準報酬月額の等級区分の改定が行われたときは、政令で定める額）を超えるときは、これを［ E ］**円**とする。

選択肢

① 1円	② 350	③ 1月1日
④ その年の4月1日	⑤ 10円	⑥ 125万
⑦ 3月31日	⑧ その年の9月1日	
⑨ 300	⑩ 150万	
⑪ 7月1日	⑫ その年の7月1日	
⑬ 100円	⑭ 250	⑮ 9月30日
⑯ 翌年の4月1日	⑰ 540万	
⑱ 200	⑲ 573万	⑳ 1,000円

解答

A ► ⑦	3月31日	
B ► ⑱	200	
C ► ⑧	その年の9月1日	
D ► ⑳	1,000円	
E ► ⑩	150万	

根拠条文等
法20条2項、
法24条の4,1項

おぼえとるかい?

【標準報酬月額の決定及び改定】

① 標準報酬月額は、被保険者の報酬月額に基づき、**第1級**（88,000円）から**第32級**（650,000円）の等級区分によって定める。

② 被保険者の報酬月額が、定時決定、資格取得時決定、育児休業等終了時改定若しくは産前産後休業終了時改定の規定によって算定することが**困難**であるとき、又は定時決定、資格取得時決定、随時改定、育児休業等終了時改定若しくは産前産後休業終了時改定の規定によって算定した額が**著しく不当**であるときは、**実施機関**が算定する額を当該被保険者の報酬月額とする。

③ **船員たる被保険者**の標準報酬月額については、**船員保険法**の規定の例により決定及び改定される。

Step-Up! アドバイス

・定時決定、資格取得時決定、随時改定、育児休業等終了時改定及び産前産後休業終了時改定の方法は、健康保険法と共通しているので、あわせて覚えよう。

6 養育期間の標準報酬月額の特例措置 Basic

チェック欄
1 ／
2 ／
3 ／

［ A ］**に満たない子を養育**し、又は養育していた被保険者又は被保険者であった者が、主務省令で定めるところにより**実施機関に申出**をしたときは、当該子を養育することとなった日**の属する月**から当該子が［ A ］に達した日等の翌日の属する月の前月までの各月のうち、その標準報酬月額が当該子を養育することとなった日の［ B ］（当該月において被保険者でない場合にあっては、当該**月前**［ C ］以内における被保険者であった月のうち直近の月。「**基準月**」という。）の標準報酬月額（「［ D ］」という。）を下回る月（当該**申出が行われた日**の属する月前の月にあっては、当該申出が行われた日の属する月の前月までの［ E ］間のうちにあるものに限る。）については、［ D ］を当該下回る月の老齢厚生年金の額の計算における**平均標準報酬額**の計算の基礎となる標準報酬月額とみなす。

選択肢

①	1月	②	1歳6月
③	3月	④	3歳
⑤	6月	⑥	対象期間標準報酬月額
⑦	1年	⑧	従前標準報酬月額
⑨	1年6月	⑩	平均標準報酬月額
⑪	2年	⑫	基準標準給与額
⑬	3年	⑭	属する月
⑮	5年	⑯	属する月の前月
⑰	1歳	⑱	翌日の属する月
⑱	1歳2月	⑳	翌日の属する月の前月

進捗チェック
労基 | 安衛 | 労災 | 雇用 | 労一

解答

A ▶ ④　3歳
B ▶ ⑯　属する月の前月
C ▶ ⑦　1年
D ▶ ⑧　従前標準報酬月額
E ▶ ⑪　2年

根拠条文等
法26条1項

1．年金額の保障
養育期間の標準報酬月額の特例措置により、**3歳未満の子**を養育しつつ就労する労働者の**給与額が低下**した場合でも、従前標準報酬月額により年金額が算定されることとなる。

2．申出
養育期間の標準報酬月額の特例措置に関する申出は、**被保険者又は被保険者であった者**が行う（被保険者が行う場合には、事業主を経由して行う）こととされている。
なお、第2号厚生年金被保険者又は第3号厚生年金被保険者は、事業主を経由せずに申出を行う。

Step-Up! アドバイス

・従前標準報酬月額が適用される月であっても、**保険料額**は、実際の標準報酬月額に基づき算定される。

7 本来の老齢厚生年金（年金額） Basic

チェック欄
1 ／
2 ／
3 ／

(1) 老齢厚生年金の額は、原則として、被保険者であった**全期間**の［ A ］（被保険者期間の計算の基礎となる各月の**標準報酬月額**と**標準賞与額**に、**再評価率**を乗じて得た額の総額を、当該被保険者期間の月数で除して得た額をいう。）の［ B ］に相当する額に**被保険者期間の月数**を乗じて得た額とする。

(2) 受給権者が毎年［ C ］（「**基準日**」という。）において被保険者である場合（**基準日**に被保険者の資格を取得した場合を除く。）の老齢厚生年金の額は、基準日の属する**月前**の被保険者であった期間をその計算の基礎とするものとし、**基準日の属する月の翌月**から、年金の額を改定する。

(3) **被保険者である受給権者**がその被保険者の**資格を喪失**し、かつ、被保険者となることなくして被保険者の資格を喪失した日から起算して［ D ］したときは、その被保険者の資格を喪失した**月前**における被保険者であった期間を老齢厚生年金の額の計算の基礎とするものとし、資格を喪失した日（事業所又は船舶に使用されなくなったとき、任意適用事業所の適用取消又は任意単独被保険者の資格喪失につき厚生労働大臣の認可があったとき、又は適用除外に該当するに至ったときには、［ E ］）から起算して［ D ］**した日の属する月**から、年金の額を改定する。

選択肢

① 3月31日	② 10日以内に申出
③ 4月1日	④ 1月以内に申請
⑤ 9月1日	⑥ 1月を経過
⑦ 10月1日	⑧ 3月を経過
⑨ その日	⑩ その日の属する月の末日
⑪ その日の前日	⑫ その日の属する月の前月末日
⑬ 100分の7.125	⑭ 平均標準報酬額
⑮ 基本月額	⑯ 平均標準報酬月額
⑰ 1000分の5.481	⑱ 総報酬月額相当額
⑲ 1000分の7.125	⑳ 100分の5.481

解答

A ▶ ⑭ 平均標準報酬額
B ▶ ⑰ 1000分の5.481
C ▶ ⑤ 9月1日
D ▶ ⑥ 1月を経過
E ▶ ⑨ その日

根拠条文等
法42条、法43条

1．支給要件
老齢厚生年金は、**被保険者期間**を有する者が、次のいずれにも該当するに至ったときに、その者に支給する。
① **65歳以上**であること。
② 原則として、**保険料納付済期間**と**保険料免除期間**とを合算した期間が**10年以上**であること。

2．再評価率の改定
① **新規裁定者**
原則として、毎年度、**名目手取り賃金変動率**を基準として改定し、当該年度の4月以降の保険給付について適用する。
② **既裁定者**
上記①にかかわらず、受給権者が65歳に達した日の属する年度の初日の属する年の**3年後の年の4月1日の属する年度以後**において適用される**再評価率**（「**基準年度以後再評価率**」という。）の改定については、原則として、**物価変動率**（物価変動率が名目手取り賃金変動率を上回るときは、名目手取り賃金変動率）を基準とする。

8 本来の老齢厚生年金（加給年金額） Basic

チェック欄
1 ／
2 ／
3 ／

老齢厚生年金（その年金額の計算の基礎となる被保険者期間の月数が［ A ］以上であるものに限る。）の額は、受給権者が［ B ］当時（［ B ］当時、当該老齢厚生年金の額の計算の基礎となる被保険者期間の月数が［ A ］未満であったときは、在職定時改定又は退職改定により当該月数が［ A ］以上となるに至った当時）その者によって**生計を維持**していたその者の［ C ］又は**子**（**18歳**に達する日以後の**最初の3月31日**までの間にある子及び**20歳未満**で［ D ］に該当する障害の状態にある子に限る。）があるときは、**加給年金額**を加算した額とする。ただし、［ E ］について加算が行われている子があるとき（当該子について加算する額に相当する部分の全額につき支給を停止されているときを除く。）は、その間、当該子について加算する額に相当する部分の支給を停止する。

選択肢

①　障害等級　　②　障害等級の1級若しくは2級
③　障害等級の1級　　④　障害等級の2級
⑤　60歳未満の配偶者　　⑥　70歳未満の妻
⑦　65歳未満の配偶者　　⑧　65歳に達した
⑨　60歳以上65歳未満の妻　　⑩　70歳に達した
⑪　480　　⑫　被保険者の資格を喪失した
⑬　300　　⑭　その権利を取得した
⑮　240　　⑯　老齢基礎年金
⑰　200　　⑱　遺族基礎年金
⑲　障害厚生年金　　⑳　障害基礎年金

進捗チェック
労基　安衛　労災　雇用　労一

解答

A ▶ ⑮　240

B ▶ ⑭　その権利を取得した

C ▶ ⑦　65歳未満の配偶者

D ▶ ②　障害等級の１級若しくは２級

E ▶ ⑳　障害基礎年金

根拠条文等

法44条１項、(60)法附則60条１項

1．加給年金額

対象者	加給年金額
配偶者	224,700円×改定率
１人目・２人目の子	１人につき　224,700円×改定率
３人目以降の子	１人につき　74,900円×改定率

2． 昭和９年４月２日以後に生まれた受給権者については、当該**受給権者の生年月日**に応じて、**配偶者の加給年金額**に更に一定の額（特別加算額）が加算される。

受給権者の生年月日	金額
昭和９．４．２～昭和15．４．１	33,200円×改定率
昭和15．４．２～昭和16．４．１	66,300円×改定率
昭和16．４．２～昭和17．４．１	99,500円×改定率
昭和17．４．２～昭和18．４．１	132,600円×改定率
昭和18．４．２以後	165,800円×改定率

Step-Up! アドバイス

・受給権者がその権利を取得した当時**胎児であった子が出生**したときは、加給年金額の規定の適用については、その子は、受給権者が**その権利を取得した当時**その者によって生計を維持していた子とみなし、その**出生の月の翌月から**、年金の額を改定する。

チェック欄 1 / 2 / 3 /

9 本来の老齢厚生年金（高在老） Basic

老齢厚生年金の受給権者が被保険者（**前月以前の月**に属する日から**引き続き**当該**被保険者の資格**を有する者に限る。）である日（厚生労働省令で定める日を除く。）が属する月において、その者の［ A ］及び老齢厚生年金の額（［ B ］を**除く**。）を**12**で除して得た額（「**基本月額**」という。）との**合計額**が［ C ］を超えるときは、その月の分の当該老齢厚生年金について、［ A ］と基本月額との合計額から［ C ］を控除して得た額の［ D ］に相当する額に12を乗じて得た額（「［ E ］」という。）に相当する部分の支給を**停止する**。ただし、［ E ］が老齢厚生年金の額以上であるときは、**老齢厚生年金の全部**（繰下げ加算額及び経過的加算額を**除く**。）の支給を**停止する**。

選択肢

① 2分の1　② 3分の1　③ 3分の2
④ 4分の3　⑤ 支給停止月額
⑥ 支給停止基本月額　⑦ 標準報酬月額
⑧ 平均標準報酬額　⑨ 総報酬月額相当額
⑩ 老齢基礎年金相当額　⑪ 調整額　⑫ 支給停止基本額
⑬ 加給年金額　⑭ 支給停止調整額
⑮ 支給停止基準額　⑯ 繰下げ加算額
⑰ 支給停止調整変更額　⑱ 支給停止調整開始額
⑲ 繰下げ加算額及び経過的加算額
⑳ 加給年金額、繰下げ加算額及び経過的加算額

進捗チェック
労基　安衛　労災　雇用　労一

解答

A ► ⑨	総報酬月額相当額
B ► ⑳	加給年金額、繰下げ加算額及び経過的加算額
C ► ⑭	支給停止調整額
D ► ①	2分の1
E ► ⑮	支給停止基準額

根拠条文等
法46条1項、(60)法附則62条1項

【65歳以後の在職老齢年金（高在老）**】**

(1) 総報酬月額相当額（被保険者）
標準報酬月額＋（その月以前1年間の標準賞与額の総額÷12）

(2) 基本月額＝老齢厚生年金の額※÷12
※加給年金額、繰下げ加算額及び経過的加算額を除く。

(3)① 〔総報酬月額相当額＋基本月額〕が支給停止調整額**以下**の場合
➡支給停止は行わない。

② 〔総報酬月額相当額＋基本月額〕が支給停止調整額**超**の場合
➡（総報酬月額相当額＋基本月額－支給停止調整額）×1/2×12
を支給停止する。
なお、支給停止基準額が老齢厚生年金の額以上であるときは、老齢厚生年金の全部（加給年金額を含み、繰下げ加算額及び経過的加算額を除く。）が支給停止される。

厚年

Step-Up! アドバイス

・老齢厚生年金が高在老により支給停止される場合であっても、**老齢基礎年金は、全額支給される。**

10 本来の老齢厚生年金（支給繰上げ） Basic

チェック欄
1 ／
2 ／
3 ／

当分の間、次に掲げる者であって、被保険者期間を有し、かつ、**60歳以上65歳未満**であるもの（国民年金法の規定による［ A ］でないものに限る。）は、**65歳に達する前**に、**実施機関**に①～④の区分に応じ当該被保険者の種別に係る被保険者期間に基づく老齢厚生年金の**支給繰上げの請求**をすることができる。ただし、その者が、その請求があった［ B ］において、原則として保険料納付済期間と保険料免除期間とを合算した期間が**10年**に満たないときは、この限りでない。

① 男子又は女子（第1号厚生年金被保険者以外の厚生年金被保険者であり、若しくは第1号厚生年金被保険者以外の厚生年金被保険者期間を有する者に限る。）であって［ C ］**以後**に生まれた者（③、④に掲げる者を除く。）

② 女子（第1号厚生年金被保険者であり、又は第1号厚生年金被保険者期間を有する者に限る。）であって**昭和41年4月2日以後**に生まれた者（③、④に掲げる者を除く。）

③ **坑内員**たる被保険者であった期間と**船員**たる被保険者であった期間とを合算した期間が［ D ］**以上**である者であって、**昭和41年4月2日以後**に生まれたもの（④に掲げる者を除く。）

④ ［ E ］である者で**昭和42年4月2日以後**に生まれたもの

選択肢

① 10年　② 地方公務員　③ 昭和36年4月2日
④ 15年　⑤ 国家公務員　⑥ 昭和40年4月2日
⑦ 日　⑧ 20年　⑨ 私学教職員
⑩ 昭和41年4月1日　⑪ 25年
⑫ 特定警察職員等　⑬ 昭和41年4月2日
⑭ 第3号被保険者　⑮ 障害基礎年金の受給権者
⑯ 任意加入被保険者　⑰ 国民年金基金の加入員
⑱ 日の前日　⑲ 日の翌日　⑳ 日の属する月の末日

解答

A ▶ ⑯ 任意加入被保険者

B ▶ ⑱ 日の前日

C ▶ ③ 昭和36年４月２日

D ▶ ④ 15年

E ▶ ⑫ 特定警察職員等

根拠条文等

法附則７条の３,１項、３項

おぼえとるかい？

1．繰上げ支給の老齢厚生年金の額

① 法第43条第１項の規定により計算された老齢厚生年金の額に**減額率**（**1000分の４**に請求日の属する月から65歳に達する日の属する月の前月までの月数を乗じて得た率）を乗じて得た額が減額されて、支給される。

② **加給年金額**の加算は、受給権者が**65歳**に達した当時※その者によって**生計を維持**していた一定の**配偶者又は子**があるときに行われる。

※65歳に達した当時、当該老齢厚生年金の額の計算の基礎となる被保険者期間の月数が240未満であったときは、在職定時改定又は退職改定により当該月数が240以上となるに至った当時

2． ２以上の種別の被保険者であった期間を有する者について、老齢厚生年金の支給繰上げの請求は、当該２以上の被保険者の種別に係る被保険者であった期間に基づく老齢厚生年金について、同時に行わなければならない。また、老齢厚生年金の支給繰上げの請求は、老齢基礎年金の支給繰上げの請求を行うことができる者にあっては、これらの請求と**同時**に行わなければならない。

Step-Up! アドバイス

・老齢厚生年金の支給繰上げの請求があったときは、その**請求があった日に受給権が発生**し、その請求があった日の属する月の**翌月から支給が開始される**。

11 本来の老齢厚生年金（支給繰下げ） Basic

チェック欄
1 ／
2 ／
3 ／

(1) 老齢厚生年金の受給権を有する者であって［ A ］から起算して［ B ］**を経過した日**（以下「［ B ］**を経過した日**」という。）**前**に当該老齢厚生年金を請求していなかった者は、実施機関に当該老齢厚生年金の**支給繰下げの申出**をすることができる。ただし、その者が当該老齢厚生年金の受給権を取得したときに、［ C ］の受給権者であったとき、又は当該老齢厚生年金の受給権を取得した日から［ B ］を経過した日までの間において［ C ］の受給権者となったときは、この限りでない。

(2) ［ B ］**を経過した日後**に次の①、②に掲げる者が支給繰下げの申出をしたときは、**それぞれに定める日**において、［ D ］。

① 老齢厚生年金の受給権を取得した日から起算して［ E ］**を経過した日**（②において「［ E ］**を経過した日**」という。）**前**に［ C ］の受給権者となった者
→［ C ］を支給すべき事由が生じた日

② ［ E ］**を経過した日後**にある者（①に該当する者を除く。）
→［ E ］**を経過した日**

選択肢

① 5年	② 8年	③ 10年	④ 15年
⑤ 1年6月	⑥ 1年	⑦ 6月	⑧ 1月

⑨ 65歳に達した日　⑩ 被保険者の資格を喪失した日
⑪ 75歳に達した日　⑫ その受給権を取得した日
⑬ 障害基礎年金　⑭ 老齢基礎年金
⑮ 付加年金　⑯ 他の年金たる給付
⑰ 老齢厚生年金の受給権を取得したものとみなす
⑱ 他の年金たる給付の受給権を喪失する
⑲ 支給繰下げの申出があったものとみなす
⑳ 75歳に達したものとみなす

進捗チェック
労基	安衛	労災	雇用	労一

解答

A ▶ ⑫ その受給権を取得した日

B ▶ ⑥ 1年

C ▶ ⑯ 他の年金たる給付

D ▶ ⑲ 支給繰下げの申出があったものとみなす

E ▶ ③ 10年

根拠条文等

法44条の3,1項、3項

おぼえとるかい?

1. 老齢厚生年金の受給権を取得したときに次に掲げる「他の年金たる給付」の受給権者であったとき、又は老齢厚生年金の受給権を取得した日から起算して**1年を経過した日前**に「他の年金たる給付」の受給権者となったときは、老齢厚生年金の支給繰下げの申出をすることはできない。
   - 他の年金たる保険給付
   - 国民年金法による年金たる給付（**老齢基礎年金及び付加年金並びに障害基礎年金**を除く。）
2. 老齢厚生年金の支給繰下げの申出をした者に対する老齢厚生年金の支給は、当該申出のあった月の翌月から始めるものとする。

Step-Up! アドバイス

- 老齢厚生年金の支給繰下げの申出は、特別支給の老齢厚生年金の受給権を有していた者であっても、することができる。
- 老齢厚生年金の支給繰下げの申出と老齢基礎年金の支給繰下げの申出は、同時に行わなくてもよく、**いずれか一方のみを繰り下げることができる**。

12 特別支給の老齢厚生年金（支給要件） Basic

チェック欄
1 ／
2 ／
3 ／

⑴　当分の間、［ A ］**歳未満**の者（法附則第7条の3第1項各号に掲げる者を除く。）が、次のいずれにも該当するに至ったときは、その者に特別支給の老齢厚生年金を支給する。

① ［ B ］であること。
② ［ C ］を有すること。
③ 原則として、**保険料納付済期間**と**保険料免除期間**とを合算した期間が［ D ］**以上**であること。

⑵　上記⑴の老齢厚生年金の受給権は、受給権者が［ E ］ときに消滅するほか、受給権者が［ A ］**歳**に達したときに消滅する。

選択肢

① 55	② 1月以上の被保険者期間	
③ 60	④ 1年以上の被保険者期間	
⑤ 65	⑥ 被保険者の資格を取得した	
⑦ 66	⑧ 被保険者の資格を喪失した	
⑨ 5年	⑩ 60歳以上	⑪ 日本国籍
⑫ 15年	⑬ 65歳未満	⑭ 被保険者
⑮ 20年	⑯ 70歳未満	⑰ 死亡した
⑱ 10年	⑲ 日本国内に住所	
⑳ 日本国内に住所を有しなくなった		

解答

A ► ⑤ 65

B ► ⑩ 60歳以上

C ► ④ １年以上の被保険者期間

D ► ⑱ 10年

E ► ⑰ 死亡した

法附則８条、
法附則10条

おぼえとるかい?

【特別支給の老齢厚生年金の支給】

① **昭和16.４.１(女子は昭和21.４.１)以前**生まれの受給権者
➡60歳から報酬比例部分と定額部分とを合わせた特別支給の老齢厚生年金を支給

② **昭和16.４.２～昭和24.４.１(女子は昭和21.４.２～昭和29.４.１)**の間に生まれた受給権者
➡60歳から報酬比例部分のみの特別支給の老齢厚生年金を支給し、生年月日に応じ61歳ないし64歳に達したときから報酬比例部分と定額部分とを合わせた特別支給の老齢厚生年金を支給

③ **昭和24.４.２～昭和28.４.１(女子は昭和29.４.２～昭和33.４.１)**の間に生まれた受給権者
➡60歳から報酬比例部分のみの特別支給の老齢厚生年金を支給

④ **昭和28.４.２～昭和36.４.１(女子は昭和33.４.２～昭和41.４.１)**の間に生まれた受給権者
➡生年月日に応じ、61歳ないし64歳に達したときから報酬比例部分のみの特別支給の老齢厚生年金を支給

※上記①～④及び**Step-Up!アドバイス**において「女子」とは、第１号厚生年金被保険者であり、又は第１号厚生年金被保険者期間を有する者に限るものとする。

Step-Up! アドバイス

・次の①～④に掲げる者については、特別支給の老齢厚生年金は、**支給されない。**
①昭和36.4.2以後に生まれた男子（③④の者を除く。）
②昭和41.4.2以後に生まれた女子（③④の者を除く。）
③坑内員たる被保険者と船員たる被保険者であった期間とを合算した期間が15年以上である者であって、昭和41.4.2以後に生まれたもの（④の者を除く。）
④特定警察職員等である者で昭和42.4.2以後に生まれたもの

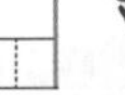

13 特別支給の老齢厚生年金（特例） Basic

チェック欄
1 ／
2 ／
3 ／

⑴　**特別支給**の老齢厚生年金（**報酬比例部分のみ**の特別支給の老齢厚生年金に限る。）の受給権者（下記⑵において「老齢厚生年金の受給権者」という。）が、［ A ］**でなく、かつ**、傷病により［ B ］に該当する程度の**障害の状態**（以下「障害状態」という。）**にある**とき（その傷病が治らない場合（その症状が固定し治療の効果が期待できない状態にある場合を除く。）にあっては、その傷病に係る［ C ］から起算して1年6月を経過した日以後においてその傷病により障害状態にあるとき。）は、その者は、**報酬比例部分**と**定額部分**とを合わせた額を老齢厚生年金の額とする特例の適用を**請求**することができる。

⑵　上記⑴の定額部分の額は、［ D ］円に国民年金法第27条に規定する改定率を乗じて得た額（その額に50銭未満の端数が生じたときは、これを切り捨て、50銭以上1円未満の端数が生じたときは、これを1円に切り上げるものとする。）に被保険者期間の月数（受給権者が昭和21年4月2日以後生まれである場合には［ E ］が上限）を乗じて得た額である。

選択肢

① 300	② 480	③ 障害等級
④ 240	⑤ 被保険者	⑥ 障害等級3級
⑦ 468	⑧ 労働不能	⑨ 第3種被保険者
⑩ 1,620	⑪ 高齢任意加入被保険者	
⑫ 1,625	⑬ 国民年金の被保険者	
⑭ 1,628	⑮ 障害等級の1級又は2級	
⑯ 1,676	⑰ 基準日	⑱ 初診日
⑲ 障害認定日	⑳ 被保険者の資格を喪失した日	

進捗チェック
労基 | 安衛 | 労災 | 雇用 | 労一

解答

A ► ⑤ 被保険者
B ► ③ 障害等級
C ► ⑱ 初診日
D ► ⑭ 1,628
E ► ② 480

根拠条文等
法附則9条の2,1項、2項1号

おぼえとるかい？

1．報酬比例部分と定額部分とを合わせた特別支給の老齢厚生年金の年金額（原則）

①**定額部分**＝1,628円×改定率×被保険者期間の月数

（1,628円×改定率 →）受給権者の生年月日に応じて1～1.875を乗じる読替あり

（被保険者期間の月数 →）

生年月日	上限
昭和 4.4.1 以前生まれ	420月
昭和 4.4.2 ～昭和 9.4.1 生まれ	432月
昭和 9.4.2 ～昭和 19.4.1 生まれ	444月
昭和 19.4.2 ～昭和 20.4.1 生まれ	456月
昭和 20.4.2 ～昭和 21.4.1 生まれ	468月
昭和 21.4.2 以後生まれ	**480月**

※中高齢の特例により受給資格を有した者は、240月未満の月数は240月として算定する。

②報酬比例部分＝65歳以後の老齢厚生年金と同様

2．長期加入者の特例

特別支給の老齢厚生年金の受給権者が、その権利を取得した当時、**被保険者でなく、かつ**、その者の被保険者期間が**44年以上**であるときは、報酬比例部分と定額部分とを合わせた特別支給の老齢厚生年金が支給される。

3．特例の適用

問題文(1)の障害者の特例、上記**2.**の長期加入者の特例は、**昭和16年4月2日から昭和36年4月1日**〔女子（第1号厚生年金被保険者であり、又は第1号厚生年金被保険者期間を有する者に限る。）は昭和21年4月2日から昭和41年4月1日〕までに生まれた者に適用される。

Step-Up! アドバイス

・障害者の特例は、請求により適用される。一方、長期加入者の特例は、要件に該当すれば当然に適用される。

14 雇用保険法の基本手当との調整 Basic

チェック欄
1 ／
2 ／
3 ／

(1) 特別支給の老齢厚生年金は、その受給権者が雇用保険法の規定による[A]をしたときは、当該[A]**があった**月の翌月から次の①又は②のいずれかに該当するに至った[B]まで（下記(2)において「調整対象期間」という。）の各月において、その支給を**停止**する。

① **基本手当**の受給資格に係る[C]が経過したとき。

② 当該受給権者が当該受給資格に係る**所定給付日数**に相当する日数分の基本手当の**支給を受け終わった**とき（延長給付を受ける者にあっては、当該延長給付が終わったとき）。

(2) 調整対象期間が終了するに至った場合において、調整対象期間の各月のうち、老齢厚生年金の支給が停止された月（「**年金停止月**」という。）の数から当該老齢厚生年金の受給権者が**基本手当の支給を受けた日とみなされる日**の数を[D]で除して得た数（**1未満**の端数が生じたときは、これを[E]ものとする。）を控除して得た数が**1以上**であるときは、年金停止月のうち、当該控除して得た数に相当する月数分の**直近の各月**については、老齢厚生年金の支給停止が行われなかったものとみなす。

選択肢

① 28	② その期間の月数	③ 月の前月
④ 30	⑤ その期間の総日数	⑥ 月
⑦ 月の翌月	⑧ 日の翌日が属する月の前月	
⑨ 失業	⑩ 求職の申込み	⑪ 待期期間
⑫ 離職	⑬ 失業認定請求	⑭ 受給期間
⑮ 給付制限期間	⑯ 認定対象期間	
⑰ 四捨五入する	⑱ 1に切り上げる	
⑲ 切り捨てる	⑳ 2分の1月とみなす	

解答

A ▶ ⑩　求職の申込み

B ▶ ⑥　月

C ▶ ⑭　受給期間

D ▶ ④　30

E ▶ ⑱　1に切り上げる

根拠条文等

法附則11条の5

【基本手当との調整】

(1)　調整が行われない月

求職の申込みがあった月の翌月から基本手当の受給期間が経過したとき又は所定給付日数に相当する日数分の基本手当の支給を受け終わったとき（延長給付を受けるものにあっては、当該延長給付が終わったとき）に至った月までの各月について、次の①又は②のいずれかの月があったときは、その月の分の老齢厚生年金については、基本手当との調整は行われない。

①　**基本手当の支給を受けた日とみなされる日**及びこれに**準ずる日**として政令で定める日が**ない**こと

②　その月の分の老齢厚生年金について、在職老齢年金の仕組みにより、その全部又は一部の支給が停止されていること

(2)　**65歳**に達した日の属する月の**翌月以後**については、失業等給付（基本手当・高年齢雇用継続給付）との調整は**行われない**。

15 雇用保険法の高年齢雇用継続給付との調整 Basic

チェック欄
1 ／
2 ／
3 ／

(1) 特別支給の老齢厚生年金と雇用保険法の高年齢雇用継続給付との調整について、当該老齢厚生年金の受給権者に係る［ A ］が、雇用保険法の規定による**みなし賃金日額に30を乗じて得た額**の**100分の**［ B ］**に相当する額以上**であるとき、又は［ A ］が雇用保険法に規定する［ C ］ときは、当該調整は行わない。

(2) 特別支給の老齢厚生年金（厚生労働大臣が支給するものに限る。）の受給権者（老齢厚生年金の裁定請求書に［ D ］を記載していない者であって、厚生労働大臣が番号利用法第22条第1項の規定により［ D ］の提供を受けることができないものに限る。）は、高年齢雇用継続給付との調整が行われるに至ったときは、［ E ］、所定の事項を記載した届書を日本年金機構に提出しなければならない。ただし、すでに［ D ］を記載した届書を日本年金機構に提出したことがあるとき等は、この限りでない。

選択肢

① 61	② 個人番号
③ 64	④ 雇用保険被保険者番号
⑤ 75	⑥ 年齢階層別最高限度額以上である
⑦ 80	⑧ 年齢階層別最高限度額を超える
⑨ 5日以内に	⑩ 支給限度額以上である
⑪ 10日以内に	⑫ 支給限度額を超える
⑬ 直ちに	⑭ 基礎年金番号
⑮ 速やかに	⑯ 年金コード
⑰ 基本月額	⑱ 標準報酬月額
⑲ 報酬月額	⑳ 総報酬月額相当額

解答

A ▶ ⑱ 標準報酬月額

B ▶ ⑤ 75

C ▶ ⑩ 支給限度額以上である

D ▶ ④ 雇用保険被保険者番号

E ▶ ⑮ 速やかに

根拠条文等

法附則11条の6,6項、8項、則33条3項

【高年齢雇用継続給付との調整】

(1) 調整が行われる場合

在職老齢年金の仕組みによる支給停止基準額と次の①～③による調整額に12を乗じて得た額との合計額に相当する部分の支給が停止される。

① 標準報酬月額が「みなし賃金日額×30」の**64%未満**のとき

➡調整額(A)＝標準報酬月額×$\frac{4}{100}$

② 標準報酬月額が「みなし賃金日額×30」の**64%以上75%未満**のとき

➡調整額(B)＝標準報酬月額×($\frac{4}{100}$から一定の割合で逓減する率)

③ 〔上記の調整額(A)又は(B)×$\frac{10}{4}$＋標準報酬月額〕が高年齢雇用継続給付の支給限度額を超えるとき

➡調整額(C)＝(支給限度額－標準報酬月額)×$\frac{4}{10}$

(2) 次のいずれかに該当する場合には、高年齢雇用継続給付との調整による**支給停止は行われない。**

① 標準報酬月額が「みなし賃金日額×30」の**75%以上**であるとき

② 標準報酬月額が高年齢雇用継続給付の**支給限度額以上**であるとき

16 障害厚生年金の支給要件 Basic

チェック欄
1 ／
2 ／
3 ／

障害厚生年金は、傷病につき初めて**医師又は歯科医師**の診療を受けた日（「**初診日**」という。）において被保険者であった者が、当該**初診日**から起算して［ A ］**を経過した日**（その期間内にその傷病が治った日（その症状が固定し治療の効果が期待できない状態に至った日を含む。）があるときは、その日とし、以下「**障害認定日**」という。）において、その傷病により**障害等級**に該当する程度の障害の状態にある場合に、その障害の程度に応じて、その者に支給する。ただし、当該傷病に係る［ B ］において、当該［ C ］までに**国民年金の被保険者期間**があり、かつ、当該被保険者期間に係る［ D ］合算した期間が当該被保険者期間の［ E ］に満たないときは、この限りでない。

選択肢

① 6月	② 1年	③ 1年6月
④ 3年	⑤ 初診日	⑥ 初診日の前日
⑦ 障害認定日	⑧ 障害認定日の前日	
⑨ 3分の1	⑩ 障害認定日の属する月	
⑪ 2分の1	⑫ 初診日の属する月	
⑬ 3分の2	⑭ 障害認定日の属する月の前月	
⑮ 4分の3	⑯ 初診日の属する月の前々月	

⑰ 保険料納付済期間と合算対象期間とを
⑱ 保険料免除期間と合算対象期間とを
⑲ 保険料納付済期間と保険料免除期間とを
⑳ 保険料納付済期間、保険料免除期間及び合算対象期間を

進捗チェック
労基 安衛 労災 雇用 労一

解答

A ▶ ③　1年6月

B ▶ ⑥　初診日の前日

C ▶ ⑯　初診日の属する月の前々月

D ▶ ⑲　保険料納付済期間と保険料免除期間とを

E ▶ ⑬　3分の2

根拠条文等

法47条

1．障害等級

障害等級は、障害の程度に応じて重度のものから**1級**、**2級**及び**3級**とし、各級の障害の状態は、政令で定める。

2．事後重症による障害厚生年金・基準傷病に基づく障害による障害厚生年金

	事後重症	基準傷病
初診日の被保険者要件	要	要
障害の程度要件	65歳到達日の前日までに**障害等級に該当**	65歳到達日の前日までに、基準障害＋既存障害で、**初めて障害等級1級又は2級に該当**
保険料納付要件	要	要
請求時期	障害認定日後**65歳到達日の前日まで**	障害の程度要件を満たした日以後**いつでも**(65歳以降においても請求することができる)

Step-Up! アドバイス

・初診日が**令和8年4月1日前**にある傷病による障害については、問題文の保険料納付要件を満たしていなくても、初診日の前日において、当該初診日の属する月の前々月までの**1年間**のうちに保険料納付済期間及び保険料免除期間以外の国民年金の被保険者期間がないときは、特例として、保険料納付要件を満たしたものとされる。ただし、**初診日において65歳以上**であるときは、この特例は**適用されない**。

17 併合認定・障害厚生年金の年金額 Basic

チェック欄
1 ／
2 ／
3 ／

(1) 障害厚生年金（その権利を取得した当時から**引き続き** A 程度の障害の状態にある受給権者に係るものを**除く**。以下において同じ。）の受給権者に対して更に障害厚生年金を支給すべき事由が生じたときは、前後の障害を併合した障害の程度による障害厚生年金を支給する。

(2) 障害厚生年金の受給権者が上記(1)により前後の障害を併合した障害の程度による障害厚生年金の受給権を取得したときは、 B する。

(3) 障害厚生年金の額は、法第43条第１項（老齢厚生年金の額）の規定の例により計算した額とする。この場合において、当該障害厚生年金の額の計算の基礎となる被保険者期間の月数が C **に満たないとき**は、これを C とする。

(4) 上記(3)に定める障害厚生年金の額については、当該障害厚生年金の支給事由となった障害に係る D の属する E における被保険者であった期間は、その**計算の基礎としない**。

選択肢

① 480　② 300　③ 240　④ 200
⑤ 月前　⑥ 月後　⑦ 月以前　⑧ 月以後
⑨ 初診日　⑩ 初診日の前日　⑪ 障害認定日
⑫ 障害認定日の前日　⑬ 障害等級に該当する
⑭ 障害等級に該当しない
⑮ 障害等級１級又は２級に該当する
⑯ 障害等級１級又は２級に該当しない
⑰ 従前の障害厚生年金の額を改定
⑱ 従前の障害厚生年金の支給を停止
⑲ 従前の障害厚生年金の受給権は消滅
⑳ 受給権者の選択によりいずれか一方を支給

進捗チェック
労基　安衛　労災　雇用　労一

解答

A ▶ ⑯ 障害等級１級又は２級に該当しない
B ▶ ⑲ 従前の障害厚生年金の受給権は消滅
C ▶ ② 300
D ▶ ⑪ 障害認定日
E ▶ ⑥ 月後

根拠条文等
法48条、
法50条１項、
法51条

1．障害厚生年金の年金額を計算する際は、給付乗率について、受給権者の生年月日による読替の適用はない。
2．障害の程度が**障害等級の１級**に該当する者に支給する障害厚生年金の額は、問題文(3)の額の**100分の125**に相当する額とする。
3．障害厚生年金の給付事由となった障害について国民年金法による障害基礎年金を受けることができない場合において、障害厚生年金の額が、国民年金法第33条第１項に規定する**障害基礎年金**の額に**4分の3**を乗じて得た額※に満たないときは、当該額を支給する。
※その額に50円未満の端数が生じたときは、これを切り捨て、50円以上100円未満の端数が生じたときは、これを100円に切り上げる。

Step-Up! アドバイス

・障害厚生年金の支給事由となった障害について障害基礎年金が支給されない場合には、障害等級１級又は２級の障害厚生年金についても、その額に上記**3.**の最低保障額が適用される。

18 障害厚生年金の加給年金額

Basic

チェック欄
1 ／
2 ／
3 ／

(1) 障害の程度が［ A ］に該当する者に支給する障害厚生年金の額は、受給権者［ B ］その者の［ C ］があるときは、法第50条の規定による額に**加給年金額**を加算した額とする。

(2) 上記(1)の規定により**加給年金額**の加算対象となっている［ C ］が、**老齢厚生年金**（その年金額の計算の基礎となる被保険者期間の月数が［ D ］**以上**であるものに限る。）、**障害厚生年金**、国民年金法による**障害基礎年金**等の支給を受けることができるとき（障害を支給事由とする給付にあってはその全額につき支給を停止されている場合を除く。）は、その間、当該**加給年金額**に相当する部分の支給を停止する。

(3) **受給権者**がその権利を取得した日の翌日以後にその者によって生計を維持しているその者の［ C ］を有するに至ったことにより加給年金額を加算することとなったときは、当該［ C ］を有するに至った日の属する［ E ］から、障害厚生年金の額を改定する。

選択肢

① 480	② 月	③ 配偶者又は子
④ 300	⑤ 月の翌月	⑥ 妻又は子
⑦ 240	⑧ 月の翌々月	⑨ 障害等級
⑩ 200	⑪ 月の前月	⑫ 障害等級１級又は２級
⑬ 障害等級２級以下		⑭ 60歳以上の配偶者
⑮ 障害等級３級		⑯ 65歳未満の配偶者
⑰ と生計を同じくしている		⑱ を介護している
⑲ によって生計を維持している		⑳ を扶養している

進捗チェック
労基 安衛 労災 雇用 労一

解答

A ▶ ⑫ 障害等級１級又は２級

B ▶ ⑲ によって生計を維持している

C ▶ ⑯ 65歳未満の配偶者

D ▶ ⑦ 240

E ▶ ⑤ 月の翌月

根拠条文等

法50条の２,１項～３項、
法54条３項他

おぼえとるかい？

1．障害厚生年金には、**子**を加算対象とする加給年金額の加算は**行われない**。

2．障害厚生年金の加給年金額の対象となっている**配偶者**が、次の①～④に該当するに至ったときは、加給年金額は加算しないものとし、該当するに**至った月の翌月**から障害厚生年金の額を改定する。

① 死亡したとき

② 受給権者による生計維持の状態がやんだとき

③ 離婚又は婚姻の取消しをしたとき

④ **65歳**に達したとき

Step-Up! アドバイス

・障害厚生年金の加給年金額の対象となる配偶者は、**老齢厚生年金の場合と異なり**、受給権者がその権利を取得した当時に生計を維持していた者に限られず、その権利を取得した後に生計を維持することとなった者も含まれる。

・老齢厚生年金と異なり、加給年金額に**特別加算は行われない**。

19 障害手当金

Basic

チェック欄
1 ／
2 ／
3 ／

(1) **障害手当金**は、疾病にかかり、又は負傷し、その傷病に係る**初診日**において［ A ］であった者が、当該**初診日**から起算して［ B ］を経過する日までの間における［ C ］において、その傷病により政令で定める程度の障害の状態にある場合に、その者に支給する。ただし、当該傷病に係る**初診日の前日**において、当該初診日の属する**月の前々月**までに国民年金の被保険者期間があり、かつ、当該被保険者期間に係る保険料納付済期間と保険料免除期間とを合算した期間が当該被保険者期間の**3分の2**に満たないときは、この限りでない。

(2) 障害手当金の額は、法第50条第1項の規定の例により計算した障害厚生年金の額の［ D ］に相当する額とする。ただし、その額が障害厚生年金の**最低保障額**に［ E ］を乗じて得た額に満たないときは、当該額とする。

選択肢

① 1.5　② 2　③ 1.25　④ 0.5
⑤ 100分の200　⑥ 100分の125
⑦ 100分の150　⑧ 2分の1
⑨ 1年　⑩ 1年6月　⑪ 3年　⑫ 5年
⑬ 被保険者　⑭ 国民年金の被保険者
⑮ 65歳未満　⑯ その傷病の治った日
⑰ 60歳未満　⑱ 被保険者の資格を喪失した日
⑲ 障害認定日　⑳ 厚生労働大臣の指定する日

進捗チェック

労基	安衛	労災	雇用	労一

解答

A ▶ ⑬ 被保険者

B ▶ ⑫ 5年

C ▶ ⑯ その傷病の治った日

D ▶ ⑤ 100分の200

E ▶ ② 2

根拠条文等

法55条、法57条

おぼえとるかい?

1. 障害手当金の額は、原則として、法第50条第1項の規定（障害厚生年金の額）の例により計算した額の**100分の200**に相当する額とする。障害手当金の額を計算する場合においては、次のような取扱いがされる。
   ① 被保険者期間が300月未満であるときは、**300月**とする
   ② 給付乗率については、生年月日による読替の**適用はない**
2. **障害手当金が支給されない者**
   ① 年金たる保険給付の受給権者〔最後に障害等級に該当する程度の障害状態に該当しなくなった日から起算して、障害状態に該当することなく**3年**を経過した障害厚生年金の受給権者（**現に障害状態に該当しない者に限る**。）を**除く**。〕
   ② 国民年金法による年金たる給付の受給権者〔最後に障害状態に該当しなくなった日から起算して、障害状態に該当することなく**3年**を経過した障害基礎年金の受給権者（**現に障害状態に該当しない者に限る**。）その他の政令で定める者を**除く**。〕
   ③ 障害手当金と**同一の傷病により**、労災保険法の規定による障害補償給付等の受給権を有する者

Step-Up! アドバイス

・障害厚生年金は、その傷病について労災保険法の障害補償年金を受ける権利を有するときであっても支給される。

20 遺族厚生年金の支給要件 Basic

チェック欄
1 ／
2 ／
3 ／

遺族厚生年金は、被保険者又は被保険者であった者が次のいずれかに該当する場合に、その者の遺族に支給する。

ただし、次の［ A ］に該当する場合にあっては、死亡した者につき、死亡日の**前日**において、死亡日の属する月の**前々月**までに**国民年金の被保険者期間**があり、かつ、当該被保険者期間に係る**保険料納付済期間と保険料免除期間とを合算**した期間が当該被保険者期間の**3分の2**に満たないときは、この限りでない。

① **被保険者**（失踪の宣告を受けた被保険者であった者であって、行方不明となった**当時**被保険者であったものを含む。）が、死亡したとき。

② **被保険者であった者**が、被保険者の資格を喪失した後に、被保険者であった間に［ B ］がある傷病により当該［ B ］から起算して［ C ］を経過する**日前**に死亡したとき。

③ ［ D ］に該当する障害の状態にある**障害厚生年金**の**受給権者**が死亡したとき。

④ **老齢厚生年金**の**受給権者**（原則として、保険料納付済期間と保険料免除期間とを合算した期間が［ E ］以上である者に限る。）又は原則として、保険料納付済期間と保険料免除期間とを合算した期間が［ E ］以上である者が、死亡したとき。

選択肢

①	発症日			②	初診日		
③	障害認定日			④	事故発生日		
⑤	①又は②			⑥	障害等級の1級		
⑦	①又は③			⑧	障害等級の3級		
⑨	②又は③			⑩	障害等級の1級又は2級		
⑪	①、②又は③			⑫	障害等級		
⑬	1年	⑭	10年	⑮	2年	⑯	15年
⑰	3年	⑱	20年	⑲	5年	⑳	25年

進捗チェック

労基	安衛	労災	雇用	労一

解答

A ► ⑤ ①又は②

B ► ② 初診日

C ► ⑲ 5年

D ► ⑩ 障害等級の1級又は2級

E ► ⑳ 25年

根拠条文等

法58条1項

おぼえとるかい?

1．問題文①～③の要件を**短期要件**、④の要件を**長期要件**といい、短期要件と長期要件のいずれにも該当する場合には、その遺族が遺族厚生年金を請求したときに別段の申出をした場合を除き、**短期要件のみに該当**するものとみなされる。

2．**保険料納付要件の特例**

令和8年4月1日前に死亡した者の死亡について遺族厚生年金を支給する場合は、**死亡日の前日**において死亡日の属する**月の前々月までの1年間**（死亡日に国民年金の被保険者でなかった者は、死亡日の属する月の前々月以前の直近の国民年金の被保険者期間に係る月までの1年間）のうちに保険料納付済期間と保険料免除期間以外の国民年金の被保険者期間（**保険料滞納期間**）がなければ保険料納付要件を満たしたものとする特例がある。ただし、当該死亡に係る者が**死亡日において65歳以上**であるときを除く。

※なお、この特例は、障害厚生年金の保険料納付要件を見る場合にも、適用される（「死亡日」を「初診日」に置き換えればよい）。

Step-Up! アドバイス

・高齢任意加入被保険者が死亡した場合には、（既に70歳以上であるため）保険料納付要件の特例は**適用されない**。

21 遺族厚生年金の遺族の範囲等 Basic

チェック欄
1 ／
2 ／
3 ／

(1) 遺族厚生年金を受けることができる遺族は、被保険者又は被保険者であった者の配偶者、子、父母、孫又は祖父母であって、被保険者又は被保険者であった者の**死亡の当時**（失踪の宣告を受けた被保険者であった者にあっては、[A]当時）その者によって**生計を維持**していたものとする。ただし、妻**以外**の者にあっては、次に掲げる要件に該当した場合に限るものとする。

① 夫、父母又は祖父母については、[B]**以上**であること。

② 子又は孫については、**18歳に達する日以後の最初の3月31日まで**の間にあるか又は**障害等級の1級又は2級**の障害の状態にある**20歳未満**のものであって、かつ、**現に**[C]**をしていない**こと。

(2) 夫、父母又は祖父母に対する遺族厚生年金は、受給権者が[D]**歳**に達するまでの期間、その支給を**停止する**。ただし、**夫**に対する遺族厚生年金については、当該被保険者又は被保険者であった者の死亡について、**夫**が国民年金法による[E]**の受給権を有する**ときは、この限りでない。

選択肢

① 老齢基礎年金　② 失踪の宣告を受けた
③ 障害基礎年金　④ 行方不明となった
⑤ 遺族基礎年金
⑥ 行方不明となった日から3月を経過した
⑦ 死亡一時金　⑧ 失踪の宣告の申立てをした
⑨ 40歳　⑩ 45歳　⑪ 50歳　⑫ 55歳
⑬ 50　⑭ 55　⑮ 相続　⑯ 相続の放棄
⑰ 60　⑱ 65　⑲ 婚姻　⑳ 養子縁組

進捗チェック
労基　安衛　労災　雇用　労一

解答

A ▶ ④　行方不明となった
B ▶ ⑫　55歳
C ▶ ⑲　婚姻
D ▶ ⑰　60
E ▶ ⑤　遺族基礎年金

根拠条文等
法59条１項、法65条の２ただし書

おぼえとるかい？

１．被保険者又は被保険者であった者の死亡の当時**胎児**であった**子が出生**したときは、**将来に向って**、その子は、被保険者又は被保険者であった者の死亡の当時その者によって**生計を維持していた子**とみなされる。

２．父母は、配偶者又は子が、孫は、配偶者、子又は父母が、祖父母は、配偶者、子、父母又は孫が遺族厚生年金の受給権を取得したときは、それぞれ遺族厚生年金を受けることができる遺族としない。
　したがって、被保険者又は被保険者であった者の**死亡の当時胎児であった子が出生**したときは、**父母**、**孫**又は**祖父母**の有する遺族厚生年金の**受給権は消滅**する。

Step-Up! アドバイス

・先順位の者が遺族厚生年金の受給権者となったときは、後順位の者は、遺族厚生年金を受けることができる遺族とされず、**転給もされない**。

22 遺族厚生年金の額 Basic

チェック欄
1 ／
2 ／
3 ／

(1) **遺族厚生年金**の額は、原則として、死亡した被保険者又は被保険者であった者の被保険者期間を基礎として［ A ］に相当する額とする。ただし、いわゆる**短期要件**のいずれかに該当することにより支給される遺族厚生年金については、その額の計算の基礎となる被保険者期間の月数が［ B ］に満たないときは、これを［ B ］として計算した額とする。

(2) **老齢厚生年金**の受給権を有する**配偶者**（［ C ］に達している者に限る。）が受給権を取得したときの遺族厚生年金の額は、次の①又は②の額のうち［ D ］とする。ただし、当該配偶者が遺族厚生年金と同一の支給事由に基づく遺族基礎年金の支給を受けるときは、上記(1)に定める額とする。

① 上記(1)の原則の遺族厚生年金の額

② 上記(1)の原則の遺族厚生年金の額に［ E ］を乗じて得た額と当該受給権者の老齢厚生年金の額（**加給年金額を除く**。）に2分の1を乗じて得た額を**合算した額**

選択肢

① 遺族基礎年金の額の規定の例により計算した額
② 老齢基礎年金の額の規定の例により計算した額
③ 老齢厚生年金の額の規定の例により計算した額の3分の2
④ 老齢厚生年金の額の規定の例により計算した額の4分の3
⑤ 180　⑥ 240　⑦ 300　⑧ 480
⑨ 65歳　⑩ 60歳　⑪ 55歳　⑫ 40歳
⑬ 2分の1　⑭ 4分の3　⑮ 5分の4　⑯ 3分の2
⑰ いずれか多い額　⑱ いずれか少ない額
⑲ 当該受給権者の選択する額
⑳ 当該受給権者の老齢厚生年金の額を超える額

進捗チェック

労基	安衛	労災	雇用	労一

解答

A ▶ ④ 老齢厚生年金の額の規定の例により計算した額の4分の3

B ▶ ⑦ 300

C ▶ ⑨ 65歳

D ▶ ⑰ いずれか多い額

E ▶ ⑯ 3分の2

根拠条文等

法60条1項、法附則17条の2

1．遺族厚生年金の年金額（原則）は、法第43条第1項の規定の例により計算した老齢厚生年金の額の**4分の3**に相当する額とする。

	給付乗率	被保険者期間
短期要件	読替なし	最低保障あり（**300月**）
長期要件	読替あり	最低保障なし（**実期間**）

2．**配偶者以外の者に支給する遺族厚生年金**

配偶者以外の者に遺族厚生年金を支給する場合において、受給権者が2人以上であるときは、それぞれの遺族厚生年金の額は、受給権者ごとに上記1．により算定した額を受給権者の数で除して得た額とする。

3．**老齢厚生年金の受給権を有する65歳以上の遺族厚生年金の受給権**者については、**老齢厚生年金が優先的に支給**（基本年金額及び加給年金額の全額が支給）され、遺族厚生年金については、当該老齢厚生年金の基本年金額に相当する部分が支給停止されるため、実際には、次の差額が生じる場合に、その差額が遺族厚生年金として支給される。

➡「遺族厚生年金の額」と「加給年金額を除いた老齢厚生年金の基本年金額」を比較して、前者の額の方が多い場合における、前者と後者の差額

23 中高齢寡婦加算

Basic

チェック欄
1 ／
2 ／
3 ／

(1) **遺族厚生年金**（**長期要件**に該当することにより支給されるものであって、その額の計算の基礎となる被保険者期間の月数が［ A ］であるものを**除く**。）の受給権者である**妻**であって、その**権利を取得**した当時［ B ］**以上**［ C ］**未満**であったもの又は［ B ］に達した当時被保険者若しくは被保険者であった者の子で［ D ］を受けることができる遺族の範囲に属するものと**生計を同じく**していたものが［ C ］**未満**であるときは、法第60条の遺族厚生年金の額に**中高齢の寡婦加算**が行われる。

(2) 中高齢の寡婦加算の額は、**遺族基礎年金の額**（**子の加算を含まない額**とする。）に［ E ］を乗じて得た額（その額に50円未満の端数が生じたときは、これを切り捨て、50円以上100円未満の端数が生じたときは、これを100円に切り上げる。）とする。

選択肢

A	① 240未満	② 300未満
	③ 240以上	④ 300以上
B	① 30歳	② 40歳
	③ 35歳	④ 55歳
C	① 40歳	② 60歳
	③ 55歳	④ 65歳
D	① 老齢基礎年金	② 障害基礎年金
	③ 遺族基礎年金	④ 死亡一時金
E	① 3分の1	② 2分の1
	③ 3分の2	④ 4分の3

解答

A ► ① 240未満

B ► ② 40歳

C ► ④ 65歳

D ► ③ 遺族基礎年金

E ► ④ 4分の3

根拠条文等

法62条1項

1. 中高齢の寡婦加算

① 加算期間

ⓐ 受給権を取得した当時、40歳以上65歳未満である**子のない妻**

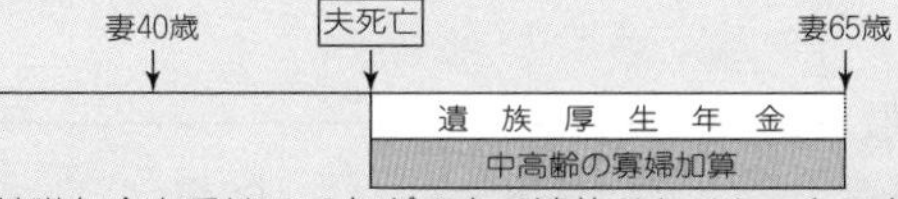

ⓑ 子が遺族基礎年金を受けることができる遺族でなくなったことにより遺族基礎年金を受けられなくなった妻

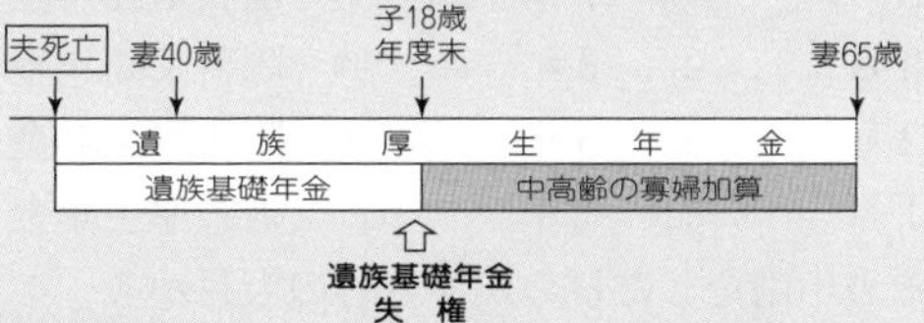

② 加算額相当額の支給停止

中高齢の寡婦加算額が加算された遺族厚生年金は、その受給権者である妻が当該被保険者又は被保険者であった者の死亡について遺族基礎年金の支給を受けることができるときは、その間、中高齢寡婦加算額に相当する部分の支給を停止する。

2. 経過的寡婦加算の対象者

昭和31.4.1以前生まれの**妻**で、次の①又は②に該当する者

① 中高齢の寡婦加算が加算されていた妻が**65歳**に達したとき

② **65歳以後**初めて遺族厚生年金の受給権を取得した妻

Step-Up! アドバイス

・遺族厚生年金の受給権者が、国民年金法による障害基礎年金又は旧国民年金法による障害年金の受給権を有するとき（その支給を停止されているときを除く。）は、その間、経過的寡婦加算額に相当する部分の支給を**停止する**。

24 遺族厚生年金の支給停止 Basic

チェック欄 1 ／ 2 ／ 3 ／

(1) **遺族厚生年金**は、当該被保険者又は被保険者であった者の死亡について**労働基準法**第79条の規定による遺族補償の支給が行われるべきものであるときは、**死亡の日**から［ A ］間、その支給を停止する。

(2) **遺族厚生年金**(その受給権者が［ B ］に達しているものに限る。)は、その受給権者が［ C ］の受給権を有するときは、当該［ C ］の額（加給年金額を除く。）に相当する部分の支給を停止する。

(3) **配偶者又は子**に対する遺族厚生年金は、その配偶者又は子の所在が［ D ］以上明らかでないときは、遺族厚生年金の受給権を有する子又は配偶者の**申請**によって、［ E ］、その支給を停止する。

選択肢

① 40歳	② 45歳	③ 60歳	④ 65歳
⑤ 6月	⑥ 7年	⑦ 遺族基礎年金	
⑧ 3月	⑨ 6年	⑩ 障害基礎年金	
⑪ 2月	⑫ 5年	⑬ 障害厚生年金	
⑭ 1月	⑮ 1年	⑯ 老齢厚生年金	

⑰ その申請をした日の属する月の翌月から
⑱ 死亡日にさかのぼって
⑲ その申請をした日の属する月から
⑳ その所在が明らかでなくなった時にさかのぼって

解答

A ▶ ⑨　6年

B ▶ ④　65歳

C ▶ ⑯　老齢厚生年金

D ▶ ⑮　1年

E ▶ ⑳　その所在が明らかでなくなった時にさかのぼって

根拠条文等

法64条、
法64条の2、
法67条

おぼえとるかい？

【その他の遺族厚生年金の支給停止事由】

(1)　配偶者と子が受給権者であるときは、

①配偶者に遺族基礎年金の受給権があれば、原則として、子に対する遺族厚生年金は支給停止され、配偶者に遺族厚生年金を支給

②配偶者に遺族基礎年金の受給権がなければ、原則として、配偶者に対する遺族厚生年金は支給停止され、子に遺族厚生年金を支給

(2)　受給権者の**所在が1年以上明らかでない**ときは、同順位の他の受給権者の申請により、**所在不明になった時にさかのぼって**支給停止

Step-Up! アドバイス

・上記(2)により支給が停止され、又はその停止が解除されたときの年金額の改定は、支給が停止され、又は停止が解除された**月の翌月**から行われる。

25 遺族厚生年金の失権 Basic

チェック欄
1 /
2 /
3 /

(1) **子又は孫**の有する遺族厚生年金の受給権は、次のいずれかに該当するに至ったときは、**消滅する**。

① 子又は孫について、[A]に達した日以後の**最初の3月31日**が終了したとき。ただし、子又は孫が[B]に該当する障害の状態にあるときを除く。

② [B]に該当する障害の状態にある子又は孫について、[C]とき。ただし、子又は孫が[A]に達する日以後の最初の3月31日までの間にあるときを除く。

③ 子又は孫が、[D]に達したとき。

(2) [E]の有する遺族厚生年金の受給権は、被保険者又は被保険者であった者の死亡の当時**胎児であった子が出生**したときは、**消滅する**。

選択肢

① 6歳　② 父母、孫、祖父母又は兄弟姉妹
③ 12歳　④ 妻、父母、孫又は祖父母
⑤ 15歳　⑥ 夫、父母、孫又は祖父母
⑦ 18歳　⑧ 父母、孫又は祖父母
⑨ 20歳　⑩ 障害等級
⑪ 22歳　⑫ 障害等級の1級
⑬ 25歳　⑭ 障害等級の1級又は2級
⑮ 30歳　⑯ 障害等級の3級
⑰ その事情が止んだ
⑱ 障害等級に該当しなくなった
⑲ 障害基礎年金の受給権を取得した
⑳ 所定の施設に入所することとなった

解答

A ► ⑦　18歳
B ► ⑭　障害等級の1級又は2級
C ► ⑰　その事情が止んだ
D ► ⑨　20歳
E ► ⑧　父母、孫又は祖父母

根拠条文等
法63条2項、3項

おぼえとるかい？

1．遺族厚生年金の受給権は、受給権者が次の①～④のいずれかに該当するに至ったときは、消滅する。
① **死亡**したとき
② **婚姻**（事実婚を含む。）をしたとき
③ 直系血族及び直系姻族**以外**の者の**養子**（事実上養子縁組関係と同様の事情にある者を含む。）となったとき
④ **離縁**によって死亡した被保険者又は被保険者であった者との親族関係が終了したとき

2．次の①又は②に掲げる**妻**の有する遺族厚生年金の受給権は、当該①又は②に定める日から起算して**5年**を経過したときは、**消滅する。**
① 遺族厚生年金の受給権を取得した当時**30歳未満**である**妻**が当該遺族厚生年金と同一の支給事由に基づく国民年金法による**遺族基礎年金**の受給権を取得しないとき
➡遺族厚生年金の受給権を取得した日
② 遺族厚生年金と当該遺族厚生年金と**同一の支給事由**に基づく国民年金法による**遺族基礎年金**の受給権を有する**妻**が**30歳**に到達する**日前**に当該遺族基礎年金の受給権が消滅したとき
➡遺族基礎年金の受給権が消滅した日

Step-Up! アドバイス

・遺族厚生年金は、被保険者又は被保険者であった者を故意に死亡させた者には、支給しない。被保険者又は被保険者であった者の死亡前に、その者の死亡によって遺族厚生年金の受給権者となるべき者を故意に死亡させた者についても、同様とする。

26 脱退一時金

Basic

チェック欄
1 ／
2 ／
3 ／

当分の間、被保険者期間が［ A ］**以上**である**日本国籍を有しない者**（［ B ］でないものに限る。）であって、**保険料納付済期間**と**保険料免除期間**とを合算した期間が原則として**10年に満たないもの**その他これに準ずるものとして政令で定めるものは、脱退一時金の支給を請求することができる。

ただし、その者が次の①～③のいずれかに該当するときは、この限りでない。

① ［ C ］とき

② ［ D ］その他政令で定める保険給付の**受給権**を有したことがあるとき

③ 最後に［ B ］の**資格を喪失**した日（同日において日本国内に住所を有していた者にあっては、同日後初めて、日本国内に住所を有しなくなった日）から起算して［ E ］を経過しているとき

選択肢

①	1月	②	60歳以上である		
③	3月	④	65歳以上である		
⑤	6月	⑥	厚生年金保険の被保険者		
⑦	1年	⑧	国民年金の被保険者		
⑨	船員保険の被保険者			⑩	厚生年金基金の加入員
⑪	2年	⑫	遺族基礎年金	⑬	障害基礎年金
⑭	3年	⑮	遺族厚生年金	⑯	障害厚生年金
⑰	5年	⑱	被保険者期間が36月以上である		
⑲	10年	⑳	日本国内に住所を有する		

解答

A ▶ ⑤　6月

B ▶ ⑧　国民年金の被保険者

C ▶ ⑳　日本国内に住所を有する

D ▶ ⑯　障害厚生年金

E ▶ ⑪　2年

根拠条文等

法附則29条1項

おぼえとるかい?

1．**脱退一時金の額**

被保険者であった期間の平均標準報酬額×**支給率**

「支給率」は、最終月（最後に**被保険者の資格を喪失した日の属する月の前月**をいう。）の属する年の**前年の10月の保険料率**（最終月が**1月から8月まで**の場合にあっては、**前々年10月**の保険料率）に**2分の1**を乗じて得た率に、被保険者であった期間に応じて政令で定める数（6～60）を乗じて得た率とし、その率に小数点以下1位未満の端数があるときは、これを四捨五入する。

2．脱退一時金の支給を受けたときは、支給を受けた者は、その額の計算の基礎となった被保険者であった期間は、**被保険者でなかった**ものとみなされる。

Step-Up! アドバイス

・**厚生労働大臣による**脱退一時金に関する処分に不服がある者は、**社会保険審査会に対して審査請求**をすることができる。

27 離婚等をした場合における特例 Basic

チェック欄
1 ／
2 ／
3 ／

(1) いわゆる合意分割の規定による標準報酬改定請求について、当事者の合意のための**協議が整わない**とき、又は**協議をすることができない**ときは、当事者の一方の申立てにより、［ A ］は、当該対象期間における保険料納付に対する当事者の寄与の程度その他一切の事情を考慮して、請求すべき［ B ］を定めることができる。

(2) 標準報酬改定請求により請求すべき［ B ］は、当事者それぞれの［ C ］(対象期間に係る被保険者期間の各月の標準報酬月額(従前標準報酬月額が当該月の標準報酬月額とみなされた月にあっては、従前標準報酬月額）と標準賞与額に当事者を受給権者とみなして対象期間の**末日**において適用される再評価率を乗じて得た額の総額をいう。以下同じ。）の合計額に対する［ D ］**の**［ C ］**の割合を超え**［ E ］**以下**の範囲内で定められなければならない。

選択肢

① 1	② 第1号改定者	③ 日本年金機構
④ 3分の2	⑤ 第2号改定者	⑥ 厚生労働大臣
⑦ 2分の1	⑧ 調整割合	⑨ 家庭裁判所
⑩ 3分の1	⑪ 贈与割合	⑫ 実施機関
⑬ 第3号被保険者	⑭ 按分割合	⑮ 平均標準報酬額
⑯ 被扶養配偶者	⑰ 改定割合	⑱ 平均標準報酬月額
⑲ 総報酬月額相当額	⑳ 対象期間標準報酬総額	

解答

A ▶ ⑨ 家庭裁判所

B ▶ ⑭ 按分割合

C ▶ ⑳ 対象期間標準報酬総額

D ▶ ⑤ 第2号改定者

E ▶ ⑦ 2分の1

根拠条文等

法78条の2,2項、法78条の3,1項

1．**老齢厚生年金の受給権者**について、標準報酬の**改定又は決定**が行われたときは、対象期間に係る被保険者期間の**最後の月以前**における被保険者期間及び改定又は決定後の標準報酬を老齢厚生年金の額の計算の基礎とするものとし、当該**標準報酬改定請求のあった日**の属する**月の翌月**から、年金の額を改定する。

2．**障害厚生年金の受給権者**について、当該障害厚生年金の額の計算の基礎となる被保険者期間に係る標準報酬が改定され、又は決定されたときは、改定又は決定後の標準報酬を基礎として、当該**標準報酬改定請求のあった日の属する月の翌月**から、年金の額を改定する。ただし、障害厚生年金の額の算定に当たって、被保険者期間の月数に**300月**の最低保障が行われている障害厚生年金については、**離婚時みなし被保険者期間は、その計算の基礎としない。**

3．**離婚時みなし被保険者期間の取扱い**

報酬比例部分の計算	**算入**
振替加算の支給停止となる要件 （厚年被保険者期間240月以上）	**算入**
定額部分の額の計算	算入 **しない**
老齢厚生年金の受給資格期間	
特別支給の老齢厚生年金の支給要件期間 （被保険者期間1年以上）	
長期加入者の特例の要件（被保険者期間44年以上）	
加給年金額の支給要件となる被保険者期間の月数(240以上)	
脱退一時金の支給要件（被保険者期間6月以上）	

28 被扶養配偶者である期間についての特例 Basic

チェック欄
1 ／
2 ／
3 ／

(1) 被扶養配偶者に対する年金たる保険給付に関しては、厚生年金保険法第3章（保険給付）に定めるもののほか、被扶養配偶者を有する被保険者が負担した［ A ］について、当該被扶養配偶者が［ B ］負担したものであるという基本的認識の下に、同法第3章の3（被扶養配偶者である期間についての特例）の定めるところによる。

(2) ［ C ］の**被扶養配偶者**は、当該［ C ］と離婚等をしたときは、実施機関に対し、**特定期間**（当該［ C ］が**被保険者**であった期間で、かつ、その被扶養配偶者が当該［ C ］の配偶者として国民年金の第3号被保険者であった期間をいい、**平成**［ D ］**年4月1日以後の期間に限る**。）に係る被保険者期間の標準報酬の改定及び決定を請求することができる。

ただし、当該**請求日**において［ C ］が［ E ］（特定期間の全部又は一部をその額の計算の基礎とするものに限る。）の受給権者であるときその他の厚生労働省令で定めるときは、この限りでない。

選択肢

① 18	② 生活費	③ 特例被保険者
④ 19	⑤ 保険料	⑥ 第2号改定者
⑦ 20	⑧ 租税	⑨ 障害基礎年金
⑩ 21	⑪ 基礎年金拠出金	⑫ 障害厚生年金
⑬ 共同して	⑭ 年金たる保険給付	
⑮ 単独で	⑯ 全部又は一部を	
⑰ 第1号改定者	⑱ 特定被保険者	
⑲ 障害基礎年金又は障害厚生年金	⑳ 大部分を	

解答

A ▶ ⑤ 保険料
B ▶ ⑬ 共同して
C ▶ ⑱ 特定被保険者
D ▶ ⑦ 20
E ▶ ⑫ 障害厚生年金

根拠条文等
法78条の13、法78条の14, 1項、(16)法附則49条

おぼえとるかい?

1．特定被保険者が**障害厚生年金の受給権者**であって、**特定期間の全部**がその額の計算の基礎となっているときは、3号分割標準報酬改定請求をすることが**できない**。
2．特定被保険者が**障害厚生年金の受給権者**であって、**特定期間の一部**がその額の計算の基礎となっているときは、**当該期間を除いた**期間について、3号分割標準報酬改定請求をすることが**できる**。
3．合意分割標準報酬改定請求及び3号分割標準報酬改定請求は、離婚等をしたときから**2年を経過**したときはすることができない（原則）。

Step-Up! アドバイス

・3号分割標準報酬改定請求を行うには、特定被保険者の合意は不要である。

29 厚生年金保険事業の財政等 Basic

チェック欄 1 ／ 2 ／ 3 ／

(1) 政府は、［ A ］、**保険料**及び**国庫負担の額**並びに厚生年金保険法による保険給付に要する費用の額その他の**厚生年金保険事業の財政**に係る**収支**についてその現況及び［ B ］における見通し（「**財政の現況及び見通し**」という。）を作成し、**遅滞なく**、これを**公表**しなければならない。

(2) 上記(1)の［ B ］は、財政の現況及び見通しが作成される年以降［ C ］間とする。

(3) 政府は、上記(1)の財政の現況及び見通しを作成するに当たり、厚生年金保険事業の財政が、［ B ］**の終了時**に保険給付の支給に支障が生じないようにするために必要な［ D ］しつつ当該［ B ］にわたってその均衡を保つことができないと見込まれる場合には、［ E ］を調整するものとし、政令で、［ E ］を調整する期間の**開始年度**を定めるものとする。

選択肢

① 毎年	② 少なくとも５年
③ 毎年度	④ おおむね10年
⑤ 少なくとも５年ごとに	⑥ 少なくとも50年
⑦ おおむね５年ごとに	⑧ おおむね100年
⑨ 積立金	⑩ 財政検証期間
⑪ 保険料の額	⑫ 財政均衡期間
⑬ 保険給付の額	⑭ 調整期間
⑮ 国庫負担の額	⑯ 平均的な受給期間
⑰ 税収を確保	⑱ 運用収益を各実施機関が確保
⑲ 公債を政府が保有	⑳ 積立金を政府等が保有

解答

A ▶ ⑤ 少なくとも5年ごとに
B ▶ ⑫ 財政均衡期間
C ▶ ⑧ おおむね100年
D ▶ ⑳ 積立金を政府等が保有
E ▶ ⑬ 保険給付の額

法2条の4、
法34条1項

おぼえとるかい？

1. 財政の現況及び見通し

① 政府は、財政の現況及び見通しを作成したときは、**遅滞なく**、これを**公表**しなければならない。
② 問題文(3)の調整期間の開始年度は、政令で、**平成17年度**と定められている。
③ 政府は、調整期間において財政の現況及び見通しを作成するときは、**調整期間の終了年度の見通し**についても作成し、併せて、これを公表しなければならない。
④ 財政の現況及び見通しにおいて、**保険給付の額**の調整を行う必要がなくなったと認められるときは、**政令**で、**調整期間の終了年度**を定めるものとする。

2. 積立金

厚生年金保険事業の財政が、財政均衡期間の終了時に保険給付の支給に支障が生じないようにするために政府等〔政府及び実施機関（厚生労働大臣を除く。）をいう。〕が保有すべき必要な積立金とは、**特別会計積立金**及び**実施機関積立金**をいう。

① **特別会計積立金…年金特別会計の厚生年金勘定の積立金**をいう。
② **実施機関積立金…実施機関（厚生労働大臣を除く。）の積立金**のうち厚生年金保険事業（**基礎年金拠出金の納付を含む**。）に係る部分に相当する部分として政令で定める部分をいう。

Step-Up! アドバイス

・調整期間においては、マクロ経済スライドの仕組みにより、年金額が調整される。

30 費用負担

Basic

チェック欄
1 ／
2 ／
3 ／

(1) **国庫**は、**毎年度**、厚生年金保険の［ A ］が負担する基礎年金拠出金の額の［ B ］に相当する額を負担する。

(2) **国庫**は、上記(1)に規定する費用のほか、**毎年度**、［ C ］、厚生年金保険事業の**事務**（基礎年金拠出金の負担に関する事務を含む。）**の執行**（［ D ］によるものを除く。）に要する費用を負担する。

(3) **政府等**は、厚生年金保険事業に要する費用（基礎年金拠出金を含む。）に充てるため、保険料を徴収する。

(4) 第1号厚生年金被保険者の保険料に係る保険料率は、［ E ］である。

選択肢

① 管掌者たる厚生労働大臣　② 2分の1
③ 実施者たる政府　④ 管掌者たる実施機関
⑤ 3分の1　⑥ 実施機関たる厚生労働大臣
⑦ 3分の2　⑧ 4分の3
⑨ 実施機関（厚生労働大臣を含む。）　⑩ 1000分の183.00
⑪ 実施機関（厚生労働大臣を除く。）　⑫ 1000分の185.00
⑬ 管掌者たる日本年金機構　⑭ 必要の限度において
⑮ 実施機関たる日本年金機構　⑯ 予算の範囲内で
⑰ 2分の1を超えない範囲内で　⑱ 1000分の18.30
⑲ 3分の1を超えない範囲内で　⑳ 1000分の18.50

進捗チェック
労基 安衛 労災 雇用 労一

解答

A ► ③ 実施者たる政府

B ► ② 2分の1

C ► ⑯ 予算の範囲内で

D ► ⑪ 実施機関（厚生労働大臣を除く。）

E ► ⑩ 1000分の183.00

根拠条文等

法80条1項、2項、法81条1項、2項、4項

1．保険料の徴収

① 保険料は、**被保険者期間の計算の基礎となる各月**につき、徴収するものとする。

② 保険料額は、**標準報酬月額**及び**標準賞与額**にそれぞれ保険料率を乗じて得た額とする。

2．保険料の負担及び納付

① 被保険者及び被保険者を使用する事業主は、それぞれ保険料の**半額**を**負担**する。

② **事業主**（第1号厚生年金被保険者を使用する事業主に限る。）は、その使用する被保険者及び自己の負担する毎月の保険料を、**翌月末日までに**、**納付**しなければならない。

チェック欄 1 / 2 / 3 /

31 延滞金

Basic

(1) 厚生労働大臣は、原則として、保険料を滞納した第1号厚生年金被保険者に係る納付義務者に督促をしたときは、保険料額に、[A]から保険料完納又は財産差押の日の前日までの期間の日数に応じ、年[B]パーセント（当該[A]から[C]を経過する日までの期間については、年[D]パーセント）の割合を乗じて計算した延滞金を徴収する。

(2) 上記(1)の延滞金の年[B]パーセントの割合及び年[D]パーセントの割合は、当分の間、各年の延滞税特例基準割合が年[D]パーセントの割合に満たない場合には、その年中においては、年[B]パーセントの割合にあっては当該延滞税特例基準割合に年[D]パーセントの割合を加算した割合とし、年[D]パーセントの割合にあっては当該延滞税特例基準割合に年[E]パーセントの割合を加算した割合（当該加算した割合が年[D]パーセントの割合を超える場合には、年[D]パーセントの割合）とする。

選択肢

A	① 督促状の指定期限の翌日 ③ 納期限の翌日	② 督促状の指定期限 ④ 納期限
B	① 7.3 ③ 14.6	② 7.4 ④ 14.8
C	① 1年 ③ 3月	② 2年 ④ 6月
D	① 7.3 ③ 14.6	② 7.4 ④ 14.8
E	① 2.8 ③ 1	② 1.8 ④ 3

解答

A ▶ ③ 納期限の翌日

B ▶ ③ 14.6

C ▶ ③ 3月

D ▶ ① 7.3

E ▶ ③ 1

根拠条文等

法87条１項、
法附則17条の14

【延滞金の利率】

1．原則

延滞金の利率は、原則として、年「14.6」％、納期限から「３月」を経過する日までの期間については、その２分の１に相当する年「7.3」％とされているが、特例として、下記**2．**の軽減措置が設けられている。

2．軽減措置

『延滞税特例基準割合＜年7.3％』の場合には、次の通り延滞金の利率が軽減される。

・「年14.6％」⇒『延滞税特例基準割合＋年7.3％』

・「年7.3％」 ⇒『延滞税特例基準割合＋年１％』又は『年7.3％』のうちどちらか低い方

厚年

32 被保険者に対する情報の提供 Basic

チェック欄
1 ／
2 ／
3 ／

(1) **実施機関**は、厚生年金保険制度に対する**国民の理解**を増進させ、及びその[A]を向上させるため、主務省令で定めるところにより、**被保険者に対し**、当該被保険者の[B]**の実績**及び[C]に関する必要な情報を分かりやすい形で通知するものとする。

(2) 上記(1)の通知（厚生労働大臣が行うものに限る。）は、次に掲げる事項を記載した書面によって行うものとする。

① 被保険者期間の月数

② [D]被保険者期間における標準報酬月額及び標準賞与額

③ 被保険者期間における標準報酬月額及び標準賞与額に応じた**保険料**（被保険者の負担するものに限る。）**の総額**

④ 国民年金の第１号被保険者としての被保険者期間及び第３号被保険者としての被保険者期間に係る事項※

⑤ 老齢基礎年金及び老齢厚生年金の額の[E]

⑥ その他必要な事項

選択肢

① 福祉	② 加入率	③ 加入期間
④ 信頼	⑤ 平均額	⑥ 保険給付
⑦ 所得	⑧ 見込額	⑨ 所得代替率
⑩ 総額	⑪ 実績額	⑫ 将来の給付
⑬ 最近１年間の		⑭ 年金の支払
⑮ 最近２年間の		⑯ 保険料納付
⑰ 過去10年間の		⑱ 平均支給年数
⑲ 厚生年金基金の加入員たる		
⑳ 種別ごとの被保険者期間		

解答

A ▶ ④ 信頼

B ▶ ⑯ 保険料納付

C ▶ ⑫ 将来の給付

D ▶ ⑬ 最近１年間の

E ▶ ⑧ 見込額

根拠条文等

法31条の２、則12条の２,１項、国年則15条の４,１項１号

※ 国民年金の第１号被保険者としての被保険者期間の月数、最近１年間の被保険者期間における保険料の納付状況及び被保険者期間における保険料の納付状況に応じた保険料の総額並びに第３号被保険者としての被保険者期間の月数

問題文のいわゆる「**ねんきん定期便**」による通知が行われる被保険者（第１号厚生年金被保険者に限る。）が**35歳**、**45歳**及び**59歳**に達する日の属する年度における通知は、問題文(2)の①～⑥に掲げる事項（②及び最近１年間の国民年金の第１号被保険者としての被保険者期間における保険料の納付状況を除く。）のほか、次に掲げる事項を記載した書面によって行うものとされている。

(1) 国民年金の被保険者の資格の**取得**及び**喪失**並びに**種別の変更**の履歴

(2) **全ての**国民年金の**第１号被保険者**としての被保険者期間における**保険料の納付状況**並びに**被保険者期間**における**標準報酬月額及び標準賞与額**

33 厚生年金保険事業の円滑な実施を図るための措置 Basic

チェック欄
1 ／
2 ／
3 ／

(1) **政府等**は、厚生年金保険事業の［ A ］を図るため、厚生年金保険に関し、次に掲げる事業を行うことができる。

① ［ B ］を行うこと

② 被保険者、受給権者その他の関係者（以下「被保険者等」という。）に対し、［ C ］を行うこと

③ 被保険者等に対し、被保険者等が行う手続に関する情報その他の被保険者等の［ D ］に資する**情報を提供**すること

(2) **政府等**は、厚生年金保険事業の実施に必要な事務（**基礎年金拠出金**の**負担及び納付**に伴う事務を含む。）を円滑に処理し、被保険者等の［ D ］に資するため、［ E ］の運用を行うものとする。

選択肢

① 適正な実施　② 保険料　③ 利便の向上
④ 円滑な実施　⑤ 積立金　⑥ 信頼の確保
⑦ 理解の向上　⑧ 代行サービス　⑨ 法定受託事務
⑩ 財政融資資金　⑪ 相談その他の援助
⑫ 年金財政の開示　⑬ 長期的な安定
⑭ 教育施設の運営　⑮ 効率的な運営
⑯ 年金受給権の確保　⑰ 教育及び広報
⑱ 年金記録の訂正等　⑲ ねんきん定期便の送付
⑳ 電子情報処理組織

解答

A ► ④ 円滑な実施

B ► ⑰ 教育及び広報

C ► ⑪ 相談その他の援助

D ► ③ 利便の向上

E ► ⑳ 電子情報処理組織

法79条１項、２項

政府は、問題文⑴①から③の事業及び問題文⑵の運用の全部又は一部を日本年金機構に行わせることができる。

34 併給の調整

Basic

チェック欄
1 ／
2 ／
3 ／

※以下において、2以上の種別の厚生年金被保険者期間を有する者については考慮しないものとする。

障害厚生年金は、その受給権者が他の年金たる保険給付又は国民年金法による年金たる給付（当該障害厚生年金と同一の支給事由に基づいて支給される[A]を除く。）を受けることができるときは、その間、その支給を停止する。

老齢厚生年金の受給権者が他の年金たる保険給付（[B]（その受給権者が[C]歳に達している者に限る。）を除く。）又は国民年金法による年金たる給付(老齢基礎年金及び[D]並びに[A](その受給権者が[C]歳に達している者に限る。）を除く。）を受けることができる場合における当該老齢厚生年金及び**遺族厚生年金**の受給権者が他の年金たる保険給付（老齢厚生年金（その受給権者が[C]歳に達している者に限る。）を除く。）又は国民年金法による年金たる給付（老齢基礎年金及び[D]（その受給権者が[C]歳に達している者に限る。)、障害基礎年金（その受給権者が[C]歳に達している者に限る。）並びに当該遺族厚生年金と同一の支給事由に基づいて支給される[E]を除く。）を受けることができる場合における当該遺族厚生年金についても、同様とする。

選択肢

①	老齢基礎年金	②	老齢厚生年金	③	70
④	障害基礎年金	⑤	障害厚生年金	⑥	65
⑦	遺族基礎年金	⑧	遺族厚生年金	⑨	60
⑩	遺児年金	⑪	国民年金基金	⑫	55
⑬	寡婦年金	⑭	加給年金		
⑮	付加年金	⑯	脱退一時金	⑰	死亡一時金
⑱	振替加算	⑲	脱退手当金	⑳	特別一時金

解答

A ▶ ④　障害基礎年金

B ▶ ⑧　遺族厚生年金

C ▶ ⑥　65

D ▶ ⑮　付加年金

E ▶ ⑦　遺族基礎年金

法38条１項、
法附則17条

おぼえとるかい？

【併給される場合】

① 厚生年金保険法による年金たる保険給付と同一の支給事由に基づいて支給される国民年金法による年金たる給付

(例)老齢厚生年金＋老齢基礎年金(付加年金)
　　障害厚生年金＋障害基礎年金
　　遺族厚生年金＋遺族基礎年金

② **65歳**に達している場合に限り併給されるもの

(例)遺族厚生年金＋老齢基礎年金(付加年金)
　　老齢厚生年金＋障害基礎年金
　　遺族厚生年金＋障害基礎年金
　　老齢厚生年金＋遺族厚生年金＋老齢基礎年金(付加年金)
　　老齢厚生年金＋遺族厚生年金＋障害基礎年金

③ 新法と旧法との間の併給(65歳以後に限る)

(例)老齢基礎年金＋遺族年金(旧厚年法)
　　老齢厚生年金＋障害年金(旧国年法)
　　遺族厚生年金＋障害年金(旧国年法)
　　遺族厚生年金＋老齢年金(旧国年法)
　　遺族厚生年金＋老齢年金の２分の１(旧厚年法)

35 滞納処分等の権限の委任 Basic

チェック欄 1 ／ 2 ／ 3 ／

(1) 日本年金機構（以下「機構」という。）は、滞納処分等を行う場合には、あらかじめ、[A]を受けるとともに、[B]に従い、徴収職員に行わせなければならない。

(2) 上記(1)の徴収職員は、滞納処分等に係る法令に関する知識並びに実務に必要な知識及び能力を有する機構の職員のうちから、[A]を受けて、[C]が任命する。

(3) 機構は、滞納処分等をしたときは、厚生労働省令で定めるところにより、[D]、その結果を[E]なければならない。

選択肢

① 速やかに　② 10日以内に　③ 14日以内に
④ 翌月末日までに　⑤ 公表し　⑥ 総務大臣に届け出
⑦ 厚生労働大臣に報告し　⑧ 財務大臣に届け出
⑨ 健全化計画　⑩ 財務大臣の指示
⑪ 滞納処分等実施規程　⑫ 滞納処分等基本指針
⑬ 財務大臣　⑭ 機構の理事長
⑮ 厚生労働大臣　⑯ 年金事務所長
⑰ 財務大臣の認可　⑱ 厚生労働大臣の承認
⑲ 財務大臣の承認　⑳ 厚生労働大臣の認可

解答

A ▶ ⑳ 厚生労働大臣の認可

B ▶ ⑪ 滞納処分等実施規程

C ▶ ⑭ 機構の理事長

D ▶ ① 速やかに

E ▶ ⑦ 厚生労働大臣に報告し

法100条の6

日本年金機構は、滞納処分等の権限に係る事務を効果的に行うため必要があると認めるときは、厚生労働大臣に当該権限の行使に必要な情報を提供するとともに、厚生労働大臣自らその権限を行うよう求めることができる。厚生労働大臣は、日本年金機構から当該求めがあった場合において、必要があると認めるときは、滞納処分等を自ら行う。

1 短時間労働者に対する厚生年金保険の適用 Step-Up

チェック欄 1 ／ 2 ／ 3 ／

(1) 当分の間、特定適用事業所以外の適用事業所（国又は地方公共団体の適用事業所を除く。以下同じ。）に使用される①又は②に掲げる者であって厚生年金保険法第12条各号のいずれにも該当しないもの（以下「特定４分の３未満短時間労働者」という。）については、厚生年金保険の被保険者としない。

① その１週間の［A］が同一の事業所に使用される通常の労働者の１週間の［A］の４分の３未満である短時間労働者

② その１月間の［B］が同一の事業所に使用される通常の労働者の１月間の［B］の４分の３未満である短時間労働者

(2) 特定適用事業所以外の適用事業所の事業主は、次の①又は②に掲げる場合に応じ、当該①又は②に定める同意を得て、実施機関（厚生労働大臣及び日本私立学校振興・共済事業団に限る。）に当該事業主の１又は２以上の適用事業所に使用される特定４分の３未満短時間労働者について上記(1)の規定の適用を受けない旨の［C］ことができる。

① 当該事業主の１又は２以上の適用事業所に使用される厚生年金保険の被保険者、70歳以上の使用される者及び特定４分の３未満短時間労働者（以下「［D］同意対象者」という。）の［E］で組織する労働組合があるとき……当該労働組合の同意

② 上記(2)①に規定する労働組合がないとき……イ又はロに掲げる同意

イ 当該事業主の１又は２以上の適用事業所に使用される［D］同意対象者の［E］を代表する者の同意

ロ 当該事業主の１又は２以上の適用事業所に使用される［D］同意対象者の［D］の同意

選択肢

A	① 時間外労働時間 ③ 所定労働時間	② 所定労働日数 ④ 報酬額
B	① 時間外労働時間 ③ 所定労働時間	② 所定労働日数 ④ 報酬額
C	① 認可を受ける ③ 届出をする	② 申出をする ④ 承認を受ける
D	① 2分の1以上 ③ 3分の2以上	② 過半数 ④ 4分の3以上
E	① 2分の1以上 ③ 3分の2以上	② 過半数 ④ 4分の3以上

解答

A ▶ ③ 所定労働時間

B ▶ ② 所定労働日数

C ▶ ② 申出をする

D ▶ ① 2分の1以上

E ▶ ② 過半数

根拠条文等

(24)法附則17条1項、5項

解き方アドバイス

問題文(1)の通り、当分の間、特定適用事業所以外の適用事業所に使用される特定4分の3未満短時間労働者については、被保険者とされませんが、問題文(2)の通り、特定適用事業所以外の適用事業所の事業主が、所定の労働組合等の同意を得て申出をすることにより、その適用事業所に使用される特定4分の3未満短時間労働者は、被保険者となることができます。

2 原簿の記録及び訂正の請求 Step-Up

チェック欄 1 ／ 2 ／ 3 ／

(1) 実施機関は、被保険者に関する原簿を備え、これに被保険者の氏名、資格の取得及び喪失の年月日、標準報酬、[A]（国民年金法第14条に規定する[A]をいう。）その他主務省令で定める事項を記録しなければならない。

(2) 第1号厚生年金被保険者であり、又はあった者は、上記(1)の原簿（以下「厚生年金保険原簿」という。）に記録された自己に係る特定厚生年金保険原簿記録（第1号厚生年金被保険者の資格の取得及び喪失の年月日、標準報酬その他厚生労働省令で定める事項の内容をいう。以下同じ。）が事実でない、又は厚生年金保険原簿に自己に係る特定厚生年金保険原簿記録が記録されていないと思料するときは、厚生労働省令で定めるところにより、[B]に対し、厚生年金保険原簿の[C]の請求をすることができる。

(3) [B]は、上記(2)の請求に係る厚生年金保険原簿の[C]に関する[D]を定めなければならない。また、[B]は、当該[D]を定め、又は変更しようとするときは、あらかじめ、[E]に諮問しなければならない。

選択肢

① 訂正	② 確認	③ 指針
④ 住民票コード	⑤ 社会保険審査会	⑥ 公表
⑦ 基礎年金番号	⑧ 口座番号	⑨ 閲覧
⑩ 地方厚生局長	⑪ 日本年金機構	⑫ 市町村長
⑬ 社会保障審議会	⑭ 厚生労働大臣	⑮ 条例
⑯ 運営委員会	⑰ マイナンバー（個人番号）	
⑱ 方針	⑲ 規約	
⑳ 総務省年金記録第三者委員会		

進捗チェック 労基 安衛 労災 雇用 労一

解答

A ▶ ⑦ 基礎年金番号

B ▶ ⑭ 厚生労働大臣

C ▶ ① 訂正

D ▶ ⑱ 方針

E ▶ ⑬ 社会保障審議会

根拠条文等

法28条、
法28条の2,1項、
法28条の3

MEMO

3 財務大臣への滞納処分等の権限委任 Step-Up

チェック欄
1 ／
2 ／
3 ／

(1) 厚生労働大臣は、滞納処分等その他の処分に係る納付義務者が次の①～④のいずれにも該当するものであるため保険料その他厚生年金保険法の規定による徴収金の効果的な徴収を行う上で必要があると認めるときは、［ A ］に、当該納付義務者に関する情報その他必要な情報を提供するとともに、当該納付義務者に係る滞納処分等その他の処分の権限の全部又は一部を委任することができる。

① 納付義務者が［ B ］分以上の保険料を滞納していること。

② 納付義務者が滞納処分等その他の処分の執行を免れる目的で［ C ］おそれがあること。

③ 納付義務者が滞納している保険料その他厚生年金保険法等の規定による徴収金等の額が［ D ］円以上であること。

④ 滞納処分等その他の処分を受けたにもかかわらず、納付義務者が滞納している保険料その他厚生年金保険法等の規定による徴収金の納付について誠実な意思を有すると認められないこと。

(2) ［ A ］は、上記(1)の規定により委任された権限を［ E ］に委任する。

選択肢

① 6月　② 12月　③ 24月　④ 総務大臣
⑤ 13月　⑥ 1千万　⑦ 財務大臣　⑧ 年金事務所長
⑨ 地方厚生局長　⑩ 日本年金機構　⑪ 消費者庁長官
⑫ 5千万　⑬ 滞納保険料を完納する　⑭ 行方をくらます
⑮ 1億　⑯ 3千万　⑰ その財産について隠ぺいしている
⑱ 破産手続開始の申立てを行っている　⑲ 国税庁長官
⑳ 金融庁長官

解答

A ▶ ⑦ 財務大臣
B ▶ ③ 24月
C ▶ ⑰ その財産について隠ぺいしている
D ▶ ⑫ 5千万
E ▶ ⑲ 国税庁長官

根拠条文等
法100条の5,1項、5項、令4条の2の16、則99条、則101条

解き方 アドバイス

厚生労働大臣は、原則として、滞納処分等その他の処分に係る納付義務者が次の(1)～(4)のいずれにも該当する場合は、財務大臣に、当該納付義務者に係る滞納処分等その他の処分の権限の全部又は一部を委任することができることとされています。

(1)	納付義務者が**24月分以上**の保険料を滞納していること。
(2)	納付義務者が滞納処分等その他の処分の執行を免れる目的でその財産について**隠ぺい**しているおそれがあること。
(3)	納付義務者が滞納している保険料その他厚生年金保険法等の規定による徴収金等の額が**5千万円以上**であること。
(4)	滞納処分等その他の処分を受けたにもかかわらず、納付義務者が滞納している保険料その他厚生年金保険法等の規定による徴収金の納付について**誠実な意思**を有すると認められないこと。

なお、国民年金法にも同様の規定が設けられていますが、空欄Bの「24月」は、国民年金法では「13月」とされています。また、問題文(1)③に当たる要件が、国民年金法にはなく、その代わりに「納付義務者の前年の所得が1千万円以上であること。」が要件の1つとされています。

4 老齢厚生年金の支給繰下げ

Step-Up

チェック欄
1 ／
2 ／
3 ／

老齢厚生年金の支給の繰下げの際に加算する額は、老齢厚生年金の受給権を取得した日の属する月の前月までの被保険者期間（以下本問において「受給権取得月前被保険者期間」という。）を基礎として厚生年金保険法第43条第1項の規定によって計算した額に［ A ］を乗じて得た額（［ B ］が加算される場合にあっては、当該乗じて得た額に受給権取得月前被保険者期間を基礎として計算した［ B ］を加算した額）に増額率（［ C ］に受給権取得月から支給繰下げの申出をした日の属する［ D ］までの月数（当該月数が［ E ］を超えるときは［ E ］）を乗じて得た率をいう。）を乗じて得た額とする。

選択肢

A	① 物価変動 ③ 平均支給率	② 名目手取り賃金変動率 ④ 再評価率
B	① 経過的寡婦加算額 ③ 特別加算額	② 加給年金額 ④ 経過的加算額
C	① 1000分の 4 ③ 1000分の0.4	② 1000分の 7 ④ 1000分の0.7
D	① 月の前々月 ③ 月	② 月の前月 ④ 月の翌月
E	① 60 ③ 120	② 100 ④ 180

解答

A ► ③ 平均支給率

B ► ④ 経過的加算額

C ► ② 1000分の 7

D ► ② 月の前月

E ► ③ 120

根拠条文等

法44条の3,4項、令3条の5の2,1項

MEMO

5 脱退一時金の額 Step-Up

チェック欄
1 ／
2 ／
3 ／

(1) 脱退一時金の額は、被保険者であった期間に応じて、その期間の［ A ］（被保険者期間の計算の基礎となる各月の標準報酬月額と標準賞与額の総額を、当該被保険者期間の月数で除して得た額をいう。）に［ B ］を乗じて得た額とする。

(2) 上記(1)の［ B ］は、最終月（原則として、最後に被保険者の資格を喪失した日の属する月の前月をいう。以下本問において同じ。）の属する年の前年［ C ］の［ D ］（最終月が1月から8月までの場合にあっては、前々年［ C ］の［ D ］）に［ E ］を乗じて得た率に、被保険者であった期間に応じて政令で定める数（6～60）を乗じて得た率とし、その率に小数点以下1位未満の端数があるときは、これを四捨五入する。

選択肢

① 3月	② 4月	③ 8月	④ 10月
⑤ 物価変動率	⑥ 調整保険料率	⑦ 保険料率	
⑧ 免除保険料率	⑨ 再評価率	⑩ 給付乗率	
⑪ 調整率	⑫ 支給率	⑬ 2分の1	
⑭ 3分の2	⑮ 4分の3	⑯ 5分の4	
⑰ 平均標準報酬月額		⑱ 平均標準報酬額	
⑲ 平均標準給与額		⑳ 平均給与額	

解答

A ▶ ⑱ 平均標準報酬額

B ▶ ⑫ 支給率

C ▶ ④ 10月

D ▶ ⑦ 保険料率

E ▶ ⑬ 2分の1

根拠条文等

法附則29条3項、4項

解き方アドバイス

脱退一時金の額の計算式は、「平均標準報酬額×支給率〔保険料率×1/2×一定の数(6～60)〕」です。つまり、脱退一時金の額は、納付された本人負担分の保険料額に相当する額ということになります。

6 年金額（再評価率）の改定 Step-Up

チェック欄
1 ／
2 ／
3 ／

(1) 調整期間における新規裁定者に係る再評価率については、毎年度、原則として、名目手取り賃金変動率に、調整率に当該年度の前年度の［A］を乗じて得た率を乗じて得た率（当該率が１を下回るときは、１）を基準として改定し、調整期間における既裁定者に係る基準年度以後再評価率（受給権者が65歳に達した日の属する年度の初日の属する年の［B］の４月１日の属する年度以後において適用される再評価率をいう。）については、毎年度、原則として、物価変動率（物価変動率が［C］）に、調整率に当該年度の前年度の基準年度以後［A］を乗じて得た率を乗じて得た率（当該率が１を下回るときは、１）を基準として改定し、それぞれ、当該年度の４月以降の保険給付について適用する。なお、調整率は、公的年金被保険者総数の変動率に［D］を乗じて得た率である。

(2) 上記(1)にかかわらず、名目手取り賃金変動率が１を下回り、かつ、物価変動率が名目手取り賃金変動率を上回る場合における上記(1)の新規裁定者に係る再評価率及び既裁定者に係る基準年度以後再評価率の改定については、原則として、［E］を基準とする。

選択肢

A	① 改定率　② 特別調整率 ③ 算出率　④ 特例調整率
B	① 翌年　② ２年後の年 ③ ３年後の年　④ 前年
C	① １を下回るときは、１ ② １を下回るときは、名目手取り賃金変動率 ③ 名目手取り賃金変動率を上回るときは、名目手取り賃金変動率 ④ 名目手取り賃金変動率を下回るときは、名目手取り賃金変動率
D	① 0.997　② 0.999　③ 1.001　④ 1.002
E	① 調整率　② １ ③ 物価変動率　④ 名目手取り賃金変動率

解答

A ► ② 特別調整率

B ► ③ ３年後の年

C ► ③ 名目手取り賃金変動率を上回るときは、名目手取り賃金変動率

D ► ① 0.997

E ► ④ 名目手取り賃金変動率

根拠条文等

法43条の4,1項、4項、法43条の5,1項、4項

解き方アドバイス

問題文(2)の場合、新規裁定者に係る再評価率及び既裁定者に係る基準年度以後再評価率、いずれも、名日手取り賃金変動率を基準として改定する（マクロ経済スライドによる調整は行われない）。

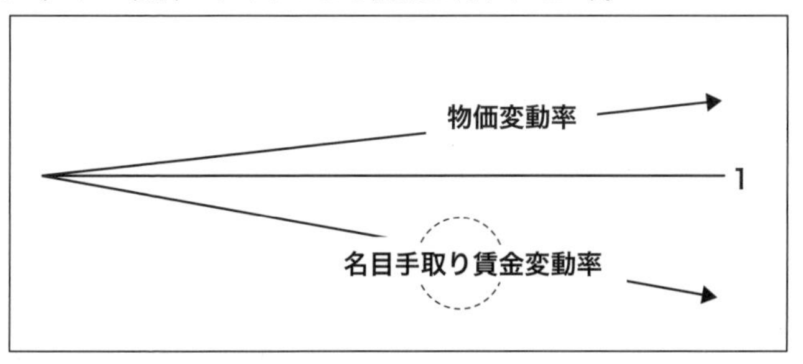

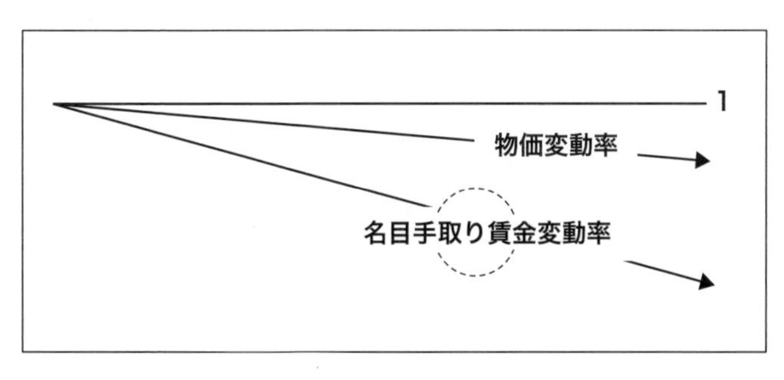

厚年

社会保険に関する一般常識

30問＋6問

社会保険に関する一般常識●目次

Basic

1 国民健康保険法 1 …… 4
2 国民健康保険法 2 …… 6
3 国民健康保険法 3 …… 8
4 船員保険法 1 …… 10
5 船員保険法 2 …… 12
6 高齢者医療確保法 1 …… 14
7 高齢者医療確保法 2 …… 16
8 高齢者医療確保法 3 …… 18
9 介護保険法 1 …… 20
10 介護保険法 2 …… 22
11 介護保険法 3 …… 24
12 児童手当法 1 …… 26
13 児童手当法 2 …… 28
14 児童手当法 3 …… 30
15 不服審査制度 …… 32
16 確定拠出年金法 1 …… 34
17 確定拠出年金法 2 …… 36
18 確定拠出年金法 3 …… 38
19 確定給付企業年金法 1 …… 40
20 確定給付企業年金法 2 …… 42
21 確定給付企業年金法 3 …… 44
22 社会保険労務士法 1 …… 46
23 社会保険労務士法 2 …… 48
24 社会保険労務士法 3 …… 50
25 社会保険労務士法 4 …… 52
26 社会保障制度 …… 54
27 医療保険制度 …… 56
28 介護保険制度 …… 58
29 年金制度 1 …… 60
30 年金制度 2 …… 62

Step-Up

1 高齢者保健事業 ……… 64
2 介護保険法 ……… 66
3 確定拠出年金法・確定給付企業年金法 ……… 68
4 社会保険労務士法 ……… 70
5 国民健康保険法・生活保護制度 ……… 72
6 年金制度・社会保障協定 ……… 74

1 国民健康保険法　1

Basic

チェック欄
1 ／
2 ／
3 ／

(1)　国民健康保険法第1条では、「この法律は、国民健康保険事業の健全な運営を確保し、もって［　A　］の向上に寄与することを目的とする。」と規定しており、同法第2条では、「国民健康保険は、被保険者の［　B　］に関して必要な保険給付を行うものとする。」と規定している。

(2)　国は、国民健康保険事業の運営が［　C　］に行われるよう必要な各般の措置を講ずるとともに、国民健康保険法第1条に規定する目的の達成に資するため、保健、医療及び福祉に関する施策その他の関連施策を積極的に推進するものとする。

(3)　都道府県は、［　D　］、市町村（特別区を含む。以降の国民健康保険法の設問において同じ。）の国民健康保険事業の効率的な実施の確保その他の都道府県及び当該都道府県内の市町村の国民健康保険事業の［　C　］な運営について中心的な役割を果たすものとする。

(4)　市町村は、被保険者の資格の取得及び喪失に関する事項、国民健康保険の保険料（地方税法の規定による国民健康保険税を含む。）の徴収、［　E　］の実施その他の国民健康保険事業を適切に実施するものとする。

選択肢

①　適切　②　適正　③　保健事業　④　介護事業
⑤　健全　⑥　速やか　⑦　医療の質　⑧　特定保健指導
⑨　特定健康診査　⑩　社会保障及び国民保健
⑪　医療費の適正化　⑫　適切な給付事務の実施
⑬　国民保健と福祉　⑭　速やかな保険給付の支給
⑮　健全な国民生活　⑯　疾病、負傷、老齢又は死亡
⑰　安定的な財政運営　⑱　疾病、負傷、障害又は死亡
⑲　老齢、障害又は死亡　⑳　疾病、負傷、出産又は死亡

進捗チェック

労基	安衛	労災	雇用	労一

解答

A ▶ ⑩　社会保障及び国民保健
B ▶ ⑳　疾病、負傷、出産又は死亡
C ▶ ⑤　健全
D ▶ ⑰　安定的な財政運営
E ▶ ③　保健事業

根拠条文等
法１条、法２条、法４条１項～３項

1．国民健康保険には、都道府県が当該都道府県内の市町村（特別区を含む。）とともに行う国民健康保険と国民健康保険組合が行う国民健康保険とがある。

2．適用除外者

①　健康保険法の規定による被保険者とその被扶養者（一定の日雇特例被保険者とその被扶養者を除く。）
②　船員保険法の規定による被保険者とその被扶養者
③　国家公務員共済組合法又は地方公務員等共済組合法に基づく共済組合の組合員とその被扶養者
④　私立学校教職員共済法の規定による私立学校教職員共済制度の加入者とその被扶養者
⑤　高齢者の医療の確保に関する法律の規定による被保険者
⑥　**生活保護法による保護**を受けている世帯（その保護を停止されている世帯を除く。）に属する者　等

2 国民健康保険法　2

Basic

チェック欄
1 ／
2 ／
3 ／

(1)　国民健康保険組合（以下本問において「組合」という。）を設立しようとするときは、主たる事務所の所在地の[A]の**認可**を受けなければならない。

(2)　上記(1)の認可の申請は、[B]**以上の発起人**が**規約を作成**し、組合員となるべき者[C]**以上**の**同意**を得て行うものとする。

(3)　市町村及び組合は、保険料を滞納している世帯主又は組合員(**保険料滞納世帯主等**）が、当該保険料の納期限から厚生労働省令で定める期間が経過するまでの間に、当該市町村又は組合が**保険料納付の勧奨等**を行ってもなお当該保険料を納付しない場合においては、当該保険料の滞納につき災害その他の政令で定める特別の事情があると認められる場合を除き、当該世帯に属する被保険者([D]に達する日以後の最初の3月31日までの間にある者等一定の者を除く。）が保険医療機関等から療養を受けたとき、又は指定訪問看護事業者から指定訪問看護を受けたときは、その療養又は指定訪問看護に要した費用について、療養の給付等に代えて、当該保険料滞納世帯主等に対し、[E]を支給する。

選択肢

① 10人	② 15人	③ 30人	④ 50人
⑤ 6歳	⑥ 15歳	⑦ 100人	⑧ 300人
⑨ 18歳	⑩ 20歳	⑪ 500人	⑫ 700人
⑬ 療養費	⑭ 都道府県知事		⑮ 家族療養費
⑯ 特定療養費	⑰ 厚生労働大臣		⑱ 特別療養費
⑲ 地方厚生支局長		⑳ 国民健康保険団体連合会	

進捗チェック
労基　安衛　労災　雇用　労一

解答

A ► ⑭　都道府県知事
B ► ②　15人
C ► ⑧　300人
D ► ⑨　18歳
E ► ⑱　特別療養費

根拠条文等
法17条1項、2項、法54条の3,1項

1．一部負担金

保険医療機関等について療養の給付を受ける者は、その給付を受ける際、次に掲げる区分に従い、当該給付につき算定した額にそれぞれの割合を乗じて得た額を、一部負担金として、当該保険医療機関等に支払わなければならない。

被保険者の区分	負担割合
①　**6歳**に達する日以後の最初の3月31日の翌日以後～70歳に達する日の属する月以前である場合	**10分の3**
②　**6歳**に達する日以後の最初の3月31日以前である場合	**10分の2**
③　**70歳**に達する日の属する月の翌月以後である場合（④の場合を除く。）	**10分の2**
④　**70歳**に達する日の属する月の翌月以後であって**一定以上所得者**の場合	**10分の3**

2．市町村及び組合は、設問文(3)の特別療養費を支給するときは、**あらかじめ**、保険料滞納世帯主等に対し、その世帯に属する被保険者が保険医療機関等から療養を受けたとき、又は指定訪問看護事業者から指定訪問看護を受けたときは、特別療養費を支給する旨を**通知**するものとされている。

3 国民健康保険法　3

Basic

チェック欄
1 ／
2 ／
3 ／

国民健康保険の保険料は、[A]又は**普通徴収**の方法により徴収される。

(1) [A]とは、原則として、被保険者である世帯主のうち、[B]であって年額[C]円以上の**老齢等年金給付**を受けている者を対象に、市町村（特別区を含む。以下本問において同じ。）が当該世帯主から老齢等年金給付の支払をする者に保険料を徴収させ、かつ、その徴収すべき保険料を納入させる方法をいう。なお、同一の月に徴収されると見込まれる国民健康保険の保険料額と介護保険の保険料額との合計額が老齢等年金給付の額の[D]に相当する額を超える者等一定の者については、[A]の対象とならない。

(2) **普通徴収**とは、[A]の対象とならない者を対象に、市町村が[E]をすることによって保険料を徴収する方法をいう。

選択肢

① 10分の1	② 4分の1	③ 18万
④ 2分の1	⑤ 3分の1	⑥ 28万
⑦ 特定徴収	⑧ 40歳以上	⑨ 53万
⑩ 特別徴収	⑪ 納入の告知	⑫ 100万
⑬ 自動徴収	⑭ 納入の通知	⑮ 納付の請求
⑯ 保険者徴収	⑰ 保険料額の認定決定	
⑱ 60歳以上65歳未満	⑲ 65歳以上75歳未満	
⑳ 前年の課税所得の額が145万円以上		

進捗チェック
労基　安衛　労災　雇用　労一

解答

A ▶ ⑩　特別徴収

B ▶ ⑲　65歳以上75歳未満

C ▶ ③　18万

D ▶ ④　２分の１

E ▶ ⑭　納入の通知

根拠条文等

法76条の３、法76条の４、令29条の11～29条の13等

【保険料の徴収】

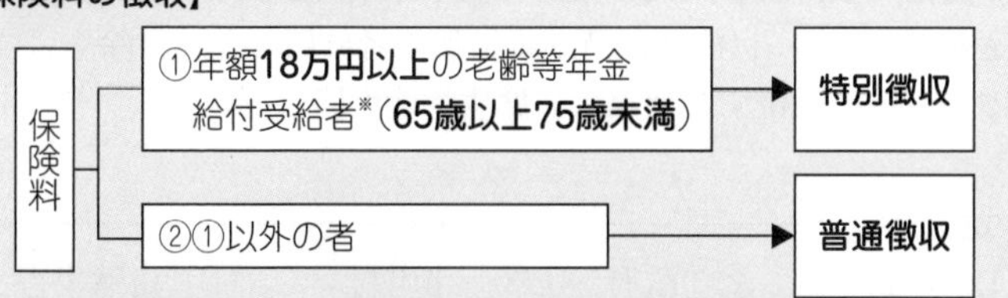

※問題文の者のほか、次の者も特別徴収の対象から除かれる。

- 65歳未満の被保険者が属する世帯に属する者
- 特別徴収によって介護保険の保険料を徴収されない者
- 被保険者である世帯主から口座振替の方法による納付の申出があったことその他の事情を考慮した上で、特別徴収よりも普通徴収による徴収が保険料の徴収を円滑に行うことができると市町村が認める者　等

Step-Up! アドバイス

- 65歳以上75歳未満で、年額18万円以上の老齢等年金給付を受給している者→原則として、「国民健康保険の保険料＋介護保険の保険料」が特別徴収される。

4 船員保険法　1

Basic

チェック欄
1 ／
2 ／
3 ／

⑴　船員保険法は、**船員又はその被扶養者の職務外の事由**による**疾病、負傷**若しくは［ A ］に関して保険給付を行うとともに、**労働者災害補償保険**による保険給付と併せて船員の**職務上の事由**又は［ B ］による疾病、負傷、障害又は死亡に関して保険給付を行うこと等により、**船員の**［ C ］と**福祉の向上**に寄与することを目的とする。

⑵　船員保険は、［ D ］が管掌するものとされているが、当該［ D ］が管掌する船員保険の事業に関する業務のうち、被保険者の**資格の取得及び喪失の確認**、**標準報酬月額及び標準賞与額**の決定並びに［ E ］(疾病任意継続被保険者に係るものを除く。)並びにこれらに附帯する業務は、**厚生労働大臣**が行う。

選択肢

①　通勤　②　政府　③　市町村　④　自然災害
⑤　第三者行為　⑥　死亡又は出産
⑦　職業の安定　⑧　完全雇用の達成
⑨　雇用の安定　⑩　船員保険運営委員会
⑪　生活の安定　⑫　障害、死亡又は出産
⑬　保険料の徴収　⑭　保険給付に関する業務
⑮　障害又は死亡　⑯　航海中の業務外の事由
⑰　障害、死亡又は行方不明
⑱　保健事業及び福祉事業に関する業務
⑲　健康保険法による全国健康保険協会
⑳　保険料の徴収及び保険給付に関する業務

解答

A ▶ ⑥ 死亡又は出産
B ▶ ① 通勤
C ▶ ⑪ 生活の安定
D ▶ ⑲ 健康保険法による全国健康保険協会
E ▶ ⑬ 保険料の徴収

根拠条文等
法1条、法4条

1．**強制被保険者**

船員法第1条に規定する**船員として船舶所有者に使用される者**は、船員保険の強制被保険者となる。

① 資格取得時期…船員として船舶所有者に使用されるに至った**日**

② 資格喪失時期…死亡した日又は船員として船舶所有者に使用されなくなるに至った日の**翌日**（その事実があった日に更に船舶所有者に使用されるに至ったときは、その日）

2．**疾病任意継続被保険者**

船舶所有者に使用されなくなったため、被保険者（一定の者を除く。）の資格を喪失した者であって、喪失の日の前日まで**継続して2月以上**被保険者（疾病任意継続被保険者又は国家公務員共済組合法若しくは地方公務員等共済組合法に基づく共済組合の組合員である被保険者を除く。）であったもののうち、**健康保険法による全国健康保険協会に申し出**て、継続して被保険者になった者をいう。ただし、健康保険の被保険者（日雇特例被保険者を除く。）又は後期高齢者医療の被保険者等である者は、この限りでない。

Step-Up! アドバイス

・船舶所有者は、被保険者（疾病任意継続被保険者を除く。）の資格の取得及び喪失並びに報酬月額及び賞与額に関する事項を厚生労働大臣に届け出なければならない。

5 船員保険法 2

Basic

チェック欄
1 ／
2 ／
3 ／

⑴ **職務外の事由**（通勤を除く。）による疾病、負傷に関して行われる療養の給付の1つとして、**自宅以外の場所**における療養に必要な［ A ］を行う。この給付を受けようとする者は、全国健康保険協会の指定した施設のうち、［ B ］ものから受けるものとする。

⑵ 被保険者が**職務上の事由**により**1月以上**行方不明となったときは、行方不明となった日の翌日から起算して［ C ］を限度として、［ D ］に対し、**行方不明手当金**が支給される。

行方不明手当金の額は、1日につき、被保険者が行方不明となった当時の［ E ］に相当する額である。

選択肢

① 1年	② 介護	③ 被扶養者
④ 6月	⑤ 最寄りの	⑥ 1年6月
⑦ 3月	⑧ 被保険者	⑨ 宿泊の支給

⑩ 埋葬を行う者　⑪ 宿泊及び食事の支給
⑫ 標準報酬日額　⑬ 厚生労働大臣の指定する
⑭ 埋葬を行った者　⑮ 標準報酬日額の3分の2
⑯ 自己の選定する　⑰ 標準報酬日額の100分の60
⑱ 医師の指定する　⑲ 標準報酬日額の100分の80
⑳ その療養に伴う世話その他の看護

進捗チェック

労基	安衛	労災	雇用	労一

解答

A ▶ ⑪ 宿泊及び食事の支給

B ▶ ⑯ 自己の選定する

C ▶ ⑦ 3月

D ▶ ③ 被扶養者

E ▶ ⑫ 標準報酬日額

根拠条文等

法53条1項、7項、法93条～95条

おぼえとるかい？

1．全国健康保険協会の業務

全国健康保険協会は、船員保険事業に関する業務として、次に掲げる業務を行う。

① **保険給付**に関する業務

② **保健事業**及び**福祉事業**に関する業務

③ 上記①及び②に掲げる業務のほか、船員保険事業に関する業務であって厚生労働大臣が行う業務以外のもの

④ 厚生労働大臣からその権限の委任を受けて行う立入検査等の権限に係る事務（**保険給付**に関するものに限る。）に関する業務

⑤ 上記①～④に掲げる業務に附帯する業務

2．船員保険協議会

船員保険事業に関して**船舶所有者及び被保険者**（その意見を代表する者を含む。）の意見を聴き、当該事業の円滑な運営を図るため、全国健康保険協会に船員保険協議会を置く。

3．被保険者の資格、**標準報酬**又は**保険給付**に関する処分に不服がある者は、**社会保険審査官**に対して**審査請求**をし、その決定に不服がある者は、**社会保険審査会**に対して**再審査請求**をすることができる。

6 高齢者医療確保法 1

Basic

チェック欄
1 ／
2 ／
3 ／

高齢者の医療の確保に関する法律は、国民の高齢期における**適切な医療の確保**を図るため、[A]を推進するための**計画の作成**及び保険者による健康診査等の実施に関する措置を講ずるとともに、高齢者の医療について、[B]の理念等に基づき、**前期高齢者**に係る**保険者間**の[C]、**後期高齢者**に対する適切な[D]等を行うために必要な制度を設け、もって[E]及び高齢者の**福祉の増進**を図ることを目的とする。

選択肢

① 社会保障の充実	② 社会扶助
③ 医療の質の向上	④ 医療の給付
⑤ 平均寿命の延伸	⑥ 保健事業
⑦ 医療費の適正化	⑧ 健康の保持
⑨ 国民保健の向上	⑩ 世代間扶養
⑪ 社会保険の整備	⑫ 疾病の予防
⑬ 費用負担の調整	⑭ 財政の均衡
⑮ 国民の共同連帯	⑯ 特別健康指導
⑰ 介護福祉サービス	⑱ 保険者間の相互連帯
⑲ 被保険者数の調整	⑳ 給付と負担の平準化

進捗チェック
労基 安衛 労災 雇用 労一

解答

A ▶ ⑦　医療費の適正化
B ▶ ⑮　国民の共同連帯
C ▶ ⑬　費用負担の調整
D ▶ ④　医療の給付
E ▶ ⑨　国民保健の向上

根拠条文等
法１条

おぼえとるかい？

1．高齢者の医療の確保に関する法律において「保険者」とは、医療保険各法の規定により**医療**に関する給付を行う**全国健康保険協会**、**健康保険組合**、**都道府県及び市町村**（**特別区**を含む。）、**国民健康保険組合**、**共済組合**又は**日本私立学校振興・共済事業団**をいう。
2．高齢者の医療の確保に関する法律において「加入者」とは、医療保険各法の被保険者（一定の日雇特例被保険者を除く。）、組合員、加入者及びその被扶養者をいう。
3．**国の責務**
　国は、国民の高齢期における医療に要する費用の適正化を図るための取組が円滑に実施され、高齢者医療制度の運営が健全に行われるよう必要な各般の措置を講ずるとともに、高齢者の医療の確保に関する法律第１条に規定する目的の達成に資するため、医療、公衆衛生、社会福祉その他の関連施策を積極的に推進しなければならない。
4．**地方公共団体の責務**
　地方公共団体は、高齢者の医療の確保に関する法律の趣旨を尊重し、住民の高齢期における医療に要する費用の適正化を図るための取組及び高齢者医療制度の運営が適切かつ円滑に行われるよう所要の施策を実施しなければならない。
5．**保険者の責務**
　保険者は、加入者の高齢期における健康の保持のために必要な事業を積極的に推進するよう**努める**とともに、高齢者医療制度の運営が健全かつ円滑に実施されるよう**協力しなければならない**。

7 高齢者医療確保法　2

Basic

チェック欄
1 ／
2 ／
3 ／

※本問において、「市町村」には特別区を含むものとする。

(1) **都道府県**は、**医療費適正化基本方針**に即して、[A]ごとに、[A]を1期として、当該都道府県における医療費適正化を推進するための計画（以下「**都道府県医療費適正化計画**」という。）を定めるものとする。

(2) 都道府県は、都道府県医療費適正化計画を定め、又はこれを変更しようとするときは、あらかじめ、**関係市町村**及び[B]に[C]なければならず、当該計画を定め、又はこれを変更したときは、遅滞なく、これを公表するよう努めるとともに、**厚生労働大臣**に提出するものとする。

(3) **保険者**（国民健康保険法の定めるところにより都道府県が当該都道府県内の市町村とともに行う国民健康保険にあっては、市町村。以下同じ。）は、厚生労働大臣の定める[D]等基本指針に即して、[A]ごとに、[A]を1期として、[D]等実施計画を定めるものとされている。保険者は、当該実施計画に基づき、[E]の加入者に対し、原則として、[D]を行うものとされている。

選択肢

① 2年	② 保険者	③ 諮問し
④ 3年	⑤ 40歳以上	⑥ 同意を得
⑦ 5年	⑧ 50歳以上	⑨ 承認を求め
⑩ 6年	⑪ 60歳未満	⑫ 特定健康診査
⑬ 協議し	⑭ 65歳未満	⑮ 特別健康診査
⑯ 医療健康診査	⑰ 特定疾患健康診査	
⑱ 保険者協議会	⑲ 後期高齢者医療広域連合	
⑳ 地方社会保険医療協議会		

解答

A ▶ ⑩ 6年
B ▶ ⑱ 保険者協議会
C ▶ ⑬ 協議し
D ▶ ⑫ 特定健康診査
E ▶ ⑤ 40歳以上

根拠条文等
法9条1項、7項、8項、法18条1項、法19条1項、法20条

1．**全国医療費適正化計画**
厚生労働大臣は、国民の高齢期における適切な医療の確保を図る観点から、医療費適正化を総合的かつ計画的に推進するため、**医療費適正化基本方針**を定めるとともに、**6年ごとに**、**6年を1期**として、**全国医療費適正化計画**を定めるものとされている。

2．**計画の実績に関する評価**
① **都道府県**は、厚生労働省令で定めるところにより、都道府県医療費適正化計画の期間の終了の日の属する**年度の翌年度**において、当該**計画の目標の達成状況**及び**施策の実施状況の調査**及び**分析**を行い、保険者協議会の意見を聴いて、当該計画の**実績に関する評価**を行うものとされ、当該評価を行ったときは、厚生労働省令で定めるところにより、その**結果を公表**するよう努めるとともに、厚生労働大臣に**報告**するものとする。
② **厚生労働大臣**は、厚生労働省令で定めるところにより、全国医療費適正化計画の期間の終了の日の属する**年度の翌年度**において、当該**計画の目標の達成状況**及び**施策の実施状況**の**調査**及び**分析**を行い、当該**計画の実績に関する評価**を行うとともに、上記①の**報告**を踏まえ、関係都道府県の意見を聴いて、各都道府県における**都道府県医療費適正化計画の実績に関する評価**を行うものとする。

8 高齢者医療確保法　3

Basic

チェック欄
1 ／
2 ／
3 ／

(1)　後期高齢者医療は、高齢者の［ A ］に関して必要な給付を行うものとする。

(2)　［ B ］は、**後期高齢者医療**の事務（［ C ］及び**被保険者の便益の増進**に寄与するものとして政令で定める事務を除く。）を処理するため、都道府県の区域ごとに当該区域内のすべての［ B ］が加入する**広域連合**（「**後期高齢者医療広域連合**」）を設けるものとする。

(3)　次のいずれかに該当する者は、後期高齢者医療広域連合が行う後期高齢者医療の被保険者とする。

①　後期高齢者医療広域連合の区域内に住所を有する**75歳以上**の者

②　後期高齢者医療広域連合の区域内に住所を有する［ D ］**歳以上75歳未満**の者であって、厚生労働省令で定めるところにより、政令で定める程度の障害の状態にある旨の［ E ］を受けたもの

選択肢

① 65	② 医療機関	③ 被保険者証の交付
④ 60	⑤ 共済組合	⑥ 特別療養費の支給
⑦ 40	⑧ 医療保険者	⑨ 疾病、負傷又は死亡
⑩ 35	⑪ 疾病又は負傷	⑫ 疾病、負傷又は障害
⑬ 被保険者資格の確認		⑭ 保険料の徴収の事務
⑮ 厚生労働大臣の承認		⑯ 市町村（特別区を含む。）
⑰ 都道府県知事の承認		
⑱ 疾病、負傷、障害又は死亡		
⑲ 後期高齢者医療広域連合の認定		
⑳ 市町村長（特別区の区長を含む。）の認定		

進捗チェック
労基　安衛　労災　雇用　労一

解答

A ▶ ⑨　疾病、負傷又は死亡
B ▶ ⑯　市町村（特別区を含む。）
C ▶ ⑭　保険料の徴収の事務
D ▶ ①　65
E ▶ ⑲　後期高齢者医療広域連合の認定

根拠条文等
法47条、法48条、法50条

1．後期高齢者医療給付の種類

(1)　絶対的必要給付
　療養の給付、入院時食事療養費、入院時生活療養費、保険外併用療養費、療養費、訪問看護療養費、特別療養費、移送費、高額療養費、高額介護合算療養費

(2)　相対的必要給付
　葬祭費の支給又は葬祭の給付（ただし、特別の理由があるときは、その全部又は一部を行わないことができる。）

(3)　任意給付
　傷病手当金の支給等

2．一部負担金

区分	負担割合
①一般（②③以外）	**100分の10**
②一定以上の所得のある者（③以外）	**100分の20**
③現役並み所得者	**100分の30**

9 介護保険法 1

Basic

チェック欄
1 ／
2 ／
3 ／

介護保険法は、［ A ］に伴って生ずる心身の変化に起因する疾病等により**要介護状態**となり、入浴、排せつ、食事等の介護、［ B ］並びに看護及び療養上の管理その他の医療を要する者等について、これらの者が尊厳を保持し、その［ C ］に応じ**自立した日常生活**を営むことができるよう、必要な**保健医療サービス**及び**福祉サービス**に係る給付を行うため、［ D ］の理念に基づき介護保険制度を設け、その行う保険給付等に関して必要な事項を定め、もって国民の［ E ］**の向上**及び**福祉の増進**を図ることを目的とする。

選択肢

① 障害	② 保健医療	③ 国民皆保険
④ 加齢	⑤ 健康寿命	⑥ 家計の状況
⑦ 公的扶助	⑧ 健康意識	⑨ 有する能力
⑩ 生活環境	⑪ 健康診査	⑫ 意思及び能力
⑬ 家族構成	⑭ 機能訓練	⑮ 負傷又は疾病
⑯ 作業療法	⑰ 世代間扶養	⑱ 疾病構造の変化
⑲ 理学療法	⑳ 国民の共同連帯	

解答

A ▶ ④　加齢

B ▶ ⑭　機能訓練

C ▶ ⑨　有する能力

D ▶ ⑳　国民の共同連帯

E ▶ ②　保健医療

根拠条文等

法1条

おぼえとるかい？

1．**保険者等**

介護保険の保険者は、**市町村及び特別区**であり、これを国、都道府県、各医療保険者が重層的に支え合っている。

2．**要介護状態**

要介護状態とは、身体上又は精神上の障害があるために、入浴、排せつ、食事等の日常生活における基本的な動作の全部又は一部について、原則として、**6月間**にわたり継続して、**常時介護**を要すると見込まれる状態であって、その介護の必要の程度に応じて厚生労働省令で定める区分（**要介護状態区分**）のいずれかに該当するもの（要支援状態に該当するものを除く。）をいう。

3．介護保険法による保険給付は、次に掲げる保険給付とする。

① **介護給付**（被保険者の要介護状態に関する保険給付）

② **予防給付**（被保険者の要支援状態に関する保険給付）

③ **市町村特別給付**（要介護状態又は要支援状態の軽減又は悪化の防止に資する保険給付として条例で定めるもの）

Step-Up! アドバイス

・介護給付及び予防給付は、原則として、サービスに要した費用の**100分の90**（一定以上の所得のある第1号被保険者は、100分の80又は100分の70）に相当する額が支給される。

10 介護保険法　2

Basic

チェック欄
1 ／
2 ／
3 ／

(1) 次のいずれかに該当する者は、市町村又は特別区（以下、単に「市町村」という。）が行う介護保険の被保険者とする。

① 市町村の区域内に住所を有する［ A ］の者…**第1号被保険者**という。

② 市町村の区域内に住所を有する［ B ］の［ C ］…**第2号被保険者**という。

(2) ［ D ］を受けようとする被保険者は、要介護者に該当すること及びその該当する要介護状態区分について、［ E ］の認定（**要介護認定**）を受けなければならない。この場合において、要介護認定を受けようとする者は、厚生労働省令で定めるところにより、申請書に被保険者証を添付して［ E ］に申請をしなければならない。

選択肢

①	60歳以上	②	55歳以上	③	市町村
④	70歳以上	⑤	65歳以上	⑥	被扶養者
⑦	65歳以上70歳未満			⑧	介護給付
⑨	50歳以上60歳未満			⑩	予防給付
⑪	40歳以上65歳未満			⑫	要支援給付
⑬	40歳以上55歳未満			⑭	要介護給付
⑮	労働保険加入者			⑯	都道府県知事
⑰	医療保険加入者			⑱	介護認定審査会
⑲	老齢等年金給付受給者			⑳	介護保険審査会

解答

A ▶ ⑤ 65歳以上

B ▶ ⑪ 40歳以上65歳未満

C ▶ ⑰ 医療保険加入者

D ▶ ⑧ 介護給付

E ▶ ③ 市町村

根拠条文等

法9条、法19条1項、法27条1項

1．要介護（要支援）認定の手続き

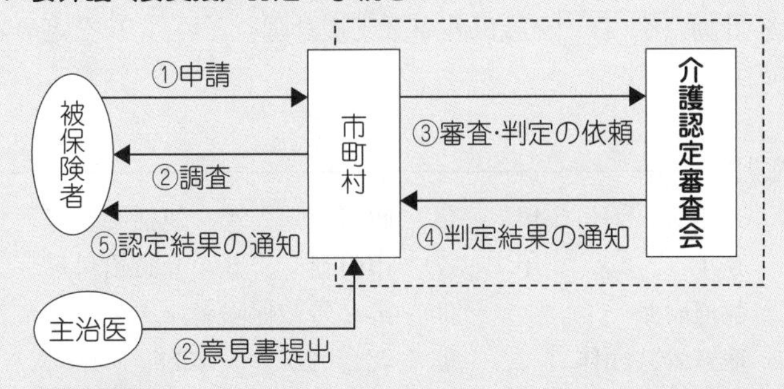

2．要介護認定

(1) 要介護認定は、その**申請のあった日にさかのぼって**その効力を生ずる。

(2) 初めて要介護認定を受けた場合（これまで要支援認定を受けていた場合を除く。）の要介護認定有効期間は、①と②の期間を合算して得た期間とする。

① 要介護認定が効力を生じた日から当該日が属する月の末日までの期間

② 6月間〔市町村が介護認定審査会の意見に基づき特に必要と認める場合にあっては、3月間から12月間までの範囲内で月を単位として市町村が定める期間（6月間を除く。)〕

要介護認定が効力を生じた日が月の初日である場合にあっては、上記②の期間を要介護認定有効期間とする。

11 介護保険法　3

Basic

チェック欄
1 ／
2 ／
3 ／

⑴　市町村は、被保険者（当該市町村が行う介護保険の［　A　］を除き、当該市町村の区域内に所在する住所地特例対象施設に入所等をしている［　A　］を含む。）の要介護状態等となることの**予防**又は要介護状態等の**軽減**若しくは**悪化の防止**及び地域における**自立した日常生活**の支援のための施策を［　B　］に行うため、厚生労働省令で定める基準に従って、［　C　］として、**介護予防・日常生活支援総合事業**を行うものとする。

⑵　［　D　］は、厚生労働大臣が定める基本指針に即して、［　E　］を1期とする介護保険事業に係る保険給付の円滑な実施の**支援**に関する計画（「［　D　］介護保険事業支援計画」という。）を定めるものとする。

選択肢

①　2年	②　3年	③　政府	④　包括的
⑤　5年	⑥　6年	⑦　市町村	⑧　介護給付
⑨　都道府県		⑩　第2号被保険者	
⑪　地方公共団体		⑫　総合的かつ一体的	
⑬　適切かつ有効		⑭　市町村特別給付	
⑮　地域支援事業		⑯　居宅要支援被保険者等	
⑰　医療保険加入者		⑱　住所地特例適用被保険者	
⑲　適切かつ計画的		⑳　地域包括ケアシステム	

進捗チェック
労基　安衛　労災　雇用　労一

解答

A ▶ ⑱ 住所地特例適用被保険者

B ▶ ⑫ 総合的かつ一体的

C ▶ ⑮ 地域支援事業

D ▶ ⑨ 都道府県

E ▶ ② 3年

根拠条文等

法115条の45, 1項、法116条1項、法118条1項

1. 基本指針

厚生労働大臣は、介護保険事業に係る保険給付の円滑な実施を確保するための基本的な指針（基本指針）を定めるものとする。

2. 市町村介護保険事業計画

市町村は、厚生労働大臣が定める基本指針に即して、**3年**を1期とする当該市町村が行う介護保険事業に係る**保険給付の円滑な実施**に関する計画（市町村介護保険事業計画）を定めるものとする。

3. 事業者等の指定等

<table>
<tr><th colspan="2">事業者又は施設</th><th>申請者</th><th colspan="2">指定又は許可</th></tr>
<tr><td colspan="2">指定居宅サービス事業者</td><td rowspan="2">当該サービス事業を行う者</td><td>都道府県知事</td><td rowspan="6">指定</td></tr>
<tr><td colspan="2">指定地域密着型サービス事業者</td><td rowspan="2">市町村長</td></tr>
<tr><td colspan="2">指定居宅介護支援事業者</td><td>当該支援事業を行う者</td></tr>
<tr><td colspan="2">指定介護予防サービス事業者</td><td rowspan="2">当該サービス事業を行う者</td><td>都道府県知事</td></tr>
<tr><td colspan="2">指定地域密着型介護予防サービス事業者</td><td rowspan="2">市町村長</td></tr>
<tr><td colspan="2">指定介護予防支援事業者</td><td>地域包括支援センターの設置者</td></tr>
<tr><td rowspan="3">介護保険施設</td><td>介護老人保健施設</td><td rowspan="3">開設者</td><td rowspan="3">都道府県知事</td><td rowspan="2">許可</td></tr>
<tr><td>介護医療院</td></tr>
<tr><td>指定介護老人福祉施設</td><td>指定</td></tr>
</table>

12 児童手当法 1

Basic

チェック欄
1 ／
2 ／
3 ／

(1) 児童手当法は、子ども・子育て支援法に規定する子ども・子育て支援の適切な実施を図るため、［ A ］が**子育て**についての**第一義的責任**を有するという基本的認識の下に、**児童を養育している者**に児童手当を支給することにより、家庭等における［ B ］に寄与するとともに、次代の社会を担う児童の［ C ］に資することを目的とする。

(2) **個人受給資格者**（一般受給資格者（受給資格者のうち、施設等受給資格者以外の者をいう。）のうち、法人受給資格者以外のものをいう。）に対する児童手当については、第3子以降算定額算定対象者（**22歳**に達する日以後の最初の3月31日までの間にある者（一定の者を除く。）のうち、個人受給資格者によって監護に相当する日常生活上の世話及び必要な保護並びにその生計費の相当部分の負担が行われている者として内閣府令で定めるものであって、日本国内に住所を有するもの又は留学その他の内閣府令で定める理由により日本国内に住所を有しないものをいう。）及び支給対象児童の人数に応じ、3歳以上児童算定額（**1万**円とする。）、3歳未満児童算定額（［ D ］円とする。）及び第3子以降算定額（［ E ］円とする。）により算定した額を支給するものとされている。

選択肢

① 1万	② 血縁者	③ 健全な育成
④ 2万	⑤ 1万2千	⑥ 生活の安定
⑦ 3万	⑧ 1万5千	⑨ 能力の開発
⑩ 5万	⑪ 2万1千	⑫ 精神の安定
⑬ 6万	⑭ 資質の向上	⑮ 健やかな成長
⑯ 父母	⑰ 学力の向上	⑱ 未成年後見人
⑲ 父母その他の保護者		⑳ 育成環境の整備

進捗チェック

労基	安衛	労災	雇用	労一

解答

A ▶ ⑲ 父母その他の保護者
B ▶ ⑥ 生活の安定
C ▶ ⑮ 健やかな成長
D ▶ ⑧ 1万5千
E ▶ ⑦ 3万

根拠条文等
法1条、
法6条1項1号、2項1号、2号、3項

【児童手当の支給額】

児童手当は、月を単位として支給するものとされ、その額は、1月につき、次の(1)(2)の児童手当の区分に応じ、それぞれの表中の「児童の年齢」の区分ごとに定められた1人当たりの月額にそれぞれの区分における人数を乗じて得た額を合算した額となる。

(1) **個人受給資格者**

児童の年齢	1人当たりの月額	
	第1子・第2子	第3子以降
3歳未満	15,000円	30,000円
3歳以上18歳に達する日以後の最初の3月31日まで	10,000円	

(2) **法人受給資格者・施設等受給資格者**

児童の年齢	1人当たりの月額
3歳未満	15,000円（一律）
3歳以上18歳に達する日以後の最初の3月31日まで	10,000円（一律）

13 児童手当法　2

Basic

チェック欄
1 ／
2 ／
3 ／

(1)　児童手当法において「児童」とは、[A]者であって、**日本国内に住所を有する**もの又は留学その他の内閣府令で定める理由により日本国内に住所を有しないものをいう。

(2)　一般受給資格者（公務員である一般受給資格者を除く。以下同じ。）は、児童手当の支給を受けようとするときは、その受給資格及び児童手当の額について、内閣府令で定めるところにより、原則として、[B]の**認定**を受けなければならない。

(3)　[B]は、上記の認定をした一般受給資格者に対し、児童手当を支給するが、その支給は、当該受給資格者が上記(2)の[C]から始め、児童手当を支給すべき事由が消滅した[D]で終わる。

(4)　児童手当は、毎年[E]に、それぞれの**前月までの分**を支払う。ただし、前支払期月に支払うべきであった児童手当又は支給すべき事由が消滅した場合におけるその期の児童手当は、その支払期月でない月であっても、支払うものとする。

選択肢

① 都道府県知事　② 日の属する月の前月
③ 厚生労働大臣　④ 日の属する月の翌月
⑤ 日本年金機構　⑥ 6月及び12月の2期
⑦ 日の属する月　⑧ 日の属する月の翌々月
⑨ 小学校修了前の　⑩ 2月、6月及び10月の3期
⑪ 中学校修了前の　⑫ 4月、8月及び12月の3期
⑬ 支給すべき事由が生じた月
⑭ 認定の請求をした日の属する月
⑮ 支給すべき事由が生じた月の翌月
⑯ 認定の請求をした日の属する月の翌月
⑰ 住所地の市町村長（特別区の区長を含む。）
⑱ 2月、4月、6月、8月、10月及び12月の6期
⑲ 15歳に達する日以後の最初の12月31日までの間にある
⑳ 18歳に達する日以後の最初の3月31日までの間にある

解答

A ▶ ⑳ 18歳に達する日以後の最初の3月31日までの間にある

B ▶ ⑰ 住所地の市町村長(特別区の区長を含む。)

C ▶ ⑯ 認定の請求をした日の属する月の翌月

D ▶ ⑦ 日の属する月

E ▶ ⑱ 2月、4月、6月、8月、10月及び12月の6期

根拠条文等

法3条1項、法7条1項、法8条1項、2項、4項

1. 公務員である一般受給資格者に係る認定

常勤の公務員である一般受給資格者が児童手当の支給を受けようとするときは、その受給資格及び児童手当の額について国家公務員(行政執行法人に勤務する者を除く。)の場合は当該国家公務員の所属する各省各庁の長(裁判所にあっては、最高裁判所長官)又はその委任を受けた者の認定を、地方公務員(特定地方独立行政法人に勤務する者を除く。)の場合は当該地方公務員の所属する都道府県若しくは市町村の長又はその委任を受けた者の認定を、それぞれ受けなければならない。

2. 施設等受給資格者に係る認定

施設等受給資格者が、児童手当の支給を受けようとするときは、その受給資格及び児童手当の額について、次の①～③の区分に応じ、当該①～③に定める者の認定を受けなければならない。

①	児童自立生活援助事業又は小規模住居型児童養育事業を行う者	児童自立生活援助を行う場所又は小規模住居型児童養育事業を行う住居の**所在地の市町村長**
②	里親	当該里親の**住所地**の**市町村長**
③	障害児入所施設等の設置者	当該障害児入所施設等の**所在地**の**市町村長**

社一

14 児童手当法　3

Basic

チェック欄
1 ／
2 ／
3 ／

(1) **被用者**に対する**3歳未満**児童手当の支給に要する費用は、その［A］につき国からの交付金をもって充てる。

なお、上記の国からの交付金は、政府が市町村に対して交付することとされており、当該交付金のうち、その**5分の2**に相当する額は一般事業主が拠出する**拠出金**を、その**5分の3**に相当する額は**子ども・子育て支援納付金**を原資とする。

(2) **被用者等でない**者（被用者又は公務員（施設等受給資格者である公務員を除く。）でない者をいう。以下同じ。）に対する**3歳未満**児童手当の支給に要する費用は、その［B］に相当する額につき国からの交付金（このうち、国庫負担が当該費用の15分の4、子ども・子育て支援納付金が当該費用の5分の3）を、［C］に相当する額につき都道府県からの交付金をもって充てるものとし、当該費用の［C］に相当する額を市町村が負担する。

(3) 被用者及び被用者等でない者に対する**3歳以上**児童手当の支給に要する費用は、その［D］に相当する額につき国からの交付金（このうち、国庫負担が当該費用の9分の4、子ども・子育て支援納付金が当該費用の3分の1）を、［E］に相当する額につき都道府県からの交付金をもって充てるものとし、当該費用の［E］に相当する額につき市町村が負担する。

選択肢

① 3分の1	② 15分の1	③ 全額
④ 3分の2	⑤ 15分の2	⑥ 25%
⑦ 6分の1	⑧ 15分の11	⑨ 20%
⑩ 9分の1	⑪ 15分の13	⑫ 12.5%
⑬ 9分の2	⑭ 2分の1	⑮ 100分の32
⑯ 9分の5	⑰ 5分の1	⑱ 100分の34
⑲ 9分の7	⑳ 5分の4	

解答

A ▶ ③　全額

B ▶ ⑪　15分の13

C ▶ ②　15分の１

D ▶ ⑲　９分の７

E ▶ ⑩　９分の１

法18条１項～３項、法19条

おぼえとるかい？

１．被用者に対する３歳未満児童手当の支給に要する費用

<table>
<tr><th>費用の負担者</th><th colspan="2">国</th></tr>
<tr><td rowspan="2">負担割合</td><td colspan="2">全額</td></tr>
<tr><td>拠出金　５分の２</td><td>支援納付金　５分の３</td></tr>
</table>

２．被用者等でない者に対する３歳未満児童手当の支給に要する費用

<table>
<tr><th>費用の負担者</th><th colspan="2">国</th><th>都道府県</th><th>市町村</th></tr>
<tr><td rowspan="2">負担割合</td><td colspan="2">15分の13</td><td rowspan="2">15分の１</td><td rowspan="2">15分の１</td></tr>
<tr><td>国庫
15分の４</td><td>支援納付金
５分の３</td></tr>
</table>

３．３歳以上児童手当の支給に要する費用

<table>
<tr><th>費用の負担者</th><th colspan="2">国</th><th>都道府県</th><th>市町村</th></tr>
<tr><td rowspan="2">負担割合</td><td colspan="2">９分の７</td><td rowspan="2">９分の１</td><td rowspan="2">９分の１</td></tr>
<tr><td>国庫
９分の４</td><td>支援納付金
３分の１</td></tr>
</table>

15 不服審査制度

Basic

チェック欄
1 ／
2 ／
3 ／

(1) 健康保険法、船員保険法及び厚生年金保険法において、**被保険者の資格**、［ A ］又は**保険給付**に関する処分に不服のある者は、**社会保険審査官**に対して審査請求をし、その決定に不服のある者は、**社会保険審査会**に対して［ B ］をすることができる。

(2) 社会保険審査官は、［ C ］に置かれ、厚生労働省の職員のうちから厚生労働大臣が任命する。

(3) 社会保険審査会は、厚生労働大臣の所轄の下に置かれ、委員長及び委員［ D ］人をもって組織する。

(4) 社会保険審査会の委員長及び委員は、**人格が高潔**であって、社会保障に関する識見を有し、かつ、法律又は社会保険に関する学識経験を有する者のうちから、［ E ］の**同意**を得て、厚生労働大臣が任命する。

選択肢

① 5	② 徴収金	③ 再審査請求
④ 9	⑤ 各市町村	⑥ 異議申立て
⑦ 15	⑧ 標準報酬	⑨ 内閣総理大臣
⑩ 28	⑪ 不服申請	⑫ 社会保障審議会
⑬ 内閣	⑭ 各都道府県	⑮ 標準報酬、保険料
⑯ 保険料	⑰ 厚生労働省	⑱ 処分取消しの訴え
⑲ 両議院	⑳ 各地方厚生局（地方厚生支局を含む。）	

解答

A ▶ ⑧ 標準報酬
B ▶ ③ 再審査請求
C ▶ ⑳ 各地方厚生局（地方厚生支局を含む。）
D ▶ ① 5
E ▶ ⑲ 両議院

根拠条文等
社保審査法1条、法2条、法19条、法21条、法22条1項等

おぼえとるかい？

【審査請求及び再審査請求の手続】

1．審査請求の手続

① 審査請求は、処分があったことを知った日の翌日から起算して**3月を経過したとき**は、することができない。ただし、正当な事由によりこの期間内に審査請求をすることができなかったことを疎明したときは、この限りでない。

② 被保険者の資格又は標準報酬に関する処分に対する審査請求は、原処分があった日の翌日から起算して**2年を経過したとき**は、することができない。

③ 審査請求をした日から**2月以内に決定がないとき**は、審査請求人は、社会保険審査官が審査請求を棄却したものとみなすことができる。

2．再審査請求の手続

再審査請求は、社会保険審査官の決定書の謄本が送付された日の翌日から起算して**2月を経過したとき**は、することができない。ただし、正当な事由によりこの期間内に再審査請求をすることができなかったことを疎明したときは、この限りでない。

Step-Up! アドバイス

・健康保険法、国民年金法、厚生年金保険法、船員保険法は原則として二審制をとっており、国民健康保険法等では一審制をとっている。

社一

16 確定拠出年金法　1

Basic

チェック欄
1 ／
2 ／
3 ／

(1) 確定拠出年金法は、[A]、**高齢期の生活の多様化**等の社会経済情勢の変化にかんがみ、個人又は事業主が拠出した資金を個人が**自己の責任**において運用の指図を行い、高齢期においてその[B]に基づいた給付を受けることができるようにするため、確定拠出年金について必要な事項を定め、国民の高齢期における所得の確保に係る[C]を支援し、もって**公的年金の給付**と相まって国民の生活の安定と福祉の向上に寄与することを目的とする。

(2) 確定拠出年金法において「確定拠出年金」とは、[D]をいう。

(3) 確定拠出年金の給付は、[E]とされている。このほか、当分の間、一定の要件に該当する者は、脱退一時金の支給の請求をすることができる。

選択肢

① 収益　② 結果　③ 事業主等の拠出
④ 実績　⑤ 生活の安定　⑥ 物価や賃金の上昇
⑦ 内容　⑧ 人口の減少　⑨ 少子高齢化の進展
⑩ 積極的な活動　⑪ 老齢給付金、死亡一時金
⑫ 自主的な努力　⑬ 老齢給付金、遺族給付金
⑭ 産業構造の変化　⑮ 企業型年金及び規約型年金
⑯ 企業型年金及び個人型年金
⑰ 基金型年金及び個人型年金
⑱ 規約型企業年金及び基金型企業年金
⑲ 老齢給付金、障害給付金、遺族給付金
⑳ 老齢給付金、障害給付金、死亡一時金

解答

A ▶ ⑨ 少子高齢化の進展

B ▶ ② 結果

C ▶ ⑫ 自主的な努力

D ▶ ⑯ 企業型年金及び個人型年金

E ▶ ⑳ 老齢給付金、障害給付金、死亡一時金

根拠条文等

法1条、法2条1項、法28条、法73条、法附則2条の2，1項等

【確定拠出年金の種類】

	①企業型年金	②個人型年金
対象者	実施事業所に使用される第1号等厚生年金被保険者（第1号厚生年金被保険者又は第4号厚生年金被保険者）	第1号加入者…国民年金の**第1号被保険者**※2
		第2号加入者…国民年金の**第2号被保険者**（企業型掛金拠出者等を除く。）
		第3号加入者…国民年金の**第3号被保険者**
		第4号加入者…国民年金の65歳未満の**任意加入被保険者**（一定の者を除く。）
実施主体	厚生年金適用事業所の事業主※1	国民年金基金連合会
手続	労使の合意に基づき規約を作成、**厚生労働大臣の承認**	連合会が規約を作成、**厚生労働大臣の承認**
掛金	事業主が拠出。規約により加入者も拠出可	加入者が拠出。一定の場合には労使の合意等の手続により、中小事業主も拠出可
運用	加入者及び運用指図者が運用方法を決定	

※1　簡易企業型年金については、実施する企業型年金の企業型年金加入者となる資格を有する者が300人以下であること。

※2　一定の保険料免除者を除く。

17 確定拠出年金法　2

Basic

チェック欄
1 ／
2 ／
3 ／

(1) 企業型年金における掛金は、事業主が、政令で定めるところにより、［ A ］、定期的に拠出するものとされているが、政令で定める基準に従い企業年金規約で定めるところにより、企業型年金加入者も［ A ］、定期的に自ら掛金を拠出することができる。なお、企業型年金加入者掛金の額は、企業型年金**規約**で定めるところにより、［ B ］が決定し、又は変更する。

(2) 各企業型年金加入者に係る事業主掛金の額（企業型年金加入者が企業型年金加入者掛金を拠出する場合にあっては、事業主掛金の額と企業型年金加入者掛金の額との合計額）は、1月につき次に掲げる額を超えてはならない。

① 企業型年金加入者であって、他制度加入者以外のもの
…［ C ］円

② 企業型年金加入者であって、他制度加入者であるもの
…［ C ］円から他制度掛金相当額を控除した額

(3) 事業主は事業主掛金を、また、掛金を拠出する企業型年金加入者は事業主を介して企業型年金加入者掛金を、［ D ］までに［ E ］に納付するものとされている。

選択肢

① 事業主	② 3月ごとに	③ 27,000
④ 各月の10日	⑤ 年1回以上	⑥ 35,000
⑦ 日本年金機構	⑧ 月1回以上	⑨ 55,000
⑩ 資産管理機関	⑪ 年2回以上	⑫ 68,000
⑬ 企業年金基金	⑭ 各拠出区分期間の末日	
⑮ 厚生労働大臣	⑯ 翌拠出区分期間の末日	
⑰ 企業型年金加入者	⑱ 企業型年金運用指図者	
⑲ 国民年金基金連合会	⑳ 企業型年金規約で定める日	

解答

A ▶ ⑤ 年１回以上

B ▶ ⑰ 企業型年金加入者

C ▶ ⑨ 55,000

D ▶ ⑳ 企業型年金規約で定める日

E ▶ ⑩ 資産管理機関

根拠条文等

法19条、法20条、法21条１項、法21条の2,1項、令11条

1．問題文(2)の「他制度加入者」とは、私立学校教職員共済制度の加入者、確定給付企業年金の加入者等をいう。

2．個人型年金加入者掛金

① 個人型年金加入者は、政令で定めるところにより、年１回以上、定期的に掛金を拠出する。

② 個人型年金加入者掛金の額は、個人型年金規約で定めるところにより、個人型年金加入者が決定し、又は変更する。

③ 個人型年金加入者は、規約で定めるところにより、個人型年金加入者掛金を**国民年金基金連合会**に納付するものとされている（第２号加入者は、当該納付をその使用される厚生年金適用事業所の事業主を介して行うことができる。）。

3．中小事業主掛金

中小事業主は、その使用する第１号厚生年金被保険者である個人型年金加入者が掛金を拠出する場合（当該中小事業主を介して納付を行う場合に限る。）は、当該第１号厚生年金被保険者の過半数で組織する労働組合等の同意を得て、政令で定めるところにより、年１回以上、定期的に、掛金を拠出することができる。

18 確定拠出年金法 3

Basic

チェック欄
1 ／
2 ／
3 ／

当分の間、個人型年金の給付として、次の①～⑦のいずれにも該当する者は、個人型年金運用指図者にあっては［ A ］に、個人型年金運用指図者以外の者にあっては［ B ］に、それぞれ**脱退一時金**の支給を請求することができる。

① ［ C ］であること。
② 企業型年金加入者でないこと。
③ 個人型年金加入者になることができる者に該当しないこと。
④ 国民年金の任意加入被保険者となることができる日本国籍を有する海外居住者に該当しないこと。
⑤ 障害給付金の受給権者でないこと。
⑥ その者の通算拠出期間※が政令で定める期間内であること又は請求した日における個人別管理資産の額として政令で定めるところにより計算した額が政令で定める額**以下**であること。
⑦ 最後に企業型年金加入者又は個人型年金加入者の**資格を喪失した日**から起算して**2年**を経過していないこと。

なお、上記⑥の政令で定める期間は［ D ］、政令で定める額は［ E ］とされている。

選択肢

A	① 資産管理運用機関 ③ 個人型記録関連運営管理機関 ④ 企業型記録関連運営管理機関等	② 国民年金基金連合会
B	① 資産管理運用機関 ③ 個人型記録関連運営管理機関 ④ 企業型記録関連運営管理機関等	② 国民年金基金連合会
C	① 65歳以上 ③ 60歳未満	② 保険料免除者 ④ 企業型掛金拠出者
D	① 1年以上3年 ③ 1年以上5年	② 1月以上3年 ④ 1月以上5年
E	① 25万円 ③ 1万5千円	② 50万円 ④ 6万8千円

進捗チェック
労基	安衛	労災	雇用	労一

解答

A ► ③　個人型記録関連運営管理機関

B ► ②　国民年金基金連合会

C ► ③　60歳未満

D ► ④　1月以上5年

E ► ①　25万円

根拠条文等

法附則3条1項、令60条1項、3項

※企業型年金加入者期間及び個人型年金加入者期間を合算した期間をいう。

1．当分の間、次の①～③のいずれにも該当する企業型年金加入者であった者又は次の①及び③並びに問題文の①～⑥のいずれにも該当する企業型年金加入者であった者は、当該企業型年金の**企業型記録関連運営管理機関等**に、**脱退一時金**の支給を請求することができる。
① 企業型年金加入者、企業型年金運用指図者、個人型年金加入者又は個人型年金運用指図者でないこと。
② 当該請求した日における個人別管理資産の額として政令で定めるところにより計算した額が**1万5千円以下**であること。
③ 最後に当該企業型年金加入者の資格を喪失した日が属する月の翌月から起算して**6月**を経過していないこと。

2．上記1．の請求があったときは、当該企業型年金の**資産管理機関**は、当該企業型記録関連運営管理機関等の裁定に基づき、その請求をした者に脱退一時金を支給する。

19 確定給付企業年金法　1

Basic

チェック欄
1 ／
2 ／
3 ／

(1) 確定給付企業年金法は、**少子高齢化の進展**、［ A ］等の社会経済情勢の変化にかんがみ、事業主が［ B ］、高齢期において従業員がその［ C ］給付を受けることができるようにするため、確定給付企業年金について必要な事項を定め、国民の高齢期における**所得の確保**に係る**自主的な努力**を支援し、もって**公的年金の給付**と相まって国民の生活の安定と福祉の向上に寄与することを目的とする。

(2) 厚生年金適用事業所の事業主は、確定給付企業年金を実施しようとするときは、確定給付企業年金を実施しようとする厚生年金適用事業所に使用される厚生年金保険の被保険者（第1号厚生年金被保険者又は第4号厚生年金被保険者に限る。）の［ D ］で組織する労働組合等の**同意**を得て、**規約を作成し**、次のいずれかに掲げる手続を執らなければならない。

① 当該規約について［ E ］**の承認**を受けること［**規約型**企業年金］

② 企業年金基金の設立について［ E ］**の認可**を受けること［**基金型**企業年金］

選択肢

①	過半数	②	高齢期の長期化
③	2分の1	④	産業構造の変化
⑤	3分の2	⑥	企業年金連合会
⑦	4分の3	⑧	運用益に基づいた
⑨	厚生労働大臣	⑩	国民年金基金連合会
⑪	都道府県知事	⑫	給付の費用を負担し
⑬	結果に応じた	⑭	資金の運用を委託し
⑮	時期に応じた	⑯	高齢期の生活の多様化
⑰	内容に基づいた	⑱	従業員と給付の内容を約し
⑲	疾病構造の変化	⑳	従業員に資金の運用を指図し

進捗チェック
労基　安衛　労災　雇用　労一

解答

A ▶ ④ 産業構造の変化
B ▶ ⑱ 従業員と給付の内容を約し
C ▶ ⑰ 内容に基づいた
D ▶ ① 過半数
E ▶ ⑨ 厚生労働大臣

法1条、法2条3項、法3条1項等

1．加入者

確定給付企業年金の実施事業所に使用される厚生年金保険の被保険者（第1号厚生年金被保険者又は第4号厚生年金被保険者に限る。）は確定給付企業年金の加入者となる（原則）。

2．加入者期間

加入者である期間（加入者期間）を計算する場合には、月によるものとし、加入者の資格を取得した**月**から加入者の資格を喪失した月の**前月**までをこれに算入する。ただし、規約で別段の定めをした場合にあっては、この限りでない。

3．企業年金基金

企業年金基金は、実施事業所の**事業主**及びその実施事業所に使用される**加入者の資格を取得した者**をもって組織される。なお、企業年金基金を設立するためには、その設立の申請に係る事業所において、単独で又は合算（共同設立の場合）して**常時300人以上**の加入者となるべき厚生年金保険の被保険者（第1号厚生年金被保険者又は第4号厚生年金被保険者に限る。）を使用していること、又は使用すると見込まれることが必要である。

Step-Up! アドバイス

・確定給付企業年金は、原則として、一の厚生年金適用事業所について一に限り実施することができる。

20 確定給付企業年金法　2

Basic

チェック欄
1 ／
2 ／
3 ／

(1) 事業主（基金型企業年金を実施する場合にあっては、［ A ］。以下21において「事業主等」という。）は、次に掲げる給付を行うものとする。
① 老齢給付金
② ［ B ］

(2) 老齢給付金は、加入者又は加入者であった者が、規約で定める老齢給付金を受けるための要件を満たすこととなったときに、その者に支給するものとするが、この規約で定める要件は、次に掲げる要件を満たすものでなければならないとされている。
① ［ C ］以下の規約で定める年齢に**達したとき**に支給するものであること。
② 政令で定める年齢**以上**上記①の規約で定める年齢**未満**の規約で定める年齢に達した日以後に実施事業所に使用されなくなったときに支給するものであること（規約において当該状態に至ったときに老齢給付金を支給する旨が定められている場合に限る。）。

なお、上記②の政令で定める年齢は、［ D ］とされている。

(3) 規約において、［ E ］**を超える**加入者期間を老齢給付金の給付を受けるための要件として定めてはならない。

選択肢

① 3年	② 10年	③ 60歳以上70歳
④ 15年	⑤ 20年	⑥ 55歳以上70歳
⑦ 45歳	⑧ 50歳	⑨ 55歳以上65歳
⑩ 55歳	⑪ 60歳	⑫ 50歳以上65歳
⑬ 企業年金基金		⑭ 死亡一時金
⑮ 厚生労働大臣		⑯ 脱退一時金
⑰ 企業年金連合会		⑱ 障害給付金
⑲ 資産管理運用機関		⑳ 遺族給付金

進捗チェック

労基	安衛	労災	雇用	労一

解答

A ▶ ⑬　企業年金基金
B ▶ ⑯　脱退一時金
C ▶ ③　60歳以上70歳
D ▶ ⑧　50歳
E ▶ ⑤　20年

根拠条文等
法29条１項、法36条１項、２項、４項、令28条

1．給付の種類
① **行わなければならない給付…老齢給付金、脱退一時金**
② **行うことができる給付…障害給付金、遺族給付金**

2．給付の裁定
① **規約型企業年金…事業主**が裁定する。
② **基金型企業年金…企業年金基金**が裁定する。

3．給付の支給等
事業主は、上記**2.**の裁定をしたときは、遅滞なく、その内容を**資産管理運用機関**に通知しなければならない。資産管理運用機関又は企業年金基金は、裁定に基づき、その請求をした者に給付の支給を行う。

	規約型企業年金	基金型企業年金
給付の裁定	事業主	企業年金基金
給付の支給	資産管理運用機関	企業年金基金

21 確定給付企業年金法　3

Basic

チェック欄
1 ／
2 ／
3 ／

(1) 年金給付の支給期間及び支払期月は、政令で定める基準に従い規約で定めるところによる。ただし、［ A ］、**毎年1回以上**定期的に支給するものでなければならない。

(2) 事業主は、給付に関する事業に要する費用に充てるため、規約で定めるところにより、［ B ］掛金を拠出しなければならない。なお、加入者は、政令で定める基準に従い規約で定めるところにより、掛金の一部を負担することができる。

(3) 事業主等は、少なくとも［ C ］ごとに確定給付企業年金法第57条の掛金の額の基準に従って掛金の額を**再計算**しなければならない。

(4) 事業主等は、毎［ D ］において、給付に充てるべき**積立金**（以下「積立金」という。）を積み立てなければならないとされており、積立金の額は、加入者及び加入者であった者に係る**責任準備金の額**及び**最低積立基準額**［ E ］額でなければならない。

選択肢

① 2年	② 月10日	③ 終身にわたり
④ 3年	⑤ 隔月ごとに	⑥ 事業年度の末日
⑦ 5年	⑧ を上回らない	⑨ 月の賃金締切日
⑩ 6年	⑪ を下回らない	⑫ 10年以上にわたり
⑬ 毎月	⑭ 年2回以上、定期的に	
⑮ 以下の	⑯ 年1回以上、定期的に	
⑰ 月末日	⑱ 終身又は5年以上にわたり	
⑲ 未満の	⑳ 終身又は10年以上にわたり	

進捗チェック
労基　安衛　労災　雇用　労一

解答

A ▶ ⑱	終身又は5年以上にわたり	
B ▶ ⑯	年1回以上、定期的に	
C ▶ ⑦	5年	
D ▶ ⑥	事業年度の末日	
E ▶ ⑪	を下回らない	

根拠条文等
法33条、
法55条1項、
2項、
法58条1項、
法59条、
法60条1項

おぼえとるかい？

1．老齢給付金、障害給付金及び遺族給付金の受給権は、次の場合に**消滅**する。
① 受給権者が**死亡**したとき。
② 支給期間が**終了**したとき。
③ 給付金の全部を**一時金**として支給されたとき。

2．**企業年金連合会**
事業主等は、確定給付企業年金の中途脱退者及び終了制度加入者等（確定給付企業年金が終了した日において当該確定給付企業年金を実施する事業主等が給付の支給に関する義務を負っていた者をいう。）に係る**老齢給付金**の支給を共同して行うとともに、**積立金の移換**を円滑に行うため、企業年金連合会を設立することができる。なお、企業年金連合会は、**全国**を通じて1個とする。

Step-Up! アドバイス

・責任準備金の額は、事業年度の末日における給付に要する費用の予想額の現価から掛金収入の額の予想額の現価を控除した額を基準として、厚生労働省令で定めるところにより算定した額とする。
・最低積立基準額は、加入者等の事業年度の末日までの加入者期間に係る給付として政令で定める基準に従い規約で定めるものに要する費用の額の予想額を計算し、これらの予想額の合計額の現価として厚生労働省令で定めるところにより算定した額とする。

22 社会保険労務士法 1

Basic

チェック欄
1 ／
2 ／
3 ／

(1) 社会保険労務士法は、社会保険労務士の制度を定めて、その[A]を図り、もって労働及び社会保険に関する法令の**円滑な実施**に寄与するとともに、事業の健全な発達と労働者等の[B]に資することを目的とする。

(2) 社会保険労務士は、常に[C]、業務に関する法令及び実務に精通して、**公正な立場**で、**誠実に**その業務を行わなければならない。

(3) 紛争解決手続代理業務には、次に掲げる事務が含まれる。
① 紛争解決手続について**相談に応ずる**こと。
② 紛争解決手続の開始から終了に至るまでの間に[D]を行うこと。
③ 紛争解決手続により成立した**和解**における**合意**を内容とする[E]すること。

選択肢

① 定款を作成	② 品格を有し	③ 業務の適正
④ 適正な運営	⑤ 福祉の向上	⑥ 生活の安定
⑦ 福祉の増進	⑧ 法令の周知	⑨ 契約を締結
⑩ 和解の交渉	⑪ 資質の向上	⑫ 意見書を提出
⑬ 社会に貢献し	⑭ 見積もりの提出	
⑮ 法令を遵守し	⑯ 労働条件の改善	
⑰ 品位を保持し	⑱ 社会的地位の向上	
⑲ 契約文書の開示	⑳ あっせん案の提示	

解答

A ▶ ③ 業務の適正

B ▶ ⑤ 福祉の向上

C ▶ ⑰ 品位を保持し

D ▶ ⑩ 和解の交渉

E ▶ ⑨ 契約を締結

法1条、
法1条の2、
法2条3項

おぼえとるかい?

【社会保険労務士の業務】

(1) 労働社会保険諸法令に基づいて申請書等を作成すること

(2) 申請書等について、その提出に関する手続を代わってすること(提出代行)

(3) 労働社会保険諸法令に基づく申請等について、又は当該申請等に係る行政機関等の調査若しくは処分に関し行政機関等に対してする主張若しくは陳述について、代理すること(事務代理)

(4) **紛争解決手続代理業務**※(以下の手続について、紛争の当事者を代理すること)

① 個別労働関係紛争解決促進法に規定する紛争調整委員会におけるあっせんの手続及び障害者雇用促進法等に規定する調停の手続

② 都道府県知事の委任を受けて都道府県労働委員会が行う個別労働関係紛争(一定の紛争を除く。)に関するあっせんの手続

③ 個別労働関係紛争(紛争の目的の価額が120万円を超える場合には弁護士と共同受任しているものに限る。)に関する民間紛争解決手続であって、厚生労働大臣が指定する団体が行うもの

※紛争解決手続代理業務は、**特定社会保険労務士**に限り、行うことができる。

(5) 労働社会保険諸法令に基づく一定の帳簿書類を作成すること

(6) 事業における労務管理等について相談に応じ、又は指導すること

23 社会保険労務士法　2

Basic

チェック欄
1 ／
2 ／
3 ／

(1) [A]は、社会保険労務士の登録を受けた者が、次の①から③のいずれかに該当するときは、[B]の**議決**に基づき、当該**登録を取り消す**ことができる。

① 登録を受ける資格に関する重要事項について、告知せず又は不実の告知を行って当該登録を受けたことが判明したとき。

② 心身の故障により社会保険労務士の業務を行うことができない者に該当するに至ったとき。

③ [C]**以上**継続して所在が不明であるとき。

(2) 社会保険労務士となる資格を有する者が社会保険労務士となるには、[A]に備える[D]に、氏名、生年月日、住所等の[E]を受けなければならない。

選択肢

A	① 厚生労働省	② 社会保障審議会
	③ 社会保険労務士会	
	④ 全国社会保険労務士会連合会	
B	① 査問委員会	② 試験委員会
	③ 資格審査会	④ 厚生労働大臣
C	① 5年　② 3年	③ 2年　④ 1年
D	① 開業許可書	② 社会保険労務士名簿
	③ 登記簿謄本	④ 開業社会保険労務士名簿
E	① 登録	② 登記
	③ 付記	④ 記載をする許可

進捗チェック
労基　安衛　労災　雇用　労一

解答

A ► ④　全国社会保険労務士会連合会

B ► ③　資格審査会

C ► ③　２年

D ► ②　社会保険労務士名簿

E ► ①　登録

根拠条文等

法14条の２,１項、
法14条の３、
法14条の９,１項

おぼえとるかい？

1．次のいずれかに該当する者は、社会保険労務士となる資格を有しない。
　①　未成年者
　②　破産手続開始の決定を受けて復権を得ない者
　③　懲戒処分により社会保険労務士の失格処分を受けた日から**３年**を経過しない者　等

2．次のいずれかに該当する者は、社会保険労務士の登録を受けることができない。
　①　**懲戒処分**により、弁護士、公認会計士、税理士又は行政書士の**業務を停止**され、現にその処分を受けている者
　②　**心身の故障**により社会保険労務士の業務を行うことができない者
　③　労働保険料徴収法、健康保険法等の定めにより納付義務を負う**保険料**について、登録申請日の前日までに**滞納処分**を受け、かつ、当該処分を受けた日から**正当な理由なく３月以上**の期間にわたり、当該処分を受けた日以降に納期限の到来した保険料の**すべてを引き続き滞納**している者
　④　社会保険労務士の**信用又は品位**を害するおそれがある者その他その職責に照らし社会保険労務士としての**適格性を欠く**者

Step-Up! アドバイス

・開業社会保険労務士は、必ず事務所を定めなければならない。また、社会保険労務士法人の社員になろうとする者は、当該社会保険労務士法人の事務所を定めなければならない。

24 社会保険労務士法　3

Basic

チェック欄
1 ／
2 ／
3 ／

(1)　社会保険労務士又は社会保険労務士法人は、申請書等（厚生労働省令で定めるものに限る。）を作成した場合には、厚生労働省令で定めるところにより、当該申請書等の作成の基礎となった事項を、書面に記載して当該書面を当該申請書等に添付し、又は当該申請書等に［ A ］することができる。

(2)　社会保険労務士又は社会保険労務士法人が上記(1)による添付又は［ A ］をしたときは、当該添付又は［ A ］に係る社会保険労務士は、当該添付書面又は当該［ A ］の末尾に社会保険労務士である旨を［ A ］した上、［ B ］しなければならない。

(3)　開業社会保険労務士又は社会保険労務士法人は、正当な理由がある場合でなければ、依頼（［ C ］に関するものを除く。）を拒んではならない。

(4)　社会保険労務士に対する懲戒処分には、次の3種類がある。

①　［ D ］

②　［ E ］の開業社会保険労務士若しくは開業社会保険労務士の使用人である社会保険労務士又は社会保険労務士法人の社員若しくは使用人である社会保険労務士の**業務の停止**

③　**失格処分**（社会保険労務士の資格を失わせる処分をいう。）

選択肢

① 記名	② 署名捺印	③ 事務代理
④ 付記	⑤ 記名押印	⑥ 登録の抹消
⑦ 署名	⑧ 5月以内	⑨ 資格はく奪
⑩ 掲出	⑪ 6月以内	⑫ 提出代行業務
⑬ 摘記	⑭ 1年以内	⑮ 登録の取消し
⑯ 戒告	⑰ 3年以内	⑱ 給与計算業務
⑲ 標記	⑳ 紛争解決手続代理業務	

進捗チェック
労基　安衛　労災　雇用　労一

解答

A ► ④ 付記

B ► ① 記名

C ► ⑳ 紛争解決手続代理業務

D ► ⑯ 戒告

E ► ⑭ 1年以内

根拠条文等

法17条1項、3項、法20条、法25条、法25条の20

おぼえとるかい?

1. **不正行為の指示等を行った場合の懲戒（法25条の2）**
   ① 社会保険労務士が、**故意に**、真正の事実に反して申請書等の作成、事務代理若しくは紛争解決手続代理業務を行ったとき、又は不正行為の指示等の禁止の規定に違反する行為をしたとき
   ➡**1年以内の業務の停止**又は**失格処分**の処分
   ② 社会保険労務士が、**相当の注意を怠り**、上記①に規定する行為をしたとき
   ➡**戒告**又は**1年以内の業務の停止**の処分
2. **一般の懲戒（法25条の3）**
   厚生労働大臣は、上記1.に該当する場合を除くほか、社会保険労務士が、審査事項等を記載した書面の添付等の規定により添付する書面若しくは付記に**虚偽の記載**をしたとき、社会保険労務士法及びこれに基づく命令若しくは労働社会保険諸法令の規定に**違反したとき**、又は社会保険労務士たるにふさわしくない**重大な非行**があったときは、問題文(4)の**懲戒処分**をすることができる。

Step-Up! アドバイス

・懲戒処分の内容が「失格処分」の場合に、意見陳述のための手続として「聴聞」が必要であるのは当然であるが、行政手続法においては「弁明の機会の付与」で足りる「戒告」又は「業務の停止」についても、「聴聞」を行わなければならないこととしている。

25 社会保険労務士法　4

Basic

チェック欄
1 ／
2 ／
3 ／

(1) 社会保険労務士法人の社員は、[A]でなければならない。

(2) 次に掲げる者は、社会保険労務士法人の社員となることができない。

① 社会保険労務士の**業務の停止**の処分を受け、当該業務の停止の期間を経過しない者

② 社会保険労務士法人が**解散**又は**業務の停止**を命ぜられた場合において、その処分の日以前[B]にその社員であった者でその処分の日から[C]（業務の停止を命ぜられた場合にあっては、当該業務の停止の期間）を経過しないもの

(3) 社会保険労務士法人は、成立したときは、成立の日から[D]以内に、登記事項証明書及び定款の写しを添えて、その旨を、その主たる事務所の所在地の属する都道府県の区域に設立されている**社会保険労務士会を経由**して、[E]**に届け出**なければならない。

選択肢

① 1年	② 14日内	③ 厚生労働大臣
④ 2年	⑤ 1週間	⑥ 都道府県知事
⑦ 3年	⑧ 2週間	⑨ 地方厚生局長
⑩ 5年	⑪ 30日内	⑫ 社会保険労務士
⑬ 5日	⑭ 3月内	⑮ 業務に精通した者
⑯ 10日	⑰ 6月内	⑱ 社会的信用がある者
⑲ 高潔な人物	⑳ 全国社会保険労務士会連合会	

解答

A ▶ ⑫　社会保険労務士
B ▶ ⑪　30日内
C ▶ ⑦　3年
D ▶ ⑧　2週間
E ▶ ⑳　全国社会保険労務士会連合会

根拠条文等
法25条の8、
法25条の13, 1項

おぼえとるかい？

社会保険労務士法人は、次に掲げる理由によって解散する。
① 定款に定める理由の発生
② 総社員の同意
③ 他の社会保険労務士法人との合併
④ 破産手続開始の決定
⑤ 解散を命ずる裁判
⑥ 違法行為等に対する厚生労働大臣による解散の命令
⑦ 社員の欠亡

Step-Up! アドバイス

・社会保険労務士法人の社員は、社会保険労務士でなければならない（社会保険労務士となる資格を有する者であって、社会保険労務士名簿に登録を受けていないものについては、社会保険労務士法人の社員になることはできない。）。
・社会保険労務士法人は、定款で定めるところにより、紛争解決手続代理業務を行うことができるが、当該業務は、社員のうちに特定社会保険労務士がある社会保険労務士法人に限り、行うことができる。

26 社会保障制度

Basic

チェック欄
1 ／
2 ／
3 ／

※次の文章は、平成29年版厚生労働白書を参照している。

(1) 我が国において「**社会保障**」という言葉は、1946（昭和21）年11月に公布された［ A ］第25条に用いられたことを契機に一般化したといわれている。この［ A ］第25条で使われている「社会保障」という言葉は、明確な定義がされていたものではなく、具体的に定義が示されたのは、内閣総理大臣の諮問機関として1949(昭和24）年に設置された**社会保障制度審議会**による1950（昭和25）年の「社会保障制度に関する勧告」(以下「1950年勧告」という。)であった。「1950年勧告」の中で、社会保障制度とは、「疾病、負傷、分娩、廃疾、死亡、老齢、失業、多子その他困窮の原因に対し、［ B ］又は直接公の負担において経済保障の途を講じ、生活困窮に陥った者に対しては、国家扶助によって最低限度の生活を保障するとともに、公衆衛生及び社会福祉の向上を図り、もって全ての国民が文化的社会の成員たるに値する生活を営むことができるようにすること」と定義した上で、このような社会保障の責任は［ C ］にあることを規定している。

(2) 社会保障の機能は、主として、①生活リスクに対応し、生活の安定を図り、安心をもたらす「**生活安定・向上機能**」、②所得を個人や世帯の間で移転させることにより、国民生活の安定を図る「［ D ］機能」、③［ E ］し、経済を安定させる「**経済安定機能**」の３つがあげられる。

選択肢

① 国家	② 景気回復	③ 日本国憲法
④ 国民	⑤ 労働基準法	⑥ 所得の平準化
⑦ 市町村	⑧ 所得再分配	⑨ 互助会への加入
⑩ 事業者	⑪ 世代間扶養	⑫ 大日本帝国憲法
⑬ 所得分配	⑭ 保険的方法	⑮ 景気変動を緩和
⑯ 貸付方式	⑰ リスク分散	⑱ 社会情勢に順応
⑲ 恤救（じゅっきゅう）規則	⑳ 経済社会の発展に寄与	

進捗チェック
労基 安衛 労災 雇用 労一

解答

A ▶ ③ 日本国憲法

B ▶ ⑭ 保険的方法

C ▶ ① 国家

D ▶ ⑧ 所得再分配

E ▶ ⑮ 景気変動を緩和

根拠条文等

平成29年版厚生労働白書P4、8、9

※B「保険的方法」については 27 おぼえとるかい? の「2．社会保険方式」参照。

1．社会保障制度の範囲

社会保障
- 社会保険（医療保険、年金保険等）
- 公的扶助（生活保護、災害援助）
- 公衆衛生（感染症対策等）
- 社会福祉（児童福祉、身体障害者福祉等）

2．我が国の社会保障の歴史的特徴

現在の我が国の社会保障制度は、**国民皆保険・皆年金**を中核として、高度経済成長期であった1960～1970年代にその骨格が完成した。そのため、右肩上がりの経済成長と低失業率、正規雇用・終身雇用の男性労働者と専業主婦と子どもという**核家族モデル**、充実した**企業の福利厚生**、**人々のつながりのある地域社会**、といった当時の経済社会を前提とした制度の構築がなされている。その結果、我が国の社会保障制度は、現役世代に対しては企業や家族が生活保障の中核となり、社会保障制度による対応が補完的なものとなっており、**高齢者に対する給付が相対的に手厚くなる傾向**が見られる。（平成29年版厚生労働白書P14）

27 医療保険制度

Basic

チェック欄
1 ／
2 ／
3 ／

※次の文章は、令和６年版厚生労働白書を参照している。

(1) 我が国は、［ A ］制度の下で世界最高レベルの平均寿命と保健医療水準を実現してきた。一方で、今後を展望すると、いわゆる団塊の世代が2025（令和７）年までに全て75歳以上となり、また、［ B ］の減少が加速するなど、本格的な「少子高齢化・人口減少時代」を迎える中で、人口動態の変化や経済社会の変容を見据えつつ、全ての世代が公平に支え合い、［ C ］社会保障制度を構築することが重要である。

(2) 出産に要する経済的負担の軽減を目的とする**出産育児一時金**については、出産費用が年々上昇する中で、平均的な標準費用が全て賄えるよう、2023（令和５）年４月より、［ D ］に大幅に増額した。この出産育児一時金に要する費用は、原則として現役世代の被保険者が自ら支払う保険料で負担することとされているが、今般、子育てを社会全体で支援する観点から、［ E ］制度が出産育児一時金に要する費用の一部を支援する仕組みを2024(令和６)年度から導入することとした。

また、子育て世帯の負担軽減、次世代育成支援等の観点から、2024年１月から、出産する被保険者に係る**産前産後期間**相当分(４か月間) の均等割保険料※及び所得割保険料を公費により**免除**する措置を新たに講じている。

選択肢

① 就業人口	② 生活保護	③ 持続可能な
④ 有業人口	⑤ 効率的な	⑥ 国民皆保障
⑦ 恒常的な	⑧ 一人一保険	⑨ 国民皆保険
⑩ 介護保険	⑪ 国民皆年金	⑫ 生産年齢人口
⑬ 安定した	⑭ 退職者医療	⑮ 後期高齢者医療

⑯ 44万円から52万円　　⑰ 42万円から50万円
⑱ 40万円から48万円　　⑲ 38万円から45万円
⑳ 40歳以上65歳未満の医療保険加入者

進捗チェック

労基	安衛	労災	雇用	労一

解答

A ▶ ⑨　国民皆保険

B ▶ ⑫　生産年齢人口

C ▶ ③　持続可能な

D ▶ ⑰　42万円から50万円

E ▶ ⑮　後期高齢者医療

根拠条文等

令和６年版厚生労働白書P337、338

※世帯あたりの国保の被保険者数に応じて均等に負担する保険料（保険税）をいう。

1．1961（**昭和36**）**年**に**国民皆保険**を達成して以来、**社会保険方式**の下、全ての国民が職業・地域に応じて健康保険や国民健康保険といった公的医療保険制度に加入することとなっている。そして、病気等の際には、保険証１枚で一定の自己負担により必要な医療サービスを受けることができる制度を採用することにより、誰もが安心して医療を受けることができる医療制度を実現し、世界最長の平均寿命や高い保健医療水準を達成してきた。（平成25年版厚生労働白書P309）

2．**社会保険方式**

社会保険方式は、保険料の拠出と保険給付が対価的な関係にあり、保険料負担の見返りに給付を受けるという点において、税方式※の場合よりも、給付の権利性が強いといえる。実際、医療保険で医療サービスを受けるように、給付を受けることが特別なことではなく、当たり前のことというイメージをもち、その受給に恥ずかしさや汚名（スティグマ）が伴わないというメリットがある。

また、財源面でも、会計的に保険料負担（収入）と給付水準（支出）とが連動していることから、一般財源としての租税よりも、給付と負担の関係について、国民の理解が得られやすい側面がある。（平成24年版厚生労働白書P39～40）

※税方式…保険料ではなく専ら租税を財源にして給付を行う仕組み

28 介護保険制度

Basic

チェック欄
1 ／
2 ／
3 ／

※次の文章は、令和６年版厚生労働白書を参照している。

［ A ］４月に社会全体で高齢者介護を支える仕組みとして創設された介護保険制度は着実に社会に定着してきており、介護サービスの利用者は［ A ］４月の149万人から2023（令和５）年４月には524万人と約3.5倍になっている。

いわゆる団塊ジュニア世代の全員が65歳以上となる2040年頃を見通すと、［ B ］以上人口が急増し、認知機能が低下した高齢者や要介護高齢者が更に増加する一方、生産年齢人口が急減することが見込まれている。さらに、都市部と地方では高齢化の進み方が大きく異なるなど、これまで以上にそれぞれの地域の特性や実情に応じた対応が必要となる中で、このような社会構造の変化や高齢者のニーズに応えるために、「［ C ］」の深化・推進を目指している。

「［ C ］」とは、高齢者が、可能な限り、［ D ］でその**有する能力**に応じ**自立した日常生活**を営むことができるよう、医療、介護、介護予防、住まい及び自立した日常生活の支援が［ E ］に確保される体制のことをいい、**地域の特性**に応じて作り上げていくことが必要となる。

選択肢

① 2002（平成14）年	② 豊か	③ 70歳
④ 2000（平成12）年	⑤ 個別	⑥ 75歳
⑦ 1997（平成９）年	⑧ 包括的	⑨ 80歳
⑩ 1985（昭和60）年	⑪ 先進的	⑫ 85歳
⑬ 住み慣れた地域	⑭ 一体的	
⑮ 少ない経済的負担	⑯ 高い生活水準	
⑰ 地域包括ケアシステム	⑱ 地域支援事業	
⑲ 包括的ケアマネジメント		
⑳ 地域密着型日常生活支援事業		

解答

A ▶ ④　2000（平成12）年

B ▶ ⑫　85歳

C ▶ ⑰　地域包括ケアシステム

D ▶ ⑬　住み慣れた地域

E ▶ ⑧　包括的

根拠条文等

令和６年版厚生労働白書P343

【医療制度の沿革】

大正11年	健康保険法制定（昭和２年施行）
昭和36年	国民健康保険が全国に普及、**国民皆保険の実現**
昭和57年	老人保健法の制定（昭和58年施行）
平成６年	**訪問看護療養費**・**入院時食事療養費**の創設…等
平成９年	介護保険法の制定（平成12年施行）
平成12年	育児休業期間中の健康保険料の免除（被保険者負担分の免除に加え、平成13年より事業主負担分も免除）…等
平成14年	老人医療受給対象年齢を**75歳以上**に引上げ（老人保健法）
平成15年	・各医療保険制度での給付率（原則７割）の統一 ・**総報酬制**の導入
平成18年	特定療養費の廃止、入院時生活療養費・保険外併用療養費の創設…等
平成20年	**・後期高齢者医療制度の創設** ・全国健康保険協会の設立
平成23年	介護保険法の改正（地域包括ケアシステムの構築）
平成24年	産前産後休業期間中の健康保険料の免除等（平成26年施行）
平成27年	・患者申出療養の創設 ・市町村国保を都道府県単位に再編（平成30年施行）
平成28年	社会保険適用拡大の実施
平成29年	70歳以上の外来療養に係る年間の高額療養費制度の創設
令和元年	被扶養者の要件に国内居住要件を追加（令和２年施行）
令和３年	傷病手当金の支給期間の通算化（令和４年施行）
令和５年	出産育児一時金等に係る後期高齢者医療制度からの支援（令和６年施行）

社一

29 年金制度　1

Basic

チェック欄
1 ／
2 ／
3 ／

※次の文章は、平成24年版及び令和６年版厚生労働白書を参照している。

(1) 日本の公的年金制度（厚生年金保険及び国民年金）は、サラリーマン、自営業者などの現役世代が保険料を支払い、その保険料を財源として高齢者世代に年金を給付するという**賦課方式**による「［　A　］」の仕組みとなっている。

将来、現役世代が年金を受給する年齢層になったときには、その時の現役世代が拠出した保険料が年金に充てられることになっており、貯蓄や個人年金のような、自分が積み立てた保険料が将来年金として戻ってくる「［　B　］」とは異なる仕組みをとっている。

(2) 公的年金制度の財源には、保険料収入のほかに、**積立金**の運用収入や国庫負担がある。積立金の運用収入については、保険料として徴収された財源のうち年金給付に充てられなかったもの（年金積立金）を運用し、その運用収入を年金給付に活用することによって、将来の現役世代の保険料負担が過大にならないようにしており、［　C　］が運営を行なっている。

また、毎年度の基礎年金の給付に必要な費用の総額の［　D　］は、国庫で負担することにしている。

(3) 年金を受給しながら生活をしている高齢者や障害者などの中で、年金を含めても所得が低い者を支援するため、月額［　E　］円を基準とし、年金に上乗せして支給する「**年金生活者支援給付金制度**」が、2019（令和元）年10月より施行された。年金生活者支援給付金は、消費税率を10％に引き上げた財源を基に支給されている。

選択肢

A	①　出来高払　②　積立方式 ③　社会保険方式　④　世代間扶養
B	①　出来高払　②　積立方式 ③　社会保険方式　④　世代間扶養
C	①　厚生労働省　②　日本年金機構 ③　年金積立金管理運用独立行政法人（GPIF）　④　財務省
D	①　２分の１　②　３分の２ ③　３分の１　④　４分の３
E	①　３千　②　５千　③　１万　④　１万５千

進捗チェック
労基　安衛　労災　雇用　労一

解答

A ► ④　世代間扶養

B ► ②　積立方式

C ► ③　年金積立金管理運用独立行政法人（GPIF）

D ► ①　2分の1

E ► ②　5千

根拠条文等

平成24年版厚生労働白書 P 50、55、
令和６年版厚生労働白書 P 287、288

1．世代間扶養

「**世代間扶養**」は、一人ひとりが私的に行っていた老親の扶養・仕送りを、社会全体の仕組みに広げたものである。

現役世代が全員で保険料を納付し、そのときそのときの高齢者全体を支える仕組みは、私的な扶養の不安定性やそれをめぐる気兼ね・トラブルなどを避けられるというメリットがある。また、現役世代が稼ぎ出す所得の一定割合を、その年々における高齢者世代に再分配するという「賦課方式」の仕組みをとることにより、物価スライド（物価の変動に応じて年金支給額を改定すること）によって実質的価値を維持した年金を一生涯にわたって保障するという、私的な貯蓄では不可能な、老後の安定的な所得保障を可能にしている。（平成24年版厚生労働白書P51）

2．問題文(3)について、2024（令和６）年度の支給基準額は、月額5,310円となっている。

30 年金制度 2

Basic

チェック欄
1 ／
2 ／
3 ／

※(3)の文章は、令和５年版厚生労働白書を参照している。

(1) わが国の公的年金制度においては、昭和34年に国民年金法が制定され、昭和［ A ］４月には、拠出制となり、**国民皆年金**体制が実現した。

(2) 昭和60年、公的年金制度の抜本的再編成を伴う国民年金法の改正により、国民年金を全国民共通の［ B ］とし、厚生年金保険等の被用者年金は［ B ］に上乗せされる報酬比例の年金ととらえる大改正が行われ、昭和61年４月より実施されている。

(3) 2019（令和元）年財政検証の結果や社会保障審議会年金部会での議論を踏まえ、以下の内容を盛り込んだ「年金制度の機能強化のための国民年金法等の一部を改正する法律」が2020（令和２）年に成立・公布された。

① 短時間労働者に対する被用者保険の適用について、2022（令和４）年10月に［ C ］**超**規模の企業まで適用範囲を拡大し、また、**５人以上**の個人事業所の適用業種に弁護士・税理士等の士業を追加した。

② 在職中の年金受給の在り方の見直しの一環として、65歳以上の在職中の老齢厚生年金受給者について、年金額を毎年［ D ］に改定する**在職定時改定制度**を導入した。また、60～64歳に支給される特別支給の老齢厚生年金を対象とした在職老齢年金制度（低在老）の支給停止の基準額を、28万円から65歳以上の在職老齢年金制度(高在老)と同じ［ E ］に引き上げた。さらに、年金の受給開始時期の選択肢については、60歳から70歳の間となっていたものを、60歳から**75歳**の間に拡大した。

選択肢

① 38年	② 35年	③ 50人	④ 基本給付
⑤ 36年	⑥ 41年	⑦ 100人	⑧ 拠出年金
⑨ １月	⑩ ４月	⑪ 200人	⑫ 基礎年金
⑬ ８月	⑭ 10月	⑮ 300人	⑯ 共済年金
⑰ 52万円	⑱ 48万円	⑲ 47万円	⑳ 45万円

解答

A ▶ ⑤　36年
B ▶ ⑫　基礎年金
C ▶ ⑦　100人
D ▶ ⑭　10月
E ▶ ⑲　47万円

根拠条文等
平成23年版厚生労働白書P42等、令和5年版厚生労働白書P 258、259

【年金制度の沿革】

昭和36年	国民年金法の全面施行、**国民皆年金の実現**
昭和60年	全国民共通の**基礎年金**の導入（昭和61年4月施行）
平成元年	学生の国民年金適用（平成3年4月施行）…等
平成6年	**65歳未満**の者に支給する老齢厚生年金の見直し…等
平成9年	**基礎年金番号**制度の実施…等
平成12年	育児休業期間中の厚生年金保険料の免除…等
平成13年	・確定拠出年金法の制定（同年施行） ・確定給付企業年金法の制定（平成14年施行）
平成14年	・厚生年金保険の被保険者資格を65歳未満から**70歳未満**に延長 ・国民年金の**保険料半額免除制度**の導入
平成15年	**総報酬制**の導入
平成16年	保険料水準固定方式・マクロ経済スライドの導入…等
平成18年	国民年金の多段階免除制度の導入…等
平成19年	離婚時の年金分割制度の導入…等
平成20年	第3号被保険者期間に係る年金分割制度の導入…等
平成22年	日本年金機構の設立
平成24年	・産前産後休業期間中の厚年保険料の免除等（平成26年施行） ・老齢基礎年金の受給資格期間を10年に短縮（平成29年施行）
平成25年	厚生年金基金制度の見直し（平成26年施行）
平成27年	被用者年金制度の一元化の実施
平成28年	・社会保険適用拡大の実施 ・第1号被保険者の産前産後期間中の保険料免除(平成31年施行)
令和元年	第3号被保険者の要件に国内居住要件を追加(令和2年施行)
令和2年	老齢基礎（厚生）年金の受給開始時期の選択肢の拡大

1 高齢者保健事業

Step-Up

チェック欄
1 ／
2 ／
3 ／

※次の文章は、「高齢者の医療の確保に関する法律に基づく高齢者保健事業の実施等に関する指針（令和5年8月31日厚生労働省告示第258号）」を参照している。

我が国の医療保険制度においては、［ A ］歳に到達すると、それまで加入していた国民健康保険制度等から、**後期高齢者医療制度**の被保険者に異動することとされている。この結果、高齢者保健事業の実施主体についても市町村（特別区を含む。以下同じ。）等から**後期高齢者医療広域連合**（以下「広域連合」という。）に移ることとなり、国民健康保険法第82条第5項に規定する［ B ］歳までの高齢者の心身の特性に応じた事業（以下「国民健康保険保健事業」という。）と高齢者保健事業が、これまで［ C ］されてこなかったといった課題が見られる。広域連合の中には、市町村に高齢者保健事業の委託等を行うことで重症化予防等の取組を行っている事例も見られるが、多くの場合、健康診査のみの実施となっている状況にある。また、高齢者は、**疾病予防**と［ D ］の両面にわたるニーズを有しているが、高齢者保健事業は広域連合が主体となって実施し、介護予防の取組は市町村が主体となって実施しているため、健康状況や生活機能の課題に［ E ］に対応できていないという課題もある。

こうした課題について、市町村は、市民に身近な立場からきめ細かな住民サービスを提供することができ、国民健康保険及び介護保険の保険者であるため、国民健康保険保健事業及び介護予防についても知見を有していること等から、高齢者の心身の特性に応じてきめ細かな高齢者保健事業を進めるため、個々の事業については、広域連合は、市町村と連携し、国民健康保険保健事業及び介護予防の取組と［ E ］に実施する必要がある。

選択肢

① 75	② 74	③ 就業促進
④ 70	⑤ 69	⑥ 公平に実施
⑦ 65	⑧ 64	⑨ 適切に継続
⑩ 60	⑪ 59	⑫ 生活機能維持
⑬ 治療	⑭ 合理的	⑮ 迅速に実施
⑯ 迅速	⑰ 一体的	⑱ 適切かつ公正に実施
⑲ 適切	⑳ 予後予測	

進捗チェック
労基 安衛 労災 雇用 労一

解答

A ▶ ① 75
B ▶ ② 74
C ▶ ⑨ 適切に継続
D ▶ ⑫ 生活機能維持
E ▶ ⑰ 一体的

根拠条文等
高齢者医療確保法125条6項、令和5.8.31厚労告258号

解き方アドバイス

「高齢者保健事業」とは、高齢者医療確保法125条1項の規定に基づき、後期高齢者医療広域連合がその実施について努力義務が課せられている「高齢者の心身の特性に応じ、健康教育、健康相談、健康診査及び保健指導並びに健康管理及び疾病の予防に係る被保険者の自助努力についての支援その他の被保険者の健康の保持増進のために必要な事業」のことをいいます。

AからCについては、「前期高齢者→後期高齢者」という流れを考慮して選択肢を選ぶとよいでしょう。その流れを考慮したときは、Cの選択肢としては、「⑨　適切に継続」のみ、正解の候補として残ると思います。

DとEは正解肢の絞込みが難しいかもしれません。Dについては、文章のつながりから、「⑫　生活機能維持」、「⑬　治療」、「③　就業促進」及び「⑳　予後予測」が候補として挙がると思います。Dは、「疾病予防」(問題文11行目）と対になっており、かつ、問題文14行目で「健康状況や生活機能の課題」ということが述べられていることがヒントとなるかもしれません。Eについては、問題文12行目から13行目にかけて、「高齢者保健事業→広域連合」、「介護予防→市町村」というようにそれぞれが主体となって行われているために…に対応できていない、という記述があり、また、問題文下から3～1行目で、両者が連携して…に実施する必要がある、という記述があることをヒントに「⑰　一体的」を選ぶことができるかもしれません。

2 介護保険法 Step-Up

チェック欄
1 ／
2 ／
3 ／

(1) **国及び地方公共団体**は、被保険者が、可能な限り、［ A ］でその有する能力に応じ自立した日常生活を営むことができるよう、保険給付に係る保健医療サービス及び福祉サービスに関する施策、要介護状態等となることの予防又は要介護状態等の軽減若しくは悪化の防止のための施策並びに地域における自立した日常生活の支援のための施策を、医療及び居住に関する施策との有機的な連携を図りつつ［ B ］に推進するよう**努め**なければならない。

(2) **国及び地方公共団体**は、上記(1)に掲げる施策を［ B ］に推進するに当たっては、［ C ］その他の者の福祉に関する施策との有機的な連携を図るよう努めるとともに、地域住民が相互に人格と個性を尊重し合いながら、参加し、共生する地域社会の実現に資するよう**努め**なければならない。

(3) **国及び地方公共団体**は、認知症（アルツハイマー病その他の神経性疾患、脳血管疾患その他の疾患により［ D ］に支障が生じる程度にまで［ E ］機能が低下した状態として政令で定める状態をいう。以下同じ。）に対する国民の関心及び理解を深め、認知症である者への支援が適切に行われるよう、認知症に関する知識の普及及び啓発に**努め**なければならない。

選択肢

① 先進的	② 豊か	③ 労務の提供
④ 障害者	⑤ 言語	⑥ 高い生活水準
⑦ 失業者	⑧ 身体	⑨ 社会経済情勢
⑩ 包括的	⑪ 高度	⑫ 住み慣れた地域
⑬ 労働者	⑭ 歩行	⑮ 未成年被後見人
⑯ 速やか	⑰ 認知	⑱ 少ない経済的負担
⑲ 職業生活	⑳ 日常生活	

解答

A ▶ ⑫ 住み慣れた地域
B ▶ ⑩ 包括的
C ▶ ④ 障害者
D ▶ ⑳ 日常生活
E ▶ ⑰ 認知

根拠条文等
法5条4項、5項、法5条の2,1項

解き方 アドバイス

空欄Aについては、直後に「自立した日常生活」とあるのですが、もう1箇所で「地域における自立した日常生活」という記載がありますので、「地域」に関係するもの（「⑫ 住み慣れた地域」）を選びたいところです。

空欄Bについては、文中に「保険給付に係る保健医療サービス及び福祉サービスに関する施策」、「要介護状態等となることの予防又は要介護状態等の軽減若しくは悪化の防止のための施策」、「地域における自立した日常生活の支援のための施策」及び「医療及び居住に関する施策」の4つの施策が述べられていて、それらについて「有機的な連携」を図るとしていますので、「地域包括ケアシステム」を連想できればヒントとなると思います。

空欄Eについては、これを含むカッコ書が、「認知症」の説明であることを考慮して、選択肢の語群から選ぶとよいでしょう。

3 確定拠出年金法・確定給付企業年金法 Step-Up

チェック欄
1 ／
2 ／
3 ／

(1) 確定拠出年金法第88条第１項によれば、確定拠出年金運営管理業は、［ A ］の［ B ］**を受けた法人**でなければ、営んではならない。

(2) 確定拠出年金運営管理機関（上記(1)の［ B ］を受けて確定拠出年金運営管理業を営む者をいう。）は、主務省令で定める様式の**標識**について、営業所ごとに［ C ］とともに、その事業の規模が著しく小さい場合その他の主務省令で定める場合を除き、主務省令で定めるところにより、電気通信回線に接続して行う**自動公衆送信**（公衆によって直接受信されることを目的として公衆からの求めに応じ自動的に送信を行うことをいい、放送又は有線放送に該当するものを除く。）により**公衆の閲覧**に供しなければならない。

(3) 確定給付企業年金法第57条によれば、確定給付企業年金の掛金の額は、給付に要する費用の額の予想額及び［ D ］の額に照らし、厚生労働省令で定めるところにより、将来にわたって［ E ］を保つことができるように計算されるものでなければならない。

選択肢

① 認可　② 登録　③ 承認　④ 許可
⑤ 財務大臣　⑥ 財政の均衡　⑦ 積立金
⑧ 主務大臣　⑨ 雇用の安定　⑩ 備え付ける
⑪ 厚生労働大臣　⑫ 一定以上の生活水準
⑬ 予定運用収入　④ 企業年金の運用実績
⑮ 都道府県知事　⑯ 労働者に周知させる
⑰ 給与水準の安定　⑱ 加入者等に係る責任準備金
⑲ 加入者に交付する　⑳ 公衆の見やすい場所に掲示する

解答

A ▶ ⑧ 主務大臣
B ▶ ② 登録
C ▶ ⑳ 公衆の見やすい場所に掲示する
D ▶ ⑬ 予定運用収入
E ▶ ⑥ 財政の均衡

根拠条文等
確定拠出年金法3条3項4号、法88条1項、法94条1項、確定給付企業年金法57条

解き方アドバイス

空欄Aの「⑧ 主務大臣」は、厚生労働大臣及び内閣総理大臣です。空欄D及び空欄Eは、公的年金制度の財政検証を連想して正解肢を選びたいところです。

4 社会保険労務士法 Step-Up

チェック欄
1 ／
2 ／
3 ／

(1) 社会保険労務士は、国又は地方公共団体の公務員として職務上取り扱った事件及び[A]手続により[A]人として取り扱った事件については、その業務を行ってはならない。

(2) 厚生労働大臣は、社会保険労務士法第25条の2（不正行為の指示等を行った場合の懲戒）又は同法第25条の3（一般の懲戒）の規定による[B]の懲戒処分をしようとするときは、行政手続法第13条第1項の規定による意見陳述のための手続の区分にかかわらず、**聴聞**を行わなければならない。

(3) 厚生労働大臣は、同法第25条の2又は同法第25条の3の規定による懲戒処分に係る聴聞を行うに当たっては、その期日の[C]**前まで**に、行政手続法第15条第1項の規定による**通知**をし、かつ、聴聞の期日及び場所を公示しなければならない。

(4) 上記(3)の聴聞の期日における審理は、[D]行わなければならない。

(5) 厚生労働大臣は、同法第25条の2又は同法第25条の3の規定により懲戒処分をしたときは、**遅滞なく**、その旨を、その理由を付記した書面により当該社会保険労務士に**通知**するとともに、[E]なければならない。

選択肢

① 調停	② 戒告	③ 国会に報告し
④ 仲介	⑤ 1週間	⑥ 戒告又は失格処分
⑦ 5日	⑧ 2週間	⑨ 官報をもって公告し
⑩ 1月	⑪ 公表し	⑫ 戒告又は業務の停止
⑬ 仲裁	⑭ あっせん	⑮ 資格審査会において
⑯ 公開により	⑰ 業務の停止又は失格処分	
⑱ 非公開で	⑲ 社会保障審議会に諮問して	
⑳ 懲戒事由の再発を防ぐための措置を公示し		

進捗チェック

労基	安衛	労災	雇用	労一

解答

A ▶ ⑬　仲裁
B ▶ ⑫　戒告又は業務の停止
C ▶ ⑤　１週間
D ▶ ⑯　公開により
E ▶ ⑨　官報をもって公告し

根拠条文等
法22条１項、
法25条の４、
法25条の５

解き方アドバイス

空欄Ｂ及び空欄Ｃについて、懲戒処分は、行政手続法の規定による「不利益処分」に当たるため、原則として同法の規定により手続を踏むことになりますが、同法による原則によれば、社会保険労務士法の規定による懲戒処分のうち、資格又は地位をはく奪する不利益処分に該当する「失格処分」のみが、「聴聞」の対象となるところ、社労士法25条の４の規定に基づく聴聞の特例として、「⑫　戒告又は業務の停止」の処分についても「聴聞」の対象としています。問題文(2)は、聴聞の特例に関する規定ですので、この特例の適用がなくても聴聞の対象となる「失格処分」については、空欄Ｂには入らないことになります。

5 国民健康保険法・生活保護制度 Step-Up

チェック欄
1 ／
2 ／
3 ／

※(2)の文章は、令和6年版厚生労働白書を参照している。

(1) 国民健康保険法施行令第29条の7では、市町村（特別区を含む。）が徴収する世帯主に対する国民健康保険料の賦課額は、世帯主の世帯に属する被保険者につき算定した**基礎賦課額**、**後期高齢者支援金等賦課額**及び**介護納付金賦課額**の合算額とすると規定しており、保険料の賦課額のうち、基礎賦課額については、［ A ］を超えることはできないことを規定している。

(2) **生活保護**制度は、その利用し得る資産や能力その他あらゆるものを活用してもなお生活に困窮する者に対して、その困窮の程度に応じた必要な保護を行うことにより、**健康で文化的な**［ B ］生活を保障するとともに、その［ C ］する制度であり、社会保障の最後のセーフティネットと言われている。

保護の種類には、［ D ］、住宅扶助、医療扶助等の8種類があり、それぞれ日常生活を送る上で必要となる食費や住居費、病気の治療費などについて、必要な限度で支給されている。

2024（令和6）年2月時点の生活保護受給者数は約［ E ］人（保護率1.63%）であり、対前年同月比は2015（平成27）年9月以降、約8年連続でマイナスとなっており、**減少傾向**にある。

選択肢

① 186万	② 202万	③ 354万	④ 525.8万
⑤ 20万円	⑥ 65万円	⑦ 85万円	⑧ 102万円
⑨ 育児扶助	⑩ 最低限度の	⑪ 必要に応じた	
⑫ 扶養扶助	⑬ 就労を促進	⑭ 人たるに値する	
⑮ 就労扶助	⑯ 自立を助長	⑰ 有する能力を支援	
⑱ 生活扶助	⑲ 必要最低限の	⑳ 健康を保持・増進	

解答

A ► ⑥ 65万円
B ► ⑩ 最低限度の
C ► ⑯ 自立を助長
D ► ⑱ 生活扶助
E ► ② 202万

根拠条文等
令29条の7,1項、2項9号、令和6年版厚生労働白書P270

〈問題文(1)の用語〉
- 基礎賦課額…国民健康保険事業に要する費用（後期高齢者支援金等及び介護納付金の納付に要する費用を除く。）に充てるための賦課額
- 後期高齢者支援金等賦課額…後期高齢者支援金等の納付に要する費用に充てるための賦課額
- 介護納付金賦課額…介護納付金の納付に要する費用に充てるための賦課額

6 年金制度・社会保障協定 Step-Up

チェック欄
1 ／
2 ／
3 ／

※次の文章は、令和6年版厚生労働白書を参照している。

(1) 年金制度では、少なくとも[A]**に一度**、将来の人口や経済の前提を設定した上で、長期的な年金財政の見通しやスライド調整期間の見通しを作成し、年金財政の健全性を検証する「**財政検証**」を行っている。

2019年財政検証では、幅の広い6ケースの経済前提を設定し、どのような経済状況の下ではどのような年金財政の姿になるのかということを幅広く示し、また、一定の制度改正を仮定したオプション試算※を行うことで、[B]性や年金水準の確保のためにどのような対応があり得るのかなどを検証した。

この結果、経済成長と労働参加が進むケースでは、今の年金制度の下で、将来的に**所得代替率**[C]の給付水準が確保できることが確認された。また、オプション試算の結果、被用者保険の更なる適用拡大、就労期間・加入期間の延長、受給開始時期の選択肢の拡大といった制度改正を行うことが年金の給付水準を確保する上でプラスの効果を持つことが確認された。

(2) 海外在留邦人等が日本と外国の年金制度等に加入し[D]ことを防ぎ、また、両国での年金制度の加入期間を**通算**できるようにすることを目的として、外国との間で**社会保障協定**の締結を進めている。2000（平成12）年2月に[E]との間で協定が発効して以来、2024（令和6）年4月のイタリアとの間の協定に至るまで、23か国との間で協定が発効している。

選択肢

① 2年	② 3年	③ 30%	④ 40%
⑤ 5年	⑥ 6年	⑦ 50%	⑧ 60%
⑨ 韓国	⑩ 普遍	⑪ 恒常	⑫ 安定
⑬ ドイツ	⑭ 二重に年金を受給する		
⑮ イギリス	⑯ 保険料を二重に負担する		
⑰ アメリカ	⑱ 年金を受け取ることができない		
⑲ 持続可能	⑳ 保険料を納付することができない		

解答

A ▶ ⑤　5年

B ▶ ⑲　持続可能

C ▶ ⑦　50%

D ▶ ⑯　保険料を二重に負担する

E ▶ ⑬　ドイツ

根拠条文等

令和6年版厚生労働白書P283、291、292

※オプションの内容は、①被用者保険の更なる適用拡大及び②保険料拠出期間の延長と受給開始時期の選択とされている。

問題文(2)の社会保障協定の2024（令和6）年4月現在の締結状況は、以下のようになっています。

協定発効済み（カッコ内は発効時期）**23か国**
ドイツ（2000年2月）、英国（2001年2月）、大韓民国（2005年4月）、アメリカ（2005年10月）、ベルギー（2007年1月）、フランス（2007年6月）、カナダ（2008年3月）、オーストラリア（2009年1月）、オランダ（2009年3月）、チェコ（2009年6月）、スペイン（2010年12月）、アイルランド（2010年12月）、ブラジル（2012年3月）、スイス（2012年3月）、ハンガリー（2014年1月）、インド（2016年10月）、ルクセンブルク（2017年8月）、フィリピン（2018年8月）、スロバキア（2019年7月）、中国（2019年9月）、フィンランド（2022年2月）、スウェーデン（2022年6月）、イタリア（2024年4月）
協定署名済み（カッコ内は署名時期）**1か国**
オーストリア（2024年1月）

MEMO

MEMO

MEMO

MEMO

執筆者

労働基準法……………………………………………………伊藤　修登
労働安全衛生法…………………………………………………如月　時子
労働者災害補償保険法…………………………………………関根　愛可
雇用保険法……………………………………………………金子　絵里
労務管理その他の労働に関する一般常識……………………満場　　賢
健康保険法……………………………………………………小泉　　悟
国民年金法……………………………………………………大原　　寛
厚生年金保険法…………………………………………………川島　隆良
社会保険に関する一般常識……………………………………如月　時子

みんなが欲しかった！　社労士シリーズ

2025年度版
みんなが欲しかった！　社労士合格のツボ　選択対策

（1995年4月1日　初版　第1刷発行）

2024年11月9日　初　版　第1刷発行

編著者　ＴＡＣ株式会社
（社会保険労務士講座）
発行者　多田敏男
発行所　TAC株式会社　出版事業部
（TAC出版）

〒101-8383
東京都千代田区神田三崎町3-2-18
電 話 03（5276）9492（営業）
FAX 03（5276）9674
https://shuppan.tac-school.co.jp

組　版　株式会社グラフト
印　刷　日新印刷株式会社
製　本　東京美術紙工協業組合

ISBN 978-4-300-11365-3
N.D.C. 364

社会保険労務士講座

2025年合格目標 開講コース

学習レベル・スタート時期にあわせて選べます!

初学者対象
順次開講中
まずは年金から着実に学習スタート!
総合本科生Basic(ベーシック)
初めて学ぶ方も無理なく合格レベルに到達できるコース。Basic講義で年金科目の基礎を理解した後は、労働基準法から効率的に基礎力&答案作成力を身につけます。

初学者対象
順次開講中
Basic講義つきのプレミアムコース!
総合本科生Basic+Plus(ベーシック)(プラス)
大好評のプレミアムコース「総合本科生Plus」に、Basic講義がついたコースです。Basic講義から直前期のオプション講義まで豊富な内容で合格へ導きます。

初学者・受験経験者対象
2024年9月より順次開講
基礎知識から答案作成力まで一貫指導!
総合本科生
長年の指導ノウハウを凝縮した、TAC社労士講座のスタンダードコースです。【基本講義 → 実力テスト → 本試験レベルの答練】と、効率よく学習を進めていきます。

初学者・受験経験者対象
2024年9月より順次開講
充実度プラスのプレミアムコース!
総合本科生Plus(プラス)
「総合本科生」を更に充実させたプレミアムコースです。「総合本科生」のカリキュラムを詳細に補足する講義を加え、充実のオプション講義で万全な学習態勢です。

受験経験者対象
2024年10月より順次開講
今まで身につけた知識を更にレベルアップ!
上級本科生
受験経験者(学習経験者)専用に独自開発したコース。受験経験者専用のテキストを用いた講義と問題演習を繰り返すことによって、強固な基礎力に加え応用力を身につけていきます。

受験経験者対象
2024年11月より順次開講
インプット期から十分な演習量を実現!
上級演習本科生
コース専用に編集されたハイレベルな演習問題をインプット期から取り入れ、解説講義を行いながら知識を確認していくことで、受験経験者の得点力を更に引き上げていきます。

初学者・受験経験者対象
2024年10月開講
合格に必要な知識を効率よくWebで学習!
スマートWeb本科生(ウェブ)
「スマートWeb」ならではの効率良いスマートな学習が可能なコースです。テキストを持ち歩かなくても、隙間時間にスマホ一つで楽しく学習できます。

※上記コースは諸般の事情により、開講月が変更となる場合がございます。

詳細はTAC HPまたは2025年合格目標パンフレットにてご確認ください。

ライフスタイルに合わせて選べる3つの学習メディア

【通 学】 教室講座・ビデオブース講座　【通 信】 Web通信講座

※「総合本科生」のみDVD通信講座もご用意しております。
※「スマートWeb本科生」はWeb通信講座のみの取り扱いとなります。

TAC出版

(2024年2月現在)

書籍のご購入は

1 全国の書店、大学生協、ネット書店で

2 TAC各校の書籍コーナーで

資格の学校TACの校舎は全国に展開!
校舎のご確認はホームページにて

資格の学校TAC ホームページ
https://www.tac-school.co.jp

3 TAC出版書籍販売サイトで

24時間
ご注文
受付中

TAC 出版 で 検索

https://bookstore.tac-school.co.jp/

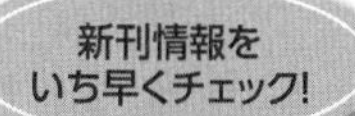

たっぷり読める
立ち読み機能

学習お役立ちの
特設ページも充実!

TAC出版書籍販売サイト「サイバーブックストア」では、TAC出版および早稲田経営出版から刊行されている、すべての最新書籍をお取り扱いしています。
また、会員登録(無料)をしていただくことで、会員様限定キャンペーンのほか、送料無料サービス、メールマガジン配信サービス、マイページのご利用など、うれしい特典がたくさん受けられます。

サイバーブックストア会員は、特典がいっぱい!(一部抜粋)

通常、1万円(税込)未満のご注文につきましては、送料・手数料として500円(全国一律・税込)頂戴しておりますが、1冊から無料となります。

専用の「マイページ」は、「購入履歴・配送状況の確認」のほか、「ほしいものリスト」や「マイフォルダ」など、便利な機能が満載です。

メールマガジンでは、キャンペーンやおすすめ書籍、新刊情報のほか、「電子ブック版TACNEWS(ダイジェスト版)」をお届けします。

書籍の発売を、販売開始当日にメールにてお知らせします。これなら買い忘れの心配もありません。

書籍の正誤に関するご確認とお問合せについて

書籍の記載内容に誤りではないかと思われる箇所がございましたら、以下の手順にてご確認とお問合せをしてくださいますよう、お願い申し上げます。
なお、正誤のお問合せ以外の**書籍内容に関する解説および受験指導などは、一切行っておりません。**
そのようなお問合せにつきましては、お答えいたしかねますので、あらかじめご了承ください。

1 「Cyber Book Store」にて正誤表を確認する

TAC出版書籍販売サイト「Cyber Book Store」のトップページ内「正誤表」コーナーにて、正誤表をご確認ください。

CYBER BOOK STORE TAC出版書籍販売サイト

URL:https://bookstore.tac-school.co.jp/

2 1の正誤表がない、あるいは正誤表に該当箇所の記載がない ⇒ 下記①、②のどちらかの方法で文書にて問合せをする

★ご注意ください★

お電話でのお問合せは、お受けいたしません。
①、②のどちらの方法でも、お問合せの際には、「お名前」とともに、
「対象の書籍名（○級・第○回対策も含む）およびその版数（第○版・○○年度版など）」
「お問合せ該当箇所の頁数と行数」
「誤りと思われる記載」
「正しいとお考えになる記載とその根拠」
を明記してください。
なお、回答までに1週間前後を要する場合もございます。あらかじめご了承ください。

① ウェブページ「Cyber Book Store」内の「お問合せフォーム」より問合せをする

【お問合せフォームアドレス】

https://bookstore.tac-school.co.jp/inquiry/

② メールにより問合せをする

【メール宛先　TAC出版】

syuppan-h@tac-school.co.jp

※土日祝日はお問合せ対応をおこなっておりません。
※正誤のお問合せ対応は、該当書籍の改訂版刊行月末日までといたします。

乱丁・落丁による交換は、該当書籍の改訂版刊行月末日までといたします。なお、書籍の在庫状況等により、お受けできない場合もございます。
また、各種本試験の実施の延期、中止を理由とした本書の返品はお受けいたしません。返金もいたしかねますので、あらかじめご了承くださいますようお願い申し上げます。

TACにおける個人情報の取り扱いについて
■お預かりした個人情報は、TAC（株）で管理させていただき、お問合せへの対応、当社の記録保管にのみ利用いたします。お客様の同意なしに業務委託先以外の第三者に開示、提供することはございません（法令等により開示を求められた場合を除く）。その他、個人情報保護管理者、お預かりした個人情報の開示等及びTAC（株）への個人情報の提供の任意性については、当社ホームページ（https://www.tac-school.co.jp）をご覧いただくか、個人情報に関するお問い合わせ窓口（E-mail:privacy@tac-school.co.jp）までお問合せください。

（2022年7月現在）